i grandi libri Garzanti

Niccolò Machiavelli

Il Principe
e altre opere politiche

Introduzione di Delio Cantimori
Note di Stefano Andretta

Garzanti

I edizione: ottobre 1976
XIII edizione: febbraio 1993

Niccolò Machiavelli   la vita

profilo storico-critico
dell'autore e dell'opera

guida bibliografica

Niccolò Machiavelli in un'incisione del XVI secolo.

La vita e l'opera

Niccolò Machiavelli nacque a Firenze nel 1468 da antica famiglia originaria di Montespertoli; della sua giovinezza poco sappiamo, se non che ebbe una normale educazione umanistica, comune a tutti i borghesi del tempo. Dal 1498 al 1512 occupò l'incarico di segretario della seconda cancelleria della segreteria della Repubblica fiorentina, una sorta di ministero della guerra e degli interni, alla dipendenza dei Dieci di Balìa. Dapprima gli venne affidato l'incarico di stilare lettere ufficiali per conto della segreteria della Repubblica, ma in seguito divenne di fatto il Segretario fiorentino ed in tale veste compì numerose legazioni in Italia e in Europa. Nel 1500 fu mandato a Pisa per sedare una ribellione di soldati mercenari; si recò quindi in Francia alla corte di Luigi XII (dove poi ritornò altre tre volte dal 1504 al 1511) allo scopo di perorare la causa del suo governo. Nel 1502 fu a Urbino e a Senigaglia presso Cesare Borgia, il Duca Valentino, il futuro eroe della sua immaginazione politica. Altri viaggi diplomatici lo portarono nel 1503 e nel 1506 a Roma, nel 1507 presso l'imperatore Massimiliano. Nel 1512 gli spagnoli restaurarono in Toscana la signoria medicea e il cardinale Giovanni de' Medici assunse i pieni poteri in Firenze; a ciò fece seguito l'immediato allontanamento di Machiavelli dai pubblici uffici, nonostante l'atto di sottomissione ch'egli si era abilmente affrettato a formulare. Condannato per un anno al confino, si ritirò in una sua villa, l'Albergaccio, nei pressi di San Casciano in Val di Pesa. Qui, pur mortificato in un malinconico isolamento e forzatamente lontano dalla politica attiva, seppe reagire allo sconforto e impiegò gran parte del suo tempo a redigere le sue opere più importanti, fra cui il *Principe*. Solo di rado scendeva a Firenze, soprattutto per partecipare alle adunanze che un gruppo di umanisti tenevano nei giardini del Rucellai, i famosi Orti Oricellari. Per il resto la sua vita era quella dell'Albergaccio, divisa fra l'ingaglioffimento rusticano e la privata esaltazione umanistica, come egli stesso spiega in una notissima lettera all'amico Francesco Vettori.

In lui, tuttavia, non era ancora spento il desiderio di far ritorno ai pubblici uffici. Nel 1519 redasse un progetto di riforma costituzionale; nel 1520 ricevette l'offerta di scrivere una storia di Firenze per iniziativa del cardinale Giulio de' Medici; nel 1525, infine, divenne segretario della magistratura dei Procuratori delle mura. Morì l'anno in cui la repubblica fu ricostituita a Firenze. Inutilmente aveva tentato di riottenere il suo ufficio: la collaborazione prestata negli ultimi tempi alla signoria lo aveva messo in sospetto presso il governo repubblicano.

Le opere politiche di Machiavelli comprendono innanzitutto le *Legazioni*, le *Commissarie*, gli *Scritti di governo* (tuttora in corso di pubblicazione), vale a dire tutta la corrispondenza diplomatica intercorsa, nel periodo 1500-12, fra lo scrittore «in missione» e la segreteria del governo repubblicano. Dello stesso periodo sono i trattati, gli abbozzi od opuscoli che costituiscono il primo tentativo di meditazione storica a cui il Machiavelli sottopose la propria prassi politica: *Del modo di trattare i popoli della Valdichiana ribellati* (1502), *Descrizione del modo tenuto dal duca Valentino nello ammazzare Vitellozzo Vitelli, Oliverotto da Fermo, il signor Pagolo e il duca di Gravina Orsini* (1503), *Rapporto delle cose della Magna* (1508), *Ritratto di cose di Francia* (1510), *Ritratto delle cose della Magna* (1512).

Al periodo dell'esilio campagnolo appartengono i più noti capolavori di Machiavelli : *Discorsi sopra la prima deca di Tito Livio* (1513-21), *Il Principe* (1513), *Dell'arte della guerra* (1519-20). Nei *Discorsi*, concepiti come commento puntuale alla narrazione liviana e disorganicamente composti in 3 libri, l'accento è posto sull'origine, l'organizzazione e la decadenza di uno stato la cui forma privilegiata sembra essere quella repubblicana, armonizzatrice delle tendenze e degli interessi particolaristici. Nel *Principe*, scritto in 26 piccoli capitoli e dedicato a Lorenzo di Piero de' Medici duca di Urbino, le rivoluzionarie intuizioni di Machiavelli puntano soprattutto a mettere in luce l'indipendenza delle categorie dell'utile e del pratico rispetto a quelle etico-confessionali: tutto ciò come premessa al ritratto ideale del Principe, individuo virtuoso, creatore assoluto dello stato inteso come compiuta costruzione «artistica».

Dopo i 7 libri dell'*Arte della guerra*, di contenuto ovviamente più tecnico, attraversati dal ricorrente motivo polemico contro le truppe mercenarie, Machiavelli pose mano alle opere di carattere più marcatamente storico: la *Vita di Castruccio Castracani* (1520) e le *Istorie fiorentine* (1520-25). Anche in queste opere, l'intenzione politica e parenetica ha il sopravvento sul rigore cronologico e sulla disamina obiettiva dei fatti. Come nei *Discorsi* e nel

Principe, il ricorso all'esempio degli antichi, alla storia degli ebrei, dei greci o dei romani, non è altro che il pretesto funzionale per la messa a fuoco dei principi di fondo dell'ideologia machiavelliana.

Un posto a parte e di grande rilievo nell'opera di Machiavelli occupano gli scritti letterari. In primo luogo il teatro: la traduzione dell'*Andria* di Terenzio, di datazione incerta: la *Mandragola* (1518), uno dei capolavori del teatro cinquecentesco, attraverso la cui prosa aderente e pratica si delinea una vicenda comica all'apparenza, ma amara e pessimistica nel significato ultimo, e la *Clizia* (1525), esemplata sulla *Casina* di Plauto. Fra le opere in poesia, oltre ai giovanili *Canti carnascialeschi* e le *Rime varie*, sono da ricordare il poemetto autobiografico-allegorico l'*Asino d'oro* (1514?), suggerito dalla favola dialogata di Plutarco *Il Grillo*; i due *Decennali* (1504-1506), scritti in terzine di endecasillabi ad esporre annalisticamente la storia d'Italia a partire dal 1494; *I Capitoli* (?), ancora in terzine, rispettivamente intitolati: *Di Fortuna, Dell'Ingratitudine, Dell'Ambizione, Dell'Occasione*. Fra gli scritti in prosa ricordiamo *Belfagor arcidiavolo*, novella scherzosa sopra il matrimonio e le disgrazie che esso comporterebbe, e il *Dialogo intorno alla lingua* (1515?), di incerta attribuzione. Un interessante e variopinto epistolario di oltre 300 lettere, infine, aiuta il lettore moderno nella ricostruzione della personalità dello scrittore.

Un pessimismo eroico muove le pagine di Machiavelli e un'amarezza indomabile le rende affascinanti e sempre aderenti alla misura dell'impegno ideologico. I *Discorsi* e il *Principe* appaiono stretti da resistenti vincoli di interdipendenza e di reciproca integrazione: i primi diacronicamente disposti ad accogliere generalità e pluralismi, ad intendere lo stato nella sua immutabilità al di là dei casi e degli individui, facendo risaltare più la tradizione e il giudizio etico sulle leggi che non il mero prammatismo; il *Principe*, invece, pur con una intonazione ancora didattica, volto perentoriamente, nella sua tagliente stringatezza, a proiettare un esempio, un archetipo, sgombrando il campo una volta per sempre dall'ambiguità etica di un Medioevo ormai tramontato. La stessa drammatica determinazione ritroviamo nel teatro, soprattutto nella *Mandragola*. Anche nella *Mandragola*, come nel *Principe*, la vittoria è degli uomini virtuosi, l'interesse individuale spezza pessimisticamente ogni dinamica umana; lo scherzo scompare di fronte al materialismo protervo di tutta la vicenda. Nata per un piacere dilettantesco dell'autore, la commedia diviene così corollario emblematico dell'opera del politico e dello storico.

R.G.

*Riproduciamo quasi integralmente (sono stati tolti solo al-
cuni brani antologici) il testo che Delio Cantimori ha scritto per il vol.* Il Cinquecento *della* Storia della letteratura
italiana *diretta da E. Cecchi e N. Sapegno (Milano, Garzanti, 1966) e che resta uno dei contributi più importanti
sul pensiero storico e politico del Machiavelli.*

Cultura, ideologia, esperienza politica

*Il ritorno dei
Medici*

Niccolò Machiavelli, nel dedicare a Zanobi Buondelmonti e a Cosimo Rucellai i *Discorsi sopra la prima deca
di Tito Livio*, dichiarava di avere in quello scritto dato il
succo di quanto sapeva e di quanto aveva appreso per
lunga pratica e continua lettura «delle cose del mondo»,
cioè della vita politica «lunga pratica», della storia politica «continua lettura». Nel 1518-1519, quando è presu-
mibile fosse scritta questa dedicatoria,[1] il Machiavelli
aveva certo dietro di sé una notevole esperienza, invero
più di osservatore, come «segretario» spesso inviato in
missioni diplomatiche e politiche, delicate e di alta responsabilità, ma sempre come segretario; dunque osservatore in buona posizione, ma non mai partecipe di primo piano, attivo e responsabile direttamente neppur come ambasciatore: nonostante l'ingegno, l'acutezza e la
dottrina che gli venivan riconosciuti, il Machiavelli non
fu mai chiamato agli uffici maggiori della repubblica fiorentina che egli servì dal 1498 al 1512.[2] Dopo che i Medici ritornati l'ebbero fatto scacciare da ogni ufficio, la
lettura e la riflessione sulla storia e sulle istituzioni politiche antiche, specialmente di Roma repubblicana, e sulla storia e sulle istituzioni politiche e sul carattere delle
popolazioni italiane ed europee a lui contemporanee,
erano destinate ad assumere carattere di maggiore continuità, poichè erano finite le mansioni che l'avevano tenuto occupato in viaggi di reclutamento nel contado fiorentino, in missioni presso l'imperatore, presso il papa,
presso il Cristianissimo, o nel quotidiano lavoro di cancelliere ed estensore di missive. Nel 1518 il Machiavelli
non aveva ormai moltissimi anni di vita davanti a sé e
non poteva forse neppure immaginare che pochi anni

1 A. Gerber, *Niccolò Machiavelli. Die Handschriften, Ausgaben und Übersetzungen seiner Werke im 16. und 17. Jahrhundert (mit 147 Faksimiles und zahlreichen
Auszügen. Erster Teil: Die Handschrifte:t)*, Gotha 1912, pp. 27-29. Sulla composizione dei *Discorsi* si veda la comunicazione di C. Pincin, *Sul testo del Machiavelli. La prefazione alla prima parte dei «Discorsi»*, in «Atti dell'Accademia delle
Scienze di Torino», Classe di Scienze morali, storiche e filologiche, vol. 94
(1959), disp. 2, Torino 1960, pp. 506-518; e del medesimo *Sul testo del Machiavelli. I «Discorsi sopra la prima deca di Tito Livio»*, in «Atti dell'Accademia delle
Scienze di Torino», Classe di Scienze morali, storiche e filologiche, vol. 96
(1961-1962), disp. 1, Torino 1962, pp. 71-178.
2 R. Ridolfi, *Vita di Niccolò Machiavelli*, Roma 1954, pp. 24 sgg., 201. Per l'esat-
tezza occorrerebbe ricordare gli anni di servizio dal 1521 al 1527, ma si tratta di
incarichi saltuari e di scarsa importanza. Al suo posto di «segretario» il Machiavelli non tornò più.

dopo quella dedica, nel 1522, Zanobi sarebbe stato implicato in una congiura antimedicea e avrebbe dovuto salvarsi con la fuga in Francia, mentre giovanissimo, nel 1519, era morto Cosimo Rucellai.[1] Negli atti del processo della congiura del 1522 era stato fatto anche il nome del Machiavelli, ma egli non vi fu coinvolto direttamente dalla magistratura, come era avvenuto nel 1512, al tempo della congiura che prese poi il nome da Pier Paolo Boscoli. Nel 1512 il Machiavelli aveva fatto così anche un'altra dura, se pur breve, pratica, quella del carcere e della tortura.[2]

Intanto, la congiura e il processo del 1522 avevano fatto cessare quelle riunioni negli Orti dei Rucellai che si possono collegare idealmente non solo alla Accademia platonica ficiniana, ma anche alle dotte ed umane conversazioni nel *Paradiso* degli Alberti, di più d'un secolo prima. Le conversazioni degli Orti Oricellari degli anni dopo il 1515-1516 hanno lasciato di sé un lungo quasi mitico ricordo, per le discussioni che vi si sarebbero fatte, come ultime propaggini del grande Umanesimo quattrocentesco e insieme perché sarebbero stati gli ultimi convegni dove si parlasse ancora di «libertà» fiorentina e di «libertà d'Italia».[3] Erano discussioni di carattere certo più entusiastico, almeno formalmente, d'azione immediata, e d'altra parte meno filosofico e più empirico pratico-spicciolo, di quelle antiche; erano sorrette forse più da un gusto giovanile e ingenuo di esplorazione e imitazione che dal senno civile e dalla serietà d'un Coluccio Salutati: tuttavia han lasciato qualche memoria, fra le ombre livide e violette del tramonto, anche per il vermiglio del sangue versato sul patibolo da qualche generoso giovane amico o ammiratore del Machiavelli: più noto, non unico, il Boscoli, che pur doveva avere qualche stima e fiducia nel Machiavelli, se l'aveva inserito nelle sue liste. Al coraggio per passione politica nell'affrontare la decapitazione si accompagnano, nella mente del Boscoli, riflessioni, dubbi, incertezze e una certa angoscia di tipo teologico, cioè di quel tipo di interesse religioso che è abbastanza frequente fra le persone di qualche cultura in quegli anni. Non si allude qui alla troppo nota esclamazione: «Cavatemi dalla testa Bruto, acciò ch'io faccia questo passo interamente da cristiano»,[4] quanto alla preoccupazione evidente del narratore che vuole attestare la volontà di ortodossia cattolica dell'amico; oppure

---

1 R. Ridolfi, op. cit., pp. 254 sgg.
2 R. Ridolfi, op. cit., p. 206. *Lettere*, a cura di F. Gaeta, Milano 1961, n. 120, p. 232; n. 122, p. 234.
3 R. Ridolfi, op. cit., pp. 303-304.
4 Luca Della Robbia, *La morte di Pietro Paolo Boscoli*, a cura di R. Bacchelli, Firenze 1943, p. 80.

ad indicazioni sintomatiche, come quella che le cognizioni di dottrina cattolica del Boscoli si riducessero di fatto al «credo piccolo»; cioè a quel «simbolo apostolico» al quale nei prossimi imminenti decenni vari eretici italiani dovevano ridurre consapevolmente, nello sforzo di ritrovare un fondamento dottrinale comune che permettesse la pace religiosa, la sostanza della fede cristiana. Fra qualche decennio le strade della riflessione politica e civile e quelle della riflessione anche soltanto della formulazione teologica e letteraria o poetica del sentimento religioso, saranno del tutto separate e divergenti, spesso anche negli italiani. Ma ora, in Italia e in Firenze, agli inizi del secolo, la separazione non è ancora stata provocata dalle azioni di altri uomini, dagli eventi di altri paesi; la riflessione politica, la riflessione sulle cose della fede cristiana e della Chiesa, e anche spesso la speculazione teologica, non sono sempre distaccate, sciolte l'una dall'altra, anche se non sempre strettamente connesse per logica formale: né nel sentimento appassionato del Boscoli né nelle rapide e spesso sprezzanti annotazioni del Machiavelli. E non si tratta soltanto delle clamorose memorie savonaroliane (certo queste hanno finito con l'assumere, già nel corso del Cinquecento, un significato eminente, quasi paradigmatico, per via del nesso fra tradizione «piagnona» e nostalgie repubblicane in Firenze e del rapporto evidente con casi miticamente e apocalitticamente scandalosi come il pontificato di Alessandro VI, o catastrofici come la spedizione di Carlo VIII), ma anche dell'affermarsi, che si ebbe nel corso del secolo, della lingua e della cultura toscana nella vita letteraria italiana, e della preponderanza fortissima che proprio la tradizione culturale fiorentina venne ad avere nella cultura toscana. La polarizzazione della vita religiosa italiana attorno alla tradizione savonaroliana è rimasta in eredità non solo alla devozione e alla pietà fiorentina del Cinquecento, ma anche alla storiografia dei secoli seguenti, mentre il fermento e l'inquietudine religiosa erano ben più vasti, ancor prima che la scissione ecclesiastica aperta pubblica e clamorosa iniziata da Martin Lutero avesse servito a rivelare, anche negli Stati della penisola, possibilità e speranze fino ad allora isolate o celate.

Machiavelli e la religione Basterà ricordare di sfuggita che ancor oggi si continua a discutere fra studiosi se il Machiavelli fosse stato o non fosse stato entusiasta del frate, e quanto, e fino a che punto; tuttavia è un fatto che l'interesse per la religione, sia pure intesa in un modo particolare, si presenta in Machiavelli, fin dal proemio al libro I dei *Discorsi*, connesso strettamente con quello per la vita politica e per la storia romana:

XII

... non si truova principe né republica che agli esempli delli antiqui ricorra. Il che credo che nasca non tanto dalla debolezza nella quale la presente religione ha condotto el mondo... quanto dal non avere vera cognizione delle storie,[1]

perché non se ne sa trarre né il senso né il vero significato. E subito nello stesso I libro dei *Discorsi*, dopo i capitoli introduttivi e quelli di impostazione dell'opera, troviamo un gruppo di discorsi sulla religione dei Romani; quello notissimo: «Di quanta importanza sia tenere conto della Religione, e come la Italia, per esserne mancata mediante la Chiesa Romana, è rovinata»,[2] fa parte di una serie di capitoli giustapposti dedicati alla religione, intendendo questa soprattutto come origine di semplicità di costumi e moralità pubblica, e quindi come garanzia di energia e devozione ai capi, sino al sacrificio e sino quasi al fanatismo superstizioso, come è evidente per il caso dei Sanniti.

In Italia, dopo la scomparsa dei Romani l'interesse per la religione fa spesso tutt'uno, anche in Machiavelli, con quello per la Chiesa cattolica, per la presenza della curia, la quale con la sua avidità e la sua corruzione, ha fatto perdere ogni religione agli Italiani, mentre se la religione cristiana fosse stata mantenuta fedele ai principi originari dai capi della Chiesa «sarebbero gli stati e le repubbliche cristiane più unite, più felici assai che le non sono». Osservazioni di questo tipo non si trovano solo in quella serie iniziale, ma sono sparse, in varia forma, in tutti gli scritti del Machiavelli: nei *Discorsi*, al capitolo LV, egli confronta la «bontà» e la «religione» dei Romani dei tempi di Camillo con la corruzione dell'Italia sua contemporanea, che gli appare completa, e con quella, parziale, della Francia e della Spagna, di contro alla «bontà» e «religione» delle città tedesche. In Francia e in Spagna c'è un re che mantiene uniti i popoli, e non solo per capacità propria e individuale o «virtù» di questo o quel sovrano, ma «per l'ordine di quegli regni che ancora non sono guasti». Ma nelle parti della Germania che il Machiavelli ha conosciuto c'è di più:

Vedesi bene nella provincia della Magna questa bontà e questa religione ancora in quelli popoli essere grande; la quale fa che molte repubbliche vi vivono libere, ed in modo osservono le loro leggi che nessuno di fuori né di dentro ardisce occuparle.

1 *Il Principe e Discorsi sopra la prima deca di Tito Livio*, con introduzione di Giuliano Procacci e a cura di Sergio Bertelli, Milano 1960, p. 124 (citati d'ora in poi separatamente *Principe* e *Discorsi*).
2 *Discorsi*, I, 12, p. 163.

Non era un discorso teorico; infatti, allorchè il Machiavelli fu mandato a Pisa nell'autunno del 1511, per la sua ultima legazione, allo scopo di persuadere i cardinali ivi recatisi assieme a famosi giurisperiti e a quattrocento lance francesi, per aprire il concilio fatto convocare da Luigi XII contro Giulio II, e riuscì a convincerli a sospendere il concilio al più presto e a trasferirlo in terra di giurisdizione francese, egli ne riferiva ai suoi superiori con parole altrettanto semplici e dirette, in apparenza diverse, ma in sostanza informate allo stesso criterio di giudizio: l'argomento usato era stato questo: in Francia ed in Alemagna ci sono popoli più atti ad obbedire e a mostrar riverenza a un concilio di riforma che non in Toscana.

Qui non interessa che i cardinali del concilio pisano cedessero al ragionamento del Machiavelli per via dell'accenno che i «Dieci di pace e balìa», ai quali il Machiavelli si riferiva, non avrebbero cercato tale ubbidienza, o per via della ostilità delle popolazioni; quel che interessa è il discorso del Machiavelli, dettato da lucido e freddo raziocinio politico.

Fra i dottori del concilio c'era anche un famoso giurisperito, Filippo Decio, al quale papa Giulio II fece togliere per questa attività conciliare e titolo dottorale e titoli in curia che gli aveva conferito qualche anno prima; ed era stato professore prima di civile poi di canonico anche a Pisa, dove aveva avuto come discepolo il futuro Leone X; il Guicciardini lo chiamerà addirittura, qualche decennio più tardi, riferendo degli stessi avvenimenti, «uno de' più eccellenti giureconsulti di quell'età».

Il «conciliabolo» aveva tanto commosso gli animi in Europa (l'anno del concilio pisano è anche l'anno della prima edizione dell'*Elogio della follia* di Erasmo) ed aveva tanto preoccupato papa Giulio II da indurlo a convocare in Roma quel Concilio Lateranense Quinto che, come oggi si ritiene da molti studiosi, ha avuto notevole significato nella storia della vita religiosa cattolica del Cinquecento. Negli scritti pubblicati di Niccolò Machiavelli non c'è traccia di rispetto né per la solennità giuridica del «consilium» del Decio, che pure era destinato ad avere una certa risonanza, anche nei secoli seguenti, né delle rivendicazioni imperiali di Massimiliano I, né della commozione delle plebi pisane e milanesi in favore del pontefice contro i suoi nemici, e non si ricorda neppure il nome del celebre giureconsulto.

Non si può dire con certezza che tale indifferenza e tale distacco ci autorizzino a parlare d'ironia o sarcasmo propriamente irreligiosi, anche tenendo conto delle concezioni generali del Machiavelli sulla immutabilità della natura umana, o sulla «fortuna», o anche della sua lettura di Lucrezio;[1] si può ricordare che l'esposizione fredda e indifferente era lo stile del rapporto diplomatico, e, anche più, del resoconto d'un segretario e cancelliere ai suoi superiori e signori, unici autorizzati ad esprimere giudizi; ma ci sono troppe lettere, troppi capitoli delle sue opere, c'è la *Mandragola*, c'è la novella di *Belfagor*, ci sono troppi giudizi come quello celeberrimo del capitolo XI del *Principe*:

Costoro soli hanno stati, e non li defendano; suddili, e non li governano: e li stati, per essere indifesi, non sono loro tolti; e li suddili, per non essere governati, non se ne curano, né pensano né possono alienarsi da loro. Solo adunque questi principati sono sicuri e felici. Ma, sendo quelli retti da cagione superiore, alla quale mente umana non aggiugne, lascerò el parlarne; perché, sendo esaltati e mantenuti da Dio, sarebbe offizio di uomo prosontuoso e temerario discorrerne.[2] Un curiale nato a San Gimignano, protonotario apostolico, aveva argomentato, in un capitolo del suo *De Cardinalatu* (1510), che la Chiesa, governata dal papa e dal collegio cardinalizio, è lo Stato (*res publica*) o organismo politico destinato a rimanere più duraturo di tutti gli altri, usando, com'è ovvio, ragioni e spiegazioni teologiche, che concludevano in sostanza con un orgoglioso richiamo alla «cagione superiore».[3] La concezione della Chiesa che il Cortesi espone è duramente politico-gerarchica ed aristocratica: nell'elenco delle eresie, che sono per il Cortesi reati di ribellione al papa, cioè a Dio, e che vanno punite con la pena capitale, c'è anche il rifiuto del governatore d'un territorio appartenente al patrimonio di San Pietro di versare completamente alla Camera apostolica le tasse percepite, come nell'elenco delle giuste cause di guerra per le quali papa e cardinali possono prender le armi c'è la disobbedienza di un governatore.

A tale esaltazione della Chiesa corrisponde il riserbo indifferente e forse ironico del Machiavelli. Abbiamo ricordato il Cortesi, perché amico degli stessi Soderini dei quali il Machiavelli era amico, e perché molto attento alle cose del suo tempo: è vero che è così poco informato da attribuire alla genialità politica di Pier Soderini l'in-

Machiavelli e Cortesi

---

1 S. Bertelli dà notizia (S. Bertelli-F. Gaeta, *Noterelle machiavelliane. Un codice di Lucrezio e di Terenzio*, in «Rivista storica italiana», a. LXXIII [1961], pp. 544-557) del ritrovamento di un codice vaticano contenente una copia del *De rerum natura* di mano di N. Machiavelli. La lettura deve essere avvenuta «tra gli ultimi cinque anni del Quattrocento e i primi anni del Cinquecento». Cfr. anche, dello stesso Bertelli, *Noterelle machiavelliane*, in «Rivista storica italiana», a. LXXVI (1964), pp. 774-792.
2 *Principe*, XI, pp. 50-51.
3 Pauli Cortesii... *De Cardinalatu...* In Castro Cortesio 1510, f. CXI sg. Sul Cortesi cfr. P. Paschini, *Una famiglia di Curiali nella Roma del Quattrocento: i Cortesi*, in «Rivista di storia della Chiesa in Italia», Roma 1957 (XI), pp. 26 sgg.

venzione della milizia tratta dal contado, mentre essa, se non si voleva attribuire ad un segretario — per un curiale e protonotario personaggio di secondo ordine e non grande —, si poteva per lo meno far risalire al capitano fiorentino Antonio Giacomini, del resto non certo ignoto al Machiavelli. Tuttavia anche il Cortesi cita per esempio detti di Cosimo il Vecchio e molti casi di storia fiorentina, come esemplificazioni autorevoli dei consigli dati ai cardinali; va ricordato inoltre che l'opera *De Cardinalatu* si presenta come trasformazione e riduzione di un'opera *De Principatu* che il Cortesi avrebbe prima progettato, come del resto molti umanisti e giuristi del periodo avevano scritto o progettato di scrivere.

A proposito della questione sulla durabilità o perpetuità degli Stati, principati o repubbliche, che, se non vogliamo risalire troppo lontano, era stata affrontata già anche dal Savonarola, il Cortesi sostiene che è la provvidenza divina a far durare gli Stati (*res publicae*), e nella sua esemplificazione o casistica attribuisce la maggiore importanza proprio a Firenze. Poco prima aveva affermato che gli ordinamenti politici di Firenze erano eccellenti su quasi tutti gli altri, riprendendo una argomentazione già usata dal Bruni: «Perché è costituita dalla fusione di repubblica, governo aristocratico e dittatura perpetua, e questa fusione appunto ne è, per sua natura, la misura». Aveva anche citato il consueto esempio della perpetuità della struttura politica veneziana, destinato a divenire una topica delle trattazioni cinquecentesche; e dopo avere celebrato Firenze, aveva accennato anche alle dinastie francese, spagnuola e portoghese saltando poi ai prìncipi elettori (agli ecclesiastici soprattutto) di Germania. Ma la conclusione era stata che l'unico organismo politico destinato alla perpetuità era quello della Chiesa, governato dal papa e dai cardinali. Non c'è davvero molto di comune fra il Cortesi ed il Machiavelli, ma si può dire che hanno concezioni essenzialmente analoghe della Chiesa cattolica, che in sostanza viene ridotta al suo governo, papa, cardinali, curia, vescovi, abati e generali dei grandi Ordini: come nel *De Cardinalatu* del Cortesi non c'è posto per il basso clero e per i laici, così il Machiavelli s'inchina indifferente alla «cagione» che «mente umana non aggiugne». È vero che il fiorentino pone a contrasto, secondo un modulo ormai antico, l'avarizia dei curiali e dei grandi della Chiesa, e la semplice moralità e bontà dei primi cristiani, con parole e in termini che si potrebbe benissimo far rientrare nel catalogo delle eresie del Cortesi: ma in sostanza, quel che preme all'uno e all'altro è la perpetuità dello Stato attraverso i buoni ordinamenti e la forza o potenza politico-militare. Tuttavia importa rilevare qualcos'altro che ci riconduce al discorso iniziale: l'attenzione e l'interesse del Machiavelli per gli affari della Chiesa e per la religione: erano un'attenzione e un interesse seri, che andavano forse al di là del calcolo sul contributo che il cristianesimo cattolico avrebbe potuto dare alla formazione di popolazioni sostanzialmente morali, unite, disciplinate, sane ed energiche.[1] Il disprezzo per i vizi ecclesiastici e curiali di avarizia, superbia, corruzione ed ipocrisia non ha insomma gran significato in un lettore e (nei *Decennali*) imitatore addirittura di Dante. Anche nelle *Legazioni* si riscontra, accanto all'interesse per la vita politica, l'attenzione acuta del Machiavelli per le cose della religione, come negli scritti che ne sono derivati, e nei quali Machiavelli depositava quelle riflessioni generali che non poteva inserire nelle relazioni: *Ritratto di cose di Francia*, *Ritratto delle cose della Magna*, e le stesse terzine dei *Decennali*. Certo, da quei meno di quindici anni di servizio pubblico, l'ingegno e la mente del Machiavelli seppero trarre grande ed enorme esperienza di cose e di uomini, affinamento di penetrazione politica, attraverso l'esercizio di quell'innata logica propria nella quale soltanto il Machiavelli credeva.[2]

Gli incarichi politici

Quando venne allontanato dal servizio della città, il Machiavelli non aveva compiuto ancora i quarantacinque anni; si era nel 1512, e il figlio di Bernardo era stato nominato cancelliere della «seconda cancelleria» della città di Firenze nel giugno del 1498, poco tempo dopo la caduta del governo ispirato dal Savonarola; anzi, pochi giorni dopo la impiccagione e l'abbruciamento del cadavere del domenicano ferrarese, come per primo ha fatto notare il Ridolfi.[3] In questo momento, il Machiavelli aveva già compiuto i ventinove anni; nato in Firenze il 31 maggio 1469, non si può dire che fosse riuscito ad acquistare gran fama nella sua patria, benchè non fosse del tutto ignoto o del tutto estraneo alla vita fiorentina del suo tempo. Dei suoi studi e del suo primo periodo di attività non abbiamo molte notizie: si può congetturare con molta probabilità che il giovane Niccolò avesse studiato con Marcello di Virgilio Adriani, ma non si sa molto altro; sicure sembrano invece le indicazioni sugli interessi umanistici del Machiavelli: Terenzio, Lucrezio. Aveva cominciato a studiare i primi elementi della lingua latina nel maggio del 1476; nel 1480 cominciò a studiare gli elementi dell'aritmetica e a scriver brevi compiti in latino; pare invece, secondo il Ridolfi, che non avesse mai studiato greco; nel 1486 Bernardo fece legge-

1 Cfr. G. Procacci nell'introduzione alla cit. ed. del *Principe e Discorsi* di S. Bertelli, pp. LVIII sgg.
2 Cfr. G. Procacci, introduzione cit., p. XXXIV. Cfr. F. Chabod, introduzione al *Principe* (1924), ora in *Scritti su Machiavelli*, Torino 1964, p. 12.
3 R. Ridolfi, op. cit., p. 23.

re al figliolo le deche di Livio, e probabilmente anche quelle di Biondo Flavio; nel 1478 era accaduto il famoso caso della congiura dei Pazzi, con le conseguenze di lotta fra lo Stato pontificio e la città di Firenze; nel 1485 il giovanissimo Machiavelli aveva con probabilità sentito parlare della congiura dei Baroni, nel 1488 delle lotte feroci in Romagna. Il governo nuovo del 1494 forse piacque al Machiavelli, ma probabilmente le sue amicizie politiche non erano coi Piagnoni, ma con altri.

Le «Lettere» La prima lettera di Machiavelli che ci è conservata dà conto sarcasticamente proprio di una delle ultime prediche del Savonarola; di fatto, come nota il Ridolfi, il Machiavelli non nasconderà più tardi la sua reverenza per il frate ferrarese. Marcello Virgilio, che già dal 1494 insegnava poetica ed oratoria nello Studio fiorentino, aveva fatto chiamare (1498) il giovane Niccolò (aveva del resto trent'anni circa, il che giustifica le osservazioni precedenti sulla sua relativa oscurità) alla «seconda cancelleria», quando venne affidata, a lui umanista riconosciuto, con la «prima cancelleria», la successione di Coluccio Salutati e del Poliziano. Più tardi, quando la vita politica di Firenze sembrò assestarsi nell'elezione di Pier Soderini alla carica di «gonfaloniere a vita» (cioè, come si esprimeva in latino un contemporaneo, anch'esso amico dei Soderini, Paolo Cortesi, «dictatore perpetuo»), il Machiavelli si troverà legato all'azione di questo uomo di Stato, fino alla sua caduta (sono i dieci anni dal 1502 al 1512). Dal 1499 in poi, gli incarichi politico-militari affidati al Machiavelli si susseguono con una certa regolarità e con una certa progressione di responsabilità: a Jacopo d'Appiano, signore di Piombino e capitano di milizie mercenarie; a Caterina Sforza Riario che teneva la signoria di Forlì in nome del figlio; al capitano Giangiacomo Trivulzio; al re di Francia Luigi XII; a Pandolfo Petrucci padrone di Siena; al signore di Bologna Giovanni Bentivoglio; a Cesare Borgia, in Urbino, in Romagna; a Roma; a Giampaolo Baglioni; al marchese di Mantova; all'imperatore Massimiliano in Germania; a Luciano Grimaldi signore di Monaco; a Pisa in tempo del concilio. E questa è l'ultima di quelle importanti dal punto di vista della «carriera» diplomatico-militare. La più importante è certo, da altro punto di vista, quella nel Mugello e nel Casentino, del 1505, per un primo saggio di reclutamento di uomini adatti alla milizia o «ordinanza» di truppe non mercenarie, per cominciare cioè ad attuare la riforma militare da tempo ideata e vagheggiata dal Machiavelli. Dopo le commmissioni durante il periodo del concilio pisano (alla corte di Francia, a Pisa), vengono quelle propriamente minori: a Genova per conto di mercanti fiorentini, a Lucca, al Capitolo dei Frati

Minori (questa è addirittura una *Legazione*, ma tanto più risibile di fatto quanto più solenne di nome), e varie altre minori missioni o «spedizioni» come agente secondario (specialmente presso il Guicciardini, al tempo della Lega di Cognac contro Carlo v).

Solo le ultime sono di un certo rilievo, non propriamente per la loro importanza di fatto, ma per la biografia del Machiavelli stesso, perché affidategli in tempo di guerra e di estremo pericolo della città; e vanno lette insieme alle ultime lettere conservateci. Non c'è bisogno di insistere molto sull'importanza di questi incarichi anche per la formazione del linguaggio espositivo del Machiavelli, che sarà anche il suo linguaggio storico e politico; uno studio analitico di tale formazione o elaborazione o svolgimento non è stato finora compiuto; intanto basterà osservare che, quando sono pubblicate responsive o relazioni del Machiavelli, è agevole cogliere come, pur rimanendo egli nell'ambito prescritto (osservanza dello stile tradizionale di cancelleria, e dello stile di relazione da parte di un subordinato ai signori mandanti), ogni tanto erompano il suo istinto politico e la sua tendenza alle posizioni nette e all'azione rapida, in incisi, frasi secche, anche nella stessa struttura del discorso e nell'uso delle parole: basta fare il confronto fra il periodare del Machiavelli e quello paludato e burocratico dei mandanti. Come è stato già notato dal Burckhardt, ripreso dal Nitti e dal Tommasini, fino al Ridolfi, le relazioni delle «commissarie» sono poi indice sicuro del come da questi incarichi, non sempre brillanti, il Machiavelli sapesse trarre occasione e argomento di osservazione politica e storica, di riflessione e di meditazione, di considerazioni e narrazioni divenute prestissimo, e fino ad oggi rimaste, famose e in qualche modo esemplari. Del resto il Machiavelli comincia presto ad usare l'espediente di attribuire ad informatori non nominati o a personaggi della corte dei signori e principi da lui visitati, suggerimenti e consigli, che in realtà sono il suo proprio parere e consiglio; ma la sua stessa posizione non gli permetteva altro modo di esprimere il proprio giudizio. Ricordiamo di sfuggita le legazioni a Cesare Borgia, che sono ben note, per gli scritti ai quali hanno fornito materia nonché occasione: ma persino quando viene inviato a Lucca per interessi di mercanti (sia pure in veste ufficiale o quasi, data la presenza, fra i mandanti, del cardinale Giulio de' Medici), nel 1519, il Machiavelli trova modo di studiare la storia e di osservare le «cose» di Lucca, e di esporle, e di narrare la vita dell'ultimo uomo politico eminente di questa città, Castruccio Castracani (*Sommario delle cose di Lucca, Vita di Castruccio*).

Dopo che il Machiavelli fu allontanato dalla segreteria,

il suo interesse per la lotta politica europea e italiana continua vivissimo; egli non può farne a meno, come scrive al Vettori che da principio voleva distogliere l'amico dal discorrere di politica. E tanti passi dei *Discorsi* e del *Principe* mostrano come continuasse anche la riflessione sulla religione e sulla Chiesa. Quando verranno le *Istorie fiorentine*, le letture storiche si amplieranno agevolmente: alle note ed agli appunti di storia fiorentina che il Machiavelli aveva cominciato a fare fin dal principio del suo servizio in cancelleria ed alla lettura degli antichi si aggiunge la lettura degli espositori e narratori della storia dei secoli seguenti per tutta la penisola, sicché gli interessi fondamentali del Machiavelli fanno sì che il I libro delle *Istorie* diventi una narrazione e interpretazione della storia d'Italia entro la quale si muoverà poi la storia di Firenze.

Le «Istorie fiorentine»

È probabile che la discussione fra i dotti, i conoscitori di cose fiorentine, i critici, gli storici di vario tipo e denominazione, sulla fede cristiano-cattolica personale e privata del Machiavelli, e sulla efficacia di tale fede (se presente) nel suo pensiero e nella sua opera di scrittore (poeta, storico, comico, tragico, *sed semper politicus*) continuerà finché ci saranno scuole e studiosi. Ad ogni modo, si può rammentare, come fatto non contestabile, quanto grande sia la proporzione che nel *Principe*, nei *Discorsi*, nell'*Arte della guerra* e, relativamente, anche nelle *Istorie* è dedicata a questioni di religione e di chiesa.[1] È ovvio che nelle *Istorie* prevalga l'interesse per la politica ecclesiastica, cioè l'attenzione per la presenza nella penisola della Chiesa come potere temporale, con la curia e coi cardinali, e per le conseguenze politiche e religiose di tale presenza. Nelle *Istorie* le considerazioni e le riflessioni di carattere generale o teorico sono molto meno frequenti che nelle altre opere, com'è ovvio; ma, fra quelle che il Machiavelli si concede ogni tanto, contravvenendo ai precetti dello stile storico, non mancano osservazioni sulla religione come fonte di integrità di carattere, disinteresse personale, energia comune in un popolo, repubblica o principato.

La «Mandragola»

Dal 1512 al 1516 i tempi sono cambiati, e ormai sono cadute le speranze di ripresa politica e militare, anche quelle più limitate, nel quadro generale italiano. Le sorti generali del Machiavelli sono tristi. Egli sarà costretto ad abitare per qualche anno in Toscana, ma fuori della

---

1 J.R. Hale, *War and Public Opinion in Renaissance Italy (Italian Renaissance Studies. A tribute to the late Cecilia M. Ady*, a cura di E.F. Jacob, London 1960), p. 116, ha fatto un calcolo del genere per quanto riguarda argomenti «specificamente militari»: «un sesto del *Principe*, un quinto dei *Discorsi*...». Se si procedesse con lo stesso criterio statistico, si dovrebbe affermare che il Machiavelli ha dedicato quasi ancor maggiore quantità delle sue pagine a questioni religiose od ecclesiastiche.

città; il Palazzo della Signoria gli è interdetto; non ci potranno più essere per lui le allegre e spregiudicate conversazioni con i colleghi della cancelleria e con gli altri amici di Firenze. Potrà presto sperare qualche fama dalle lettere, perché la *Mandragola* avrà fortuna dopo che sarà stata pubblicata e rappresentata; ma già quando legge nel 1517 l'*Orlando furioso*, si duole che in quel poema, «veramente... bello tutto, et in di molti luoghi mirabile», l'Ariosto, «havendo ricordato tanti poeti», ha lasciato lui da parte.[1]

Il Machiavelli scrive questa *Mandragola* con un gran gusto di ironia e di giuoco verbale. Si serve di moduli e convenzioni che si trova sottomano, dal Boccaccio giù giù fino ai «latini nostri» che nelle altre commedie aveva tradotto e riprodotto, secondo la recente consuetudine che lettori e spettatori s'attendevano osservata; mescola motti e idiotismi fiorentini plebei con forme d'altre gerghi e linguaggi, e così via. Ma il gusto ironico e sardonico è propriamente suo; dalla moderata, solenne ma generica e perciò in sostanza rispettosa deplorazione che messer Nicia propone della immoralità fratesca («Egli è pure male però, che quelli che ci avrebbono a dar buoni essempli sien fatti così. Non dich'io el vero?») ai monologhi di fra Timoteo. Qui la caricatura dei sofismi casuistici acquista energia di intuizione geniale quando si giunge alla argomentazione scolastica dell'utile o bene dei più il quale giustifica il danno e lo svantaggio dei pochi o del singolo: in certi punti, sembra quasi che il Machiavelli usi l'ironia verso se stesso, verso il proprio meditare politico; di fatto, l'ironia è rivolta a un certo consueto e volgare modo d'intendere il raziocinio politico sul pubblico bene alla stessa stregua d'un utilitario rendere ragione dei vantaggi e svantaggi di corpi privati; l'ironia distruttiva sta proprio in questa tal quale possibilità di equivoco fra il calcolo politico, serio perché volto al bene pubblico, e il meschino computare di vantaggi particolari:

Io non so chi s'abbi giuntato l'un l'altro. Questo tristo di Ligurio ne venne a me con quella prima novella per tentarmi, acciò se io non gliene consentivo non mi arebbe detta questa, per non palesare e' disegni loro sanza utile, e di quella che era falsa non si curavono. Egli è vero che io ci sono stato giuntato; nondimeno questo giunto è con mio utile. Messer Nicia e Callimaco son ricchi, e da ciascuno per diversi rispetti sono per trarre assai; la cosa conviene che stia secreta, perché l'importa così a loro a dirla come a me. Sia come si voglia, io non me ne pento.

1 *Lettere*, n. 170 (a L. Alamanni, 17 dicembre 1517), p. 384.

È ben vero che io dubito non ci avere difficultà, perché madonna Lucrezia è savia e buona; ma io la giugnerò in sulla bontà. E tutte le donne hanno poco cervello...[1]

Forse il Machiavelli presentiva, pur disprezzandola, tale possibilità di equivoco che era certo presente almeno in qualcuno dei suoi stessi compagni di discussioni politiche. Il Machiavelli voleva esser comico e far ridere e pensare, e forse gli piaceva esercitare l'ironia anche su qualche più conosciuta consuetudine di discussione politica, propria, o dei suoi amici. È l'ironia dell'uomo «buono» e «sufficiente», consapevole della propria integrità di carattere, come servitore della sua città, della propria capacità e della propria intelligenza; che si conosce non senza vizi e non senza bizzarrie, non senza passioni e non senza desiderio di potere spendere per soddisfarle, non ligio sempre alle norme del buon costume, specie in fatto di piaceri. Questo uomo buono è sul serio devoto alla patria, fedele agli impegni, disinteressato, in questo servizio, del proprio utile e vantaggio personale. Quando è allontanato dal suo servizio, si logora e tormenta perché non può agire negli uffici pubblici e si accontenterebbe di qualunque minimo incarico, pur di tornare a far qualcosa; e intanto scrive (e quel che scrive è il *Principe*), e vorrebbe che il suo scritto fosse letto: se la lettura avvenisse

si vedrebbe che quindici anni che io sono stato a studio dell'arte dello stato, non gli ho né dormiti né giuocati... Et della fede mia non si doverebbe dubitare, perché, havendo sempre observato la fede io non debbo imparare hora a romperla; et chi è stato fedele et buono quarantatré hanni, che io ho, non debbe poter mutare natura; et della fede et bontà mia ne è testimonio la povertà mia.[2]

1 *La Mandragola* (Atto III, scena 9), in N. Machiavelli, «Opere letterarie», a cura di Luigi Blasucci, Milano 1964, p. 38.
2 *Lettere*, n. 140, 10 dicembre 1513, p. 305; è la famosa lettera a Francesco Vettori, dove il Machiavelli racconta della sua vita a San Casciano: «Venuta la sera, mi ritorno in casa, et entro nel mio scrittoio; et in su l'uscio mi spoglio quella veste cotidiana, piena di fango et di loto, et mi metto panni reali et curiali; et rivestito condecentemente entro nelle antique corti degli antiqui huomini, dove, da loro ricevuto amorevolmente, mi pasco di quel cibo, che *solum* è mio, et che io nacqui per lui; dove io non mi vergogno parlare con loro, et domandarli della ragione delle loro actioni; et quelli per loro humanità mi rispondono; et non sento per quattro hore di tempo alcuna noia, sdimenticho ogni affanno, non temo la povertà, non mi sbigottiscie la morte: tucto mi transferisco in loro. E perché Dante dice che non fa scienza senza lo ritenere lo havere inteso io ho notato quello di che per la loro conversazione ho fatto capitale, et composto uno opuscolo *De principatibus*, dove io mi profondo quanto io posso nelle cogitationi di questo subbietto, disputando che cosa è principato, di quale spetie sono, come e' si acquistano, come e' si mantengono, perché e' si perdono...» Il passo citato nel testo si trova verso la fine della lettera, dove chiede consiglio se fare omaggio del *Principe* ai Medici, allo scopo di tornare al servizio attivo della città. Il Gaeta interpreta «della fede mia non si doverebbe dubitare» come «non si doverebbe dubitare della mia parola»; a me pare che qui il significato del termine sia più ampio.

Questa «fede e bontà» non sono proprio affini a quelle di Lucrezia nella *Mandragola*, ma hanno certo una loro affinità con la bontà dei popoli della Magna, con quella dei buoni cittadini, di Francesco Vettori, di Antonio Giacomini, dei buoni capi militari e dei buoni soldati. Di questo termine non è forse possibile proporre una interpretazione sistematica e costante, com'è stato possibile tentar di fare per l'altro termine di «fortuna»; per lo meno della «fortuna» il Machiavelli ha discorso a più riprese e a lungo, anche in uno dei Capitoli. Ma queste parole ritornano troppo di frequente per non meritare almeno un accenno: tanto più che spesso sono accompagnate da un tipo di breve commento o spiegazione che ritorna con una certa costanza, e sono quasi sempre collegate, a volte direttamente, molte volte indirettamente, al tema della religione e della energia pubblica, politica e militare, che dalla religione e dai buoni ministri della religione deriverebbero.

I temi della energia civile, politica e militare e della «religione» rimangono presenti e connessi nelle riflessioni come nelle scritture del fiorentino appassionato: la cognizione spregiudicata della realtà effettuale, le leggi effettive dell'azione politica, possono esser fatte capire o a un principe o a un senato repubblicano, che sappiano e vogliano esercitare come si conviene quella forza e quel potere che la fortuna ha dato loro, usando della «virtù» propria e dei loro consiglieri per salvare la patria fiorentina, riportando ordine e disciplina, «fede» e «religione» nei popoli, e che sappiano servirsi di uomini a un contempo capaci ed efficienti («sufficienti») e pronti a dedicare disinteressatamente tali loro capacità e le loro forze allo Stato, che sia repubblica (come sarebbe l'ideale), che sia principato. Senza energia politica e militare, singola e collettiva, che sappia e possa trasferire in azione la lucida intuizione politica, non si risolleverà Firenze, non si risolleveranno principi e repubbliche d'Italia dallo sconcerto e dal disordine provocato dalla fine dell'età di pace e di equilibrio a suo tempo inaugurata da Lorenzo il Magnifico, rotta in apparenza col gesso da Carlo VIII e dal brutale furore bellico dei suoi Francesi, presto imitati da Tedeschi e Svizzeri e Spagnoli, mercenari o meno. Fu questo un mito abbastanza diffuso, e poi variamente ripreso dalla storiografia; la «libertà d'Italia», cioè l'equilibrio fra gli Stati italiani, e la pace e il benessere, e il culmine della fioritura artistica e della superiorità delle città italiane nell'impero, cioè in Europa; e poi la rovina improvvisa, il disfacimento, e guerre e massacri e sangue e disordine, un guerreggiare senza legge e senza regola, bestialmente, città a sacco, e corruzione, e servitù. Il Machiavelli non fece certo proprio quel mito; e

I temi dell'energia civile, politica e militare

non fa proprie nemmeno quelle interpretazioni e applicazioni penitenziali di tipo devozionale, che presto comminceranno a esser fornite in gran quantità e non solo dal clero cattolico (esse si possono riassumere nella formula: «La causa delle nostre sciagure è nell'empietà nostra, di costumi e di pensieri»); e men che mai accetta le interpretazioni penitenziali di tipo profetico riducibili alle formule: «verranno, sono imminenti altri guai ancor più brutti, se non fate penitenza e conversione», «è prossima la fine, preparatevi». Che fine? Fine del mondo, dell'impero, della Cristianità, d'Italia, di Roma, di Firenze. Si rammenti la replica posta in bocca a fra Timoteo quando la vedova che s'è venuta a confessare gli chiede: «Credete voi che 'l Turco passi questo anno in Italia?»; e pronto risponde il servita: «Se voi non fate orazione, sì»; ma sembra utile fare attenzione anche al canto carnascialesco *De' Romiti*. Questi romiti son probabilmente di Camaldoli o di Vallombrosa, perché si presentano come «frati e romiti», che dagli alti gioghi del loro Appennino sono venuti a consolare la città, perché astrologhi o indovini hanno portato lo sgomento e lo sbigottimento, annunciando «a ogni terra» imminenti minacce di «peste, diluvio e guerra, / fulgor tempeste, tremuoti e rovine, / come se già del mondo fussi fine». È un'allusione evidente a qualcuna delle profezie astrologiche e di diluvio, che corrono e ricorrono non solo in Italia con particolare insistenza dal breve regno di Federico III a tutto il 1530 e oltre, portate da strani eremiti e da quadernucci del tipo «pronostico»; sembra che in Firenze e in Toscana si fossero sentite ripetere con più insistenza dopo il caso del Savonarola, ma non eran propriamente (specie quelle astrologiche) una novità post-savonaroliana: «e voglion sopratutto che le stelle / influssin con tant'acque, / che 'l mondo tutto quanto si ricuopra»; e si veda il finale «Pur, se credessi a quegli van romori, / venitene con noi, / sopra la cima de' nostri alti sassi; / quivi farete i vostri romitori...». Com'è quasi ovvio in una canzone carnascialesca, l'invito è rivolto alle «donne graziose e belle». L'argomentazione è questa: non abbiate paura, tutta questa acqua non preoccupa molto; «il ciel salvar ci vuole»; ma, se il cielo volesse fare scontare agli uomini gli errori e le colpe commesse, «e che l'umana prole andassi al fondo», farebbe abbruciare il mondo. Ad ogni modo, l'acqua non è da temere.[1]

Se ha da cercare interpretazioni generali, al Machiavelli basta la «fortuna» e le sorti alterne delle cose umane. Ma condivideva l'opinione universale che nei decenni

---

1 Canto carnascialesco IV, *De'Romiti*, in N. Machiavelli, «Opere letterarie» cit., pp. 333-335.

precedenti la calata di Carlo VIII si vivesse in Italia «assai quietamente». La maggior preoccupazione dei prìncipi era di sorvegliarsi e mantenere una politica di equilibrio «con parentadi, nuove amicizie e leghe». «In tanta pace» solo Firenze era l'irrequieta, per le ambizioni dei suoi cittadini, alla morte di Piero padre di Lorenzo il Magnifico. E poco prima, aveva scritto «il resto della Italia viveva quietamente», e ancora, poco dopo «vivendosi assai quietamente e dentro e fuora, non sendo guerra che la comune quiete perturbasse...»; «Nel mezzo di tanta pace...»; e così via, fino al celebre «... Lorenzo, posate le armi di Italia, le quali per il senno e autorità sua si eran ferme... Tenne ancora, in questi tempi pacifici, sempre la patria sua in festa...», e al finale stesso delle *Istorie*: appena morto Lorenzo «cominciorono a nascere quegli cattivi semi i quali, non dopo molto tempo, non sendo vivo chi gli sapesse spegnere, rovinorono e ancora rovinono la Italia».[1] La riflessione sulle ragioni che impedirono ai prìncipi e alle repubbliche della penisola di fermare quella «rovina», dopo che la catastrofe era avvenuta, e di ricostruire qualche possibilità di riavere quella mitica pace e felicità, è sempre in sostanza riflessione politica, ma si amplia presto e si approfondisce in una meditazione articolata se non sistematica di carattere più inquieto della fredda osservazione e argomentazione politica, in un complesso di temi costantemente ricorrenti e connessi. Non si tratta soltanto del senno politico di chi sa impedire in tempo che il mal seme attecchisca, né soltanto del tema delle discordie interne che pulsano quasi in un ritmo circolatorio da Firenze agli altri Stati della penisola. A un certo momento c'è qualcos'altro:

Per tanto questi nostri principi, che erano stati molti anni nel principato loro, per averlo di poi perso non accusino la fortuna, ma la ignavia loro: perché, non avendo mai ne' tempi quieti pensato che possono mutarsi (il che è comune defetto delli uomini, non fare conto nella bonaccia della tempesta), quando poi vennono tempi avversi, pensorono a fuggirsi e non a defendersi; e sperorono ch'e' populi, infastiditi dalla insolenzia de' vincitori, li richiamassino. Il quale partito, quando mancono li altri, è buono; ma è bene male avere lasciati li altri remedii per quello: perché non si vorrebbe mai cadere, per credere di trovare chi ti ricolga. Il che, o non avviene, o, s'elli avviene, non è con tua sicurtà, per essere quella difesa suta vile e non dependere da te. E quelle difese solamente sono buone, sono certe, sono durabili, che dependano da te proprio e dalla virtù tua.[2]

1 *Istorie fiorentine*, VII, pp. 486, 487, 490; VIII, pp. 573, 575, 577.
2 *Principe*, XXIV, p. 98.

«Ignavia-virtù»; «virtù-fortuna»; ma non ripercorreremo la serie degli altri nessi. Il tema ricorrente sembra esser quello che s'è indicato: la rovina è avvenuta perché son mancati in prìncipi e repubbliche quella virtù, forza, impeto, quella intelligenza politica e quella sicura cognizione delle leggi reali della politica, prudenza critica, o senno; ma insieme perché son mancate nelle popolazioni, a cominciare dai consiglieri, cancellieri, segretari fino ai contadini, quella serietà e pubblica solidarietà fondate sulla religione, che costituiscono la solidità dei prìncipi e delle repubbliche e la sostanza della energia politica e militare vera, quella di chi sa coglier la fortuna e di chi sa di agire per la patria. L'acre sarcasmo del Machiavelli contro gli ecclesiastici, grandi e piccoli, regolari e secolari, è certo espressione di una sconsolata amarezza particolare fiorentina e se si vuole italiana; esso si riconnette al ben noto risentimento anticlericale comune europeo, non recentissimo, ma in quel periodo più intenso o più diffuso, fino a salire anche di tono e ad informare la satira e l'ironia anticlericali di Erasmo e di Tommaso Moro, per nominare solo due grandi umanisti, amici fra loro, e contemporanei del Machiavelli. Ma a tale sentimento anticlericale non è riducibile l'affermazione che preti e frati han tradito non solo la loro funzione specifica di predicare l'evangelo e di attuarne e spirito e precetti, come cristiani (questo tema Machiavelli lo lascia svolgere ad altri), ma anche, di conseguenza, la funzione di rendere buoni (non solo docili e laboriosi, ma solidali, disciplinati, seri, leali, capaci di devozione e sacrificio) i popoli. E ciò è avvenuto un po' in tutti i regni e in tutte le repubbliche e in tutte le «provincie»; ma con maggior estensione e maggiore intensità in Italia, e soprattutto a Roma e a Firenze; non solo perché la politica temporale ha impedito la formazione d'un grosso organismo statale accentrato, ma soprattutto perché quivi il numero degli ecclesiastici, il loro maggior peso, le loro ricchezze, hanno ridotto la «provincia» d'Italia senza fede, senza energia, senza quella religione che vince battaglie e guerre, e doma la fortuna, senza quel disinteresse per l'utile personale che fa buoni servitori della patria in alto e in basso. È un modo di sentire profondo, che conferisce una impronta e un contenuto aspri e originali all'anticlericalesimo del Machiavelli. Il quale, fra l'altro, deriva proprio da un costante interesse per la religione, elemento integrante della vita degli uomini come la politica e come la guerra.

«Il Principe» e le altre opere politiche. Gli ultimi anni

Non è ancora conclusa, né sembra avviata su linee che conducano verso indicazioni comprensibili «dall'universale» (come scriveva il Machiavelli spiegando a Leone x il modo di intendere e di reagire dell'«universale», cioè dalla maggioranza dei cittadini di Firenze), la discussione sul carattere «scientifico» del linguaggio usato dal Machiavelli nel *Principe* e negli altri più noti scritti politici.[1] Anzitutto, non si può riscontrare ancora una concordanza divenuta come ovvia perché comunemente accettata, proprio a proposito dell'uso di questi termini di «scienza» e «scientifico», allo stesso modo che una concordanza spontanea e naturale non si può ritrovare nell'uso di altre parole, come: «tecnica», «teoria», «filosofia», «storia», «religione», con gli aggettivi connessi. Tutti questi termini sono stati adoperati per definire un aspetto o l'altro, o anche addirittura la sostanza fondamentale del pensiero o del sentire del Machiavelli. È un po' lo stesso caso di alcune parole usate dal Machiavelli stesso, col suo genio, con la sua passione civile, con la sua (neppure per un fiorentino ordinaria) ricchezza di parole e di combinazioni di parole: «virtù»; «ignavia»; «religione»; «fortuna»; «buono»; «savio»; «effettuale». Rimane sempre un margine di incertezza per il pedante e per l'uomo normale, per lo storico e per il lessicografo; come una frangia, o troppo luminosa e iridescente o troppo oscura e fumosa se pur traversata da scintille abbaglianti. Il Machiavelli aveva qualcosa da dire di importante alla gente che gli premeva, ai suoi fiorentini anzitutto, e poi anche agli altri della penisola italiana; nell'empito esplosivo della produzione e della critica scriveva come sapeva scrivere, da poeta, cioè da creatore. Prendeva le parole come le trovava, senza preoccuparsi di definizioni manualistiche, o trattatistiche, o vocabolaristico-filologiche. Volta per volta, sapeva a chi parlava e sapeva quello che aveva da dire, a voce o per iscritto: gli studi che sono stati compiuti, specialmente a proposito del *Principe,* non permettono di dubitare che ad un certo momento il Machiavelli fosse preoccupato di tener fermo ad una qualche continuità o coerenza terminologica; nel *Principe* stesso e negli altri scritti s'incontrano ripetutamente, com'è stato più volte indicato, un tono di freddo distacco dell'autore, una sua formale e indifferente oggettività nella osservazione dei fenomeni, quasi da esperimentatore, accompagnati da una penetrazione e da una coerenza logica (di tipo induttivo più che de-

1 F. Chiappelli, *Studi sul linguaggio del Machiavelli* (Bibliotechina del Saggiatore, n. vii), Firenze 1952. Cfr. anche dello stesso autore la nuova presentazione del *Principe* a cura di G. Lisio, nella ristampa sansoniana della «Biblioteca Carducciana» (xiv, 1900-1957).

duttivo) fuor del comune: e questi sono pure connotati di quel che da alcuni si suol chiamare *scienza*, o *linguaggio scientifico*, o anche metodo.[1] Il Machiavelli stesso rendeva omaggio a quello che le consuetudini di scuola sue contemporanee consideravano scienza e dottrina, alludendo, coi titoli latini del *De Principatibus*, ad una sicuramente veneranda, ma non sappiamo quanto da lui venerata, sistematicità trattatistica di tipo giuridico e teologico. Tuttavia, la reale ed effettiva virtù, «sufficienza», energia e capacità «scientifica» del Machiavelli non consiste certo soltanto nell'ipotetica e suggestiva tendenza alla formulazione d'un linguaggio trattatistico, sia del tipo filosofico sia del tipo giuridico, sia del tipo naturalistico (medico-biologico, fisico e matematico), o in questa o quella metodicità terminologica, o in una rigorosità linguistica quasi gergale, e nel metodo di lavoro e ricostruzione, ma nella libertà geniale del giudizio politico e storico, nella energia critica esplicantesi nel senso di critica positiva, in certe ammirazioni e in certe fedeltà, quanto nel senso di critica negativa, cioè nella valutazione complessiva e non unilaterale della realtà effettuale. Questa genialità straordinaria non si trova nei capitoli delle opere condotti come dissertazioni e relazioni di osservatore spassionato, e non si trova nelle *Legazioni*; ma si trova in quegli scatti appassionati e quasi insolenti, che secondo la consuetudine trattatistica e culturale di oggi vengono detti di tipo intuitivo.

Composizione del «Principe» Il *Principe* era stato scritto fra il luglio e il dicembre del 1513, sospendendo il lavoro ai *Discorsi sopra la prima deca di Tito Livio*; del resto per i *Discorsi* non si può parlare con certezza di una composizione unitaria e seguìta come invece si può parlare di una composizione unitaria e di getto per il *Principe*. Il pensiero del Machiavelli insiste sull'azione, sul moto, sulla prontezza e coerenza dei movimenti nelle situazioni date; ma quello che gli preme in sostanza non è un movimento che si svolga, il processo inerente alla vita interna ed esterna degli organismi politici, la legge intima della vita politica, delle città o repubbliche, come dei principati. Quindi la riflessione politica e storica del Machiavelli si presenta sostanzialmente unitaria. Perciò, come si possono trovare tracce della sua attenzione a quei temi e a quella legge fin dalle prime «legazioni» e fino nell'ultima lettera, quasi disperata, al Vettori; così si posson trovare cenni d'interesse per la storia di Firenze fin dai primissimi anni di attività nella «seconda cancelleria», in appunti e raccolte di no-

1 F. Chabod, *Machiavelli's Method and Style* (nel vol. *Machiavelli and the Renaissance*, London 1958, ma già nella conferenza del maggio 1952, pubblicata in *Il Cinquecento*, Firenze 1955, a cura della «Libera Cattedra di Storia della Civiltà Fiorentina»).

tizie; e infine si posson trovare tanti nessi fra i *Discorsi* e il *Principe* da indurre gli studiosi più moderni a cancellare del tutto o quasi del tutto la contrapposizione fra un Machiavelli «repubblicano» e un Machiavelli «teorico dell'assolutismo», che è stata classica per tanto tempo.

Il *Principe* è composto di venticinque capitoli, più una dedica e un capitolo finale (il XXVI), che contiene la famosa esortazione «ad capessendam Italiam in libertatemque a barbaris vindicandam». Comincia in stile trattatistico e sistematico, come se avesse intenzione di esaminare partitamente tutte le forme possibili di «principato» o «sovranità» di una sola persona o famiglia (come distinte dalle «repubbliche» dove la sovranità è della collettività e dei suoi rappresentanti), ma già dopo il III capitolo è evidente che la sistematicità trattatistica, anche se è sembrata interessante o utile al Machiavelli, non ha per lui alcun significato: quel che gli importa sono le leggi della vita politica, e specialmente l'applicazione di queste leggi all'azione di un principe nuovo (come contrapposto a ereditario) per conservarsi sul trono acquistato o conquistato, con le armi o in altra maniera, e per ingrandirlo e consolidarlo. Energia, forza, capacità di portare a fondo l'azione iniziata; uso dell'astuzia, della violenza, dell'inganno, noncuranza delle norme tradizionali di lealtà cavalleresca, fede ai patti ecc. sono ammissibili in guerra come in politica, per amore della patria. Nella esortazione finale (non secondo tutti scritta dal Machiavelli d'un solo getto assieme al resto del *Principe*) questa patria è l'Italia. Altrove, la patria è Firenze, repubblicana o medicea. L'ammirazione del Machiavelli per la capacità politica e militare del Valentino, oppure affermazioni come quella del sapere essere leone e sapere essere volpe; del preferire d'ispirare timore invece di ispirare un affetto inefficace, e così via, detteranno sempre nel loro freddo realismo politico, parole di scandalo a chi non abbia esperienza per lo meno di letture ampie e precise di avvenimenti e di situazioni storiche: tale scandalo è fatto più irritante dalla potenza evocatrice e icastica dello scrittore, dalla poetica concentrazione del suo linguaggio politico e «scientifico» in formule semplici ed evidenti.

I *Discorsi* hanno meno coerenza di espressività e di linea di riflessione; sono commenti, «divagazioni», di vario tipo e vario genere, a proposito dei fatti narrati da Livio (e non solo da Livio, ma da altri storici, come Polibio, specialmente, e Plutarco): tutta l'opera (alla quale il Machiavelli lavorò dal 1513 al 1521) è fondata sulle analogie che il Machiavelli propone fra i racconti della storia antica e gli avvenimenti a lui contemporanei. Questa impostazione delle osservazioni e meditazioni del Machia-

I «*Discorsi sopra la prima deca di Tito Livio*»

velli ha avuto gran peso nella storia dello storiografo, inducendo per molto tempo a considerare la storia (politica) dell'antichità come paradigma della storia (politica) universale, anche se non sempre la politica dei Romani e dei Greci è stata considerata come esempio per la politica delle repubbliche.

Nel I libro il Machiavelli tratta della costituzione interna delle repubbliche, divise, secondo la tradizione, in popolari, aristocratiche e miste. Vanno notati il capitolo IV *Che la disunione della Plebe e del Senato romano fece libera e potente quella republica* con altri capitoli analoghi, dove il Machiavelli esemplifica l'importanza delle tensioni interne e delle lotte (o anche solo delle diffidenze) politiche per la vitalità di uno Stato, quando la libertà sia garantita; i capitoli sulla religione; il confronto fra autorità dittatoria, che fu vantaggiosa, e autorità dei decemviri, che fu dannosa (c. XXXV).

Il libro II tratta del modo di condurre la guerra e organizzare la milizia: notevoli fra gli altri il capitolo X *I danari non sono il nervo della guerra, secondo che è la comune opinione,* il XV dove si confrontano i soldati dei nostri tempi e quelli antichi, il XXI sull'erroneità del giudizio comune sulle «cose grandi» (di politica).

Il III tratta delle trasformazioni delle repubbliche, delle loro rivoluzioni e della loro decadenza: comincia con il capitolo famoso *A volere che una setta o una republica viva lungamente, è necessario ritirarla spesso verso il suo principio;* più celebri ancora sono i capitoli sulle congiure (VI), sulla povertà di Cincinnato e di molti cittadini romani (XXV), sui peccati dei popoli che nascono dai prìncipi (XXXIV), e il finale *Una republica, a volerla mantenere libera, ha ciascuno dì bisogno di nuovi provvedimenti; e per quali meriti Quinto Fabio fu chiamato Massimo.*

Le divisioni che abbiamo accennato non sono rigorose; per esempio, molte osservazioni di carattere militare si trovano anche nel III libro; ma va notato soprattutto come nei *Discorsi,* non sempre, ma spessissimo, il Machiavelli parli indifferentemente di «republica» e di «principe». Il principe deve sapere però capire e guidare il suo popolo, o «universale», se ne vuole essere sicuro; anche perché la moltitudine vede spesso meglio d'un singolo. Quanto alla pratica contemporanea, sembra che il suo ideale per Firenze fosse un sistema misto di governo di ottimati e di popolo, guidato da un gonfaloniere a vita, cioè misto anche di principato; sarebbe dunque stato ideale il governo di Pier Soderini, se costui avesse avuto quella capacità e decisione politica che né lui né i suoi più ascoltati consiglieri e collaboratori seppero avere. L'unione di tutta la penisola non si sarebbe potuta compiere che per conquista ed egemonia di un solo principe.

E anche a Firenze, benché la repubblica rimanga il suo ideale, il Machiavelli è disposto a lavorare per il principe, se solo un principe o la sua famiglia sono in grado di assicurare l'indipendenza della città dallo straniero.

Il Machiavelli aveva dunque portato a termine il suo libro sul Principe: ne aveva qualche copia, e una forse preparata per farne omaggio a uno dei Medici; ma non riuscì né prima a presentarlo o a farlo presentare, né più tardi a farne accettare la dedica: né a Leone x, né a Giulio de' Medici poi Clemente VII, né ad altro dei giovani Medici. Del resto non saranno pubblicati per le stampe, durante la sua vita, né i *Discorsi*, né le *Istorie*. Le uniche opere proprie che il Machiavelli vide a stampa furono il *Decennale primo*, la *Mandragola*, e l'*Arte della guerra*, composta quest'ultima fra l'estate del 1516 e quella del 1517, stampata in Firenze il 16 agosto 1521, con immediata fortuna e numerose ristampe. L'opera era nata dalle discussioni con gli amici, giovani e men giovani, che si riunivano negli Orti Oricellari; nella memoria di uno di quegli amici, Filippo de' Nerli, la composizione dei *Discorsi* e quella dell'*Arte della guerra* fanno tutt'uno: probabilmente quei giovani ascoltavano il riassunto o la parafrasi o la lettura di qualcun dei capitoli dei *Discorsi*, che a quel tempo il Machiavelli aveva già composto, e forse sollecitavano l'anziano a stampare, e insieme a scrivere partitamente sull'arte della guerra. Nella vita del Machiavelli si tratta di una risoluzione importante: ha perduto ormai ogni speranza di riprender pubblico servizio e va non certo a fare il maestro di scuola in un paesetto sperduto, ma insomma a partecipare ai forzati ozi letterari di un gruppo di giovani che i Medici tenevano lontano dalla vita pubblica; e fa loro qualche lezione di storia. Quei giovani dovevano trarre da quel ragionare conclusioni tutte proprie, se nel 1522 alcuni di essi giungeranno ad una congiura per uccidere il cardinale Giulio de' Medici, signore di Firenze. Uno degli ascoltatori del Machiavelli ricorderà più tardi che «de' pensamenti e azioni di questi giovani anche Niccolò non fu senza imputazione».[1]

Non si può dire se il Machiavelli sapesse per certo o se approvasse o no che i suoi discorsi venissero interpretati e attuati da quei ricchi e nobili giovani — senza tenere conto delle considerazioni che pure aveva in mente e non nascondeva, a proposito delle congiure —, nel senso

L'«*Arte della guerra*»

1 J. Nardi, *Istoria della città di Firenze... per cura ed opera di C. Arbib, Firenze 1838-1841, voll. II, p. 77: «... il detto Niccolò era amato grandemente da loro, e anche per cortesia sovvenuto, come seppi io, di qualche emolumento: e della sua conversazione si dilettavano meravigliosamente, tenendo in prezzo grandissimo tutte l'opere sue, in tanto che de' pensamenti e azioni di questi giovani anche Niccolò non fu senza imputazione».

tradizionale che occorre eliminare il tiranno, non per odio a lui, ma per assumere il potere e il comando e per fare quel che si deve fare e che egli non sa fare. In quel caso, Battista della Palla e Zanobi Buondelmonti avevano l'animo infiammato a grandi cose, cioè attuare la riforma politica e militare proposta dal Machiavelli: resta ad ogni modo che le sue letture e le sue parole vennero intese in quel senso, non solo dai congiurati veri e propri che agirono d'accordo coi Soderini, e fra i quali era anche Luigi Alamanni, il letterato e poeta, ma anche da altri ascoltatori. L'opera sull'*Arte della guerra* si presenta come un trattato, non di tipo scolastico, ma di tipo umanistico, svolta in forma dialogica, e articolata in sette libri. Interlocutori, Cosimo (Cosimino) Rucellai, Fabrizio Colonna, e i giovani Zanobi Buondelmonti, Battista della Palla e Luigi Alamanni. Il Machiavelli afferma, nell'apertura del libro I, di avere raccolto memoria dei ragionamenti tra Fabrizio Colonna e Cosimo Rucellai (ai quali anch'egli sarebbe stato presente), affinché i lettori vi imparino «molte cose utili alla vita non solamente militare, ma ancora civile».

Il I libro tratta del reclutamento; il II dell'armamento della fanteria e della cavalleria, del rapporto fra cavalleria e fanteria e della preparazione dei militi attraverso gli esercizi militari; il III della disposizione dell'esercito per la battaglia («giornata»). Mentre nel I e nel II libro la funzione di proporre i quesiti al Colonna era stata attribuita al Rucellai, nel III questi cede la funzione ad altri, e il Colonna propone che il suo interlocutore sia scelto secondo il costume veneziano nelle deliberazioni; e sia quindi il più giovane. Non sembra che si tratti di un omaggio alla procedura veneziana, ma di un modo per introdurre il cenno: «sendo questo esercizio da giovani, mi persuado che i giovani sieno più atti a ragionarne, come essi sono più pronti a esequirlo». E la parte d'interlocutore tocca a Luigi Alamanni, il quale a un certo punto propone la questione dell'importanza delle artiglierie, conducendo a una risposta in sostanza negativa: non possono avere peso decisivo per risolvere la «giornata». Nel libro IV interlocutore è Zanobi Buondelmonti, il quale chiede se ci siano altri tipi di ordinamento militare, e quali siano le precauzioni generali prima della «zuffa» (le eccezioni alle regole consuete dell'esercito romano ecc.), come si debbano e possano rendere i soldati pronti a combattere mediante la parola.

Nel libro V Fabrizio Colonna parla di propria iniziativa sull'ordinamento d'un esercito quando esso è in marcia «per il paese nimico o sospetto». Interlocutore è sempre Zanobi Buondelmonti, che propone domande sui «guastatori», sulle sussistenze e le salmerie ecc. Nel libro VI

Battista della Palla, invitato da Zanobi a fungere da interlocutore, si rimette al Colonna, il quale parla degli alloggiamenti e della disciplina militare. Nel libro VII si tratta delle fortificazioni, del modo di difenderle e del modo di prenderle. La terminologia militare è prevalentemente greco-latina, a meno di qualche termine contemporaneo (artiglierie, picche) e di quanto non riguarda direttamente l'attività militare.

Quest'opera del Machiavelli è la più rifinita e ripulita esternamente; preparata e riveduta per la stampa e per la pubblica diffusione, è anche, per così dire, la più costumata nello stile e nelle espressioni, e inoltre quella di struttura e di terminologia tecnica più regolari e convenzionali. Tuttavia, anche a proposito di quest'opera, la discussione fra studiosi ed interpreti è sempre in movimento. È ormai un luogo comune che il Machiavelli, preso com'era dalla sua propria scoperta della realtà e del peculiare carattere della vita politica, e dalla sua passione per l'energia e coerenza logica dell'azione identiche insomma alla serietà del carattere, non percepì per esempio l'importanza tecnico-militare che avrebbero avuto ben presto le artiglierie; e così pure è assodato che, pur avendo notato di sfuggita la nuova importanza della fanteria di contro alla cavalleria, egli non approfondì quel che oggi chiamiamo l'aspetto sociale delle riforme militari avvenute in Francia in tal senso (riforme che egli ricorda). È ormai accettato dagli studiosi che egli, facendosi eco d'una opinione allora molto seguita, confondesse nella sua critica al mercenarismo tanto il rifiuto dell'esercizio professionale delle armi quanto la condanna delle «Compagnie di ventura», che erano solo una forma particolare di mercenarismo. Oggi la discussione sembra spostata sul tema: qual significato abbia l'entusiasmo del Machiavelli per le istituzioni militari romane: ammirazione pedissequa umanistico-rinascimentale? Convinzione critica, derivata dalla riflessione che i Romani avessero avuto la migliore organizzazione che la ragione umana potesse provvedere? Basterà ricordare come, finché non fosse sopraggiunta la polemica antimachiavellica a distrarre e a deviare le menti dall'interesse per la realtà delle cose verso concettosità teoriche, astratte e moralistiche, anche quest'opera del Machiavelli abbia avuto un successo immediato; ristampe e imitazioni in Italia, traduzioni e rifacimenti fuori, e stima di uomini politici. A parte le ristampe italiane, che possono essere dovute anche soltanto alla attualità dell'argomento, risulta dalla fortuna dell'*Arte della guerra* come non mancasse chi sapesse intendere il significato rinnovatore profondo dei nessi sostanziali intuiti e proposti dal fiorentino, in quel primo pubblico trattato, sotto il profilo dell'arte militare, fra politica, anche come costruzione di una repubblica, guerra, religione («come possono coloro che dispregiano Dio riverire gli uomini?»), in una concezione globale che sembra destinata a divenire fermento attivo in molti sensi, e a lasciare interrogativi piuttosto inquietanti.[1]

Fortuna postuma dei temi di Machiavelli I temi proposti dal Machiavelli diventano elementi essenziali della vita culturale di tutto il secolo XVI e oltre il secolo XVI, fino al secolo scorso, quando Francesco De Sanctis, in un empito di lirismo storiografico, ebbe a dichiarare che Niccolò Machiavelli era il Lutero italiano. Questo slancio oratorio del De Sanctis può apparire, anche a chi abbia un orecchio in qualche modo esercitato ad ascoltare le voci che vengono dagli uomini dei secoli trascorsi, un po' grosso, retorico, provinciale, antiquato. Ma, se si sta ai fatti, una continuità c'è stata, sia pure una continuità letteraria (del resto, non facciamo qui storia della letteratura?): e lo storico la deve registrare. Basterebbe rammentare simbolicamente che il nome di battaglia preferito dal Mazzini come cospiratore fu proprio quello di Filippo Strozzi: eroe sì, di una tragedia del Niccolini, ma amico del Machiavelli.

Con questi nomi di De Sanctis e di Mazzini, un ciclo si chiude. Fatto si è che il ciclo c'è stato, e che esso si apre, per quanto riguarda la nostra parte di storici, con la tematica proposta nell'opera del Machiavelli; che si vada oltre il Cinquecento e il Seicento, è doveroso avvertire; del resto, anche a parte la clamorosa e poi convenzionale polemica antimachiavellica e per rimanere nel Cinquecento letterario italiano, saranno Italiani in esilio per ragioni di religione che tradurranno e stamperanno o faranno stampare in latino il *Principe*.

Il tema religioso è quello meno esplicitamente definito e meno evidentemente spiegato nell'opera del Machiavelli; anzi, spesso è accennato in maniera così poco dichiarata, che si può giungere anche alla ambiguità della religione *instrumentum regni*. E certo, se ci si richiama alle tempeste di anime e ai tormenti di coscienze esplicitamente religiose (che si esprimono e si articolano in termini di teologia cristiana e cristiane si professano), l'interesse del Machiavelli per una «religione» non meglio definita può sembrare, per l'appunto, ambiguo. E, partendo da certe superstizioni (segni celesti, il fulmine su Santa Reparata ecc.) fino all'uso politico della religione, le oscurità o ambivalenze non mancano. Ma accanto a questi aspetti, l'ironia del Machiavelli, come abbiamo indicato a proposito della *Mandragola*, è così seria e attenta alla religione, che non può esser mai ridotta a satira.

1 G. Procacci, *La fortuna dell'«Arte della guerra» del Machiavelli nella Francia del secolo XVI*, in «Rivista storica italiana», LXVII (1955), pp. 493-528.

Il tema politico non ha bisogno d'esser neppure accennato, tanti sviluppi e tante variazioni ha avuto fin da principio: lo ricordiamo qui solo per amore di completezza. Connesso con il tema politico e con quello religioso è quello storiografico, cioè della riflessione del Machiavelli sulla storia: sembra che oggi (ma non da oggi) ci sia un comune consenso nel giudizio che il Machiavelli non sia stato vero storico, perché polemico e appassionato, unilaterale e deformatore dei fatti. Naturalmente, anche a questo punto, il discorso dipende dal significato che si dà alle parole, dalle parole che si cercano per dire qualche cosa di nuovo, sentito come individualmente genuino e irriducibile, e dalle frange che rimangono. Ad ogni modo il consenso comune degli studiosi è quello che abbiamo registrato, benché non sia semplice definire il «vero storico». Il Machiavelli compone la storia di Firenze entro una storia d'Italia, ed è una prima storia unitaria della penisola; questa storia «unitaria», «nazionale» d'Italia è tuttavia stata composta, a sua volta, in funzione della storia recente di Firenze, cioè della vita politica fiorentina come conosciuta direttamente dal Machiavelli, per esperienza diretta e per cognizione degli immediati precedenti (come abbiamo osservato, il Machiavelli aveva cominciato prestissimo a far note su questo argomento); cosicché spesso la ricostruzione degli avvenimenti rimane deformata, mentre le preoccupazioni teoriche del Machiavelli lo condurrebbero a falsificazioni polemiche. È vero che l'interesse principale del Machiavelli nell'inserire la storia di Firenze in quella della penisola non è narrativo, espositivo o storico nel senso olimpico e contemplativo, e che perciò non lo conduce a ricercare come le cose siano andate di fatto nel corso delle epoche e dei secoli; il suo interesse è quello di rendersi conto come si sia pervenuti a quella determinata situazione di Firenze e degli Stati italiani, allo scopo di trovare un modo per risuscitare l'antica e mitica grandezza di Italiani e toscani. Nel corso delle sue varie attività e delle sue letture, delle riflessioni e della composizione dei *Discorsi* e delle altre opere, il Machiavelli cambia lentamente la prospettiva. La catastrofe del «mille quattrocento novantaquattro» si trasforma da cataclisma che coglie di sorpresa i prìncipi e le repubbliche della penisola, in un seguito d'errori dei prìncipi e dei capi politici e militari delle repubbliche. Furono presi di sorpresa perché vili e incapaci, o l'uno o l'altro: per scarsa «sufficienza» o per scarsa «virtù», o per l'uno e l'altro difetto insieme. C'è un furore contenuto e tacitamente sprezzante nel celebre finale del libro I delle *Istorie*: «Di questi adunque oziosi principi e di queste vilissime armi sarà piena la mia istoria». Il Machiavelli ritiene che conoscendo l'arte dello Stato o del governo, un principe capace possa iniziare il cammino per risalire, se aiutato dalla fortuna e dalla religione, dalla profonda rovina. Egli non sembra sperare nel carattere dei giovani di casa Medici, ma nella intelligenza che forse qualcuno di essi potrà raggiungere, del nesso tra il principe e il popolo, e dei grandi vantaggi che ne vengono al principe. E spera d'essere in grado di far loro capire che cosa occorre. Da ciò, non vengono la contemplazione o la grande narrazione; viene certo la polemica. Ma viene anche l'intuizione e la proposizione di problemi che, in fin dei conti, agli storici han dato da fare: quello dei Longobardi; quello della Chiesa come potere temporale e potenza italiana... Per attenerci ai limiti di questa trattazione, non si può certo negare che questi e analoghi problemi proposti dal Machiavelli siano stati lievito e fermento, in maniera diretta o indiretta, nella nostra letteratura storiografica del Cinquecento e oltre.[1]

Gli ultimi anni Non che questo fosse programma esplicito del Machiavelli, mentre componeva le *Istorie* ma, volente o nolente, prevedesse il «segretario fiorentino» la sorte postuma delle sue idee e delle sue intuizioni, o ad essa fosse indifferente, così sono andate le cose. Dopo la pubblicazione dell'*Arte della guerra*, e mentre continuava il lavoro alle *Istorie* (concluse e presentate al papa nel 1525), il Machiavelli venne richiamato in servizio dalla «signoria» di Firenze, e ci restano di quel periodo (1521-1527) alcune «legazioni». Certo, ormai non si tratta di incarichi importanti come quelli avuti in gioventù presso la corte francese, presso quella imperiale o neppure di un incarico come quello del 1511 presso i cardinali del conciliabolo pisano. Sono passati dieci anni dalla legazione a Pisa in tempo di concilio, quando il Machiavelli parte di nuovo per una legazione, anche questa presso gente di Chiesa; però non sono più i cardinali e gli abati e i gran dottori di Pisa, sono i Frati Minori riuniti in Capitolo generale a Carpi presso Modena. Non mancano nemmeno qui gran personaggi, generali dell'Ordine, gran teologi, cardinali: ma la missione del Machiavelli non è più «di Stato», nel senso eminente della parola. A Pisa, convincere i cardinali a lasciare la Toscana, significava ridurre il pericolo di un'azione di Giulio II contro la Repubblica, oltre che calmare le preoccupazioni dei mercanti e banchieri fiorentini; ora, si trattava di ottenere una concessione di carattere in sostanza giurisdizionale: avrebbe dovuto ottenere, a nome della Signoria e del cardinale Giulio de' Medici, che i conventi francescani del dominio fiorentino fossero separati dagli altri con-

---

1 E. Sestan, *L'idea di una unità della storia italiana*, in «Rivista storica italiana», a. LXII, p. 186.

venti della Toscana: un riordinamento analogo a quello compiuto a suo tempo dal Savonarola per i conventi domenicani; e inoltre, con una commissione successiva dei consoli dell'arte della Lana, l'invio di un predicatore per la prossima Quaresima. Francesco Guicciardini, governatore di Modena, e il Machiavelli si fanno beffe nella loro corrispondenza di questa legazione così poco importante e s'accordano per beffarsi, se non dei frati, almeno della gente di Carpi, e soprattutto del cancelliere di Alberto Pio, signore della città e generoso ospite dei conventi.

Seguono altri incarichi, meno ridicoli e più interessanti, di carattere diplomatico alcuni, altri di carattere militare: lavori per la fortificazione di Firenze, dopo la Battaglia di Pavia, mentre le truppe di Carlo V avanzano in Lombardia; poi al seguito del Guicciardini, luogotenente per papa Clemente VII al campo, prima in Lombardia, e ancora, con qualche intervallo, a Firenze, in Bologna, e infine sulla strada verso Roma: nell'ultima missione il Machiavelli è inviato presso il Guicciardini (che era giunto ad Orvieto), per chiedere quel che la città di Firenze potesse fare per salvare almeno la persona del papa assediato. Il Guicciardini invia il Machiavelli e l'altro commissario, Giovanni Bandini, a Civitavecchia per chiedere aiuto e intervento ad Andrea Doria: e quivi sembra che il Machiavelli ricevesse la notizia della cacciata dei Medici da Firenze e della nuova Repubblica. Egli si affretta a tornare a Firenze, ma vi rimane isolato:

... l'universale per conto del *Principe* l'odiava: ai ricchi pareva che quel suo *Principe* fosse stato un documento da insegnare al duca tôr loro tutta la roba, a' poveri tutta la libertà. Ai Piagnoni pareva che e' fosse eretico, ai buoni disonesto, ai tristi più tristo o più valente di loro; talché ognuno l'odiava...[1]

Le ultime lettere, di qualche mese prima, oltre le preoccupazioni per i figli e la moglie, sono di informazioni al Vettori sui movimenti militari, accompagnate da calcoli sulle possibilità di salvezza per la città e sulle probabilità di pace; scrive il 18 aprile 1527: «Ma chi gode nella guerra, come fanno questi soldati, sarebbono pazzi se lodassino la pace. Ma Iddio vorrà che gli haranno a fare più guerra che noi non vorremo».

È noto anche qualche rapporto sulle poche commissioni che il Machiavelli ebbe ancora tempo di compiere prima della morte (22 giugno 1527).

DELIO CANTIMORI

1 Il discorso sull'isolamento del Machiavelli in Firenze è di G.B. Busini, *Lettere di Giovambattista Busini a Benedetto Varchi sopra l'assedio di Firenze...*, per cura di Gaetano Milanesi, Firenze 1860, p. 84.

Guida bibliografica

OPERE BIBLIOGRAFICHE E STORIA DELLA CRITICA

Per una ricognizione e valutazione dei manoscritti machiavelliani, è ancora utile A. Gerber, *Niccolò Machiavelli. Die Handschriften, Ausgaben und Übersetzungen seiner Werke im 16. und 17. Jahrhundert*, Gotha 1912-13, 3 voll. (ristampa fototipica in unico volume, con un profilo dell'Autore a cura di L. Firpo, Torino 1962); si veda poi R. Ridolfi, *Le carte del Machiavelli*, in «La Bibliofilia», LXXI (1969), pp. 1-23. Le edizioni, in lingua originale e in traduzione, dei testi machiavelliani uscite dal principio del Cinquecento alla fine dell'Ottocento sono registrate in S. Bertelli - P. Innocenti, *Bibliografia machiavelliana*, Verona 1979, la cui ampia introduzione illustra storicamente la fortuna editoriale del Machiavelli.

Manca una bibliografia completa degli studi intorno al Machiavelli. Per indicazioni su di essi ci si può anzitutto riferire a R. Von Mohl, *Die Machiavelli-Literatur*, in Id., *Die Geschichte und Literatur der Staatswissenschaften*, vol. III, Erlangen 1858, pp. 519-91. Una vasta bibliografia, comprendente oltre duemila titoli per il periodo 1740-1953, è offerta da A. Norsa, *Il principio della forza nel pensiero politico di Niccolò Machiavelli, seguito da un contributo bibliografico*, Milano 1936. Ordinata e ragionata la bibliografia scelta in R. Bruscagli, *Niccolò Machiavelli*, Firenze 1975; essenziale ma aggiornata quella posta in appendice alla «voce» *Machiavelli* di M. Puppo nel *Dizionario critico della letteratura italiana*, diretto da V. Branca, II ed., vol. III, Torino 1986. Per un orientamento generale sui vari problemi si vedano le note bibliografiche a corredo del volume di G. Santonastaso, *Machiavelli*, Milano 1947, e soprattutto dell'edizione de *Il Principe e altri scritti*, a cura di G. Sasso, Firenze 1963. Panorami complessivi della storia della critica, corredati da bibliografie piuttosto ampie, sono proposti da C.F. Goffis, *Niccolò Machiavelli*, in AA. VV., *I classici italiani nella storia della critica*, opera diretta da W. Binni, II ed. ampliata e aggiornata, vol. I, *Da Dante al Marino*, VI rist. aggiornata, Firenze 1970, pp. 419-83, e da F. Fido, *Machiavelli*, II ed. aggiornata, Palermo 1975 (con un'antologia di testi critici). Per ulteriori notizie, valutazioni e aggiornamenti sugli studi machiavelliani si vedano G. Chiarelli, *I più recenti studi italiani su Machiavelli*, in «Rivista internazionale di filosofia del diritto», VII (1927), pp. 443-66; F. Battaglia, *Studi sulla politica di Machiavelli*, in «Nuovi Studi di diritto, economia e politica», I (1927-28), pp. 36-47, 122-31, 376-84, II (1929), pp. 46-57; F. Chabod, *Gli studi di storia del Rinascimento*, in AA. VV., *Cinquant'anni di vita intellettuale italiana*

1896-1946. Scritti in onore di Benedetto Croce per il suo ottantesimo anniversario, a cura di C. Antoni e R. Mattioli, Napoli 1950 (e ivi 1966²), vol. I, pp. 125-207; W. Preiser, *Das Machiavelli-Bild der Gegenwart*, in «Zeitschrift für die gesamte Staatswissenschaft», CVIII (1952), pp. 1-38; G. Sasso, *Recenti studi sul Machiavelli*, in «Rassegna di filosofia», I (1952), pp. 140-54; E.W. Cochrane, *Machiavelli: 1940-1960*, in «The Journal of Modern History», XXXIII (1961), pp. 113-36; V. Masiello, *Momenti sintomatici della moderna critica machiavelliana*, Roma 1964, poi in Id., *Classi e stato in Machiavelli*, Bari 1971; M. Puppo, *Orientamenti della critica sul Machiavelli*, in «Studium», LXII (1966), pp. 680-85; C.H. Clough, *Machiavelli Researches*, in «Annali dell'Istituto universitario orientale», sezione romanza, IX (1967), pp. 21-129; G. Sasso, *La critica dal De Sanctis ai nostri giorni*, in «Terzoprogramma», 1970, I, pp. 76-84; F. Gilbert, *Machiavelli in Modern Historical Scholarship*, in «Italian Quarterly», XV (1970), pp. 9-26; D. Della Terza, *The Most Recent Image of Machiavelli: the Contribution of the Linguist and Literary Historian*, ivi, pp. 91-113; C.F. Goffis, *Gli studi machiavelliani nell'ultimo ventennio*, in «Cultura e scuola», IX (1970), 33-34, pp. 34-55; J.H. Geerken, *Machiavelli Studies since 1969*, in «Journal of the History of Ideas», XXXVII (1976), pp. 351-68; M. Pozzi, *Studi sulla letteratura del Cinquecento*, II, in «Giornale storico della letteratura italiana», CLXII (1985), pp. 109-29 (specialmente pp. 120-22) e *Studi sulla letteratura del Cinquecento*, III, ivi, pp. 420-52 (specialmente pp. 424-25); D. Perocco, *Rassegna di studi sulle opere letterarie di Machiavelli (1969-1986)*, in «Lettere italiane», XXXIX (1987), pp. 544-79. In particolare per la critica straniera del periodo 1925-40 si veda F. Alderisio, *La critica straniera su Machiavelli nell'ultimo quindicennio*, in «Nuova Rivista storica», XXIV (1940), pp. 56-81.

Sulla fortuna del Machiavelli in generale e in Italia: C. Curcio, *Machiavelli nel Risorgimento*, in «Rivista internazionale di filosofia del diritto», XIV (1934), pp. 12-48; C. Benoist, *Le machiavélisme*, III: *Après Machiavel*, Paris 1936; A. Sorrentino, *Storia dell'antimachiavellismo europeo*, Napoli 1936; G. Dolci, *Il processo di Machiavelli. Lineamenti della fortuna del Machiavelli*, Milano 1939; A. Panella, *Gli antimachiavellici*, Firenze 1943; M. D'Addio, *Il pensiero politico di Gaspare Scioppio e il machiavellismo del Seicento*, Milano 1959, e ivi 1962²; M. Rosa, *Dispotismo e libertà nel Settecento. Interpretazioni «repubblicane» di Machiavelli*, Bari 1964; G. Procacci, *Studi sulla fortuna di Machiavelli*, Roma 1965; «Il Pensiero politico», II (1969), 3, fascicolo speciale contenente gli Atti del Convegno di Perugia (30 settembre-1º ottobre 1969) su «Machiavellismo e antimachiavellici nel Cinquecento» (oltre a interventi minori, vi si leggono le relazioni seguenti: M. D'Addio, *Machiavelli e antimachiavelli*, pp. 329-36; L. Firpo, *Le origini dell'anti-machiavellismo*, pp. 337-67; S. Mastellone, *Aspetti dell'antimachiavellismo in Francia: Gentillet e Languet*, pp. 376-415; C. Morris, *Machiavelli's Reputation in Tudor England*, pp. 416-33; J. Malarczyk, *Machiavellismo e antimachiavellismo nell'Europa orientale del Cinquecento*, pp. 434-44; A. Stegmann, *Le Tacitisme: programme pour un nouvel essai de définition*, pp. 445-58); M. Ciliberto, *Appunti per una storia della fortuna del Machiavelli in Italia: F. Ercole e L. Russo*, in «Studi storici», x (1969), pp. 799-832; L. Perini, *Gli eretici italiani del '500 e Machiavelli*, ivi, pp. 877-918; R. De Mattei, *Dal premachiavellismo all'antimachiavellismo*, Firenze 1969; L. Firpo, *La fortuna in Italia*, in «Terzoprogramma», 1970, i, pp. 57-67; S. Mastellone, *Antimachiavellismo, machiavellismo, tacitismo*, in «Cultura e scuola», ix (1970), 33-34, pp. 132-36; N. Matteucci, *Machiavelli, Harrington, Montesquieu, e gli «ordini» di Venezia*, in «Il Pensiero politico», iii (1970), pp. 337-69; *Il pensiero politico di Machiavelli e la sua fortuna nel mondo*, Atti del Convegno internazionale (Sancasciano-Firenze 28-29 settembre 1969), Firenze 1972 (si segnalano qui alcune relazioni contenute nel volume: F. Gaeta, *Appunti sulla fortuna del pensiero politico di Machiavelli in Italia*, pp. 21-36; A.M. Battista, *Direzioni di ricerca per una storia di Machiavelli in Francia*, pp. 37-66; J.A. Maravall, *Maquiavelo y maquiavelismo en España*, pp. 67-99; A. Tamborra, *Machiavelli nell'Europa orientale nei secc. XVI e XVII*, pp. 101-22; H. Hebling, *Wege deutscher Machiavelli-Interpretation*, pp. 123-31; E. Cochrane, *Machiavelli in America*, pp. 133-50; F. Gabrieli, *Machiavelli nel mondo islamico*, pp. 151-54); J. Macek, *Machiavelli e il machiavellismo*, Firenze 1980; F. Sanguineti, *Gramsci e Machiavelli*, Roma-Bari 1982.

Per la fortuna di Machiavelli all'estero, in aggiunta a quanto se ne dice nelle opere generali e nelle indagini specifiche incluse nei volumi collettivi appena citati, e oltre al sintetico quadro d'insieme tracciato da G. Procacci, *La fortuna in Europa*, in «Terzoprogramma», 1970, i, pp. 67-76, sono da tener presenti le seguenti ricerche particolari: per la Francia, A. Cherel, *La pensée de Machiavel en France*, Paris 1935; P. Stewart, *Innocent Gentillet e la sua polemica antimachiavellica*, Firenze 1969; G. Procacci, *Machiavelli e la Francia*, nel quaderno n. 134 dei «Problemi attuali di scienza e di cultura» dell'Accademia dei Lincei dedicato a *Niccolò Machiavelli*, Roma 1970, pp. 49-69; A. Stegmann, *Commynes et Machiavel*, in AA. VV., *Studies on Machiavel*, edited by

M.P. Gilmore, Firenze 1972, pp. 265-84; A. D'Andrea, *Calvinismo, antimachiavellismo e italofobia*, e *Gentillet e i monarcomachi*, in Id., *Il nome della storia. Studi e ricerche di storia e letteratura*, Napoli 1982; per la Spagna, G.M. Bertini, *La fortuna di Niccolò Machiavelli in Spagna*, in «Quaderni ibero-americani», 2 (novembre 1946 - gennaio 1947), pp. 21-22, 25-26; per l'Inghilterra, N. Orsini, *Bacone e Machiavelli*, Genova 1936; Id., *Studi sul Rinascimento italiano in Inghilterra*, Firenze 1937; M. Praz, *Machiavelli in Inghilterra*, Roma 1942, II ed., Firenze 1962; F. Raab, *The English Face of Machiavelli. A Changing Interpretation, 1500-1700*, London-Toronto 1964; A. D'Andrea, *Machiavelli e una polemica teatrale elisabettiana: il prologo del «Jew of Malta», Generatio equivoca di un eroe: Tamburlaine, Grandezza e miseria dell'eroe machiavellico*, in Id., *Il nome della storia*, cit.

STUDI BIOGRAFICI E GENERALI

Per la biografia del Machiavelli è oggi fondamentale l'opera di R. Ridolfi, *Vita di Niccolò Machiavelli*, pubblicata a Roma nel 1954, e poi riveduta e aggiornata dall'autore in successive edizioni, delle quali la più recente è l'ottava, Firenze 1981. Accanto ad essa occorrerà leggere F. Chabod, *Niccolò Machiavelli. I. Il Segretario fiorentino*, Roma 1953, ora in Id., *Scritti su Machiavelli*, Torino 1964 (reprint ivi 1980). Ma non saranno da trascurare i classici lavori di O. Tommasini, *La vita e gli scritti di Niccolò Machiavelli nelle loro relazioni col machiavellismo*, Torino-Roma 1883-1911, 2 voll.; e P. Villari, *Niccolò Machiavelli e i suoi tempi*, II ed. riveduta, Milano 1895-97, 3 voll. Utile anche F. Nitti, *Il Machiavelli studiato nella sua vita e nella sua dottrina*, vol. I (unico edito), Napoli 1876. Si vedano infine gli scritti sintetici di R. Ridolfi, *L'uomo Machiavelli*, nel cit. quaderno linceo *Niccolò Machiavelli*, pp. 61-73; L. Firpo, *La vita*, in «Terzoprogramma», 1970, I, pp. 15-22; V. Romano, *Profilo biografico del Machiavelli*, in «Cultura e scuola», IX (1970), 33-34, pp. 7-16. Molto personale *La vita di Niccolò Machiavelli fiorentino* di G. Prezzolini, Milano 1927, nuova ed. ivi 1982.

Per l'interpretazione complessiva del Machiavelli, e per l'interpretazione d'insieme del suo pensiero politico e della sua opera storiografica o di loro aspetti di carattere generale: F. De Sanctis, *Machiavelli* (1869), in Id., *Saggi critici*, vol. II, a cura di L. Russo, Bari 1952, e *Machiavelli*, cap. XV della sua *Storia della letteratura italiana*, Napoli 1870 (ed. a cura di N. Gallo, Torino 1958); E.W. Mayer, *Machiavelli's Geschichtsauffassung und sein Begriff «virtù»*, München 1912; G. Toffanin, *Machiavelli e il «tacitismo»: la «Politica storica» al tempo della Contro-

riforma, Padova 1921, II ed., Napoli 1972; G. Gentile, *Studi sul Rinascimento*, Firenze 1923; F. Meinecke, *Die Idee der Staatsräson in der neueren Geschichte*, München-Berlin 1924 (trad. it.: *L'idea della ragion di Stato nella storia moderna*, vol. I, Firenze 1942); B. Croce, *Machiavelli e Vico. La politica e l'etica*, in «La Critica», XXII (1924), pp. 193-97, poi in Id., *Etica e politica*, Bari 1931 (del Croce vedi anche *Una questione che forse non si chiuderà mai. La questione del Machiavelli*, in «Quaderni della "Critica"», XIV [1949], pp. 1-9, poi Id., *Indagini su Hegel e schiarimenti filosofici*, Bari 1952); F. Ercole, *La politica di Machiavelli*, Roma 1926 (comprende vari scritti apparsi tra il 1916 e il 1921); A. Panella, *Machiavelli storico*, in «Rivista d'Italia», a. XXX (1927), vol. II, pp. 324-40; F. Alderisio, *Niccolò Machiavelli. L'arte dello Stato nell'azione e negli scritti*, Torino 1929, II ed., Bologna 1950 (dello stesso autore vedi anche *Ripresa machiavellica. Considerazioni critiche sulle idee di A. Gramsci, di B. Croce e di L. Russo intorno a Machiavelli*, Napoli 1950); F. Battaglia, *La dottrina dello Stato misto nei politici fiorentini del Rinascimento*, in «Rivista internazionale di filosofia del diritto», VII (1972), pp. 286-304; C. Benoist, *Machiavel*, Paris 1934; M. Marchesini, *Saggio sul Machiavelli*, Firenze 1934; A. Norsa, *Il principio della forza*, cit.; F. Collotti, *Studi sulla politica del Machiavelli*, Spoleto 1935, e Id., *Machiavelli. Lo Stato*, Milano 1939; D. Cantimori, *Rhetoric and Politics in Italian Humanism*, in «Journal of the Warburg Institute», I (1937-38), pp. 83-102; H. Butterfield, *The Statecraft of Machiavelli*, London 1940, II ed., ivi 1955; R. König, *Niccolò Machiavelli. Zur Krisenanalyse einer Zeitenwende*, Erlenbach-Zürich 1941, ristampa con un poscritto dell'autore, München-Wien 1979; M. Sticco, *Lettura del Machiavelli*, Milano 1941; L. Malagoli, *Il Machiavelli e la civiltà del Rinascimento*, ivi 1941; A. Renaudet, *Machiavel. Étude d'histoire des doctrines politiques*, Paris 1942, II ed., ivi 1956; U. Spirito, *Machiavelli e Guicciardini*, Roma 1944, IV ed. accresciuta, Firenze 1970; E. Dupré Theseider, *Niccolò Machiavelli diplomatico. L'arte della diplomazia nel Quattrocento*, Como 1945; L. Russo, *Machiavelli*, Bari 1945 (vi sono compresi scritti apparsi a partire dal 1931; il volume subì incrementi fino alla sua IV ed. riveduta, Bari 1957: si ricorra dunque a essa o a una delle successive); L. Olschki, *Machiavelli the Scientist*, Berkeley 1945 (trad. it. in «Il Pensiero politico», II [1969], pp. 509-35); E. Cassirer, *The Myth of the State*, New Haven 1946 (trad. it.: *Il mito dello Stato*, Milano 1950); G. Quadri, *Niccolò Machiavelli e la costruzione politica della coscienza morale*, Firenze 1947, II ed. rifatta, ivi 1971; J.H. Whitfield, *Machiavelli*, Oxford 1947; G. Santonastaso, *Machiavelli*, cit.; G. Ritter, *Die Dämonie der Macht*, München 1948 (trad. it.: *Il volto demoniaco del potere*, Bologna 1954); A. Gramsci, *Note sul Machiavelli, sulla politica e sullo Stato moderno*, Torino 1949, nuova ed. rivista e integrata, Roma 1979 (e ora si può anche ricorrere ad A. Gramsci, *Quaderno 13. Noterelle sulla politica del Machiavelli*, introduzione e note di C. Donzelli, Torino 1981); M. Merleau-Ponty, *Note sur Machiavel*, in «Les Temps modernes», 1949, 48, pp. 577-93, poi in Id., *Signes*, Paris 1960 (trad. it.: *Segni*, Milano 1967); L. Huovinen, *Das Bild vom Menschen im politischen Denken Niccolò Machiavellis*, Helsinki 1951; M. Puppo, *Machiavelli o il mito dell'azione*, Milano 1951; R. Von Albertini, *Das florentinische Staatsbewusstsein im Übergang von der Republik zum Prinzipat*, Bern 1955 (trad. it.: *Firenze dalla repubblica al principato. Storia e coscienza politica*, prefazione di F. Chabod, Torino 1970); A. Passerin d'Entrèves, *Machiavelli immortale e Machiavelli immaginario*, in Id., *Dante politico e altri saggi*, Torino 1955 (i due saggi sono rielaborazioni in italiano di scritti apparsi originariamente in lingua inglese: il primo sulla rivista americana «Measure» nel 1950, il secondo in parte sull'«English Historical Review» nel 1947 e in parte sull'«Hibbert Journal» nel 1951); G. Parazzoli, *Niccolò Machiavelli e la lezione liviana*, Milano 1955; F. Montanari, *Niccolò Machiavelli*, in AA. VV., *Letteratura italiana. I maggiori*, vol. I, Milano 1956, pp. 407-46; L. Strauss, *Thoughts on Machiavelli*, Glencoe, Ill., 1958 (trad. it.: *Pensieri su Machiavelli*, Milano 1970); G. Sasso, *Niccolò Machiavelli. Storia del suo pensiero politico*, Napoli 1958, e, con rilevanti modifiche e largamente riveduto, Bologna 1980; G. Mounin, *Machiavel*, Paris 1958; R. Bacchelli, «*Istorico, comico e tragico*», *ovvero Machiavelli artista*, in «Nuova Antologia», CCCCLXXVIII (gennaio-aprile 1960), pp. 3-20, poi in Id., *Saggi critici*, Milano 1962; J.R. Hale, *Machiavelli and Renaissance Italy*, London 1961; R. Namer, *Machiavel*, Paris 1961; E. Faul, *Der moderne Machiavellismus*, Köln-Berlin 1961; L. Mossini, *Necessità e legge nell'opera del Machiavelli*, Milano 1962; B. Brunello, *Machiavelli e il pensiero politico del Rinascimento*, Bologna 1964; F. Chabod, *Scritti su Machiavelli*, citt. (riunisce sei scritti apparsi tra il 1924 e il 1955); R. De Mattei, *Machiavelli e l'idea di unità nazionale italiana*, in «Cultura e scuola», III (1964), 12, pp. 72-82; F. Gilbert, *Machiavelli and Guicciardini. Politics and History in Sixteenth Century Florence*, Princeton 1965 (trad. it.: *Machiavelli e Guicciardini. Pensiero politico e storiografia a Firenze nel Cinquecento*, Torino 1970); G. Sasso, *Studi su Machiavelli*, Napoli 1967 (raccolta di studi apparsi in riviste tra il 1958 e il 1966); C.H. Clough, *Machiavelli Resear-*

ches, citt.; L. Malagoli, *La duplicità del Rinascimento nel Machiavelli*, in Id., *Le contraddizioni del Rinascimento*, Firenze 1968; J.H. Whitfield, *Discourses on Machiavelli*, Cambridge 1969 (raccolta di scritti apparsi in riviste tra il 1949 e il 1967); N. Badaloni, *Natura e società in Machiavelli*, in «Studi storici», x (1969), pp. 675-708; A. Tenenti, *La religione in Machiavelli*, ivi, pp. 709-48, poi in Id., *Credenze, ideologie, libertinismi tra Medioevo ed Età moderna*, Bologna 1978; E. Garin, *Aspetti del pensiero di Machiavelli*, in «Il Veltro», xiii (1969), pp. 729-48, poi in opuscolo, Firenze 1970, infine in Id., *Dal Rinascimento all'Illuminismo*, Pisa 1970; N. Abbagnano, *Machiavelli politico*, nel cit. quaderno linceo *Niccolò Machiavelli*, pp. 5-18; C. Dionisotti, *Machiavelli storico*, ivi, pp. 19-32, poi nel suo volume *Machiavellerie* più oltre citato; F. Gaeta, *Lo storico*, in «Terzoprogramma», 1970, I, pp. 40-49; F. Sciacca, *La concezione dell'uomo nel pensiero del Machiavelli*, in «Cultura e scuola», ix (1970), 33-34, pp. 56-71; N. Matteucci, *Il pensiero politico di Niccolò Machiavelli*, ivi, pp. 90-113, ora in Id., *Alla ricerca dell'ordine politico. Da Machiavelli a Tocqueville*, Bologna 1984; V. Masiello, *Classi e stato in Machiavelli*, citt.; C. Lefort, *Le travail de l'œuvre. Machiavel*, Paris 1972; N. Rubinstein, *Machiavelli and the World of Florentine Politics*, in AA. VV., *Studies on Machiavelli*, citt., pp. 3-28; N. Matteucci, *Niccolò Machiavelli politologo*, ivi, pp. 207-48, ora in Id., *Alla ricerca dell'ordine politico*, cit.; N. Borsellino, *Niccolò Machiavelli*, Roma-Bari 1973; A. Bonadeo, *Corruption, Conflict and Power in the Works and Times of Niccolò Machiavelli*, Berkeley - Los Angeles - London 1973; AA. VV., *Machiavelli and the Nature of Political Thought*, edited by M. Fleisher, London 1973; L. Firpo, *Machiavelli politico*, in AA. VV., *Machiavelli nel V centenario della nascita*, Bologna 1973, pp. 111-36; G. Cadoni, *Machiavelli. Regno di Francia e «principato civile» con un'appendice su Libertà e Repubblica in Machiavelli*, Roma 1974; I. Cervelli, *Machiavelli e la crisi dello stato veneziano*, Napoli 1974; R. Montano, *Machiavelli. Valore e limiti*, Firenze 1974; J. Duvernoy, *La pensée de Machiavel*, Paris-Bruxelles 1974; P. Bondella, *Machiavelli and tha Art of Renaissance History*, Detroit 1974; J.G.A. Pocock, *The Machiavellian Moment. Florentine Political Thought and the Atlantic Republican Tradition*, Princeton 1975 (trad. it.: *Il momento machiavelliano. Il pensiero fiorentino e la tradizione repubblicana anglosassone*, Bologna 1980, 2 voll.); S. Zeppi, *Studi su Machiavelli pensatore*, prefazione di M. Dal Pra, Milano 1976; G. Sasso, *Il «celebrato sogno» di Machiavelli*, in «La Cultura», xiv (1976), pp. 26-101; L. Derla, *Machiavelli e le regole del discorso politico*, in «Italianistica», v

(1976), pp. 393-425; F. Gilbert, *Machiavelli e il suo tempo*, Bologna 1977 (raccoglie in traduzione italiana saggi sparsamente pubblicati in inglese tra il 1939 e il 1972; in edizione meno ampia il volume era apparso sempre a Bologna nel 1964); B. Guillemain, *Machiavel. L'anthropologie politique*, Genève 1977; L. Derla, *Sulla concezione machiavelliana del tempo*, in «Il Contesto», III (1977), pp. 3-31; R. Price, *The Theme of «Gloria» in Machiavelli*, in «Renaissance Quarterly», XXX (1977), pp. 588-631; J.J. Marchand, *L'interprétation de l'histoire chez Machiavel*, in «Études de lettres», s. IV, I (1978), 2-3, pp. 31-48; M. Marietti, *La figure de Ferdinand le Catholique dans l'œuvre de Machiavel: naissance et déclin d'un mythe politique*, in AA. VV., *Présence et influence de l'Espagne dans la culture italienne de la Renaissance. Etudes réunies par A. Rochon*, Paris 1978, pp. 9-54; G.M. Anselmi, *Ricerche sul Machiavelli storico*, Pisa 1979; U. Dotti, *Niccolò Machiavelli. La fenomenologia del potere*, Milano 1979; G. Namer, *Machiavel ou les origines de la sociologie de la connaissance*, Paris 1979; V.A. Santi, *La «gloria» nel pensiero di Machiavelli*, Ravenna 1979; M. Phillips, *Machiavelli, Guicciardini and the Tradition of Vernacular Historiography*, in «The American Historical Review», LXXXIV (1979), pp. 86-105; J.S. Preus, *Machiavelli's Functional Analysis of Religion: Context and Object*, in «Journal of the History of Ideas», XL (1979), pp. 171-90; L. Zanzi, *Modelli «naturalistici» e procedimenti «retorici» nella teoria storiografica del Machiavelli*, in «Rendiconti dell'Istituto lombardo», Classe di lettere e scienze morali e storiche, CXIII (1979), pp. 415-63; C. Dionisotti, *Machiavellerie. Storia e fortuna di Machiavelli*, Torino 1980 (raccolta di studi parte inediti e parte sparsamente pubblicati nel decennio precedente); L. Derla, *Machiavelli moralista*, in «Italianistica», IX (1980), pp. 393-408, e X (1981), pp. 21-35; E. Cochrane, *Historians and Historiography in the Italian Renaissance*, Chicago-London 1981; L. Zanzi, *I «segni» della natura e i «paradigmi» della storia: il metodo del Machiavelli. Ricerche sulla logica scientifica degli «umanisti» tra medicina e storiografia*, Manduria 1981; AA. VV., *Machiavelli attuale. Machiavel actuel*, a cura di G. Barthouil, Ravenna 1982; P. Larivaille, *La pensée politique de Machiavel. Les «Discours sur la première décade de Tite-Live»*, Nancy 1982 (riprende nella sostanza un documento di lavoro stampato in offset nel 1977); H. Münkler, *Machiavelli. Die Begründung des politischen Denkens der Neuzeit aus der Krise der Republik Florenz*, Frankfurt am Main 1982; G. Sasso, *Principato civile e tirannide*, in «La Cultura», XX (1982), pp. 213-75, XXI (1983), pp. 83-137; Id., *La «tirannide» del duca d'Atene («Istorie fiorentine», II, 33-37)*, ivi, XXI (1983), pp.

292-308; M. Hulliung, *Citizen Machiavelli*, Princeton 1983; R. Esposito, *Ordine e conflitto. Machiavelli e la letteratura politica del Rinascimento italiano*, Napoli 1984; «La Cultura», XXIII (1985), I, fascicolo interamente dedicato al Machiavelli (oltre a discussioni, recensioni, contributi filologici, contiene i saggi seguenti: G. Sasso, *Machiavelli e Romolo*, pp. 7-44; M. Reale, *Machiavelli la politica e il problema del tempo. Un doppio cominciamento della storia romana? A proposito di Romolo in «Discorsi»*, I, 9, pp. 45-123; G. Cadoni, *Il Principe e il Popolo*, pp. 124-202). Sulle concezioni militari del Machiavelli: M. Hobohm, *Machiavellis Renaissance der Kriegskunst*, Berlin 1913; F. Gilbert, *Machiavelli: The Renaissance of the «Art of War»*, in AA. VV., *Makers of Modern Strategy. Military Thought from Machiavelli to Hitler*, edited by E.M. Earle, Princeton 1943, ora col titolo *«L'Arte della guerra»* in Id., *Machiavelli e il suo tempo*, cit.; P. Pieri, *Guerra e politica negli scrittori italiani*, Milano-Napoli 1955; J.R. Hale, *War and Public Opinion in Renaissance Italy*, in AA. VV., *Italian Renaissance Studies*, edited by E.F. Jacob, London 1960, pp. 94-122; V. Masiello, *Gli scritti militari del Machiavelli e il problema del consenso*, in «Cultura e scuola», IX (1970), 33-34, pp. 260-82, poi col titolo *Il piano socio-politico della riforma militare e il problema del consenso* in Id., *Classi e stato in Machiavelli*, citt.; A. Bonadeo, *Machiavelli on War and Conquest*, in «Il Pensiero politico», VII (1974), pp. 334-61.

Sulla lingua e la terminologia: O. Condorelli, *Per la storia del nome «Stato» (Il nome Stato in Machiavelli)*, in «Archivio giuridico Filippo Serafini», LXXXIX (1923), pp. 223-35, e XC (1923), pp. 77-112; F. Chiappelli, *Studi sul linguaggio del Machiavelli*, Firenze 1952; F. Chabod, *Niccolò Machiavelli*, in AA. VV., *Il Cinquecento*, a cura della Libera Cattedra di storia della civiltà fiorentina, Firenze 1955, pp. 1-21, poi col titolo *Metodo e stile di Niccolò Machiavelli*, in Id., *Scritti su Machiavelli*, citt.; J.H. Dexter, *Il principe e lo Stato*, in «Studies in the Renaissance», IV (1957), pp. 113-38; H. De Vries, *Essai sur la terminologie constitutionelle chez Machiavelli*, Amsterdam 1957; F. Chiappelli, *Nuovi studi sul linguaggio del Machiavelli*, Firenze 1969; Id., *Ipotesi di ricerca sullo stile del Machiavelli*, in «Cultura e scuola», IX (1970), 33-34, pp. 250-54; A. Tenenti, *«Civiltà» e civiltà in Machiavelli*, in «Il Pensiero politico», IV (1972), pp. 161-74, ora in Id., *Credenze, ideologie, libertinismi*, citt.; R. De Mattei, *«Sapienza», «sapere», «saviezza», e «prudenza» nel Machiavelli*, in «Lingua nostra», XXXVII (1976), pp. 14-17; F. Chiappelli, *«Prudenza» in Machiavelli («Il Principe», «Discorsi», «Arte della guerra»)*, in AA. VV., *Letteratura e critica. Studi in onore di Natalino Sapegno*, vol. IV, Roma 1977, pp. 191-211; F. Adorno, «*Fortuna*» e «*virtù*» *in Machiavelli e in Aristotele. Una* «*barba*» *del Machiavelli*, in «Atti della Accademia Pontaniana», n. s., XXIX (1980), pp. 325-39; R. Zanon, «*Potenza*», «*autorità*», «*reputazione*» *in Machiavelli* («*Principe*», «*Discorsi*», «*Arte della guerra*»), in Cultura neolatina», XL (1980), pp. 319-32.

LE OPERE POLITICHE. EDIZIONI E STUDI

Sulle questioni editoriali relative ai testi machiavelliani informazioni sintetiche sono fornite da S. Bertelli, *Le opere: problemi critici e filologici*, in «Terzoprogramma», 1970, I, pp. 23-31, e da M. Martelli, *La tradizione delle opere di N. Machiavelli*, in «Cultura e scuola», IX (1970), 33-34, pp. 25-33. Sui connessi problemi grafologici dei manoscritti dell'autore si veda P. Ghiglieri, *La grafia del Machiavelli studiata negli autografi*, Firenze 1969.

Tra le edizioni complete degli scritti del Machiavelli si deve citare in primo luogo quella curata da S. Bertelli e F. Gaeta, *Opere*, Milano 1960-65, 8 voll., con una introduzione generale di G. Procacci, note introduttive e bibliografiche ai singoli testi, commento esplicativo a piè di pagina, glossari e indici dei nomi per ciascun volume. Ma per quanto riguarda il testo, resta fondamentale l'edizione di *Tutte le opere storiche e letterarie*, a cura di G. Mazzoni e M. Casella, Firenze 1929; alla quale sostanzialmente si rifanno sia quella curata da A. Panella, *Opere*, Milano 1938-39, 2 voll., sia quella curata da F. Flora e C. Cordié, *Tutte le opere*, ivi 1949-50, 2 voll. L'edizione di *Tutte le opere*, a cura di M. Martelli, Firenze 1971, offre parziali ma consistenti innovazioni testuali: delle commedie propone testi critici stabiliti *ex novo*, e degli scritti di cui si conservano gli autografi presenta testi controllati su di essi (con l'eccezione però delle legazioni, delle quali assume il testo stabilito nell'edizione procuratane da L. Passerini e G. Milanesi, più oltre citata, in attesa della fissazione di un nuovo testo nell'edizione intrapresane da F. Chiappelli, anch'essa più oltre citata). Dei restanti scritti riproduce i testi delle edizioni giudicate maggiormente attendibili, e precisamente i testi offerti dall'edizione Mazzoni-Casella per gli scritti in essa compresi (salvo che per le *Istorie fiorentine*, il cui testo è riprodotto dalla più oltre citata edizione critica di P. Carli), e i testi offerti dall'edizione Bertelli-Gaeta per gli scritti non compresi nell'edizione Mazzoni-Casella. Un'edizione delle *Opere* machiavelliane è in corso di pubblicazione nella collana dei «Classici italiani» della UTET: ne sono finora usciti due volumi (II: *Istorie fiorentine e altre opere storiche e politiche*, a cura di A. Montevecchi, Torino 1971; III: *Lettere*, a cura di F. Gaeta, ivi 1984), e l'uscita di un altro (*Opere letterarie*, a cura di L.

Blasucci) è imminente. Per la ricorrenza del cinquecente-simo anniversario della morte di Machiavelli è stata pubblicata, a cura di S. Bertelli, un'edizione di lusso del-le sue *Opere*, Milano e poi Verona 1968-82, 11 voll. (il vol. X è costituito dalla *Bibliografia machiavelliana* di S. Bertelli e P. Innocenti sopra citata).

Fra le molte antologie con commento ricordiamo: *Scritti politici scelti*, a cura di V. Osimo, Milano 1910; *Le opere maggiori*, scelta e commento di P. Carli, Firenze 1923; *Antologia machiavellica*, introduzione e note di L. Russo, ivi 1931; «*Il Principe*», *passi dei* «*Discorsi*» *e delle* «*Isto-rie fiorentine*», con introduzione e commento di F. Alde-risio, Napoli 1940; *Scritti scelti*, a cura di V. Arangio Ruiz, Milano 1941; *Opere*, a cura di M. Bonfantini, Mi-lano-Napoli 1954; *Il Principe e altri scritti*, introduzione e commento di G. Sasso, Firenze 1963; *Opere*, a cura di E. Raimondi, Milano 1966; *Opere scelte*, a cura di G.F. Berardi, introduzione di G. Procacci, Roma 1969; *Opere politiche*, a cura di M. Puppo, Firenze 1969; *Il Principe e altri scritti*, a cura di S. Bertelli, Bergamo 1972.

Per il *Principe* — del quale si attende una nuova edizio-ne critica (dopo quella di G. Lisio più avanti citata) per opera di A.E. Quaglio, di cui cfr. intanto *Per il testo del* «*De Principatibus*» *di Niccolò Machiavelli*, in «Lettere italiane», XIX (1967), pp. 141-86 — si vedano le edizioni commentate di L.A. Burd, Oxford 1891; G. Lisio, Firen-ze 1899 (ristampata con presentazione di F. Chiappelli, ivi 1957); V. De Caprariis, Bari 1961; U. Dotti, Milano 1979; e soprattutto F. Chabod, nella III ed. a cura di L. Firpo, Torino 1961, con aggiornamento bibliografico (la I ed. uscì a Torino nel 1924). Sulla questione della com-posizione dell'opera: F. Chabod, *Sulla composizione de* «*Il Principe*» *di Niccolò Machiavelli*, in «Archivum Ro-manicum», XI (1927), pp. 330-83, poi in Id., *Scritti su Machiavelli*, citt.; E. Rossi, *Per la storia delle opere del Machiavelli*, in «La Cultura», VI (1926-27), pp. 193-206; F. Gilbert, *The Humanist Concept of Prince and the* «*Prince*» *of Machiavelli*, in «The Journal of Modern Hi-story», XI (1939), pp. 449-83, ora tradotto in Id., *Ma-chiavelli e il suo tempo*, cit.; M. Martelli, *Da Poliziano a Machiavelli. Sull'epigramma* «*Dell'Occasione*» *e sull'occa-sione*, in «Interpres», II (1979), pp. 230-54; G. Sasso, *Il* «*Principe*» *ebbe due redazioni?*, in «La Cultura», XIX (1981), pp. 52-109; M. Martelli, *La struttura deformata. Studio sulla diacronia del cap. III del* «*Principe*», in «Stu-di di filologia italiana», XXXIX (1981), pp. 77-120; R. Ridolfi, *De Principatibus: unica redazione*, in «La Bibliofi-lia», LXXXIV (1982), pp. 71-73; G. Inglese, «*De principa-tibus mixtis*». *Per una discussione sulla* «*diacronia*» *del* «*Principe*», in «La Cultura», XX (1982), pp. 276-301.

Per l'interpretazione dell'opera, oltre alle introduzioni alle varie edizioni citate (cui si aggiunga quella di M. Casella, Milano-Roma 1930), si veda F. Chabod, *Del «Principe» di Niccolò Machiavelli*, in «Nuova Rivista storica», IX (1925), pp. 35-71, e *Niccolò Machiavelli. I. Il Segretario fiorentino*, cit., ora entrambi in Id., *Scritti su Machiavelli*, citt.; A.H. Gilbert, *Machiavelli's «Prince» and Its Forerunners. The «Prince» as a Typical Book de Regimine Principum*, Durham 1938; F. Gilbert, *The Concept of Nationalism in Machiavelli's «Prince»*, in «Studies in the Renaissance», I (1954), pp. 38-48, e *Florentine Political Assumptions in the Period of Savonarola and Soderini*, in «Journal of the Warburg and Courtald Institutes», XX (1957), pp. 187-214, ora entrambi tradotti in Id., *Machiavelli e il suo tempo*, cit.; G. Mattingly, *Machiavelli's «Prince»: Political Science or Political Satire?*, in «The American Scholar», XXVII (1958), pp. 482-91; E. Harris Harbison, *Machiavelli's «Prince» and More's «Utopia»*, in AA. VV., *Facets of the Renaissance*, edited by W.H. Werkmeister, Los Angeles 1959, pp. 41-71; G. Sasso, *Filosofia o «scopo pratico» nel «Principe»?*, in «La Cultura», IV (1966), pp. 42-61, poi in Id., *Studi su Machiavelli*, citt.; C. Pincin, *Osservazioni sul modo di procedere del Machiavelli nel «De Principatibus», XV-XXV*, in AA. VV., *Essays Presented to Myron P. Gilmore*, edited by S. Bertelli and G. Ramakus, vol. I, Firenze 1978, pp. 209-30; M. Martelli, *La logica provvidenzialistica e il capitolo XXVI del «Principe»*, in «Interpres», IV (1981-82), pp. 262-384; G. Sasso, *Del ventiseiesimo capitolo del «Principe», della «provvidenza» e di altre cose*, in «La Cultura», XXII (1984), pp. 249-309. In particolare intorno al giudizio del Machiavelli su Cesare Borgia si vedano G. Sasso, *Machiavelli e Cesare Borgia. Storia di un giudizio*, ivi, III (1965), pp. 337-73, 449-80, 561-612, poi in volume, Roma 1966; C. Dionisotti, *Machiavelli, Cesare Borgia e don Micheletto*, in «Rivista storica italiana», LXXIX (1967), pp. 960-75, poi nel suo volume *Machiavellerie*, cit.; G. Sasso, *Ancora su Machiavelli e Cesare Borgia*, in «La Cultura», VII (1969), pp. 1-36; C. Dionisotti, *Machiavellerie I*, in «Rivista storica italiana», LXXXII (1970), pp. 308-34, ora nel suo volume *Machiavellerie*, cit.; E. Gusberti, *Cesare Borgia in Machiavelli (in margine a una polemica)*, in «Bullettino dell'Istituto storico italiano per il Medio Evo e Archivio muratoriano», LXXXV (1974-75), pp. 179-230.

Per i *Discorsi sopra la prima deca di Tito Livio* si veda il commento che ne accompagna la traduzione inglese, *The Discourses of Niccolò Machiavelli*, a cura di L.J. Walker, London 1950, II ed., London-Boston 1975, 2 voll.; e le recenti edizioni commentate a cura di C. Vivanti, Torino

1983, e a cura di G. Inglese, con introduzione di G. Sasso, Milano 1984. Sulla composizione, la data e l'interpretazione dell'opera: F. Gilbert, *The Composition and Structure of Machiavelli's «Discorsi»*, in «Journal of the History of Ideas», XIV (1953), pp. 136-56, ora tradotto in Id., *Machiavelli e il suo tempo*, citt.; J.H. Hexter, *Seyssel, Machiavelli and Polybius VI: the Mystery of the Missing Translation*, in «Studies in the Renaissance», III (1956), pp. 75-96; H. Baron, *The «Principe» and the Puzzle of the Date of the «Discorsi»*, in «Bibliothèque d'Humanisme et Renaissance», XVII (1956), pp. 405-28; G. Sasso, *Intorno alla composizione dei «Discorsi» di Niccolò Machiavelli (Note ed appunti)*, in «Giornale storico della letteratura italiana», CXXXIV (1957), pp. 482-534, CXXXV (1958), pp. 215-59; J.H. Whitfield, *Discourses on Machiavelli VII. Gilbert, Haxter, Baron*, in «Italian Studies», XIII (1958), pp. 21-46, e *Il caso Machiavelli*, in «La Parola e le idee», I (1959), 2-3, pp. 80-95, poi entrambi in Id., *Discourses on Machiavelli*, citt.; G. Sasso, *Machiavelli e la teoria dell'«anacyclosis»*, in «Rivista storica italiana», LXX (1958), pp. 337-75, poi in Id., *Studi su Machiavelli*, citt.; C. Pincin, *Sul testo del Machiavelli. La prefazione alla prima parte dei «Discorsi»*, in «Atti della Accademia delle scienze di Torino», Classe di scienze morali, storiche e filologiche, XCIV (1959-60), pp. 506-18; Id., *Sul testo del Machiavelli. I «Discorsi sopra la prima deca di Tito Livio»*, ivi, XCVI (1961-62), pp. 71-178; Id., *La prefazione e la dedicatoria dei «Discorsi» di Machiavelli*, in «Giornale storico della letteratura italiana», CXLIII (1966), pp. 72-83; G. Sasso, *Intorno a due capitoli dei «Discorsi»*, in «La Cultura», IV (1966), pp. 179-212, poi in Id., *Studi su Machiavelli*, citt.; N. Rubinstein, *Machiavelli e le origini di Firenze*, in «Rivista storica italiana», LXXVI (1967), pp. 952-59; C. Pincin, *Osservazioni sul modo di procedere di Machiavelli nei «Discorsi»*, in AA. VV., *Renaissance Studies in Honor of Hans Baron*, a cura di A. Molho e J.A. Tedeschi, Firenze 1970, pp. 385-408; B. Richardson, *Pontano's «De Prudentia» and Machiavelli's «Discorsi»*, in «Bibliothèque d'Humanisme et Renaissance», XXXIII (1971), pp. 353-57; J.H. Whitfield, *Considerazioni pratiche sui «Discorsi»*, in AA. VV., *Studies on Machiavelli*, citt., pp. 361-69; R. Esposito, *I «Discorsi» di Machiavelli e la genesi della forma borghese della politica*, in «Lavoro critico», 14 (aprile-giugno 1978), pp. 129-79, poi in Id., *La politica e la storia*, Napoli 1980; E. Colicchi Lapresa, *La dimensione educativa nei «Discorsi» di Niccolò Machiavelli*, Messina 1978; G. Sasso, *Machiavelli e i detrattori antichi e nuovi di Roma. Per l'interpretazione di «Discorsi» I 4*, in «Atti dell'Accademia nazionale dei Lincei - Memorie», Classe di scienze morali, storiche e filologiche, s. VIII, XXII (1978), pp. 319-420; H.C. Mansfield Jr., *Machiavelli's New Modes and Orders. A Study of the «Discourses on Livy»*, Ithaca-London 1979; M. Marietti, *Folie simulée et tyrannicide: réflexions sur un chapitre de Machiavel («Discours», III, 2)*, in AA. VV., *Visages de la Folie (1500-1650) (domaine hispano-italien)*, Colloque tenu à la Sorbonne les 8 et 9 mai 1980. Études réunies et présentées par A. Redondo et A. Rochon, Paris 1981, pp. 147-53; P. Larivaille, *La pensée politique de Machiavel*, cit.: F. Bausi, *I «Discorsi» di Niccolò Machiavelli. Genesi e strutture*, Firenze 1985; G. Inglese, *Ancora sulla data di composizione dei «Discorsi»*, in «La Cultura», XXIV (1986), pp. 98-117. Sulle fonti classiche del Machiavelli: A. Bini, *Polibio e Machiavelli (che cosa ha preso Machiavelli da Polibio?)*, Montevarchi 1900; A.H. Krappe, *Quelques sources grecques de Niccolò Machiavelli*, in «Études italiennes», VI (1924), pp. 80-86; K. Reinhardt, *Thukydides und Machiavelli*, in Id., *Von Werken und Formen. Vorträge und Aufsätze*, Godesberg 1948; F. Mehmel, *Machiavelli und die Antike*, in «Antike und Abendland», III (1948), pp. 152-86; G. Parazzoli, *Niccolò Machiavelli e la lezione liviana*, cit.; G. Sasso, *Polibio e Machiavelli: costituzione, potenza, conquista*, in «Giornale critico della filosofia italiana», XL (1961), pp. 51-86, poi in Id., *Studi su Machiavelli*, citt.; S. Bertelli - F. Gaeta, *Noterelle machiavelliane. Un codice di Lucrezio e di Terenzio*, in «Rivista storica italiana», LXXIII (1961), pp. 544-57; S. Bertelli, *Ancora su Lucrezio e Machiavelli*, ivi, LXXVI (1964), pp. 1-17; Id., *Noterelle machiavelliane*, ivi, pp. 774-92; J.H. Whitfield, *Liry Tacitus*, in AA. VV., *Classical Influences on European Culture A.D. 1500-1700*, Proceedings of an International Conference Held at King's College, Cambridge April 1974, edited by R.R. Bolgar, Cambridge 1976, pp. 281-93; R. Polin, *Les régimes politiques et l'imitation des anciens chez Machiavel*, in AA. VV., *Platon et Aristote à la Renaissance*, XVIe Colloque international de Tours, Paris 1976, pp. 155-62; B. Guillemain, *Machiavel lecteur d'Aristote*, ivi, pp. 163-73; F. Adorno, *«Fortuna» e «virtù» in Machiavelli e in Aristotele*, cit.

Per *La vita di Castruccio Castracani da Lucca* si veda la recente edizione critica a cura di P. Brakkee, con saggio introduttivo e commento di P. Trovato, Napoli 1986. Sull'opera, oltre al saggio introduttivo all'edizione appena citata: C. Triantafillis, *Sulla vita di Castruccio Castracani descritta dal Machiavelli*, in «Archivio veneto», X (1875), pp. 177-92; F.P. Luiso, *I detti memorabili attribuiti a Castruccio Castracani da Niccolò Machiavelli*, in «Atti del R. Accademia lucchese», III (1934), pp. 217-60; J.H. Whitfield, *Machiavelli and Castruccio*, in «Italian

Studies», VIII (1953), pp. 1-28, poi in Id., *Discourses on Machiavelli*, citt.; M. Machiedo, *Machiavelli segreto. Riflessioni su «La vita di Castruccio Castracani»*, in «Studia romanica et anglica zagrabiensia», XXXVIII (1974), pp. 49-83.

Per gli altri opuscoli politici si veda l'edizione ordinata e commentata da S. Bertelli nel II vol. delle *Opere* a cura sua e di F. Gaeta, cit., *Arte della guerra e scritti politici minori*, Milano 1961, e l'edizione fornita da J.J. Marchand, *Niccolò Machiavelli. I primi scritti politici (1499-1512). Nascita di un pensiero e di uno stile*, Padova 1975. Tra gli studi sugli opuscoli: E. Niccolini, *I primi scritti politici di Machiavelli (1499-1512)*, in «Archivio storico italiano», CXXXV (1977), pp. 203-16; G. Bárberi Squarotti, *Progetto e prassi: le «Operette» del Machiavelli*, in «Modern Language Notes», XCII (1977), pp. 17-37; B. Richardson, *Per la datazione del «Tradimento del duca Valentino» del Machiavelli*, in «La Bibliofilia», LXXXI (1979), pp. 75-85.

DESCRIZIONE DEL MODO TENUTO DAL DUCA VALENTINO
NELLO AMMAZZARE
VITELLOZZO VITELLI, OLIVEROTTO DA FERMO,
IL SIGNOR PAGOLO E IL DUCA DI GRAVINA ORSINI

Era tornato el duca Valentino di Lombardia, dove era ito a scusarsi con il re Luigi di Francia di molte calunnie li erano state date da' Fiorentini per la rebellione d'Arezzo e dell'altre terre di Val di Chiana, e venutosene in Imola, dove disegnava fare alto[1] con le sue genti e fare la impresa contro a messer Giovanni Bentivogli tiranno[2] in Bologna, perché voleva ridurre quella città sotto el suo dominio e farla capo del suo ducato di Romagna. La quale cosa, sendo intesa da e Vitegli e gli Orsini e altri loro seguaci, parse loro come el duca diventassi troppo potente, e che fussi da temere che occupata Bologna e' non cercassi di spegnerli per rimanere solo in su l'armi in Italia. E sopra questo feciono alla Magione nel Perugino una dieta,[3] dove convennono el cardinale, Pagolo e duca di Gravina Orsini, Vitellozzo Vitegli, Oliverotto da Fermo, Giampagolo Baglioni tiranno di Perugia, e messer Antonio da Venafro mandato da Pandolfo Petrucci capo di Siena; dove si disputò della grandezza del duca e dello animo suo e come egli era necessario frenare l'appetito suo, altrimenti si portava pericolo insieme con gli altri di non ruinare; e deliberorono di non abbandonare e Bentivogli e cercare di guadagnarsi e Fiorentini; e nell'uno luogo e nell'altro mandorono loro uomini promettendo all'uno aiuto, l'altro confortando[4] a unirsi con loro contro a el comune inimico.

1 *fare alto* : fermarsi.
2 *tiranno* : signore.
3 Il 26 settembre 1502 gli Orsini, i Bentivoglio, i Baglioni, Vitellozzo Vitelli, Oliverotto da Fermo e Antonio da Venafro per conto di Pandolfo Petrucci signore di Siena, si incontrarono segretamente al fine di stringersi in lega e contrastare così i piani egemonici che Cesare Borgia andava sviluppando nell'Italia Centrale. Cfr. *Principe*, cap. VII.
4 *confortando* : esortando.

Questa dieta fu nota subito per tutta Italia; e quelli populi che sotto el duca stavano male contenti, intra e quali era gli Urbinati, presono speranza di potere innovare le cose. Donde nacque che sendo così sospesi gli animi, per certi da Urbino fu disegnato di occupare la rocca di San Leo che si teneva per il duca. E quali presono la occasione da questo. Affortificava el castellano quella rocca; e faccendovi condurre legnami, appostorno e congiurati che certe trave che si trainavano nella rocca fussino sopra el ponte, acciò che [5] impedito non potessi essere alzato da quegli di drento. E preso tale occasione, armati saltorno in sul ponte e di quindi nella rocca. Per la quale presa, subito che la fu sentita, si ribellò tutto quello stato e richiamò el duca vecchio,[6] presa speranza non tanto per la occupazione della rocca quanto per la dieta della Magione, mediante la quale e' pensavano essere aiutati.

E quali intesa la rebellione d'Urbino pensorno che non fussi da perdere quella occasione, e ragunate [7] loro genti si feciono innanzi per espugnare,[8] se alcuna terra di quello stato fussi restata in mano del duca; e di nuovo mandorno a Firenze a sollecitare quella republica a volere essere con loro a spegnere questo comune incendio, mostrando el partito vinto [9] e una occasione da non ne aspettare un'altra. Ma e Fiorentini, per l'odio avevono con e Vitegli e Orsini per diverse cagioni, non solo non si aderirno loro ma mandorno Niccolò Machiavegli loro secretario a offerire al duca ricetto e aiuto contro a questi suoi nuovi inimici.[10] El quale si trovava pieno di paura in Imola, perché in un tratto e fuori d'ogni sua opinione, sendogli diventati inimici soldati sua, si trovava con una guerra propinqua e disarmato. Ma ripreso animo in su l'offerta de' Fiorentini, disegnò temporeggiare la guerra con quelle poche genti che aveva e con pratiche di accordi, e parte [11] prepa-

5 *acciò che*: in modo che.
6 Guidubaldo da Montefeltro.
7 *ragunate*: radunate, messe insieme.
8 *si feciono innanzi per espugnare*: avanzarono per occupare.
9 *el partito vinto*: la loro causa ormai vincente.
10 Nell'ottobre del 1502 M. ritornò dunque per la seconda volta (la prima fu nel giugno dello stesso anno) presso il duca Valentino.
11 *e parte*: e intanto.

rare aiuti. E quali preparò in dua modi : mandando a el re di Francia per gente,[12] e parte soldando qualunque uomo d'arme e altro che in qualunque modo facessi el mestiere a cavallo; e a tutti dava danari.

Non ostante questo, e nimici si feciono innanzi e ne vennono verso Fossombrone, dove aveno fatto testa [13] alcune genti del duca; le quali da' Vitegli e Orsini furno rotte.[14] La quale nuova fece che 'l duca si volse tutto a vedere se posseva fermare questo umore [15] con le pratiche di accordo; ed essendo grandissimo simulatore, non mancò di alcuno officio a fare intendere loro come eglino avieno mosso l'armi contro a colui che ciò che aveva acquistato voleva che fussi loro, e come gli bastava avere el titolo del principe ma che voleva che 'l principato fussi loro. E tanto gli persuase che mandorno el Signor Pagolo al duca a trattare accordo, e fermorno l'arme. Ma el duca non fermò già e provvedimenti suoi, e con ogni sollicitudine ingrossava di cavalli e fanti : e perché tali provvedimenti non apparissino,[16] mandava le genti separate per tutti e luoghi di Romagna.

Erano intanto ancora venute cinquecento lance franzese,[17] e benché si trovassi già sì forte che potessi con guerra aperta vendicarsi contro a' suoi nimici, nondimanco pensò che fussi più securo e più utile modo ingannarli e non fermare per questo le pratiche dello accordo. E tanto si travagliò la cosa che fermò [18] con loro una pace : dove confermò loro le condotte [19] vecchie, dette loro quattromila ducati di presente, promisse non offendere e Bentivogli, e fece con messer Giovanni parentado; [20] e di più che non gli potessi costringere a venire personalmente alla presen-

12 *per gente* : inviando messi a Luigi XII per ottenere milizie francesi.
13 *aveno fatto testa* : si erano attestate.
14 *furno rotte* : furono sbaragliate (il 17 ottobre).
15 *umore* : fermento.
16 *apparissino* : non fossero scoperti.
17 *lance franzese* : cinquecento armigeri francesi.
18 *fermò* : stipulò.
19 *condotte* : gli ingaggi mercenari.
20 Infatti Giovanni Bentivoglio, signore di Bologna firmò un accordo di amicizia con il Borgia (il 2 dicembre a Imola).

za sua più che a loro si paressi. Da l'altra parte loro promessono restituirli el ducato d'Urbino e tutte l'altre cose occupate da loro, e servirlo in ogni sua espedizione, né sanza sua licenza fare guerra ad alcuno o condursi con alcuno.

Fatto questo accordo, Guidubaldo duca d'Urbino di nuovo si fuggì [21] e ritornossi a Vinegia, avendo prima fatto ruinare tutte le fortezze di quello stato, perché confidandosi ne' populi [22] non voleva che quelle fortezze ch'egli non credeva potere defendere, el nimico occupassi e mediante quelle tenesse in freno gli amici sua. Ma el duca Valentino fatta questa convenzione, avendo partite tutte le sua genti per tutta la Romagna con gli uomini d'arme franzesi, a l'uscita di novembre si partì da Imola e ne andò a Cesena; dove stette molti giorni a praticare con mandati [23] de' Vitegli e degli Orsini che si trovavono con le loro genti nel ducato d'Urbino, quale impresa di nuovo si dovessi fare. E non concludendo alcuna cosa, Liverotto da Fermo fu mandato a offerirli che, se voleva fare la 'mpresa di Toscana, ch'erano per farla; quando che no, andrebbono a la espugnazione di Sinigaglia. Al quale rispose el duca che in Toscana non voleva muover guerra, per essergli e Fiorentini amici, ma che era bene contento che andassino a Sinigaglia.

Donde nacque che non molti dì poi, venne avviso come la terra [24] si era loro arresa, ma che la rocca non si era voluta arrendere loro perché il castellano la voleva dare alla persona del duca e non ad altro; e però lo confortavono a venire innanzi. Al duca parve la occasione buona e da non dare ombra,[25] sendo chiamato da loro e non andando da sé. E per assicurargli più, licenziò tutte le genti franzese, che se ne tornorno in Lombardia eccetto che cento lance di monsignor di Ciandales suo cognato. E partito intorno a mezzo dicembre da Cesena, se ne andò a Fano, dove con tutte quelle astuzie e sagacità possé, persuase a' Vitegli e

21 Il 9 dicembre.
22 *confidandosi ne' populi*: riponendo fiducia nel popolo.
23 *mandati*: inviati, ambasciatori.
24 *terra*: città fortificata.
25 *dare ombra*: dare sospetto.

agli Orsini che l'aspettassino in Sinigaglia, mostrando loro come tale salvatichezza non poteva fare l'accordo loro né fedele né diuturno, e che era uomo che si voleva potere valere dell'arme e del consiglio degli amici. E benché Vitellozzo stessi assai renitente, e che la morte del fratello gli avessi insegnato come e' non si debba offendere un principe e dipoi fidarsi di lui, nondimanco persuaso da Paulo Orsino, suto²⁶ con doni e con promesse corrotto da el duca, consentì ad aspettarlo.

Donde che il duca la sera davanti (che fu a' dì trenta di dicembre nel mille cinquecento due) che doveva partire da Fano, comunicò el disegno suo a otto sua de' più fidati, intra e quali fu don Michele e monsignor d'Euna che fu poi cardinale; e commisse loro²⁷ che, subito che Vitellozzo, Pagolo Orsino, duca di Gravina e Oliverotto li fussino venuti a lo incontro, che ogni dua di loro mettessino in mezzo uno di quelli, consegnando l'uomo certo agli uomini certi, e quello intrattenessino infino drento in Sinigaglia, né gli lasciassino partire fino che fussino pervenuti a lo alloggiamento e presi. Ordinò appresso che tutte le genti sua a cavallo e a pié, ch'erano meglio che duemila cavagli e diecimila fanti, fussino a el fare del giorno la mattina in sul Metauro, fiume discosto a²⁸ Fano cinque miglia, dove aspettassino la persona sua. Trovatosi adunque l'ultimo dì di dicembre in sul Metauro con queste genti, fece cavalcare innanzi circa cinquecento cavagli: poi mosse tutte le fanterie, dopo le quali la persona sua con tutto el resto delle genti d'arme.

Fano e Sinigaglia sono dua città della Marca poste in su la riva del mare Adriatico, distante l'una dall'altra quindici miglia, tale che chi va verso Sinigaglia ha in su la man destra e monti; le radice de' quali in tanto alcuna volta si ristringono col mare che da loro all'acque resta un brevissimo spazio, e dove più si allargono non aggiugne²⁹ la distanza di dua miglia. La città di Sinigaglia da questa radice de' monti si discosta poco più che il tirare d'uno arco,

---

26 *suto*: stato.
27 *commisse loro*: ordinò loro.
28 *discosto a*: lontano da.
29 *non aggiugne*: non raggiunge.

e da la marina è distante meno d'uno miglio. A canto a questa corre un picciolo fiume, che le bagna quella parte delle mura che in verso Fano riguardano. La strada pertanto che propinqua a Sinigaglia arriva, viene per buono spazio di cammino lungo e monti, e giunta a el fiume che passa lungo Sinigaglia, si volta in su la man sinistra lungo la riva di quello; tanto che, andato per spazio d'una arcata,[30] arriva a un ponte el quale passa quel fiume e quasi attesta con la porta ch'entra in Sinigaglia, non per retta linea ma transversalmente. Avanti a la porta è un borgo di case con una piazza, davanti alla quale l'argine del fiume da l'uno de' lati fa spalle.

Avendo pertanto deliberato e Vitegli e gli Orsini di aspettare il duca e personalmente onorarlo, per dare luogo a le gente sue avevono ritirate le loro in certe castella discosto da Sinigaglia sei miglia, e solo aveno lasciato in Sinigaglia Liverotto con la sua banda,[31] ch'era mille fanti e centocinquanta cavalli, e quali erano alloggiati in quel borgo che di sopra si dice. Ordinate così le cose, el duca Valentino ne veniva verso Sinigaglia: e quando arrivò la prima testa de' cavagli [32] al ponte non lo passorono, ma fermisi volsono le groppe de' cavalli l'una parte al fiume l'altra alla campagna, e si lasciorno una via nel mezzo donde le fanterie passavano, le quali sanza fermarsi entravano nella terra. Vitellozzo, Pagolo e duca di Gravina in su muletti ne andorno incontro al duca, accompagnati da pochi cavagli; e Vitellozzo disarmato, con una cappa foderata di verde, tutto afflitto come se fussi conscio della sua futura morte, dava di sé (conosciuta la virtù dello uomo e la passata sua fortuna) qualche ammirazione. E si dice che quando e' si partì da le sua genti per venire a Sinigaglia e andare contro al duca, ch'e' fece come una ultima dipartenza [33] con quelle: e a li suoi capi raccomandò la sua casa e le fortune di quella, ed e nipoti ammunì [34] che non della fortuna di

30 *d'una arcata*: a tiro d'arco.
31 *banda*: schiera.
32 *la prima testa de' cavagli*: la testa della colonna di cavalieri.
33 *fece come una ultima dipartenza*: si comportò come se fosse l'ultimo addio.
34 *ammunì*: raccomandò.

casa loro, ma della virtù de' loro padri e de' loro zii si ricordassino.

Arrivati adunque questi tre davanti al duca, e salutatolo umanamente, furno da quello ricevuti con buono volto, e subito da quelli a chi era commesso fussino osservati furno messi in mezzo. Ma veduto el duca come Liverotto vi mancava (el quale era rimasto con le sue genti a Sinigaglia e attendeva, innanzi alla piazza del suo alloggiamento sopra el fiume, a tenerle nello ordine ed esercitarle in quello) accennò con l'occhio a don Michele, al quale la cura di Liverotto era demandata, che provvedessi in modo che Liverotto non scappassi. Donde don Michele cavalcò avanti e, giunto da Liverotto, li disse come e' non era tempo da tenere le genti insieme fuora dello alloggiamento, perché sarebbe tolto loro da quelli del duca; e però lo confortava ad alloggiarle e venire seco ad incontrare el duca. E avendo Liverotto eseguito tale ordine, sopraggiunse il duca e, veduto quello, lo chiamò: al quale Liverotto avendo fatto reverenza, si accompagnò con gli altri. Ed entrati in Sinigaglia e scavalcati tutti [35] a lo alloggiamento del duca, ed entrati seco in una stanza secreta, furono dal duca fatti prigioni. El quale subito montò a cavallo e comandò che fussino svaligiate le genti di Liverotto e degli Orsini. Quelle di Liverotto furno tutte messe a sacco, per essere propinque. Quelle degli Orsini e Vitegli sendo discosto e avendo presentito la ruina de' loro patroni, ebbono tempo a mettersi insieme; e ricordatosi della virtù e disciplina di casa Vitellesca, strette insieme, contro alla voglia del paese e degli uomini inimici si salvorno. Ma e soldati del duca non sendo contenti del sacco delle gente di Liverotto, cominciorno a saccheggiare Sinigaglia; e se non fussi che il duca con la morte di molti represse la insolenzia loro, l'arebbono saccheggiata tutta.

Ma venuta la notte, e fermi e tumulti,[36] al duca parve di fare ammazzare Vitellozzo e Liverotto: e conduttogli in uno luogo insieme, gli fe' strangolare. Dove non fu usato da alcuno di loro parole degne della loro passata vita; per-

35 *scavalcati tutti*: e scesi di sella.
36 *fermi e tumulti*: cessati i tumulti.

ché Vitellozzo pregò che si supplicassi al papa che gli dessi de' suoi peccati indulgenzia plenaria; e Liverotto tutta la colpa delle iniurie fatte al duca, piangendo rivolgeva addosso a Vitellozzo. Pagolo e el duca di Gravina Orsini furno lasciati vivi per infino che [37] il duca intese che a Roma el papa aveva preso el cardinale Orsino, l'arcivescovo di Firenze e messer Iacopo da santa Croce: dopo la quale nuova, a' dì diciotto di gennaio, a Castel della Pieve furno ancora loro nel medesimo modo strangolati.

37 *per infino che*: fino a quando.

IL PRINCIPE

Sogliono el più delle volte coloro che desiderano acquistare grazia appresso uno Principe, farseli incontro [1] con quelle cose che infra le loro abbino più care, o delle quali vegghino lui delettarsi; donde si vede molte volte essere loro [2] presentati cavalli, arme, drappi d'oro, prete [3] preziose e simili ornamenti, degni della grandezza di quelli. Desiderando io adunque offerirmi alla vostra Magnificenzia con qualche testimone della servitù mia verso di quella, non ho trovato intra la mia suppellettile cosa, quale io abbia più cara o tanto esìstimi, quanto la cognizione delle azioni delli uomini grandi, imparata con una lunga esperienzia delle cose moderne et una continua lezione [4] delle antique: le quali avendo io con gran diligenzia lungamente escogitate [5] et esaminate et ora in uno piccolo volume ridotte, mando alla Magnificenzia vostra. E, benché io iudichi questa opera indegna della presenza di quella, tamen [6] confido assai che per sua umanità li debba essere accetta, considerato come da me non li possa esser fatto maggiore dono, che darle facultà di potere in brevissimo tempo intendere tutto quello che io in tanti anni e con tanti mia disagi e periculi ho conosciuto. La quale opera io non ho ornata né ripiena di clausule ample, [7] o di parole ampullose e magnifiche, o di qualunque altro lenocinio [8] o ornamento estrinseco, con li quali molti sogliono le loro cose descrivere et

---

* *Niccolò Machiavelli al Magnifico Lorenzo de' Medici.*
1 *farseli incontro*: renderseli amici.
2 S'intende ai principi.
3 *prete*: pietre.
4 *lezione*: lettura.
5 *escogitate*: investigate.
6 *tamen*: nondimeno, tuttavia.
7 *ample*: ampie e quindi retoriche conclusioni dei periodi.
8 *lenocinio*: abbellimento lusinghiero.

ornare; perché io ho voluto, o che veruna cosa la onori, o che solamente la varietà della materia e la gravità del subietto la facci grata.[9] Né voglio sia reputata presunzione, se uno uomo di basso et infimo stato ardisce discorrere e regolare [10] e' governi de' principi; perché, così come coloro che disegnono e' paesi si pongano bassi nel piano a considerare la natura de' monti e de' luoghi alti, e per considerare quella de'bassi si pongano alto sopra monti, similmente a conoscere bene la natura de' populi bisogna esser principe, et a conoscere bene quella de' principi bisogna esser populare.

Pigli adunque vostra Magnificenzia questo piccolo dono con quello animo che io lo mando; il quale se da quella fia diligentemente considerato e letto, vi conoscerà drento uno estremo mio desiderio, che Lei pervenga a quella grandezza che la fortuna e le altre sua qualità li promettano. E, se vostra Magnificenzia dallo apice della sua altezza qualche volta volgerà li occhi in questi luoghi bassi, conoscerà quanto io indegnamente sopporti una grande e continua malignità di fortuna.

9 *e la gravità... facci grata*: e l'importanza del soggetto la renda gradita.

10 *discorrere e regolare*: esaminare e sistematizzare.

Tutti li stati, tutti e' dominii che hanno avuto et hanno imperio sopra li uomini, sono stati e sono o republiche o principati. E' principati sono o ereditarii, de' quali el sangue del loro signore ne sia suto lungo tempo principe, o e' sono nuovi. E' nuovi, o sono nuovi tutti, come fu Milano a Francesco Sforza,[11] o sono come membri aggiunti allo stato ereditario del principe che li acquista, come è el regno di Napoli al re di Spagna.[12] Sono, questi dominii così acquistati, o consueti a vivere sotto uno principe, o usi a essere liberi; et acquistonsi, o con le armi d'altri o con le proprie, o per fortuna o per virtù.

II · DE PRINCIPATIBUS HEREDITARIIS **

Io lascerò indrieto el ragionare delle republiche, perché altra volta ne ragionai a lungo.[13] Volterommi solo al principato, et andrò tessendo li orditi soprascritti, e disputerò come questi principati si possino governare e mantenere.

Dico, adunque, che nelli stati ereditarii et assuefatti al sangue del loro principe,[14] sono assai minori difficultà a mantenerli che ne' nuovi, perché basta solo non preterire l'ordine [15] de' sua antinati, e di poi temporeggiare con li accidenti: in modo che, se tale principe è di ordinaria industria,[16] sempre si manterrà nel suo stato, se non è una estraordinaria et eccessiva forza che ne lo privi; e, privato

* *Di quante ragioni sieno e' principati e in che modo si acquistino.*

11 Francesco Sforza s'impadronì del potere abbattendo la Repubblica Ambrosiana (1450), costituitasi a Milano dopo la morte di Filippo Maria Visconti.

12 Ferdinando il Cattolico.

** *De' principati ereditarii.*

13 Nei *Discorsi sopra la prima Deca di Tito Livio.*

14 *assuefatti al sangue del loro principe*: in cui la stessa stirpe abbia da tempo il governo.

15 *preterire l'ordine*: accantonare gli ordinamenti.

16 *industria*: abilità.

che ne fia, quantunque di sinistro [17] abbi l'occupatore, lo riacquista.

Noi abbiamo in Italia, in exemplis,[18] el duca di Ferrara, il quale non ha retto alli assalti de' Viniziani nello 84, né a quelli di papa Julio nel 10,[19] per altre cagioni che per essere antiquato in quello dominio. Perché el principe naturale ha minori cagioni e minore necessità di offendere : donde conviene che sia più amato; e, se estraordinarii vizii non lo fanno odiare, è ragionevole che naturalmente sia benevoluto da' sua. E nella antiquità e continuazione del dominio sono spente le memorie e le cagioni delle innovazioni : perché sempre una mutazione lascia l'addentellato per la edificazione dell'altra.

III · DE PRINCIPATIBUS MIXTIS *

Ma nel principato nuovo consistono le difficultà. E prima, se non è tutto nuovo, ma come membro, che si può chiamare tutto insieme quasi misto, le variazioni sua nascono in prima da una naturale difficultà, la quale è in tutti e' principati nuovi : le quali sono che li uomini mutano volentieri signore credendo migliorare; e questa credenza gli fa pigliare l'arme contro a quello; di che s'ingannono, perché veggono poi per esperienzia avere peggiorato. Il che depende da un'altra necessità naturale et ordinaria, quale fa che sempre bisogni offendere quelli di chi si diventa nuovo principe, e con gente d'arme, e con infinite altre iniurie che si tira drieto el nuovo acquisto; in modo che tu hai inimici tutti quelli che tu hai offesi in occupare quello principato, e non ti puoi mantenere amici quelli che vi ti hanno messo, per non li potere satisfare in quel modo che si erano presupposto, e per non potere tu usare contro di loro medicine forti, sendo loro obbligato; perché

17 *quantunque di sinistro* : qualunque disgrazia.
18 *in exemplis* : per esempio.
19 M. si riferisce ad Ercole d'Este (accordatosi con i Veneziani a Bagnolo nel 1484) e ad Alfonso d'Este (spodestato per breve tempo nel 1510 da Giulio II).
* *De' principati misti.*

sempre, ancora che uno sia fortissimo in sulli eserciti, ha bisogno del favore de' provinciali ad intrare in una provincia. Per queste ragioni Luigi XII di Francia occupò subito Milano, e subito lo perdé; e bastò a torgnene la prima volta le forze proprie di Lodovico; [20] perché quelli populi che gli aveano aperte le porte, trovandosi ingannati della opinione loro e di quello futuro bene che si avevano presupposto, non potevano sopportare e' fastidii del nuovo principe.

È ben vero che, acquistandosi poi la seconda volta e' paesi rebellati, si perdono con più difficultà; perché el signore, presa occasione dalla rebellione, è meno respettivo ad assicurarsi, con punire e' delinquenti, chiarire e' sospetti, provvedersi nelle parti più deboli. In modo che, se a fare perdere Milano a Francia bastò la prima volta uno duca Lodovico che romoreggiassi in su' confini, a farlo di poi perdere la seconda, li bisognò avere contro el mondo tutto,[21] e che li eserciti sua fussino spenti o fugati di Italia: il che nacque dalle cagioni sopradette. Non di manco, e la prima e la seconda volta li fu tolto. Le cagioni universali della prima si sono discorse: resta ora a dire quelle della seconda, e vedere che remedii lui ci aveva, e quali ci può avere uno che fussi ne' termini sua, per potersi mantenere meglio nello acquisto che non fece Francia. Dico per tanto che questi stati, quali acquistandosi si aggiungono a uno stato antiquo di quello che acquista, o sono della medesima provincia e della medesima lingua, o non sono. Quando e' sieno, è facilità grande a tenerli, massime quando non sieno usi a vivere liberi; et a possederli securamente basta avere spenta la linea [22] del principe che li dominava, perché nelle altre cose, mantenendosi loro le condizioni vecchie e non vi essendo disformità di costumi, li uomini si vivono quietamente; come s'è visto che ha fatto la Borgogna, la Brettagna, la Guascogna e la Normandia, che tanto tem-

20 Nell'ottobre del 1499 Luigi XII, dopo essersi accordato con i Veneziani a Blois, fece occupare Milano da un esercito guidato dal fuoriuscito Giangiacomo Trivulzio; il quale, resosi odioso alla cittadinanza, facilitò l'effimero ritorno di Ludovico Sforza.

21 La Lega Santa di Giulio II, infatti, aveva raccolto e coalizzato le forze antifrancesi.

22 *spenta la linea*: estinta la stirpe.

17

po sono state con Francia; e benché vi sia qualche disformità [23] di lingua, non di manco e' costumi sono simili, e possonsi fra loro facilmente comportare.[24] E chi le acquista, volendole tenere, debbe avere dua respetti: l'uno, che il sangue del loro principe antiquo si spenga; l'altro, di non alterare né loro legge né loro dazii; talmente che in brevissimo tempo diventa, con loro principato antiquo, tutto uno corpo.

Ma, quando si acquista stati in una provincia disforme di lingua, di costumi e di ordini, qui sono le difficultà, e qui bisogna avere gran fortuna e grande industria a tenerli; et uno de' maggiori remedii e più vivi sarebbe che la persona di chi acquista vi andassi ad abitare. Questo farebbe più secura e più durabile quella possessione: come ha fatto el Turco di Grecia;[25] il quale, con tutti li altri ordini osservati da lui per tenere quello stato, se non vi fussi ito ad abitare, non era possibile che lo tenessi. Perché, standovi, si veggono nascere e' disordini, e presto vi puoi remediare; non vi stando, s'intendono quando sono grandi, e non vi è più remedio. Non è, oltre a questo, la provincia spogliata da' tua officiali; satisfannosi e' sudditi del ricorso propinquo al principe; donde hanno più cagione di amarlo, volendo esser buoni, e, volendo essere altrimenti, di temerlo. Chi delli esterni volessi assaltare quello stato, vi ha più respetto; tanto che, abitandovi, lo può con grandissima difficultà perdere.

L'altro migliore remedio è mandare colonie in uno o in dua luoghi, che sieno quasi compedi [26] di quello stato; perché è necessario o fare questo, o tenervi assai gente d'arme e fanti.[27] Nelle colonie non si spende molto; e sanza sua spesa, o poca, ve le manda e tiene, e solamente offende coloro a chi toglie e' campi e le case, per darle a' nuovi abitatori, che sono una minima parte di quello stato; e quelli ch'elli [28]

23 *disformità*: differenza.
24 *comportare*: accomodare, adattare vicendevolmente.
25 Intendi più in generale l'insediamento turco nella penisola balcanica dopo la caduta dell'impero bizantino (1453).
26 *compedi*: ceppi, legami.
27 Cioè occuparlo militarmente.
28 *ch'elli*: che egli.

offende, rimanendo dispersi e poveri, non li possono mai nuocere; e tutti li altri rimangono da uno canto inoffesi, e per questo doverrebbono quietarsi, dall'altro paurosi di non errare, per timore che non intervenissi a loro come a quelli che sono stati spogliati. Concludo che queste colonie non costono, sono più fedeli, et offendono meno; e li offesi non possono nuocere, sendo poveri e dispersi, come è detto. Per il che si ha a notare che li uomini si debbono o vezzeggiare o spegnere;[29] perché si vendicano delle leggieri offese, delle gravi non possono; sì che l'offesa che si fa all'uomo debbe essere in modo che la non tema la vendetta. Ma tenendovi, in cambio di colonie, gente d'arme, si spende più assai, avendo a consumare nella guardia tutte le intrate di quello stato; in modo che lo acquisto li torna perdita, et offende molto più, perché nuoce a tutto quello stato, tramutando[30] con li alloggiamenti el suo esercito; del quale disagio ognuno ne sente, e ciascuno li diventa inimico: e sono inimici che li possono nuocere, rimanendo battuti in casa loro. Da ogni parte dunque questa guardia è inutile, come quella delle colonie è utile.

Debbe ancora chi è in una provincia disforme, come è detto, farsi capo e defensore de' vicini minori potenti, et ingegnarsi di indebolire e' potenti di quella, e guardarsi che per accidente alcuno non vi entri uno forestiere potente quanto lui. E sempre interverrà che vi sarà messo da coloro che saranno in quella mal contenti, o per troppa ambizione o per paura; come si vidde già che li Etoli missono e' Romani in Grecia;[31] et in ogni altra provincia che li entrorono, vi furono messi da' provinciali. E l'ordine delle cose è, che subito che uno forestiere potente entra in una provincia, tutti quelli che sono in essa men potenti li aderiscano, mossi da invidia hanno contro a chi è suto potente sopra di loro; tanto che, respetto a questi minori po-

---

29 *spegnere* : neutralizzare.
30 *tramutando* : spostando.
31 In verità i Romani non furono chiamati dagli Etoli, ma intervennero contro Filippo v di Macedonia e i suoi alleati achei poiché avevano favorito Annibale. Sconfitti Filippo e la Lega Achea a Cinocefale (197 a.C.), si rivolsero contro gli Etoli ed Antioco sbaragliandoli (189 a.C.).

tenti, lui non ha a durare fatica alcuna a guadagnarli, perché subito tutti insieme fanno uno globo col suo stato che lui vi ha acquistato. Ha solamente a pensare che non piglino troppe forze e troppa autorità; e facilmente può con le forze sua e col favore loro sbassare quelli che sono potenti, per rimanere in tutto arbitro di quella provincia. E chi non governerà bene questa parte, perderà presto quello che arà acquistato, e, mentre che lo terrà, vi arà drento infinite difficultà e fastidii.

E' Romani, nelle provincie che pigliorono, osservorono bene queste parti; e mandorono le colonie, intrattennono e' men potenti, sanza crescere loro potenzia, abbassorono e' potenti, e non vi lasciorono prendere reputazione a' potenti forestieri. E voglio mi basti solo la provincia di Grecia per esemplo. Furono intrattenuti da loro li Achei e li Etoli: fu abbassato el regno de' Macedoni; funne cacciato Antioco; né mai e' meriti delli Achei o delli Etoli feciono che permettessino loro accrescere alcuno stato; né le persuasioni di Filippo l'indussono mai ad esserli amici sanza sbassarlo; né la potenzia di Antioco possé fare li consentissino che tenessi in quella provincia alcuno stato. Perché e' Romani feciono in questi casi quello che tutti e' principi savii debbono fare: li quali non solamente hanno ad avere riguardo alli scandoli presenti, ma a' futuri, et a quelli con ogni industria ovviare:[32] perché, prevedendosi discosto,[33] facilmente vi si può rimediare, ma, aspettando che ti si appressino, la medicina non è a tempo, perché la malattia è diventata incurabile. Et interviene di questa come dicono e' fisici dello etico,[34] che nel principio del suo male è facile a curare e difficile a conoscere, ma, nel progresso del tempo, non l'avendo in principio conosciuta né medicata, diventa facile a conoscere e difficile a curare. Così interviene nelle cose di stato; perché, conoscendo discosto, il che non è dato se non a uno prudente, e' mali che nascono in quello si guariscono presto; ma quando, per non li avere conosciuti, si lasciono crescere in modo che ognuno li conosce, non vi è più rimedio.

32 *ovviare*: opporsi, ostacolare.
33 *discosto*: per tempo.
34 *e' fisici dello etico*: i medici del malato di tisi.

Però e' Romani, vedendo discosto l'inconvenienti, vi remediorono sempre, e non li lasciorono mai seguire per fuggire una guerra, perché sapevano che la guerra non si lieva, ma si differisce a vantaggio d'altri; però vollono fare con Filippo et Antioco guerra in Grecia, per non la avere a fare con loro in Italia; e potevano per allora fuggire l'una e l'altra; il che non vollono. Né piacque mai loro quello che tutto dí è in bocca de' savî de' nostri tempi, di godere el benefizio del tempo, ma sí bene quello della virtù e prudenzia loro; perché el tempo si caccia innanzi ogni cosa, e può condurre seco bene come male, e male come bene.

Ma torniamo a Francia, et esaminiamo se delle cose dette ne ha fatta alcuna; e parlerò di Luigi e non di Carlo,[35] come di colui che, per avere tenuta più lunga possessione in Italia, si sono meglio visti e' sua progressi: e vedrete come elli ha fatto el contrario di quelle cose che si debbono fare per tenere uno stato disforme.

El re Luigi fu messo in Italia dalla ambizione de' Viniziani, che volsono guadagnarsi mezzo lo stato di Lombardia per quella venuta. Io non voglio biasimare questo partito preso dal re; perché, volendo cominciare a mettere uno piè in Italia, e non avendo in questa provincia amici, anzi sendoli, per li portamenti del re Carlo, serrate tutte le porte, fu forzato prendere quelle amicizie che poteva: e sarebbeli riuscito el partito ben preso, quando nelli altri maneggi non avessi fatto errore alcuno. Acquistata adunque el re la Lombardia, si riguadagnò subito quella reputazione che li aveva tolta Carlo: Genova cedé; Fiorentini li diventorono amici; Marchese di Mantova,[36] Duca di Ferrara,[37] Bentivogli,[38] Madonna di Furlì,[39] Signore di Faenza,[40] di Pesaro,[41] di Rimino,[42] di Camerino,[43] di Piombino,[44] Lucche-

35 Luigi XII e Carlo VIII.
36 Francesco Gonzaga.
37 Ercole I d'Este.
38 Giovanni Bentivoglio.
39 Caterina Sforza-Riario.
40 Astorre Manfredi.
41 Giovanni Sforza.
42 Pandolfo Malatesta.
43 Giulio Cesare da Varano.
44 Jacopo d'Appiano.

si, Pisani, Sanesi, ognuno se li fece incontro per essere suo amico. Et allora posserno considerare Viniziani la temerità del partito preso da loro; li quali, per acquistare dua terre in Lombardia, feciono signore el re di dua terzi di Italia.

Consideri ora uno con quanta poca difficultà posseva il re tenere in Italia la sua reputazione, se elli avessi osservate le regole sopradette, e tenuti securi e difesi tutti quelli sua amici, li quali, per essere gran numero e deboli e paurosi, chi della Chiesia, chi de' Viniziani, erano sempre necessitati a stare seco; e per il mezzo loro poteva facilmente assicurarsi di chi ci restava grande. Ma lui non prima fu in Milano, che fece il contrario, dando aiuti a papa Alessandro,[45] perché elli occupassi la Romagna. Né si accorse con questa deliberazione che faceva sé debole, togliendosi li amici e quelli che se li erano gittati in grembo, e la Chiesia grande, aggiungendo allo spirituale, che gli dà tanta autorità, tanto temporale. E, fatto uno primo errore, fu constretto a seguitare in tanto che, per porre fine alla ambizione di Alessandro, e perché non divenissi signore di Toscana, fu forzato venire in Italia.[46] Non li bastò avere fatto grande la Chiesia e toltisi li amici, che, per volere el regno di Napoli, lo divise con il re di Spagna;[47] e, dove lui era prima arbitro d'Italia, e' vi misse uno compagno, a ciò che li ambiziosi di quella provincia e mal contenti di lui avessino dove ricorrere; e, dove posseva lasciare in quello regno uno re suo pensionario,[48] e' ne lo trasse, per mettervi uno che potessi cacciarne lui.

È cosa veramente molto naturale et ordinaria desiderare di acquistare; e sempre, quando li uomini lo fanno che possano, saranno laudati, o non biasimati; ma, quando non possano, e vogliono farlo in ogni modo, qui è l'errore et il biasimo. Se Francia adunque posseva con le forze sua assaltare Napoli, doveva farlo; se non poteva, non doveva dividerlo. E, se la divisione fece co' Viniziani di Lombardia meritò scusa, per avere con quella messo el piè in Italia,

45 Alessandro VI Borgia.
46 In quel periodo, infatti, Cesare Borgia aveva sferrato un attacco contro la Repubblica fiorentina.
47 Mediante il trattato di Granada (11 novembre 1500).
48 *pensionario*: tributario.

questa merita biasimo, per non essere escusata da quella necessità.

Aveva dunque Luigi fatto questi cinque errori: spenti e' minori potenti, accresciuto in Italia potenzia a uno potente,[49] messo in quella uno forestiere potentissimo,[50] non venuto ad abitarvi, non vi messo colonie. E' quali errori ancora, vivendo lui, possevano non lo offendere, se non avessi fatto el sesto, di tòrre lo stato a' Viniziani: perché, quando non avessi fatto grande la Chiesia né messo in Italia Spagna, era ben ragionevole e necessario abbassarli; ma, avendo preso quelli primi partiti, non doveva mai consentire alla ruina loro: perché, sendo quelli potenti, arebbono sempre tenuti li altri discosto dalla impresa di Lombardia, sí perché Viniziani non vi arebbono consentito sanza diventarne signori loro, sì perché li altri non arebbono voluto torla a Francia per darla a loro, et andare ad urtarli tutti e dua non arebbono avuto animo. E se alcuno dicessi: el re Luigi cedé ad Alessandro la Romagna et a Spagna el Regno[51] per fuggire una guerra; respondo con le ragioni dette di sopra, che non si debbe mai lasciare seguire uno disordine per fuggire una guerra, perché la non si fugge, ma si differisce a tuo disavvantaggio. E se alcuni altri allegassino la fede che il re aveva data al papa, di fare per lui quella impresa, per la resoluzione del suo matrimonio e il cappello di Roano,[52] respondo con quello che per me di sotto sì dirà[53] circa la fede de' principi e come la si debbe osservare. Ha perduto adunque el re Luigi la Lombardia per non avere osservato alcuno di quelli termini osservati da altri che hanno preso provincie e volutole tenere. Né è miraculo alcuno questo, ma molto ordinario e ragionevole. E di questa materia parlai a Nantes con Roano,[54] quando el Valentino, che così era chiamato popularmente Cesare Borgia, figliuolo di papa Alessandro, occupava la Romagna:

49 Alessandro VI papa.
50 Il re di Spagna Ferdinando il Cattolico.
51 Il regno di Napoli.
52 Per il divorzio e per la porpora al vescovo di Rouen (Giorgio d'Amboise).
53 Nel cap. XVIII.
54 Nella sua prima legazione in Francia (1500).

perché, dicendomi el cardinale di Roano che li Italiani non si intendevano della guerra, io li resposi ch'e' Franzesi non si intendevano dello stato; perché, se se n'intendessino, non lascerebbano venire la Chiesia in tanta grandezza. E per esperienzia s'è visto che la grandezza, in Italia, di quella e di Spagna è stata causata da Francia, e la ruina sua causata da loro. Di che si cava una regola generale, la quale mai o raro falla: che chi è cagione che uno diventi potente, ruina; perché quella potenzia è causata da colui o con industria o con forza; e l'una e l'altra di queste dua è sospetta a chi è divenuto potente.

Considerate le difficultà le quali si hanno a tenere uno stato di nuovo acquistato, potrebbe alcuno maravigliarsi donde nacque che Alessandro Magno diventò signore della Asia in pochi anni, e, non l'avendo appena occupata, morì; donde pareva ragionevole che tutto quello stato si rebellassi; non di meno, e' successori di Alessandro se lo mantennono, e non ebbono a tenerlo altra difficultà, che quella che infra loro medesimi, per ambizione propria, nacque.[55] Respondo come e' principati, de' quali si ha memoria, si truovano governati in dua modi diversi: o per uno principe, e tutti li altri servi, e' quali, come ministri per grazia e concessione sua, aiutono governare quello regno; o per uno principe e per baroni, li quali, non per grazia del signore, ma per antiquità di sangue tengano quel grado. Questi tali baroni hanno stati e sudditi proprii, li quali riconoscono per signori et hanno in loro naturale affezione. Quelli stati che si governano per uno principe e per servi, hanno el loro principe con più autorità; perché in

---

* Per qual cagione il regno di Dario, il quale da Alessandro fu occupato, non si ribellò da' sua successori dopo la morte di Alessandro.

55 Le lotte intestine per il potere tra i sette «diadochi» originarono lo smembramento dell'impero dopo la morte di Alessandro (323 a.C.).

tutta la sua provincia non è alcuno che riconosca per superiore se non lui; e, se obediscano alcuno altro, lo fanno come ministro et offiziale, e non li portano particulare amore.

Li esempli di queste dua diversità di governi sono, ne' nostri tempi, el Turco et il re di Francia. Tutta la monarchia del Turco è governata da uno signore, li altri sono sua servi; e, distinguendo il suo regno in Sangiachi,[56] vi manda diversi amministratori, e li muta e varia come pare a lui. Ma el re di Francia è posto in mezzo d'una multitudine, antiquata di signori, in quello stato riconosciuti da' loro sudditi et amati da quelli: hanno le loro preeminenzie:[57] non le può il re tòrre loro sanza suo periculo. Chi considera adunque l'uno e l'altro di questi stati, troverrà difficultà nello acquistare lo stato del Turco, ma, vinto che sia, facilità grande a tenerlo. Le cagioni delle difficultà in potere occupare el regno del Turco, sono per non potere essere chiamato da' principi di quello regno, né sperare, con la rebellione di quelli ch'egli ha d'intorno, potere facilitare la sua impresa: il che nasce dalle ragioni sopradette. Perché, sendoli tutti stiavi[58] et obbligati, si possono con più difficultà corrompere; e, quando bene si corrompessino, se ne può sperare poco utile, non possendo quelli tirarsi drieto e' populi per le ragioni assignate. Onde, chi assalta el Turco, è necessario pensare di averlo a trovare unito; e li conviene sperare più nelle forze proprie che ne' disordini d'altri. Ma, vinto che fussi e rotto alla campagna[59] in modo che non possa rifare eserciti, non si ha a dubitare d'altro che del sangue del principe; il quale spento, non resta alcuno di chi si abbia a temere, non avendo li altri credito con li populi: e come el vincitore, avanti la vittoria, non poteva sperare in loro, così non debbe, dopo quella, temere di loro.

El contrario interviene ne' regni governati come quello di Francia; perché con facilità tu puoi intrarvi, guadagnandoti alcuno barone del regno; perché sempre si truova de'

56 *Sangiachi*: governatori territoriali turchi.
57 *preeminenzie*: previlegi ereditari.
58 *stiavi*: schiavi.
59 *rotto alla campagna*: sconfitto in uno scontro campale.

malicontenti e di quelli che desiderano innovare. Costoro, per le ragioni dette, ti possono aprire la via a quello stato e facilitarti la vittoria; la quale di poi, a volerti mantenere, si tira drieto infinite difficultà, e con quelli che ti hanno aiutato e con quelli che tu hai oppressi. Né ti basta spegnere el sangue del principe; perché vi rimangono quelli signori che si fanno capi delle nuove alterazioni; e, non li potendo né contentare né spegnere, perdi quello stato qualunque volta venga l'occasione.

Ora, se voi considerrete di qual natura di governi era quello di Dario,[60] lo troverrete simile al regno del Turco; e però ad Alessandro fu necessario prima urtarlo tutto e tòrli la campagna:[61] dopo la quale vittoria, sendo Dario morto, rimase ad Alessandro quello stato sicuro, per le ragioni di sopra discorse. E li sua successori, se fussino suti uniti, se lo potevano godere oziosi; né in quello regno nacquono altri tumulti, che quelli che loro proprii suscitorono. Ma li stati ordinati come quello di Francia è impossibile possederli con tanta quiete. Di qui nacquono le spesse[62] rebellioni di Spagna, di Francia[63] e di Grecia da' Romani, per li spessi principati che erano in quelli stati; de' quali mentre durò la memoria, sempre ne furono e' Romani incerti di quella possessione; ma, spenta la memoria di quelli, con la potenzia e diuturnità dello imperio[64] ne diventorono securi possessori. E posserno anche quelli,[65] combattendo di poi infra loro, ciascuno tirarsi drieto parte di quelle provincie, secondo l'autorità vi aveva presa drento; e quelle, per essere el sangue del loro antiquo signore spento, non riconoscevano se non e' Romani. Considerato adunque queste cose, non si maraviglierà alcuno della facilità ebbe Alessandro a tenere lo stato di Asia, e delle difficultà che hanno avuto li

60 Dario III Codomano, re di Persia (337-330 a.C.).

61 *torli la campagna*: impedirgli di guerreggiare in campo aperto.

62 *spesse*: numerose, frequenti.

63 Gallia.

64 *diuturnità dello imperio*: con il prolungarsi nel tempo del governo.

65 Cioè i Romani.

altri a conservare lo acquistato, come Pirro [66] e molti. Il che non è nato dalla molta o poca virtù del vincitore, ma dalla disformità del subietto.

V · QUOMODO ADMINISTRANDAE SUNT CIVITATES VEL PRINCIPATUS, QUI ANTEQUAM OCCUPARENTUR SUIS LEGIBUS VIVEBANT *

Quando quelli stati che s'acquistano, come è detto, sono consueti a vivere con le loro legge et in libertà, a volerli tenere, ci sono tre modi : el primo, ruinarle; l'altro, andarvi ad abitare personalmente; el terzo, lasciarle vivere con le sua legge, traendone una pensione [67] e creandovi drento uno stato di pochi [68] che te le conservino amiche. Perché, sendo quello stato creato da quello principe, sa che non può stare sanza l'amicizia e potenzia sua, et ha a fare tutto per mantenerlo. E piú facilmente si tiene una città usa a vivere libera con il mezzo de' sua cittadini, che in alcuno altro modo, volendola preservare.

In exemplis, ci sono li Spartani e li Romani. Li Spartani tennono Atene e Tebe, creandovi uno stato di pochi; tamen le riperderono.[69] Romani, per tenere Capua Cartagine e Numanzia, le disfeciono, e non le perderono.[70] Vollono tenere la Grecia quasi come tennono li Spartani, faccendola libera e lasciandoli le sua legge; e non successe loro; in modo che furono costretti disfare molte città di quella provincia, per tenerla. Perché, in verità, non ci è modo sicuro a possederle, altro che la ruina. E chi diviene patrone di

66 Il famoso re dell'Epiro che divenne temporaneamente padrone di alcuni territori dell'Italia meridionale e della Sicilia, sino al momento in cui fu sconfitto dai Romani a Benevento (275 a.C.).

* In che modo si debbino governare le città o principati li quali, innanzi fussino occupati, si vivevano con le loro legge.

67 pensione : rendita.

68 stato di pochi : un'oligarchia.

69 Trasibulo cacciò i Trenta Tiranni da Atene (403 a.C.) ed Epaminonda unitamente a Pelopida liberarono Tebe (379 a.C.).

70 Infatti i Romani ridussero all'impotenza i Capuani (211 a.C.) e distrussero letteralmente Cartagine (146 a.C.) e Numanzia (133 a.C.).

una città consueta a vivere libera, e non la disfaccia, aspetti
di esser disfatto da quella; perché sempre ha per refugio,
nella rebellione, el nome della libertà e li ordini antichi
sua; [71] li quali né per la lunghezza de' tempi né per benefizii
mai si dimenticano. E per cosa che si faccia o si provegga,
se non si disuniscano o si dissipano li abitatori, non sdimenticano quel nome né quelli ordini, e subito in ogni accidente vi ricorrano; come fe' Pisa dopo cento anni che ella
era posta in servitù da' Fiorentini. [72] Ma, quando le città o
le provincie sono use a vivere sotto uno principe, e quel
sangue sia spento, sendo da uno canto usi ad obedire, [73] dal-
l'altro non avendo el principe vecchio, farne uno infra loro non si accordano, vivere liberi non sanno; di modo che
sono più tardi [74] a pigliare l'arme; e con più facilità se li
può uno principe guadagnare, et assicurasi di loro. Ma nelle republiche è maggior vita, maggiore odio, più desiderio
di vendetta; né li lascia, né può lasciare riposare la memoria della antiqua libertà: tale che la più sicura via è spegnerle o abitarvi.

VI · DE PRINCIPATIBUS NOVIS QUI ARMIS PROPRIIS ET VIRTUTE ACQUIRUNTUR *

Non si maravigli alcuno se, nel parlare che io farò de'
principati al tutto nuovi e di principe e di stato, io addurrò grandissimi esempli; perché, camminando li uomini quasi sempre per le vie battute da altri, e procedendo nelle
azioni loro con le imitazioni, né si potendo le vie d'altri al
tutto tenere, né alla virtù di quelli che tu imiti aggiugnere, [75]
debbe uno uomo prudente intrare sempre per vie battute
da uomini grandi, e quelli che sono stati eccellentissimi

71 *li ordini antiqui sua*: i vecchi ordinamenti.
72 Pisa si ribellò nel 1494.
73 *sendo da uno canto usi ad obedire*: essendo (gli abitanti)
per un verso abituati all'obbedienza.
74 *tardi*: lenti.
* *De' principati nuovi che s'acquistano con l'arme proprie e
virtuosamente.*
75 *aggiugnere*: giungere.

imitare, acciò che, se la sua virtù non vi arriva, almeno ne renda qualche odore: e fare come li arcieri prudenti; a' quali, parendo el loco dove disegnono ferire troppo lontano, e conoscendo fino a quanto va la virtù del loro arco, pongono la mira assai più alta che il loco destinato, non per aggiugnere con la loro freccia a tanta altezza, ma per potere con lo aiuto di sí alta mira pervenire al disegno loro. Dico adunque, che ne' principati tutti nuovi, dove sia uno nuovo principe, si truova a mantenerli piú o meno difficultà, secondo che piú o meno è virtuoso colui che li acquista. E perché questo evento, di diventare di privato principe, presuppone o virtù o fortuna, pare che l'una o l'altra di queste dua cose mitighi in parte di molte difficultà: non di manco, colui che è stato meno sulla fortuna,[76] si è mantenuto più. Genera ancora facilità essere el principe constretto, per non avere altri stati, venire personaliter ad abitarvi. Ma, per venire a quelli che per propria virtú e non per fortuna sono diventati principi, dico che li piú eccellenti sono Moisè, Ciro, Romulo, Teseo e simili. E, benché di Moisè non si debba ragionare, sendo suto uno mero esecutore delle cose che li erano ordinate da Dio, tamen debbe essere ammirato solum per quella grazia che lo faceva degno di parlare con Dio. Ma consideriamo Ciro e li altri che hanno acquistato o fondato regni: li troverrete tutti mirabili; e, se si considerranno le azioni et ordini loro particulari, parranno non discrepanti da quelli di Moisè, che ebbe sí gran precettore. Et, esaminando le azioni e vita loro, non si vede che quelli avessino altro dalla fortuna che la occasione, la quale dette loro materia a potere introdurvi drento quella forma parse loro; e sanza quella occasione la virtù dello animo loro si sarebbe spenta, e sanza quella virtù la occasione sarebbe venuta invano. Era dunque necessario a Moisè trovare el populo d'Isdrael, in Egitto, stiavo et oppresso dalli Egizii, acciò che quelli, per uscire di servitú, si disponessino a seguirlo. Conveniva che Romulo non capissi[77] in Alba, fussi stato esposto al nasce-

76 *che è stato meno sulla fortuna*: che meno si è abbandonato alla sorte.

77 *non capissi*: non trovasse posto.

re,[78] a volere che diventassi re di Roma e fondatore di quella patria. Bisognava che Ciro trovassi e' Persi malcontenti dello imperio de' Medi, e li Medi molli et effeminati per la lunga pace. Non posseva Teseo dimonstrare la sua virtù, se non trovava li Ateniesi dispersi. Queste occasioni per tanto feciono questi uomini felici, e la eccellente virtù loro fece quella occasione esser conosciuta; donde la loro patria ne fu nobilitata e diventò felicissima.

Quelli li quali per vie virtuose, simili a costoro, diventono principi, acquistono el principato con difficultà, ma con facilità lo tengano; e le difficultà che hanno nell'acquistare el principato, in parte nascono da' nuovi ordini e modi che sono forzati introdurre per fondare lo stato loro e la loro securtà. E debbasi considerare, come non è cosa piú difficile a trattare, né piú dubia a riuscire, né piú pericolosa a maneggiare, che farsi capo [79] ad introdurre nuovi ordini. Perché lo introduttore ha per nimici tutti quelli che delli ordini vecchi fanno bene, et ha tepidi defensori tutti quelli che delli ordini nuovi farebbano bene. La quale tepidezza nasce, parte per paura delli avversarii, che hanno le leggi dal canto loro, parte dalla incredulità delli uomini; li quali non credano in verità le cose nuove, se non ne veggono nata una ferma esperienza. Donde nasce che, qualunque volta quelli che sono inimici hanno occasione di assaltare, lo fanno partigianamente,[80] e quelli altri defendano tepidamente; in modo che insieme con loro si periclita.[81] È necessario per tanto, volendo discorrere bene questa parte, esaminare se questi innovatori stanno per loro medesimi, o se dependano da altri; ciò è, se per condurre l'opera loro bisogna che preghino, o vero possono forzare. Nel primo caso capitano sempre male, e non conducano cosa alcuna; ma, quando dependono da loro proprii e possano forzare, allora è che rare volte periclitano. Di qui nacque che tutt'i profeti armati vinsono, e li disarmati ruinorono. Perché, oltre alle cose dette, la natura de' populi è varia; et è facile a persuadere loro una cosa, ma

78 *esposto al nascere*: abbandonato in fasce come trovatello.
79 *farsi capo*: accingersi.
80 *partigianamente*: con l'accanimento proprio dei partigiani.
81 *si periclita*: si rischia.

è difficile fermarli in quella persuasione. E però conviene essere ordinato in modo, che, quando non credono piú, si possa fare credere loro per forza. Moisè, Ciro, Teseo e Romulo non arebbono possuto fare osservare loro lungamente le loro constituzioni, se fussino stati disarmati; come ne' nostri tempi intervenne a fra' Girolamo Savonerola;[82] il quale ruinò ne' sua ordini nuovi, come la moltitudine cominciò a non crederli; e lui non aveva modo a tenere fermi quelli che avevano creduto, né a far credere e' discredenti. Però questi tali hanno nel condursi gran difficultà, e tutti e' loro periculi sono fra via, e conviene che con la virtù li superino; ma, superati che li hanno, e che cominciano ad essere in venerazione, avendo spenti quelli che di sua qualità li avevano invidia, rimangono potenti, securi, onorati, felici.

A sí alti esempli io voglio aggiugnere uno esemplo minore; ma bene arà qualche proporzione con quelli; e voglio mi basti per tutti li altri simili; e questo è Ierone Siracusano.[83] Costui di privato diventò principe di Siracusa: né ancora lui conobbe altro dalla fortuna che la occasione; perché, sendo Siracusani oppressi, lo elessono per loro capitano; donde meritò d'esser fatto loro principe. E fu di tanta virtù, etiam[84] in privata fortuna, che chi ne scrive dice: *quod nihil illi deerat ad regnandum praeter regnum.*[85] Costui spense la milizia vecchia, ordinò della nuova; lasciò le amicizie antiche, prese delle nuove; e, come ebbe amicizie e soldati che fussino sua, possé in su tale fondamento edificare ogni edificio: tanto che lui durò assai fatica in acquistare, e poca in mantenere.

82 Savonarola, il famosissimo predicatore domenicano protagonista della Repubblica fiorentina che finì sul rogo in piazza della Signoria (23 maggio 1498).

83 Gerone II, tiranno di Siracusa.

84 *etiam*: anche.

85 « che tranne il regno, nulla gli mancava per poter regnare » (Giustino, XXIII, 4).

Coloro e' quali solamente per fortuna diventano di privati principi, con poca fatica diventano, ma con assai si
mantengano; e non hanno alcuna difficultà fra via, perché
vi volano; ma tutte le difficultà nascono quando sono posti.
E questi tali sono, quando è concesso ad alcuno uno stato
o per danari o per grazia di chi lo concede : come intervenne a molti in Grecia, nelle città di Ionia e di Ellesponto,
dove furono fatti principi da Dario,[86] acciò le tenessino per
sua sicurtà e gloria; come erano fatti ancora quelli imperatori,[87] che, di privati, per corruzione de' soldati, perveni-
vano allo imperio. Questi stanno semplicemente in sulla
volontà e fortuna di chi lo ha concesso loro, che sono dua
cose volubilissime et instabili; e non sanno e non possano
tenere quel grado : non sanno, perché, se non è uomo di
grande ingegno e virtù, non è ragionevole che, sendo sempre vissuto in privata fortuna, sappi comandare; non possano, perché non hanno forze che li possino essere amiche
e fedeli. Di poi li stati che vengano subito, come tutte l'altre cose della natura che nascono e crescono presto, non
possono avere le barbe e correspondenzie [88] loro in modo, che
'l primo tempo avverso non le spenga; se già quelli tali,
come è detto, che sì de repente [89] sono diventati principi, non
sono di tanta virtù, che quello che la fortuna ha messo loro
in grembo, e' sappino subito prepararsi a conservarlo, e
quelli fondamenti che li altri hanno fatto avanti che diventino principi, li faccino poi.

Io voglio all'uno et all'altro di questi modi detti, circa
el diventare principe per virtù o per fortuna, addurre dua
esempli stati ne' dí della memoria nostra : e questi sono
Francesco Sforza e Cesare Borgia. Francesco, per li de-

---

* De' principati nuovi che s'acquistano con le armi e la fortuna di altri.

86 Furono nominati satrapi, capi cioè delle satrapie dell'impero
persiano.

87 Sott. romani.

88 barbe e correspondenzie : radici e ramificazioni.

89 de repente : improvvisamente.

biti mezzi e con una gran virtù, di privato diventò duca di Milano; e quello che con mille affanni aveva acquistato, con poca fatica mantenne. Dall'altra parte Cesare Borgia, chiamato dal vulgo duca Valentino, acquistò lo stato con la fortuna del padre, e con quella lo perdé; non ostante che per lui [90] si usassi ogni opera e facessi tutte quelle cose che per uno prudente e virtuoso uomo si doveva fare, per mettere le barbe sua in quelli stati che l'arme e fortuna di altri li aveva concessi. Perché, come di sopra si disse, chi non fa e' fondamenti prima, li potrebbe con una gran virtù farli poi, ancora che si faccino con disagio dello architettore e periculo dello edifizio. Se adunque si considerrà tutti e' progressi del duca, si vedrà lui aversi fatti gran fondamenti alla futura potenzia; li quali non iudico superfluo discorrere, perché io non saprei quali precetti mi dare migliori a uno principe nuovo, che lo esemplo delle azioni sua: e se li ordini sua non li profittorono, non fu sua colpa, perché nacque da una estraordinaria et estrema malignità di fortuna.

Aveva Alessandro sesto, nel voler fare grande el duca suo figliuolo, assai difficultà presenti e future. Prima, non vedeva via di poterlo fare signore di alcuno stato che non fussi stato di Chiesia; e, volgendosi a tòrre quello della Chiesia, sapeva che el duca di Milano e Viniziani non gnene [91] consentirebbano; perché Faenza e Rimino erano di già sotto la protezione de' Viniziani. Vedeva, oltre a questo, l'arme di Italia, e quelle in spezie di chi si fussi possuto servire, essere in le mani di coloro che dovevano temere la grandezza del papa; e però non se ne poteva fidare, sendo tutte nelli Orsini e Colonnesi e loro complici. Era adunque necessario si turbassino quelli ordini, e disordinare li stati di coloro, per potersi insignorire securamente di parte di quelli. Il che li fu facile; perché trovò Viniziani che, mossi da altre cagioni, si eron volti a fare ripassare Franzesi in Italia: il che non solamente non contradisse, ma lo fe' più facile con la resoluzione [92] del matrimonio antiquo del re

90 *per lui* : da parte sua.
91 *gnene* : glielo.
92 *resoluzione* : scioglimento.

Luigi. Passò adunque il re in Italia [93] con lo aiuto de' Viniziani e consenso di Alessandro; né prima fu in Milano, che il papa ebbe da lui gente per la impresa di Romagna; la quale li fu consentita per la reputazione del re. Acquistata adunque el duca la Romagna, e sbattuti e' Colonnesi, volendo mantenere quella e procedere piú avanti, lo 'mpedivano dua cose: l'una, l'arme sua che non li parevano fedeli, l'altra, la voluntà di Francia: ciò è che l'arme Orsine, delle quali s'era valuto, li mancassino sotto, e non solamente li 'mpedissino lo acquistare, ma gli togliessino l'acquistato, e che il re ancora non li facessi el simile. Delli Orsini ne ebbe uno riscontro, quando, dopo la espugnazione di Faenza, assaltò Bologna, ché li vidde andare freddi in quello assalto; e circa el re, conobbe l'animo suo quando, preso el ducato di Urbino, assaltò la Toscana: dalla quale impresa el re lo fece desistere. Onde che il duca deliberò non dependere piú dalle arme e fortuna d'altri. E, la prima cosa, indebolí le parti Orsine e Colonnese in Roma; perché tutti li aderenti loro, che fussino gentili uomini, se li guadagnò facendoli sua gentili uomini e dando loro grandi provisioni; [94] et onorolli, secondo le loro qualità, di condotte e di governi: in modo che in pochi mesi nelli animi loro la affezione delle parti si spense, e tutta si volse nel duca. Dopo questa, aspettò la occasione di spegnere li Orsini, avendo dispersi quelli di casa Colonna; la quale li venne bene, e lui l'usò meglio; perché, avvedutisi li Orsini, tardi, che la grandezza del duca e della Chiesia era la loro ruina, feciono una dieta alla Magione, nel Perugino. Da quella nacque la rebellione di Urbino e li tumulti di Romagna et infiniti periculi del duca, li quali tutti superò con lo aiuto de' Franzesi. E, ritornatoli la reputazione, né si fidando di Francia né di altre forze esterne, per non le avere a cimentare, si volse alli inganni; e seppe tanto dissimulare l'animo suo, che li Orsini, mediante el signor Paulo, si riconciliorono seco; con il quale el duca non mancò d'ogni ragione di offizio per assicurarlo, dandoli danari, veste e cavalli; tanto che la simplicità loro li condusse a Sinigal-

93 Cfr. cap. III.
94 *provisioni*: remunerazioni.

34

lia nelle sua mani.[95] Spenti adunque questi capi, e ridotti li partigiani loro .amici sua, aveva il duca gittati assai buoni fondamenti alla potenzia sua, avendo tutta la Romagna con il ducato di Urbino, parendoli, massime, aversi acquistata amica la Romagna, e guadagnatosi .tutti quelli populi, per avere cominciato a gustare el bene esser loro.

E, perché questa parte è degna di notizia, e da essere imitata da altri, non la voglio lasciare indrieto. Preso che ebbe el duca la Romagna, e trovandola suta comandata da signori impotenti, li quali più presto avevano spogliato e' loro sudditi che corretti [96] e dato loro materia di disunione, non di unione, tanto che quella provincia era tutta piena di latrocinii, di brighe e di ogni altra ragione di insolenzia, iudicò fussi necessario, a volerla ridurre pacifica et obediente al braccio regio, darli buon governo. Però vi prepose messer Remirro de Orco,[97] uomo crudele et espedito,[98] al quale dette pienissima potestà. Costui in poco tempo la ridusse pacifica et unita, con grandissima reputazione. Di poi iudicò el duca non essere necessario sì eccessiva autorità, perché dubitava non divenissi odiosa; e proposevi uno iudicio civile [99] nel mezzo della provincia, con uno presidente eccellentissimo, dove ogni città vi aveva lo avvocato suo. E, perché conosceva le rigorosità passate averli generato qualche odio, per purgare li animi di quelli populi e guadagnarseli in tutto, volle monstrare che, se crudeltà alcuna era seguíta, non era nata da lui, ma dalla acerba natura del ministro. E, presa sopr'a questo occasione, lo fece mettere una mattina, a Cesena, in dua pezzi in sulla piazza, con uno pezzo di legno et uno coltello sanguinoso a canto. La ferocità del quale spettaculo fece quelli populi in uno tempo rimanere satisfatti e stupiti.

Ma torniamo donde noi partimmo. Dico che, trovandosi el duca assai potente et in parte assicurato de' presenti periculi, per essersi armato a suo modo et avere in buona par-

95 Per tutti questi avvenimenti cfr. *Descrizione del modo tenuto dal duca Valentino nello ammazzare...* (p. 3).
96 *corretti* : richiamati all'ordine.
97 Ramiro de Lorqua.
98 *espedito* : sbrigativo.
99 *iudicio civile* : tribunale civile.

te spente quelle arme che, vicine, lo potevano offendere, li restava, volendo procedere con lo acquisto, el respetto del re di Francia; perché conosceva come dal re, il quale tardi s'era accorto dello errore suo, non li sarebbe sopportato.[100] E cominciò per questo a cercare di amicizie nuove, e vacillare con Francia, nella venuta che feciono Franzesi verso el regno di Napoli contro alli Spagnoli che assediavono Gaeta. E l'animo suo era assicurarsi di loro: il che li sarebbe presto riuscito, se Alessandro viveva.

E questi furono e' governi sua quanto alle cose presenti. Ma, quanto alle future, lui aveva a dubitare in prima che uno nuovo successore alla Chiesia non li fussi amico, e cercassi torli quello che Alessandro li aveva dato: e pensò farlo in quattro modi: prima, di spegnere tutti e' sangui di quelli signori che lui aveva spogliati, per tòrre al papa quella occasione; secondo, di guadagnarsi tutti e' gentili uomini di Roma, come è detto, per potere con quelli tenere el papa in freno; terzio, ridurre el Collegio [101] più suo che poteva; quarto, acquistare tanto imperio, avanti che il papa morissi, che potessi per sé medesimo resistere a uno primo impeto. Di queste quattro cose, alla morte di Alessandro [102] ne aveva condotte tre; la quarta aveva quasi per condotta: perché de' signori spogliati ne ammazzò quanti ne possé aggiugnere, e pochissimi si salvarono; e' gentili uomini romani si aveva guadagnati, e nel Collegio aveva grandissima parte; e, quanto al nuovo acquisto, aveva disegnato diventare signore di Toscana, e possedeva di già Perugia e Piombino, e di Pisa aveva presa la protezione. E, come non avessi avuto ad avere respetto a Francia, (ché non gnene aveva ad avere piú, per essere di già Franzesi spogliati del Regno dalli Spagnoli, di qualità che ciascuno di loro era necessitato comperare l'amicizia sua), e' saltava in Pisa. Dopo questo, Lucca e Siena cedeva subito, parte per invidia de' Fiorentini, parte per paura; Fiorentini non avevano remedio: il che se li fussi riuscito (ché li riusciva l'anno medesimo che Alessandro morí), si acquistava tante forze e tanta reputazione, che per sé stesso si sarebbe retto, e non

100 *non li sarebbe sopportato*: non sarebbe stato tollerato.
101 Collegio dei cardinali.
102 Il 18 agosto 1503.

sarebbe piú dependuto dalla fortuna e forze d'altri, ma dalla potenzia e virtú sua. Ma Alessandro morí dopo cinque anni che elli aveva cominciato a trarre fuora la spada. Lasciollo con lo stato di Romagna solamente assolidato, con tutti li altri in aria, infra dua potentissimi eserciti inimici, e malato a morte. Et era nel duca tanta ferocia e tanta virtù, e sí bene conosceva come li uomini si hanno a guadagnare o perdere, e tanto erano validi e' fondamenti che in sí poco tempo si aveva fatti, che, se non avessi avuto quelli eserciti addosso, o lui fussi stato sano, arebbe retto a ogni difficultà. E ch'e' fondamenti sua fussino buoni, si vidde: ché la Romagna l'aspettò piú d'uno mese; in Roma, ancora che mezzo vivo, stette sicuro; e benché Ballioni, Vitelli et Orsini venissino in Roma, non ebbono séguito contro di lui; possé fare, se non chi e' volle, papa, almeno che non fussi chi non voleva. Ma, se nella morte di Alessandro fussi stato sano, ogni cosa li era facile. E lui mi disse, ne' dí che fu creato Iulio secondo, che aveva pensato a ciò che potessi nascere morendo el padre, et a tutto aveva trovato remedio, eccetto che non pensò mai, in su la sua morte, di stare ancora lui per morire.

Raccolte io adunque tutte le azioni del duca, non saprei riprenderlo; anzi mi pare, come ho fatto, di preporlo imitabile a tutti coloro che per fortuna e con l'arme d'altri sono ascesi allo imperio. Perché lui, avendo l'animo grande e la sua intenzione alta, non si poteva governare altrimenti; e solo si oppose alli sua disegni la brevità della vita di Alessandro e la malattia sua. Chi adunque iudica necessario nel suo principato nuovo assicurarsi de' nimici, guadagnarsi delli amici, vincere o per forza o per fraude, farsi amare e temere da' populi, seguire e reverire da' soldati, spegnere quelli che ti possono o debbono offendere, innovare con nuovi modi li ordini antichi, essere severo e grato, magnanimo e liberale, spegnere la milizia infidele, creare della nuova, mantenere l'amicizie de' re e de' principi, in modo che ti abbino o a beneficare con grazia o offendere con respetto, non può trovare e' piú freschi esempli che le azioni di costui. Solamente si può accusarlo nella creazione di Iulio pontefice, nella quale lui ebbe mala elezione; perché, come è detto, non possendo fare uno papa a suo modo, poteva tenere che uno non fussi papa; e non doveva mai consentire al papato di quelli cardinali che lui avessi offesi, o che, diventati papi, avessino ad avere paura di lui. Perché li uomini offendono o per paura o per odio. Quelli che lui aveva offesi erano, infra li altri, San Piero ad Vincula, Colonna, San Giorgio, Ascanio;[103] tutti li altri, divenuti papi, aveano a temerlo, eccetto Roano e li Spagnoli: questi per coniunzione et obbligo, quello per potenzia, avendo coniunto seco el regno di Francia. Per tanto el duca, innanzi ad ogni cosa, doveva creare papa uno spagnolo, e, non potendo, doveva consentire che fussi Roano e non San Piero ad Vincula. E chi crede ne' personaggi grandi e' benefizii nuovi faccino dimenticare le iniurie vecchie, s'inganna. Errò adunque el duca in questa elezione, e fu cagione dell'ultima ruina sua.

VIII · DE HIS QUI PER SCELERA AD PRINCIPATUM PERVENERE *

Ma, perché di privato si diventa principe ancora in dua modi, il che non si può al tutto o alla fortuna o alla virtù attribuire, non mi pare da lasciarli indrieto, ancora che dell'uno si possa piú diffusamente ragionare dove si trattassi delle republiche.[104] Questi sono quando, o per qualche via scellerata e nefaria [105] si ascende al principato, o quando uno privato cittadino con il favore delli altri sua cittadini diventa principe della sua patria. E, parlando del primo modo, si monstrerrà con dua esempli, uno antiquo, l'altro moderno, sanza intrare altrimenti ne' meriti di questa parte perché io iudico che basti, a chi fussi necessitato, imitargli.

Agatocle siciliano,[106] non solo di privata fortuna, ma di infima et abietta, divenne re di Siracusa. Costui, nato d'uno

---

103 Giuliano Della Rovere poi Giulio II (cardinale di S. Pietro in Vincoli), Giovanni Colonna, Raffaele Riario (cardinale di S. Giorgio), Ascanio Sforza.
* Di quelli che per scelleratezze sono pervenuti al principato.
104 Cioè nei Discorsi.
105 nefaria: nefanda.
106 Tiranno di Siracusa (316-289 a.C.).

figulo,[107] tenne sempre, per li gradi della sua età,[108] vita scellerata; non di manco accompagnò le sua sceleratezze con tanta virtù d'animo e di corpo, che, voltosi alla milizia, per li gradi di quella pervenne ad esser pretore di Siracusa. Nel quale grado sendo constituito, et avendo deliberato diventare principe e tenere con violenzia e sanza obligo d'altri quello che d'accordo li era suto concesso, et avuto di questo suo disegno intelligenzia con Amilcare cartaginese, il quale con li eserciti militava in Sicilia, raunò una mattina el populo e il senato di Siracusa, come se elli avessi avuto a deliberare cose pertinente alla repubblica; et ad uno cenno ordinato fece da' sua soldati uccidere tutti li senatori e li piú ricchi del populo. Li quali morti, occupò e tenne el principato di quella città sanza alcuna controversia civile. E, benché da' Cartaginesi fussi dua volte rotto et demum [109] assediato, non solum possé defendere la sua città, ma, lasciato parte delle sua gente alla difesa della ossidione,[110] con le altre assaltò l'Affrica, et in breve tempo liberò Siracusa dallo assedio, e condusse Cartagine in estrema necessità; e furono necessitati accordarsi con quello, esser contenti della possessione di Affrica, et ad Agatocle lasciare la Sicilia. Chi considerassi adunque le azioni e virtù di costui, non vedrà cose, o poche, le quali possa attribuire alla fortuna; con ciò sia cosa, come di sopra è detto, che non per favore d'alcuno, ma per li gradi della milizia, li quali con mille disagi e periculi si aveva guadagnati, pervenissi al principato, e quello di poi con tanti partiti [111] animosi e periculosi mantenessi. Non si può ancora chiamare virtù ammazzare li sua cittadini, tradire li amici, essere sanza fede, sanza pietà, sanza relligione; li quali modi possono fare acquistare imperio, ma non gloria. Perché, se si considerassi la virtù di Agatocle nello intrare e nello uscire de' periculi, e la grandezza dello animo suo nel sopportare e superare le cose avverse, non si vede perché elli abbia ad essere iudicato inferiore a qualunque eccellentissi-

107 *figulo* : vasaio.
108 *per li gradi della sua età* : per tutta la vita.
109 *demum* : infine.
110 *ossidione* : assedio.
111 *partiti* : risoluzioni.

39

mo capitano. Non di manco, la sua efferata crudelità et inumanità, con infinite scelleratezze, non consentono che sia infra li eccellentissimi uomini celebrato. Non si può adunque attribuire alla fortuna o alla virtù quello che sanza l'una e l'altra fu da lui conseguito.

Ne' tempi nostri, regnante Alessandro VI, Oliverotto Firmiano,[112] sendo più anni innanzi rimasto piccolo, fu da uno suo zio materno, chiamato Giovanni Fogliani, allevato, e ne' primi tempi della sua gioventù dato a militare sotto Paulo Vitelli, acciò che, ripieno di quella disciplina, pervenissi a qualche eccellente grado di milizia. Morto di poi Paulo, militò sotto Vitellozzo suo fratello; et in brevissimo tempo, per essere ingegnoso, e della persona e dello animo gagliardo, diventò el primo uomo della sua milizia. Ma, parendoli cosa servile lo stare con altri, pensò, con lo aiuto di alcuni cittadini di Fermo, a' quali era più cara la servitù che la libertà della loro patria, e con il favore vitellesco, di occupare Fermo. E scrisse a Giovanni Fogliani come, sendo stato più anni fuora di casa, voleva venire a vedere lui e la sua città, et in qualche parte riconoscere el suo patrimonio: e, perché non s'era affaticato per altro che per acquistare onore, acciò ch'e' sua cittadini vedessino come non aveva speso el tempo in vano, voleva venire onorevole et accompagnato da cento cavalli di sua amici e servitori; e pregavalo fussi contento ordinare che da' Firmiani fussi ricevuto onoratamente: il che non solamente tornava onore a lui, ma a sé proprio, sendo suo allievo. Non mancò per tanto Giovanni di alcuno offizio debito verso el nipote; e, fattolo ricevere da' Firmiani onoratamente, si alloggiò nelle case sua: dove, passato alcuno giorno, et atteso ad ordinare quello che alla sua futura scelleratezza era necessario, fece un convito solennissimo, dove invitò Giovanni Fogliani e tutti li primi uomini di Fermo. E, consumate che furono le vivande, e tutti li altri intrattenimenti che in simili conviti si usano, Oliverotto, ad arte, mosse certi ragionamenti gravi, parlando della grandezza di papa Alessandro e di Cesare suo figliuolo, e delle imprese loro. A' quali ragionamenti respondendo

112 Oliverotto Euffreducci da Fermo.

Giovanni e li altri, lui a un tratto si rizzò, dicendo quelle essere cose da parlarne in loco piú secreto; e ritirossi in una camera, dove Giovanni e tutti li altri cittadini li andorono drieto. Né prima furono posti a sedere, che de' luoghi segreti di quella uscirono soldati, che ammazzorono Giovanni e tutti li altri. Dopo il quale omicidio, montò Oliverotto a cavallo, e corse la terra, et assediò nel palazzo el supremo magistrato, tanto che per paura furono costretti obbedirlo e fermare uno governo, del quale si fece principe. E, morti tutti quelli che, per essere malcontenti, lo potevono offendere, si corroborò con nuovi ordini civili e militari; in modo che, in spazio d'uno anno che tenne el principato, lui non solamente era sicuro nella città di Fermo, ma era diventato pauroso a tutti [113] li sua vicini. E sarebbe suta la sua espugnazione [114] difficile come quella di Agatocle, se non si fussi suto lasciare ingannare da Cesare Borgia, quando a Sinigallia, come di sopra si disse, prese li Orsini e Vitelli; dove, preso ancora lui, uno anno dopo el commisso parricidio, fu insieme con Vitellozzo, il quale aveva avuto maestro delle virtú e scelleratezze sua, strangolato.

Potrebbe alcuno dubitare donde nascessi che Agatocle et alcuno simile, dopo infiniti tradimenti e crudeltà, possé vivere lungamente sicuro nella sua patria e defendersi dalli inimici esterni, e da' sua cittadini non li fu mai conspirato contro; con ciò sia che molti altri mediante la crudeltà non abbino, etiam ne' tempi pacifici, possuto mantenere lo stato, non che ne' tempi dubbiosi di guerra. Credo che questo avvenga dalle crudeltà male usate o bene usate. Bene usate si possono chiamare quelle (se del male è licito dire bene) che si fanno ad un tratto, per necessità dello assicurarsi, e di poi non vi si insiste dentro, ma si convertiscono in più utilità de' sudditi che si può. Male usate sono quelle le quali, ancora che nel principio sieno poche, piú tosto col tempo crescono che le si spenghino. Coloro che osservano el primo modo, possono con Dio e con li uomini avere allo stato loro qualche remedio, come ebbe Agatocle; quelli altri è impossibile si mantenghino.

113 *era diventato pauroso a tutti* : era temuto da tutti.
114 *espugnazione* : estromissione.

Onde è da notare che, nel pigliare uno stato, debbe l'occupatore di esso discorrere tutte quelle offese che li è necessario fare, e tutte farle a un tratto, per non le avere a rinnovare ogni dí, e potere, non le innovando, assicurare li uomini e guadagnarseli col benéficargli. Chi fa altrimenti, o per timidità o per mal consiglio, è sempre necessitato tenere el coltello in mano; né mai può fondarsi sopra li sua sudditi, non si potendo quelli per le fresche e continue iniurie assicurare di lui. Perché li iniurie si debbono fare tutte insieme, acciò che, assaporandosi meno, offendino meno: e' benefizii si debbono fare a poco a poco, acciò che si assaporino meglio. E debbe sopr'a tutto uno principe vivere con li sua sudditi in modo, che veruno accidente o di male o di bene lo abbia a far variare: perché, venendo per li tempi avversi le necessità, tu non se' a tempo al male, et il bene che tu fai non ti giova, perché è iudicato forzato, e non te n'è saputo grado alcuno.

IX · DE PRINCIPATU CIVILI *

Ma, venendo all'altra parte, quando uno principe cittadino, non per sceleratezza o altra intollerabile violenzia, ma con il favore delli altri sua cittadini diventa principe della sua patria, il quale si può chiamare principato civile (né a pervenirvi è necessario o tutta virtù o tutta fortuna, ma piú presto una astuzia fortunata), dico che si ascende a questo principato o con il favore del populo o con il favore de' grandi. Perché in ogni città si truovano questi dua umori diversi; [115] e nasce da questo, che il populo desidera non essere comandato né oppresso da' grandi, e li grandi desiderano comandare et opprimere el populo: e da questi dua appetiti diversi nasce nelle città uno de' tre effetti, o principato o libertà o licenzia.

El principato è causato o dal populo o da' grandi, secondo che l'una o l'altra di queste parte ne ha occasione; perché, vedendo e' grandi non potere resistere al populo,

---

* Del principato civile.
115 umori diversi: tendenze diverse.

cominciano a voltare la reputazione [116] ad uno di loro, e fannolo principe, per potere sotto la sua ombra sfogare l'appetito loro. El populo ancora, vedendo non potere resistere a' grandi, volta la reputazione ad uno, e lo fa principe, per essere con la autorità sua difeso. Colui che viene al principato con lo aiuto de' grandi, si mantiene con piú difficultà che quello che diventa con lo aiuto del populo; perché si truova principe con di molti intorno, che li paiano essere sua eguali, e per questo non li può né comandare né maneggiare a suo modo. Ma colui che arriva al principato con il favore populare, vi si truova solo, et ha intorno o nessuno o pochissimi che non sieno parati [117] ad obedire. Oltre a questo, non si può con onestà satisfare a' grandi e sanza iniuria d'altri, ma sì bene al populo; perché quello del populo è più onesto fine che quello de' grandi, volendo questi opprimere e quello non essere oppresso. Preterea,[118] del populo inimico uno principe non si può mai assicurare, per esser troppi; de' grandi si può assicurare, per esser pochi. El peggio che possa espettare [119] uno principe dal populo inimico, è lo essere abbandonato da lui; ma da' grandi, inimici, non solo debbe temere di essere abbandonato, ma etiam che loro li venghino contro; perché, sendo in quelli più vedere [120] e più astuzia, avanzono sempre tempo per salvarsi, e cercono gradi con quelli che sperano che vinca. È necessitato ancora el principe vivere sempre con quello medesimo populo; ma può ben fare sanza quelli medesimi grandi, potendo farne e disfarne ogni dí, e tòrre e dare, a sua posta, [121] reputazione loro.

E, per chiarire meglio questa parte, dico come e' grandi si debbono considerare in dua modi principalmente. O si governano in modo col procedere loro che si obbligano in tutto alla tua fortuna, o no. Quelli che si obbligano, e non sieno rapaci, si debbono onorare et amare; quelli che non si obbligano, si hanno ad esaminare in dua

---

116 *a voltare la reputazione*: ad attribuire il favore.
117 *parati*: pronti, preparati.
118 *Preterea*: inoltre.
119 *espettare*: attendersi.
120 *più vedere*: maggiore capacità di previsione.
121 *a sua posta*: a suo piacimento.

modi: o fanno questo per pusillanimità e defetto naturale d'animo: allora tu ti debbi servire di quelli massime che sono di buono consiglio, perché nelle prosperità te ne onori, e nelle avversità non hai da temerne. Ma, quando non si obbligano ad arte e per cagione ambiziosa, è segno come pensono più a sé che a te; e da quelli si debbe el principe guardare, e temerli come se fussino scoperti inimici, perché sempre, nelle avversità, aiuteranno ruinarlo.

Debbe per tanto uno che diventi principe mediante el favore del populo, mantenerselo amico; il che li fia facile, non domandando lui se non di non essere oppresso. Ma uno che contro al populo diventi principe con il favore de' grandi, debbe inanzi ad ogni altra cosa cercare di guadagnarsi el populo: il che li fia facile, quando pigli la protezione sua. E, perché li uomini, quando hanno bene da chi credevano avere male, si obbligano più al beneficatore loro, diventa el populo subito più suo benivolo, che se si fussi condotto al principato con favori sua: e puosselo [122] el principe guadagnare in molti modi, li quali, perché variano secondo el subietto, non se ne può dare certa regola, e però si lasceranno indrieto. Concluderò solo che a uno principe è necessario avere el populo amico: altrimenti non ha nelle avversità remedio.

Nabide,[123] principe delli Spartani, sostenne la ossidione di tutta Grecia e di uno esercito romano vittoriosissimo, e difese contro a quelli la patria sua et il suo stato: e li bastò solo, sopravvenente el periculo, assicurarsi di pochi: ché, se elli avessi avuto el populo inimico, questo non li bastava. E non sia alcuno che repugni a questa mia opinione con quello proverbio trito,[124] che *chi fonda in sul populo, fonda in sul fango*: perché quello è vero, quando uno cittadino privato vi fa su fondamento, e dassi ad intendere che il populo lo liberi, quando fussi oppresso da' nimici o da' magistrati. In questo caso si potrebbe trovare spesso ingannato, come a Roma e' Gracchi [125] et a Firenze messer

122 *puosselo*: se lo può.
123 Tiranno di Sparta dal 205 al 192 a.C.
124 *trito*: comune.
125 Tiberio e Caio Gracco, gli sfortunati tribuni della plebe. Cfr. *Discorsi*, i, 37.

Giorgio Scali.[126] Ma, sendo uno principe che vi fondi su, che possa comandare e sia uomo di core, né si sbigottisca nelle avversità, e non manchi delle altre preparazioni, e tenga con l'animo et ordini sua animato l'universale, mai si troverrà ingannato da lui, e li parrà aver fatto li sua fondamenti buoni.

Sogliono questi principati periclitare, quando sono per salire dall'ordine civile allo assoluto; perché questi principi, o comandono per loro medesimi, o per mezzo de' magistrati. Nell'ultimo caso è piú debole e piú periculoso lo stare loro; perché gli stanno al tutto con la volontà di quelli cittadini che sono preposti a' magistrati: li quali, massime ne' tempi avversi, li possono tòrre con facilità grande lo stato, o con farli contro, o con non lo obedire. Et el principe non è a tempo ne' periculi a pigliare l'autorità assoluta; perché li cittadini e sudditi, che sogliono avere e' comandamenti da' magistrati, non sono, in quelli frangenti, per obedire a' sua; et arà sempre, ne' tempi dubii, penuria di chi si possa fidare. Perché simile principe non può fondarsi sopra a quello che vede ne' tempi quieti, quando e' cittadini hanno bisogno dello stato, perché allora ognuno corre, ognuno promette, e ciascuno vuole morire per lui, quando la morte è discosto; ma ne 'tempi avversi, quando lo stato ha bisogno de' cittadini, allora se ne truova pochi. E tanto piú è questa esperienzia periculosa, quanto la non si può fare se non una volta. E però uno principe savio debba pensare uno modo, per il quale li sua cittadini, sempre et in ogni qualità di tempo, abbino bisogno dello stato e di lui: e sempre poi li saranno fedeli.

X · QUOMODO OMNIUM PRINCIPATUUM VIRES PERPENDI DEBEANT *

Conviene avere, nello esaminare le qualità di questi principati, un'altra considerazione: cioè se uno principe ha tan-

---

126 Dopo il tumulto dei Ciompi (1378), Giorgio Scali divenne una sorta di capopopolo ma per la sua tracotanza venne poi giustiziato.

* *In che modo si debbino misurare le forze di tutti i principati.*

to stato che possa, bisognando, per sé medesimo reggersi, o vero se ha sempre necessità della defensione d'altri. E, per chiarire meglio questa parte, dico come io iudico coloro potersi reggere per sé medesimi, che possono, o per abundanzia di uomini, o di denari, mettere insieme un esercito iusto,[127] e fare una giornata [128] con qualunque li viene ad assaltare; e cosí iudico coloro avere sempre necessità d'altri, che non possono comparire contro al nimico in campagna, ma sono necessitati rifuggirsi drento alle mura, e guardare quelle. Nel primo caso, si è discorso; e per lo avvenire diremo quello ne occorre. Nel secondo caso non si può dire altro, salvo che confortare tali principi a fortificare e munire la terra propria, [129] e del paese [130] non tenere alcuno conto. E qualunque arà bene fortificata la sua terra, e circa li altri governi con li sudditi si fia maneggiato come di sopra è detto e di sotto si dirà,[131] sarà sempre con grande respetto assaltato; perché li uomini sono sempre nimici delle imprese dove si vegga difficultà, né si può vedere facilità assaltando uno che abbi la sua terra gagliarda e non sia odiato dal populo.

Le città di Alamagna sono liberissime, hanno poco contado, et obediscano allo imperatore, quando le vogliono, e non temono né quello né altro potente che le abbino intorno: perché le sono in modo fortificate, che ciascuno pensa la espugnazione di esse dovere esser tediosa e difficile. Perché tutte hanno fossi e mura conveniente, hanno artiglierie a sufficienzia; tengono sempre nelle cànove publiche [132] da bere e da mangiare e da ardere per un anno; et oltre a questo, per potere tenere la plebe pasciuta, e sanza perdita del pubblico, hanno sempre in comune per uno anno da potere dare loro da lavorare in quelli esercizii, che sieno el nervo e la vita di quella città, e delle industrie, de' quali la plebe pasca. Tengono ancora li esercizii militari in reputazione, e sopr'a questo hanno molti ordini a mantenerli.

127 *un esercito iusto*: un esercito adeguato e idoneo.
128 *fare una giornata*: sostenere una battaglia campale.
129 *la terra propria*: la città.
130 *paese*: il contado circostante.
131 Nei capp. IX e XIX.
132 *cànove publiche*: magazzini pubblici.

Uno principe, adunque, che abbi una città forte e non si facci odiare, non può essere assaltato; e, se pure fussi chi lo assaltassi, se ne partirà con vergogna: perché le cose del mondo sono sí varie, che elli è impossibile che uno potessi con li eserciti stare uno anno ozioso a campeggiarlo.[133] E chi replicassi: se il populo arà le sua possessioni fuora, e veggale ardere, non ci arà pazienzia, et il lungo assedio e la carità propria[134] li farà sdimenticare el principe; respondo che uno principe potente et animoso supererà sempre tutte quelle difficultà, dando ora speranza a' sudditi che el male non fia lungo, ora timore della crudeltà del nimico, ora assicurandosi con destrezza di quelli che li paressino troppo arditi. Oltre a questo, el nimico, ragionevolmente, debba ardere e ruinare el paese in sulla sua giunta[135] e ne' tempi, quando li animi delli uomini sono ancora caldi e volenterosi alla difesa; e però tanto meno el principe debbe dubitare, perché dopo qualche giorno, che li animi sono raffreddi, sono di già fatti e' danni, sono ricevuti e' mali, e non vi è più remedio; et allora tanto più si vengono ad unire con il loro principe, parendo che lui abbia con loro obbligo, sendo loro sute arse le case, ruinate le possessioni, per la difesa sua. E la natura delli uomini è, così obbligarsi per li benefizii che si fanno, come per quelli che si ricevano. Onde, se si considerrà bene tutto, non fia difficile a uno principe prudente tenere prima e poi fermi li animi de' sua cittadini nella ossidione, quando non li manchi da vivere né da difendersi.

XI · DE PRINCIPATIBUS ECCLESIASTICIS *

Restaci solamente al presente a ragionare de' principati ecclesiastici: circa quali tutte le difficultà sono avanti che si possegghino: perché si acquistano o per virtù o per fortuna, e sanza l'una e l'altra si mantengano; perché sono sustentati dalli ordini antiquati nella relligione, quali sono

---

133 *campeggiarlo*: assediarlo.
134 *la carità propria*: l'interesse privato.
135 *in sulla sua giunta*: al suo arrivo.
* *De' principati ecclesiastici*.

suti tanto potenti e di qualità, che tengano e' loro principi in stato, in qualunque modo si procedino e vivino. Costoro soli hanno stati, e non li defendano; sudditi, e non li governano: e li stati, per essere indifesi, non sono loro tolti; e li sudditi, per non essere governati, non se ne curano, né pensano né possono alienarsi da loro. Solo adunque questi principati sono sicuri e felici. Ma, sendo quelli retti da cagione superiore, alla quale mente umana non aggiugne, lascierò el parlarne; perché, sendo esaltati e mantenuti da Dio, sarebbe offizio di uomo prosuntuoso e temerario discorrerne. Non di manco, se alcuno mi ricercassi donde viene che la Chiesia nel temporale sia venuta a tanta grandezza, con ciò sia che da Alessandro [136] indrieto e' potentati italiani, et non solum quelli che si chiamavono e' potentati, ma ogni barone e signore, benché minimo, quanto al temporale la esistimava poco, et ora uno re di Francia ne trema, e lo ha possuto cavare di Italia, e ruinare Viniziani: la qual cosa, ancora che sia nota, non mi pare superfluo ridurla in buona parte alla memoria.

Avanti che Carlo re di Francia passassi in Italia,[137] era questa provincia sotto l'imperio del papa, Viniziani, re di Napoli, duca di Milano e Fiorentini. Questi potentati avevano ad avere dua cure principali: l'una, che uno forestiero non intrassi in Italia con le arme; l'altra, che veruno di loro occupassi piú stato. Quelli a chi si aveva piú cura erano Papa e Viniziani. Et a tenere indrieto Viniziani, bisognava la unione di tutti li altri, come fu nella difesa di Ferrara; et a tenere basso el Papa, si servivano de' baroni di Roma: li quali, sendo divisi in due fazioni, Orsini e Colonnesi, sempre vi era cagione di scandolo fra loro; e, stando con le arme in mano in su li occhi al pontefice, tenevano el pontificato debole et infermo. E, benché surgessi qualche volta uno papa animoso, come fu Sisto,[138] tamen la fortuna o il sapere non lo possé mai disobbligare da queste incomodità. E la brevità della vita loro n'era cagione; perché in dieci anni che, ragguagliato,[139] viveva uno papa, a fatica che

136 Alessandro VI Borgia.
137 Nel 1494.
138 Sisto IV papa (1471-1484).
139 *ragguagliato*: mediamente.

48

potessi sbassare una delle fazioni; e, se, verbigrazia, l'uno aveva quasi spenti Colonnesi, surgeva un altro inimico alli Orsini, che li faceva resurgere, e li Orsini non era a tempo a spegnere. Questo faceva che le forze temporali del papa erano poco stimate in Italia. Surse di poi Alessandro VI, il quale, di tutt'i pontefici che sono stati mai, monstrò quanto uno papa, e con il danaio e con le forze, si poteva prevalere, e fece, con lo instrumento del duca Valentino e con la occasione della passata de' Franzesi,[140] tutte quelle cose che io discorsi di sopra nelle azioni del duca.[141] E, benché l'intento suo non fussi fare grande la Chiesia, ma il duca, non di meno ciò che fece tornò a grandezza della Chiesia; la quale dopo la sua morte, spento el duca, fu erede delle sue fatiche. Venne poi papa Iulio, e trovò la Chiesia grande, avendo tutta la Romagna, e sendo spenti e' baroni di Roma, e per le battiture di Alessandro annullate quelle fazioni; e trovò ancora la via aperta al modo dello accumulare danari, non mai più usitato da Alessandro indrieto. Le quali cose Iulio non solum seguitò, ma accrebbe; e pensò a guadagnarsi Bologna e spegnere Viniziani et a cacciare Franzesi di Italia; e tutte queste imprese li riuscirono, e con tanta più sua laude, quanto fece ogni cosa per accrescere la Chiesia e non alcuno privato. Mantenne ancora le parti Orsine e Colonnese in quelli termini che le trovò; e, benché tra loro fussi qualche capo da fare alterazione, tamen dua cose li ha tenuti fermi: l'una, la grandezza della Chiesia che gli sbigottisce; l'altra, el non avere loro cardinali, li quali sono origine de' tumulti infra loro. Né mai staranno quiete queste parti, qualunque volta abbino cardinali; perché questi nutriscono, in Roma e fuora, le parti, e quelli baroni sono forzati a defenderle: e così dalla ambizione de' prelati nascono le discordie e li tumulti infra baroni. Ha trovato adunque la Santità di papa Leone [142] questo pontificato potentissimo: il quale si spera, se quelli lo feciono grande con le arme, questo con la bontà et infinite altre sua virtù lo farà grandissimo e venerando.

140 *della passata de' Franzesi*: della calata dei Francesi.
141 Nel cap. VII.
142 Papa Leone X Medici (1513-1521).

Avendo discorso particularmente tutte le qualità di quelli principati de' quali nel principio proposi di ragionare,
e considerato in qualche parte le cagioni del bene e del
male essere loro, e monstro [143] e' modi con li quali molti hanno cerco [144] di acquistarli e tenerli, mi resta ora a discorrere
generalmente le offese e difese che in ciascuno de' prenominati possono accadere. Noi abbiamo detto di sopra,[145] come
a uno principe è necessario avere e' sua fondamenti buoni;
altrimenti conviene che rovini. E' principali fondamenti che
abbino tutti li stati, così nuovi, come vecchi o misti, sono
le buone legge e le buone arme. E, perché non può essere
buone legge dove non sono buone arme, e dove sono buone
arme conviene sieno buone legge, io lascerò indrieto el
ragionare delle legge e parlerò delle arme.

Dico, adunque, che l'arme con le quali uno principe de-
fende el suo stato, o le sono proprie o le sono mercennarie,
o ausiliarie o miste. Le mercennarie et ausiliarie sono inutile e pericolose; e, se uno tiene lo stato suo fondato in
sulle arme mercennarie, non starà mai fermo né sicuro; perché le sono disunite, ambiziose, sanza disciplina, infedele;
gagliarde fra li amici, fra' nimici vile; non timore di Dio,
non fede con li uomini, e tanto si differisce la ruina, quanto si differisce l'assalto; e nella pace se' spogliato da loro,
nella guerra da' nimici. La cagione di questo è, che le non
hanno altro amore né altra cagione che le tenga in campo,
che un poco di stipendio, il quale non è sufficiente a fare
che voglino morire per te. Vogliono bene esser tua soldati
mentre che tu non fai guerra; ma, come la guerra viene,
o fuggirsi o andarsene. La qual cosa doverrei durare poca
fatica a persuadere, perché ora la ruina di Italia non è
causata da altro, che per essere in spazio di molti anni ripo-
satisi in sulle arme mercennarie. Le quali feciono già per
qualcuno qualche progresso, e parevano gagliarde infra

* Di quante ragioni sia la milizia e de' soldati mercenari.
143 monstro: mostrato.
144 cerco: cercato.
145 Nel cap. VIII.

loro; ma, come venne el forestiero, le monstrorono quello che elle erano. Onde che a Carlo re di Francia fu licito pigliare la Italia col gesso; [146] e chi diceva come e' n'erano cagione e' peccati nostri, diceva el vero; ma non erano già quelli che credeva, ma questi che io ho narrati : e, perché elli erano peccati di principi, ne hanno patito la pena ancora loro.

Io voglio dimostrare meglio la infelicità di queste arme. E' capitani mercennarii, o sono uomini eccellenti, o no : se sono, non te ne puoi fidare, perché sempre aspireranno alla grandezza propria, o con lo opprimere te che li se' patrone, o con opprimere altri fuora della tua intenzione; ma, se non è virtuoso, ti rovina per lo ordinario. E se si responde che qualunque arà le arme in mano farà questo, o mercennario o no, replicherei come l'arme hanno ad essere operate o da uno principe o da una republica. El principe debbe andare in persona, e fare lui l'offizio del capitano; la republica ha a mandare sua cittadini : e, quando ne manda uno che non riesca valente uomo, debbe cambiarlo; e, quando sia, tenerlo con le leggi che non passi el segno.[147] E per esperienzia si vede a' principi soli e republiche armate fare progressi grandissimi, et alle arme mercennarie non fare mai se non danno. E con più difficultà viene alla obedienza di uno suo cittadino una repubblica armata di arme proprie, che una armata di arme esterne.

Stettono Roma e Sparta molti secoli armate e libere. Svizzeri sono armatissimi e liberissimi. Delle arme mercennarie antiche in exemplis sono Cartaginesi; li quali furono per essere oppressi da' loro soldati mercennarii, finita la prima guerra con li Romani, ancora che Cartaginesi avessino per capi loro proprii cittadini. Filippo Macedone fu fatto da' Tebani, dopo la morte di Epaminunda, capitano delle loro gente; e tolse loro, dopo la vittoria, la libertà. Milanesi, morto el duca Filippo, soldorono Francesco Sforza contro a' Viniziani; il quale, superati li inimi-

---

146 Con questa espressione il M. vuole indicare la facilità della discesa di Carlo VIII in Italia : il gesso, infatti, era utilizzato dalle avanguardie per segnare gli alloggiamenti.

147 *che non passi el segno* : affinché non diventi tracotante.

ci a Caravaggio,[148] si congiunse con loro per opprimere e' Milanesi sua patroni. Sforza suo padre, sendo soldato della regina Giovanna di Napoli, la lasciò in un tratto disarmata; [149] onde lei, per non perdere el regno, fu constretta gittarsi in grembo al re di Aragonia. E, se Viniziani e Fiorentini hanno per lo adrieto cresciuto l'imperio loro con queste arme, e li loro capitani non se ne sono però fatti principi, ma li hanno difesi, respondo che Fiorentini in questo caso sono suti favoriti dalla sorte; perché de' capitani virtuosi, de' quali potevano temere, alcuni non hanno vinto, alcuni hanno avuto opposizione, altri hanno volto la ambizione loro altrove. Quello che non vinse fu Giovanni Aucut,[150] del quale, non vincendo, non si poteva conoscere la fede; ma ognuno confesserà che, vincendo, stavano Fiorentini a sua discrezione. Sforza ebbe sempre e' Bracceschi [151] contrarii, che guardorono l'uno l'altro: Francesco volse l'ambizione sua in Lombardia; Braccio contro alla Chiesia et il regno di Napoli. Ma vegniamo a quello che è seguito poco tempo fa. Feciono Fiorentini Paulo Vitelli loro capitano, uomo prudentissimo, e che di privata fortuna aveva presa grandissima reputazione. Se costui espugnava Pisa, veruno fia che nieghi come conveniva a' Fiorentini stare seco; perché, se fussi diventato soldato di loro nimici, non avevano remedio; e, se lo tenevano, aveano ad obedirlo. Viniziani, se si considerrà e' progressi loro, si vedrà quelli avere securamente e gloriosamente operato, mentre feciono la guerra loro proprii: che fu avanti che si volgessino con le imprese in terra: dove co' gentili uomini e con la plebe armata operorono virtuosissimamente; ma, come cominciorono a combattere in terra,[152] lasciorono questa virtù, e seguitorono e' costumi di Italia. E nel principio dello augumento loro in terra, per non vi avere molto stato e per essere in grande reputazione, non aveano da temere molto de' loro ca-

148 Il 15 settembre 1448.
149 Muzio Attendolo Sforza passò al soldo di Luigi III d'Angiò, l'avversario di Giovanna.
150 John Hawkwood, avventuriero inglese al soldo di Firenze.
151 Gli uomini di Braccio da Montone (Andrea Fortebracci).
152 Non sul mare dove contavano su armi proprie ma sulla terraferma.

pitani; ma, come ellino ampliorono, che fu sotto el Carmignola.[153] ebbono uno saggio di questo errore. Perché, vedutolo virtuosissimo, battuto che ebbono sotto il suo governo el duca di Milano, e conoscendo da altra parte come elli era raffreddo nella guerra, iudicorono con lui non potere piú vincere, perché non voleva, né potere licenziarlo, per non riperdere ciò che aveano acquistato; onde che furono necessitati, per assicurarsene, ammazzarlo. Hanno di poi avuto per loro capitani Bartolomeo da Bergamo,[154] Ruberto da San Severino, Conte di Pitigliano,[155] e simili; con li quali aveano a temere della perdita, non del guadagno loro: come intervenne di poi a Vailà, dove, in una giornata, perderono quello che in ottocento anni, con tanta fatica, avevano acquistato.[156] Perché da queste arme nascono solo e' lenti, tardi e deboli acquisti, e le subite e miraculose perdite. E, perché io sono venuto con questi esempli in Italia, la quale è stata governata molti anni dalle arme mercennarie, le voglio discorrere, e più da alto,[157] acciò che, veduto l'origine e progressi di esse, si possa meglio correggerle.

Avete dunque ad intendere come, tosto che in questi ultimi tempi lo imperio cominciò a essere ributtato di Italia, e che il papa nel temporale vi prese piú reputazione, si divise la Italia in piú stati; perché molte delle città grosse presono l'arme contra a' loro nobili, li quali, prima favoriti dallo imperatore, le tennono oppresse; e la Chiesia le favoriva per darsi reputazione nel temporale; di molte altre e' loro cittadini ne diventorono principi. Onde che, essendo venuta l'Italia quasi che nelle mani della Chiesia e di qualche Repubblica, et essendo quelli preti e quelli altri cittadini usi a non conoscere arme, cominciorono a soldare forestieri. El primo che dette reputazione a questa milizia, fu Alberigo da Conio,[158] romagnolo. Dalla disciplina

153 Francesco Bussone, conte di Carmagnola.
154 Bartolomeo Colleoni.
155 Niccolò Orsini.
156 Si riferisce alla sconfitta di Vailate altrimenti detta di Agnadello (14 maggio 1509).
157 *discorrere, e più da alto*: esaminare dal principio.
158 Alberigo da Barbiano, conte di Cunio.

di costui [159] discese, intra li altri, Braccio e Sforza, che ne' loro tempi furono arbitri di Italia. Dopo questi, vennono tutti li altri, che fino a' nostri tempi hanno governato queste arme. Et il fine della loro virtú è stato, che Italia è suta corsa da Carlo, predata da Luigi, sforzata da Ferrando [160] e vituperata da' Svizzeri. L'ordine che ellino hanno tenuto è stato, prima, per dare reputazione a loro proprii,[161] avere tolto reputazione alle fanterie. Feciono questo perché, sendo sanza stato et in sulla industria,[162] e' pochi fanti non davano loro reputazione, e li assai non potevano nutrire; e però si ridussono a' cavalli, dove con numero sopportabile erano nutriti et onorati. Et erono ridotte le cose in termine che in uno esercito di ventimila soldati non si trovava dumila fanti. Avevano, oltre a questo, usato ogni industria per levare a sé et a' soldati la fatica e la paura, non si ammazzando nelle zuffe, ma pigliandosi prigioni e sanza taglia.[163] Non traevano la notte alle terre;[164] quelli delle terre non traevano alle tende;[165] non facevano intorno al campo né steccato né fossa; non campeggiavano el verno.[166] E tutte queste cose erano permesse ne' loro ordini militari, e trovate da loro per fuggire, come è detto, e la fatica e li pericoli: tanto che li hanno condotta Italia stiava e vituperata.

XIII · DE MILITIBUS AUXILIARIIS, MIXTIS ET PROPRIIS *

L'arme ausiliarie, che sono l'altre arme inutili, sono quando si chiama uno potente, che con le arme sua ti venga ad aiutare e defendere: come fece ne' prossimi tempi pa-

159 *Dalla disciplina di costui*: dalla sua scuola.
160 Rispettivamente Carlo VIII, Luigi XII, Ferdinando il Cattolico.
161 *a loro proprii*: a se stessi.
162 *in sulla industria*: vivendo del proprio mestiere.
163 *sanza taglia*: senza riscatto.
164 *Non traevano la notte alle terre*: non assaltavano le città di notte.
165 *quelli delle terre non traevano alle tende*: e quelli delle città a loro volta non attaccavano l'accampamento degli assedianti.
166 *el verno*: d'inverno.
* *De' soldati ausiliarii, misti e propri.*

pa Iulio, il quale, avendo visto nella impresa di Ferrara la trista pruova delle sua arme mercennarie, si volse alle ausiliarie; e convenne con Ferrando re di Spagna che con le sua gente et eserciti dovesse aiutarlo.[167] Queste arme possono essere utile e buone per loro medesime, ma sono per chi le chiama quasi sempre dannose; perché, perdendo, rimani disfatto, vincendo, resti loro prigione. Et ancora che di questi esempli ne siano piene l'antiche istorie, non di manco io non mi voglio partire da questo esemplo fresco di papa Iulio II; el partito del quale non possé essere manco considerato,[168] per volere Ferrara, cacciarsi tutto nelle mani d'uno forestiere. Ma la sua buona fortuna fece nascere una terza cosa, acciò non cogliessi el frutto della sua mala elezione : [169] perché, sendo li ausiliari sua rotti a Ravenna,[170] e surgendo e' Svizzeri, che cacciorono e' vincitori, fuora d'ogni opinione e sua e d'altri, venne a non rimanere prigione delli inimici, sendo fugati, né delli ausiliarii sua, avendo vinto con altre arme che con le loro. Fiorentini, sendo al tutto disarmati, condussono diecimila Franzesi a Pisa per espugnarla : per il quale partito portorono piú pericolo che in qualunque tempo de' travagli loro. Lo imperatore di Constantinopoli,[171] per opporsi alli sua vicini, misse in Grecia diecimila Turchi; li quali, finita la guerra, non se ne volsono partire : il che fu principio della servitú di Grecia con li infideli.

Colui, adunque, che vuole non potere vincere, si vaglia di queste arme, perché sono molto piú pericolose che le mercennarie : perché in queste è la ruina fatta; sono tutte unite, tutte volte alla obedienza di altri : ma nelle mercennarie, ad offenderti, vinto che le hanno, bisogna più tempo e maggiore occasione, non sendo tutto uno corpo, et essendo trovate e pagate da té; nelle quali uno terzo che tu facci capo,[172] non può pigliare subito tanta autorità che

167 Il papa Giulio II nel 1511 strinse con Ferdinando il Cattolico la « Lega Santa ».

168 *manco considerato* : più insensato.

169 *elezione* : scelta.

170 L'11 aprile 1512.

171 Giovanni Cantacuzeno nel 1346.

172 *che tu facci capo* : nominando comandante un estraneo (*uno terzo*) che risulta sconosciuto ai mercenari.

ti offenda. In somma, nelle mercennarie è piú pericolosa la ignavia, nelle ausiliarie la virtù.

Uno principe, per tanto, savio, sempre ha fuggito queste arme, e voltosi alle proprie; et ha volsuto piú tosto perdere con li sua, che vincere con li altri, iudicando non vera vittoria quella che con le arme aliene si acquistassi. Io non dubiterò mai di allegare Cesare Borgia e le sue azioni. Questo duca intrò in Romagna con le arme ausiliarie, conducendovi tutte gente franzese, e con quelle prese Imola e Furlì. Ma, non li parendo poi tale arme sicure, si volse alle mercennarie, iudicando in quelle manco periculo; e soldò li Orsini e Vitelli. Le quali poi nel maneggiare trovando dubie et infideli e periculose, le spense, e volsesi alle proprie. E puossi facilmente vedere che differenzia è infra l'una e l'altra di queste arme, considerato che differenzia fu dalla reputazione del duca, quando aveva Franzesi soli e quando aveva li Orsini e Vitelli, a quando rimase con li soldati sua e sopr'a sé stesso e sempre si troverrà accresciuta; né mai fu stimato assai, se non quando ciascuno vidde che lui era intero possessore delle sua arme.

Io non mi volevo partire dalli esempli italiani e freschi: tamen non voglio lasciare indrieto Ierone Siracusano, sendo uno de' soprannominati da me.[173] Costui, come io dissi, fatto da' Siracusani capo delli eserciti, conobbe subito quella milizia mercennaria non essere utile, per essere conduttieri fatti come li nostri italiani; e, parendoli non li possere tenere né lasciare, li fece tutti tagliare a pezzi: e di poi fece guerra con le arme sua e non con le aliene. Voglio ancora ridurre a memoria una figura [174] del Testamento Vecchio fatta a questo proposito. Offerendosi David a Saul di andare a combattere con Golia, provocatore filisteo, Saul, per darli animo, l'armò dell'arme sua, le quali, come David ebbe indosso, recusò, dicendo con quelle non si potere bene valere di sé stesso, e però voleva trovare el nimico con la sua fromba [175] e con il suo coltello.

In fine l'arme d'altri, o le ti caggiono di dosso, o le ti pesano, o le ti stringano. Carlo VII, padre del re Luigi XI,

173 Nel cap. VI.
174 *figura*: immagine.
175 *fromba*: fionda.

avendo con la sua fortuna e virtú libera Francia dalli Inghilesi,[176] conobbe questa necessità di armarsi di arme proprie, et ordinò nel suo regno l'ordinanza delle gente d'arme e delle fanterie. Di poi, el re Luigi suo figliuolo spense quella de' fanti, e cominciò a soldare Svizzeri: il quale errore, seguitato dalli altri, è, come si vede ora in fatto, cagione de' pericoli di quello regno. Perché, avendo dato reputazione a' Svizzeri, ha invilito tutte l'arme sua; perché le fanterie ha spento e le sua gente d'arme ha obligato alle arme d'altri; perché, sendo assuefatte a militare con Svizzeri, non pare loro di potere vincere sanza essi. Di qui nasce che Franzesi contro a Svizzeri non bastano, e sanza Svizzeri contro ad altri non pruovano. Sono dunque stati li eserciti di Francia misti, parte mercennarii, e parte proprii: le quali arme tutte insieme sono molto migliori che le semplici ausiliarie o semplici mercennarie, e molto inferiore alle proprie. E basti lo esemplo detto; perché el regno di Francia sarebbe insuperabile, se l'ordine di Carlo era accresciuto o preservato. Ma la poca prudenzia delli uomini comincia una cosa, che, per sapere allora di buono, non si accorge del veleno che vi è sotto: come io dissi di sopra delle febbre etiche.[177]

Per tanto colui che in uno principato non conosce e' mali quando nascono, non è veramente savio: e questo è dato a pochi. E, se si considerassi la prima ruina dello Imperio romano, si troverrà esser suto solo cominciare a soldare e' Goti; perché da quello principio cominciorono ad enervare[178] le forze dello Imperio romano; e tutta quella virtù che si levava da lui si dava a loro. Concludo, adunque, che, sanza avere arme proprie, nessuno principato è sicuro, anzi è tutto obligato alla fortuna, non avendo virtù che nelle avversità lo difenda. E fu sempre opinione e sentenzia delli uomini savi, *quod nihil sit tam infirmum aut instabile, quam fama potentiae non sua vi nixa.*[179] E l'arme proprie son quelle che sono composte o di sudditi o di cit-

176 Alla conclusione della « guerra dei Cento Anni » nel 1453.
177 Cfr. cap. III.
178 *enervare*: snervare.
179 « che nulla è più debole ed instabile che la fama di potenza non basata su forza propria » (Tacito, *Annales*, XIII, 19).

tadini o di creati tua : tutte l'altre sono o mercennarie o ausiliarie. Et il modo ad ordinare l'arme proprie sarà facile a trovare, se si discorrerà li ordini de' quattro soprannominati da me, e se si vedrà come Filippo, padre di Alessandro Magno, e come molte repubbliche e principi si sono armati et ordinati : a' quali ordini io al tutto mi rimetto.

XIV · QUOD PRINCIPEM DECEAT CIRCA MILITIAM *

Debbe adunque uno principe non avere altro obietto né altro pensiero, né prendere cosa alcuna per sua arte, fuora della guerra et ordini e disciplina di essa; perché quella è sola arte che si espetta a chi comanda. Et è di tanta virtú, che non solamente mantiene quelli che sono nati principi, ma molte volte fa li uomini di privata fortuna salire a quel grado; e per avverso si vede che, quando e' principi hanno pensato piú alle delicatezze che alle arme, hanno perso lo stato loro. E la prima cagione che ti fa perdere quello, è negligere questa arte; e la cagione che te lo fa acquistare, è lo essere professo [180] di questa arte.

Francesco Sforza, per essere armato, di privato diventò duca di Milano; e' figliuoli, per fuggire e' disagi delle arme, di duchi diventorono privati. Perché, intra le altre cagioni che ti arreca di male lo essere disarmato, ti fa contennendo: [181] la quale è una di quelle infamie dalle quali el principe si debbe guardare, come di sotto si dirà.[182] Perché da uno armato a uno disarmato non è proporzione alcuna; e non è ragionevole che chi è armato obedisca volentieri a chi è disarmato, e che il disarmato stia sicuro intra servitori armati. Perché, sendo nell'uno sdegno e nell'altro sospetto, non è possibile operino bene insieme. E però uno principe che della milizia non si intenda, oltre alle altre infelicità, come è detto, non può essere stimato da' sua soldati, né fidarsi di loro.

Debbe per tanto mai levare el pensiero da questo eser-

* *Quello che s'appartenga a uno principe circa la milizia.*
180 *professo* : pratico.
181 *contennendo* : disprezzabile.
182 Nei capp. xv e xix.

cizio della guerra, e nella pace vi si debbe piú esercitare che nella guerra; il che può fare in dua modi: l'uno con le opere, l'altro con la mente. E, quanto alle opere, oltre al tenere bene ordinati et esercitati li sua, debbe stare sempre in sulle caccie,[183] e mediante quelle assuefare el corpo a' disagi; e parte [184] imparare la natura de' siti, e conoscere come surgono e' monti, come imboccano le valle, come iacciono e' piani, et intendere la natura de' fiumi e de' paduli,[185] et in questo porre grandissima cura. La quale cognizione è utile in dua modi. Prima, s'impara a conoscere el suo paese, e può meglio intendere le difese di esso; di poi, mediante la cognizione e pratica di quelli siti, con facilità comprendere ogni altro sito che di nuovo li sia necessario speculare: [186] perché li poggi, le valli, e' piani, e' fiumi, e' paduli che sono, verbigrazia, in Toscana, hanno con quelli dell'altre provincie certa similitudine: tal che dalla cognizione del sito di una provincia si può facilmente venire alla cognizione dell'altre. E quel principe che manca di questa perizie, manca della prima parte che vuole avere uno capitano; perché questa insegna trovare el nimico, pigliare li alloggiamenti, condurre li eserciti, ordinare le giornate, campeggiare le terre con tuo vantaggio.

Filopemene, principe delli Achei, intra le altre laude che dalli scrittori li sono date, è che ne' tempi della pace non pensava mai se non a' modi della guerra; e, quando era in campagna con li amici, spesso si fermava e ragionava con quelli. « Se li inimici fussino in su quel colle, e noi ci trovassimo qui col nostro esercito, chi di noi arebbe vantaggio? come si potrebbe ire, servando li ordini, a trovarli? se noi volessimo ritirarci, come aremmo a fare? se loro si ritirassino, come aremmo a seguirli? » E proponeva loro, andando, tutti e' casi che in uno esercito possono occorrere; intendeva la opinione loro, diceva la sua, corroboravala con le ragioni: tal che per queste continue cogitazioni non posseva mai, guidando li eserciti, nascere accidente alcuno,

183 *in sulle caccie*: a caccia, simulando situazioni di guerra, cfr. *Discorsi*, III, 39.
184 *e parte*: e intanto.
185 *paduli*: paludi.
186 *speculare*: perlustrare.

che lui non avessi el remedio.

Ma, quanto allo esercizio della mente, debbe el principe leggere le istorie, et in quelle considerare le azioni delli uomini eccellenti, vedere come si sono governati nelle guerre, esaminare le cagioni della vittoria e perdite loro, per potere queste fuggire e quelle imitare; e sopra tutto fare come ha fatto per l'adrieto qualche uomo eccellente, che ha preso ad imitare se alcuno innanzi a lui è stato laudato e gloriato, e di quello ha tenuto sempre e' gesti et azioni appresso di sé: come si dice che Alessandro Magno imitava Achille, Cesare Alessandro, Scipione Ciro. E qualunque legge la vita di Ciro scritta da Senofonte,[187] riconosce di poi nella vita di Scipione quanto quella imitazione li fu di gloria, e quanto nella castità, affabilità, umanità, liberalità Scipione si conformassi con quelle cose che di Ciro da Senofonte sono sute scritte. Questi simili modi debbe osservare uno principe savio, e mai ne' tempi pacifici stare ozioso, ma con industria farne capitale, per potersene valere nelle avversità, acciò che, quando si muta la fortuna, lo truovi parato a resisterle.

XV · DE HIS REBUS QUIBUS HOMINES ET PRAESERTIM PRINCIPES LAUDANTUR AUT VITUPERANTUR *

Resta ora a vedere quali debbano essere e' modi e governi di uno principe con sudditi o con li amici. E, perché io so che molti di questo hanno scritto, dubito, scrivendone ancora io, non esser tenuto prosuntuoso, partendomi, massime nel disputare questa materia, dalli ordini delli altri. Ma, sendo l'intento mio scrivere cosa utile a chi la intende, mi è parso piú conveniente andare drieto alla verità effettuale della cosa, che alla immaginazione di essa. E molti si sono immaginati repubbliche e principati, che non si sono mai visti né conosciuti essere in vero;[188] perché elli è tanto discosto da come si vive a come si doverrebbe vivere,

187 La *Ciropedia.*
* *Di quelle cose per le quali li uomini, e specialmente i principi sono laudati o vituperati.*
188 *essere in vero*: esistere nella realtà.

che colui che lascia quello che si fa per quello che si doverrebbe fare, impara piú tosto la ruina che la preservazione sua: perché uno uomo, che voglia fare in tutte le parte professione di buono, conviene rovini infra tanti che non sono buoni. Onde è necessario a uno principe, volendosi mantenere, imparare a potere essere non buono, et usarlo e non usare secondo la necessità.

Lasciando adunque indrieto le cose circa uno principe immaginate, e discorrendo quelle che sono vere, dico che tutti li uomini, quando se ne parla, e massime e' principi, per essere posti più alti, sono notati di alcune di queste qualità che arrecano loro o biasimo o laude. E questo è, che alcuno è tenuto liberale, alcuno misero (usando uno termine toscano, perché *avaro* in nostra lingua è ancora colui che per rapina desidera di avere, *misero* chiamiamo noi quello che si astiene troppo di usare il suo); alcuno è tenuto donatore, alcuno rapace; alcuno crudele, alcuno pietoso; l'uno fedifrago, l'altro fedele; l'uno effeminato e pusillanime, l'altro feroce et animoso; l'uno umano, l'altro superbo; l'uno lascivo, l'altro casto; l'uno intero,[189] l'altro astuto;[190] l'uno duro, l'altro facile; l'uno grave, l'altro leggiero; l'uno religioso, l'altro incredulo, e simili. Et io so che ciascuno confesserà che sarebbe laudabilissima cosa uno principe trovarsi di tutte le soprascritte qualità, quelle che sono tenute buone: ma, perché non si possono avere, né interamente osservare, per le condizioni umane che non lo consentono, li è necessario essere tanto prudente, che sappia fuggire l'infamia di quelle che li torrebbano lo stato, e da quelle che non gnene tolgano guardarsi, se elli è possibile; ma, non possendo, vi si può con meno respetto lasciare andare. Et etiam non si curi di incorrere nella fama di quelli vizii, sanza quali possa difficilmente salvare lo stato; perché, se si considerrà bene tutto, si troverrà qualche cosa che parrà virtù, e seguendola sarebbe la ruina sua, e qualcuna altra che parrà vizio, e seguendola ne riesce la securtà et il bene essere suo.

189 *intero*: integro, leale.
190 *astuto*: doppio, sleale.

Cominciandomi adunque alle prime soprascritte qualità, dico come sarebbe bene esser tenuto [191] liberale : non di manco, la liberalità, usata in modo che tu sia tenuto, ti offende; perché, se ella si usa virtuosamente e come la si debbe usare, la non fia conosciuta, e non ti cascherà [192] l'infamia del suo contrario. E però, a volersi mantenere infra li uomini el nome del liberale, è necessario non lasciare indrieto alcuna qualità di suntuosità; talmente che, sempre, uno principe così fatto consumerà in simili opere tutte le sue facultà; e sarà necessitato alla fine, se si vorrà mantenere el nome del liberale, gravare e' populi estraordinariamente, et essere fiscale, e fare tutte quelle cose che si possono fare per avere danari. Il che comincerà a farlo odioso con sudditi, e poco stimare da nessuno, diventando povero; in modo che, con questa sua liberalità avendo offeso li assai e premiato e' pochi, sente ogni primo disagio, e periclita in qualunque primo pericolo : il che conoscendo lui, e volendosene ritrarre, incorre subito nella infamia del misero.

Uno principe, adunque, non potendo usare questa virtú del liberale sanza suo danno, in modo che la sia conosciuta, debbe, s'elli è prudente, non si curare del nome del misero : perché col tempo sarà tenuto sempre piú liberale, veggendo che con la sua parsimonia le sua intrate li bastano, può defendersi da chi li fa guerra, può fare imprese sanza gravare e' populi; talmente che viene ad usare liberalità a tutti quelli a chi non toglie, che sono infiniti, e miseria a tutti coloro a chi non dà, che sono pochi. Ne' nostri tempi noi non abbiamo veduto fare gran cose se non a quelli che sono stati tenuti miseri; li altri essere spenti. Papa Iulio II, come si fu servito del nome del liberale per aggiugnere al papato, non pensò poi a mantenerselo, per potere fare guerra. El re di Francia presente [193] ha fatto tante guerre sanza porre uno dazio estraordinario a' sua, perché alle superflue spese ha sumministrato la lunga parsimonia sua. El

---

* Della liberalità e della parsimonia.
191 esser tenuto : essere considerato.
192 e non ti cascherà : e non ti scuoterai di dosso.
193 Luigi XII.

re di Spagna presente,[194] se fussi tenuto liberale, non arebbe fatto né vinto tante imprese.

Per tanto uno principe debbe esistimare poco, per non avere a rubare e' sudditi, per potere defendersi, per non diventare povero e contennendo, per non essere forzato di diventare rapace, di incorrere nel nome del misero; perché questo è uno di quelli vizii che lo fanno regnare. E se alcuno dicessi: Cesare con la liberalità pervenne allo imperio, e molti altri, per essere stati et essere tenuti liberali, sono venuti a gradi grandissimi; [195] respondo: o tu se' principe fatto, o tu se' in via di acquistarlo: nel primo caso questa liberalità è dannosa; nel secondo è bene necessario essere tenuto liberale. E Cesare era uno di quelli che voleva pervenire al principato di Roma; ma, se poi che vi fu venuto, fussi sopravvissuto, e non si fussi temperato da quelle spese, arebbe destrutto quello imperio. E se alcuno replicassi: molti sono stati principi, e con li eserciti hanno fatto gran cose, che sono stati tenuti liberalissimi; ti respondo: o el principe spende del suo e de' sua sudditi, o di quello d'altri: nel primo caso, debbe essere parco; nell'altro, non debbe lasciare indrieto alcuna parte di liberalità. E quel principe che va con li eserciti, che si pasce di prede, di sacchi e di taglie, maneggia quel di altri, li è necessaria questa liberalità; altrimenti non sarebbe seguito da' soldati. E di quello che non è tuo o di sudditi tua si può essere piú largo donatore: come fu Ciro, Cesare et Alessandro; perché lo spendere quello d'altri non ti toglie reputazione, ma te ne aggiugne; solamente lo spendere el tuo è quello che ti nuoce. E non ci è cosa che consumi sé stessa quanto la liberalità: la quale mentre che tu usi, perdi la facoltà di usarla; e diventi, o povero e contennendo, o, per fuggire la povertà, rapace et odioso. Et intra tutte le cose di che uno principe si debbe guardare, è lo esser contennendo et odioso; e la liberalità all'una e l'altra cosa ti conduce. Per tanto, è piú sapienzia tenersi el nome del misero, che partorisce una infamia sanza odio, che, per volere el nome del liberale, essere necessitato incorrere nel nome di rapace, che partorisce una infamia con odio.

194 Ferdinando il Cattolico.
195 *a gradi grandissimi*: a grandissimi onori.

Scendendo appresso alle altre preallegate qualità, dico che ciascuno principe debbe desiderare di esser tenuto pietoso e non crudele: non di manco debbe avvertire di non usare male questa pietà. Era tenuto Cesare Borgia crudele; non di manco quella sua crudeltà aveva racconcia [196] la Romagna, unitola, ridottola in pace et in fede. Il che se si considerrà bene, si vedrà quello essere stato molto piú pietoso che il populo fiorentino, il quale, per fuggire el nome di crudele, lasciò destruggere Pistoia. [197] Debbe per tanto uno principe non si curare della infamia di crudele, per tenere e' sudditi sua uniti et in fede; perché con pochissimi esempli sarà piú pietoso che quelli e' quali, per troppa pietà, lasciono seguire e' disordini, di che ne nasca occisioni o rapine: perché queste sogliono offendere una universalità intera, [198] e quelle esecuzioni che vengono dal principe offendono uno particulare. Et infra tutti e' principi, al principe nuovo è impossibile fuggire el nome di crudele, per essere li stati nuovi pieni di pericoli. E Virgilio nella bocca di Didone [199] dice:

> Res dura, et regni novitas me talia cogunt
> Moliri, et late fines custode tueri. [200]

Non di manco debbe esser grave [201] al credere et al muoversi, né si fare paura da sé stesso, e procedere in modo temperato con prudenzia et umanità, che la troppa confidenzia non lo facci incauto e la troppa diffidenzia non lo renda intollerabile.

---

* *Della crudeltà e pietà; e s'elli è meglio esser amato che temuto, o più tosto temuto che amato.*

196 *racconcia*: riordinata.

197 Poiché non punì adeguatamente i capi delle fazioni in lotta.

198 *una universalità intera*: l'intera comunità.

199 *nella bocca di Didone*: per bocca di Didone.

200 « la difficile circostanza e la novità del regno mi costringono ad usare tali modi e a vigilare senza risparmio sui confini » (Virgilio, *Eneide*, i, vv. 562-563).

201 *grave*: ponderato.

Nasce da questo una disputa : s'elli è meglio essere amato che temuto, o e converso.[202] Respondesi, che si vorrebbe essere l'uno e l'altro; ma, perché elli è difficile accozzarli insieme,[203] è molto più sicuro essere temuto che amato, quando si abbia a mancare dell'uno de' dua. Perché delli uomini si può dire questo generalmente : che sieno ingrati, volubili, simulatori, fuggitori de' pericoli, cupidi di guadagno; e mentre fai loro bene, sono tutti tua, ófferonti el sangue, la roba, la vita, e' figliuoli, come di sopra dissi,[204] quando el bisogno è discosto; ma, quando ti si appressa, e' si rivoltano. E quel principe che si è tutto fondato in sulle parole loro, trovandosi nudo di altre preparazioni, rovina; perché le amicizie che si acquistono col prezzo e non con grandezza e nobiltà di animo, si meritano,[205] ma elle non si hanno, et a' tempi non si possano spendere. E li uomini hanno meno respetto ad offendere uno che si facci amare, che uno che si facci temere; perché l'amore è tenuto da uno vinculo di obbligo, il quale, per essere li uomini tristi, da ogni occasione di propria utilità è rotto; ma il timore è tenuto da una paura di pena che non abbandona mai. Debbe non di manco el principe farsi temere in modo, che, se non acquista lo amore, che fugga l'odio; perché può molto bene stare insieme esser temuto e non odiato; il che farà sempre, quando si astenga dalla roba de' sua cittadini e de' sua sudditi, e dalle donne loro : e quando pure li bisognassi procedere contro al sangue di alcuno, farlo quando vi sia iustificazione conveniente e causa manifesta; ma, sopra a tutto, astenersi dalla roba d'altri; perché li uomini sdimenticano più presto la morte del padre che la perdita del patrimonio. Di poi, le cagioni del tòrre la roba non mancono mai; e, sempre, colui che comincia a vivere con rapina, truova cagione di occupare quello d'altri; e, per avverso, contro al sangue sono più rare, e mancono più presto.

Ma, quando el principe è con li eserciti et ha in governo multitudine di soldati, allora al tutto è necessario non si cu-

202 *o e converso* : o al contrario.
203 *accozzarli insieme* : conciliare le due cose.
204 Nel cap. IX.
205 *si meritano* : si comprano.

rare del nome di crudele; perché sanza questo nome non si tenne mai esercito unito, né disposto ad alcuna fazione.[206] Intra le mirabili azioni di Annibale si connumera [207] questa, che, avendo uno esercito grossissimo, misto di infinite generazioni [208] di uomini, condotto a militare in terre aliene,[209] non vi surgessi mai alcuna dissensione, né infra loro né contro al principe, così nella cattiva come nella sua buona fortuna. Il che non possé nascere da altro che da quella sua inumana crudeltà, la quale, insieme con infinite sua virtù, lo fece sempre nel conspetto de' sua soldati venerando e terribile; e sanza quella, a fare quello effetto, le altre sua virtù non li bastavano. E li scrittori poco considerati, dall'una parte ammirano questa sua azione, dall'altra dannono [210] la principale cagione di essa. E che sia vero che l'altre sua virtù non sarebbano bastate, si può considerare in Scipione,[211] rarissimo non solamente ne' tempi sua, ma in tutta la memoria delle cose che si sanno, dal quale li eserciti sua in Ispagna si rebellorono.[212] Il che non nacque da altro che dalla troppa sua pietà, la quale aveva data a' sua soldati piú licenzia che alla disciplina militare non si conveniva. La qual cosa li fu da Fabio Massimo in Senato rimproverata, e chiamato da lui corruttore della romana milizia. E' Locrensi, sendo stati da uno legato di Scipione destrutti, non furono da lui vendicati, né la insolenzia di quello legato corretta, nascendo tutto da quella sua natura facile; talmente che, volendolo alcuno in Senato escusare, disse come elli erano di molti uomini che sapevano meglio non errare, che correggere li errori. La qual natura arebbe col tempo violato la fama e la gloria di Scipione, se elli avessi con essa perseverato nello imperio; [213] ma, vivendo sotto el governo del Senato, questa sua qualità dannosa non solum si nascose, ma li fu a gloria.

Concludo adunque, tornando allo essere temuto et ama-

206 *fazione* : impresa.
207 *si connumera* : si annovera.
208 *generazioni* : razze, specie.
209 *aliene* : straniere.
210 *dannono* : condannano.
211 Scipione l'Africano, l'antagonista di Annibale.
212 Nel 206 a.C.
213 *nello imperio* : nel comando.

to, che, amando li uomini a posta loro, e temendo a posta del principe, debbe uno principe savio fondarsi in su quello che è suo, non in su quello che è d'altri: debbe solamente ingegnarsi di fuggire lo odio, come è detto.

XVIII · QUOMODO FIDES A PRINCIPIBUS SIT SERVANDA *

Quanto sia laudabile in uno principe mantenere la fede, e vivere con integrità e non con astuzia, ciascuno lo intende: non di manco si vede per esperienzia ne' nostri tempi, quelli principi avere fatto gran cose che della fede hanno tenuto poco conto, e che hanno saputo con l'astuzia aggirare e' cervelli delli uomini: et alla fine hanno superato quelli che si sono fondati in sulla lealtà.

Dovete adunque sapere come sono dua generazione [214] di combattere: l'uno con le leggi, l'altro con la forza: quel primo è proprio dello uomo, quel secondo delle bestie: ma, perché el primo molte volte non basta, conviene ricorrere al secondo. Per tanto a uno principe è necessario sapere bene usare la bestia e lo uomo. Questa parte è suta insegnata a' principi copertamente [215] dalli antichi scrittori; li quali scrivono come Achille, e molti altri di quelli principi antichi, furono dati a nutrire a Chirone centauro, che sotto la sua disciplina li costudissi. Il che non vuol dire altro, avere per precettore uno mezzo bestia et mezzo uomo, se non che bisogna a uno principe sapere usare l'una e l'altra natura; e l'una sanza l'altra non è durabile.

Sendo adunque uno principe necessitato sapere bene usare la bestia, debbe di quelle pigliare la golpe [216] et il lione; perché il lione non si difende da' lacci, la golpe non si difende da' lupi. Bisogna adunque essere golpe a conoscere e' lacci, e lione a sbigottire e' lupi. Coloro che stanno semplicemente in sul lione,[217] non se ne intendano.[218] Non può

* In che modo e principi abbino a mantenere la fede.
214 dua generazione: due maniere.
215 copertamente: attraverso simboli ed allegorie mitologiche.
216 golpe: volpe.
217 in sul lione: cioè che si comportano solo con la violenza.
218 sott. di politica.

per tanto uno signore prudente, né debbe, osservare la fede, quando tale osservanzia li torni contro, e che sono spente le cagioni che la feciono promettere. E, se li uomini fussino tutti buoni, questo precetto non sarebbe buono; ma, perché sono tristi e non la osservarebbano a te, tu etiam non l'hai ad osservare a loro. Né mai a uno principe mancorono cagioni legittime di colorare la inosservanzia.[219] Di questo se ne potrebbe dare infiniti esempli moderni, e monstrare quante pace, quante promesse sono state fatte irrite[220] e vane per la infidelità de' principi: e quello che ha saputo meglio usare la golpe, è meglio capitato. Ma è necessario questa natura saperla bene colorire, et essere gran simulatore e dissimulatore: e sono tanto semplici li uomini, e tanto obediscano alle necessità presenti, che colui che inganna troverrà sempre chi si lascerà ingannare.

Io non voglio delli esempli freschi tacerne uno. Alessandro VI non fece mai altro, non pensò mai ad altro che ad ingannare uomini, e sempre trovò subietto da poterlo fare. E non fu mai uomo che avessi maggiore efficacia in asseverare,[221] e con maggiori giuramenti affermassi una cosa, che l'osservassi meno; non di meno, sempre li succederono l'inganni ad votum,[222] perché conosceva bene questa parte del mondo.

A uno principe, adunque, non è necessario avere tutte le soprascritte qualità, ma è bene necessario parere di averle. Anzi, ardirò di dire questo, che avendole et osservandole sempre, sono dannose, e parendo di averle, sono utile: come parere pietoso, fedele, umano, intero, relligioso, et essere; ma stare in modo edificato[223] con l'animo, che, bisognando non essere, tu possa e sappi mutare el contrario. Et hassi ad intendere questo, che uno principe, e massime uno principe nuovo, non può osservare tutte quelle cose per le quali li uomini sono tenuti buoni, sendo spesso necessitato, per mantenere lo stato, operare contro alla fede, contro alla carità, contro alla umanità, contro alla relli-

219 *colorare la inosservanzia*: simulare l'inosservanza.
220 *irrite*: inutili.
221 *in asseverare*: nell'assicurare.
222 *ad votum*: secondo i suoi desideri.
223 *edificato*: predisposto.

gione. E però bisogna che elli abbi uno animo disposto a volgersi secondo ch'e' venti e le variazioni della fortuna li comandono, e, come di sopra dissi, non partirsi dal bene, potendo, ma sapere intrare nel male, necessitato.

Debbe adunque avere uno principe gran cura che non li esca mai di bocca una cosa che non sia piena delle soprascritte cinque qualità, e paia, a vederlo et udirlo, tutto pietà, tutto fede, tutto integrità, tutto relligione. E non è cosa più necessaria a parere di avere, che questa ultima qualità.[224] E li uomini in universali iudicano più alli occhi che alle mani;[225] perché tocca a vedere a ognuno, a sentire a pochi. Ognuno vede quello che tu pari, pochi sentono quello che tu se'; e quelli pochi non ardiscano opporsi alla opinione di molti, che abbino la maestà dello stato che li difenda: e nelle azioni di tutti li uomini, e massime de' principi, dove non è iudizio da reclamare,[226] si guarda al fine. Facci dunque uno principe di vincere e mantenere lo stato: e' mezzi sempre saranno iudicati onorevoli, e da ciascuno laudati; perché el vulgo ne va preso con quello che pare e con lo evento della cosa; e nel mondo non è se non vulgo; e li pochi ci hanno luogo, quando li assai hanno dove appoggiarsi. Alcuno principe de' presenti tempi, quale non è bene nominare,[227] non predica mai altro che pace e fede, e dell'una e dell'altra è inimicissimo; e l'una e l'altra, quando e' l'avessi osservata, li arebbe più volte tolto o la reputazione o lo stato.

XIX · DE CONTEMPTU ET ODIO FUGIENDO *

Ma, perché circa le qualità di che di sopra si fa menzione io ho parlato delle più importanti, l'altre voglio discorrere brevemente sotto queste generalità, che il principe pensi, come di sopra in parte è detto,[228] di fuggire quelle cose

224 Cioè la religione.
225 *alli occhi che alle mani*: più l'apparenza che la sostanza.
226 *iudizio da reclamare*: un tribunale a cui ricorrere.
227 Si tratta di Ferdinando il Cattolico.
* *In che modo si abbia a fuggire lo essere sprezzato e odiato.*
228 Nei capp. XVI e XVII.

che lo faccino odioso e contennendo; e qualunque volta fuggirà questo, arà adempiuto le parti sua, e non troverrà nelle altre infamie periculo alcuno. Odioso lo fa, sopr'a tutto, come io dissi, lo esser rapace et usurpatore della roba e delle donne de' sudditi: di che si debbe astenere; e qualunque volta alle universalità delli uomini non si toglie né roba né onore, vivono contenti, e solo si ha a combattere con la ambizione di pochi, la quale in molti modi e con facilità si raffrena. Contennendo lo fa esser tenuto vario, leggieri, effeminato, pusillanime, irresoluto: da che uno principe si debbe guardare come da uno scoglio, et ingegnarsi che nelle azioni sua si riconosca grandezza, animosità, gravità, fortezza, e circa maneggi privati de' sudditi volere che la sua sentenzia sia irrevocabile; e si mantenga in tale opinione,[229] che alcuno non pensi né a ingannarlo né ad aggirarlo.

Quel principe che dà di sé questa opinione, è reputato assai; e contro a chi è reputato con difficultà si congiura, con difficultà è assaltato, purché s'intenda che sia eccellente e reverito da' sua. Perché uno principe debbe avere dua paure: una dentro, per conto de' sudditi; l'altra di fuora, per conto de' potentati esterni. Da questa si difende con le buone arme e con li buoni amici; e sempre, se arà buone arme, arà buoni amici; e sempre staranno ferme le cose di dentro, quando stieno ferme quelle di fuora, se già le non fussino perturbate da una congiura; e, quando pure quelle di fuora movessino, s'elli è ordinato e vissuto come ho detto, quando non si abbandoni,[230] sempre sosterrà ogni impeto, come io dissi che fece Nabide spartano. Ma, circa sudditi, quando le cose di fuora non muovino, si ha a temere che non coniurino secretamente: di che el principe si assicura assai, fuggendo lo essere odiato o disprezzato, e tenendosi el populo satisfatto di lui: il che è necessario conseguire, come di sopra a lungo si disse.[231] Et uno de' piú potenti remedii che abbi uno principe contro alle coniure, è non essere odiato dallo universale: perché sempre chi congiura crede con la morte del principe

229 *opinione*: fama.
230 *non si abbandoni*: non si scoraggi, non si lasci andare.
231 Nel cap. ix.

satisfare al populo; ma, quando creda offenderlo, non piglia animo a prendere simile partito, perché le difficultà che sono dalla parte de' congiuranti sono infinite. E per esperienzia si vede molte essere state le coniure, e poche avere avuto buon fine. Perché chi coniura non può essere solo, né può prendere compagnia, se non di quelli che creda esser malcontenti; e subito che a uno malcontento tu hai scoperto l'animo tuo, li dài materia a contentarsi, perché manifestamente lui ne può sperare ogni commodità: [232] talmente che, veggendo el guadagno fermo da questa parte, e dall'altra veggendolo dubio e pieno di periculo, conviene bene o che sia raro amico, o che sia al tutto ostinato inimico del principe, ad osservarti la fede. E, per ridurre la cosa in brevi termini, dico che dalla parte del coniurante non è se non paura, gelosia, sospetto di pena che lo sbigottisce; ma dalla parte del principe è la maestà del principato, le leggi, le difese delli amici e dello stato che lo difendano; talmente che, aggiunto a tutte queste cose la benivolenzia populare, è impossibile che alcuno sia sí temerario che congiuri. Perché, per lo ordinario, dove uno coniurante ha a temere innanzi alla esecuzione del male, in questo caso debbe temere ancora poi, avendo per inimico el populo, seguíto lo eccesso, né potendo per questo sperare refugio alcuno.

Di questa materia se ne potria dare infiniti esempli; ma voglio solo esser contento di uno, seguito alla memoria de' padri nostri. Messer Annibale Bentivogli, avolo del presente messer Annibale, che era principe in Bologna, sendo da' Canneschi che li coniurorono contro suto ammazzato,[233] né rimanendo di lui altri che messer Giovanni, che era in fasce, subito dopo tale omicidio si levò el populo et ammazzò tutti e' Canneschi. Il che nacque dalla benivolenzia populare che la casa de' Bentivogli aveva in quelli tempi: la quale fu tanta, che, non restando di quella alcuno in Bologna che potessi, morto Annibale, reggere lo stato, et avendo indizio come in Firenze era uno nato de' Bentivogli che si teneva fino allora figliuolo d'uno fabbro, vennono e' Bolognesi per quello in Firenze, e li dettono el governo

232 *commodità*: s'intende il compenso che spetta ai delatori.
233 Nel 1445.

di quella città : la quale fu governata da lui fino a tanto che messer Giovanni pervenissi in età conveniente al governo.

Concludo, per tanto, che uno principe debbe tenere delle congiure poco conto, quando el populo li sia benivolo; ma, quando li sia inimico et abbilo in odio, debbe temere d'ogni cosa e d'ognuno. E li stati bene ordinati e li principi savi hanno con ogni diligenzia pensato di non desperare e' grandi e di satisfare al populo e tenerlo contento; perché questa è una delle piú importanti materie che abbia uno principe.

Intra regni bene ordinati e governati a' tempi nostri è quello di Francia; et in esso si truovano infinite constituzione buone, donde depende la libertà e sicurtà del re; delle quali la prima è il parlamento e la sua autorità. Perché quello che ordinò quel regno, conoscendo l'ambizione de' potenti e la insolenzia loro, e iudicando esser loro necessario uno freno in bocca che li correggessi, e da altra parte, conoscendo l'odio dello universale contro a' grandi fondato in sulla paura, e volendo assicurarli, non volse che questa fussi particulare cura del re, per tòrli quel carico [234] che potessi avere co' grandi favorendo li populari, e co' populari favorendo e' grandi; e però constituí uno iudice terzo,[235] che fussi quello che sanza carico del re battessi e' grandi e favorissi e' minori. Né poté essere questo ordine migliore né piú prudente, né che sia maggiore cagione della securtà del re e del regno. Di che si può trarre un altro notabile : che li principi debbono le cose di carico fare sumministrare ad altri, quelle di grazia a loro medesimi. Di nuovo concludo che uno principe debbe stimare e' grandi, ma non si fare odiare dal populo.

Parrebbe forse a molti, considerato la vita e morte di alcuno imperatore romano, che fussino esempli contrarii a questa mia opinione, trovando alcuno esser vissuto sempre egregiamente e monstro grande virtù d'animo, non di meno avere perso l'imperio, o vero esser stato morto da' sua, che li hanno coniurato contro. Volendo per tanto rispondere a queste obiezioni, discorrerò le qualità di alcuni

234 *carico* : incombenza, responsabilità.
235 *iudice terzo* : il Parlamento di Parigi.

imperatori, monstrando le cagioni della loro ruina, non disforme da quello che da me si è addutto; e parte metterò in considerazione quelle cose che sono notabili a chi legge le azioni di quelli tempi. E voglio mi basti pigliare tutti quelli imperatori che succederono allo imperio da Marco filosofo a Massimino: [236] li quali furono Marco, Commodo suo figliuolo, Pertinace, Iuliano, Severo, Antonino Caracalla suo figliuolo, Macrino, Eliogabalo, Alessandro e Massimino. Et è prima da notare che, dove nelli altri principati si ha solo a contendere con la ambizione de' grandi et insolenzia de' populi, l'imperatori romani avevano una terza difficultà, di avere a sopportare la crudeltà et avarizia [237] de' soldati. La qual cosa era sí difficile, che la fu cagione della ruina di molti; sendo difficile satisfare a' soldati et a' populi; perché e' populi amavono la quiete, e per questo amavono e' principi modesti, e li soldati amavano el principe che fussi d'animo militare, e che fussi insolente, crudele e rapace. Le quali cose volevano che lui esercitassi ne' populi, per potere avere duplicato stipendio e sfogare la loro avarizia e crudeltà. Le quali cose feciono che quelli imperatori che, per natura o per arte, non aveano una grande reputazione, tale che con quella tenessino l'uno e l'altro in freno, sempre ruinavono; e li piú di loro, massime quelli che come uomini nuovi venivano al principato, conosciuta la difficultà di questi dua diversi umori, si volgevano a satisfare a' soldati, stimando poco lo iniurare el populo. Il quale partito era necessario: perché, non potendo e' principi mancare di non esser odiati da qualcuno, si debbano prima forzare di non essere odiati dalla università; e, quando non possono conseguire questo, si debbono ingegnare con ogni industria fuggire l'odio di quelle università che sono piú potenti. E però quelli imperatori che per novità avevano bisogno di favori estraordinarii, si aderivano a' soldati piú tosto che a' populi: il che tornava loro, non di meno, utile o no, secondo che quel principe si sapeva mantenere reputato con loro. Da queste cagioni sopradette nacque che Marco, Pertinace et Alessandro, sendo tutti di modesta vita, amatori della iustizia, nimici della crudeltà,

236 Da Marco Aurelio a Massimino, cioé dal 161 al 238 d.C.
237 *avarizia*: avidità, cfr. cap. xv.

umani e benigni, ebbono tutti, da Marco in fuora, tristo fine. Marco solo visse e morí onoratissimo, perché lui succedé allo imperio iure hereditario,[238] e non aveva a riconoscere quello né da' soldati né da' populi; di poi, sendo accompagnato da molte virtù che lo facevano venerando, tenne sempre, mentre che visse, l'uno ordine e l'altro intra termini sua, e non fu mai né odiato, né disprezzato. Ma Pertinace fu creato imperatore contro alla voglia de' soldati, li quali, sendo usi a vivere licenziosamente sotto Commodo, non poterono sopportare quella vita onesta alla quale Pertinace li voleva ridurre; onde, avendosi creato odio, et a questo odio aggiunto el disprezzo sendo vecchio, ruinò ne' primi principii della sua amministrazione.

E qui si debbe notare che l'odio s'acquista cosí mediante le buone opere, come le triste; e però, come io dissi di sopra, uno principe, volendo mantenere lo stato, è spesso forzato a non esser buono; perché, quando quella università, o populo o soldati o grandi che sieno, della quale tu iudichi avere per mantenerti bisogno, è corrotta, ti conviene seguire l'umore suo, per satisfarlo, et allora le buone opere ti sono nimiche. Ma vegniamo ad Alessandro: il quale fu di tanta bontà, che intra le altre laudi che li sono attribuite, è questa, che in quattordici anni che tenne l'imperio, non fu mai morto da lui alcuno iniudicato;[239] non di manco, sendo tenuto effeminato et uomo che si lasciassi governare alla madre, e per questo venuto in disprezzo, conspirò in lui l'esercito, et ammazzollo.

Discorrendo ora, per opposito, le qualità di Commodo, di Severo, Antonino Caracalla e Massimino, li troverrete crudelissimi e rapacissimi; li quali, per satisfare a' soldati, non perdonorono ad alcuna qualità di iniuria che ne' populi si potessi commettere; e tutti, eccetto Severo, ebbono triste fine. Perché in Severo fu tanta virtù, che, mantenendosi soldati amici, ancora che populi fussino da lui gravati, possé sempre regnare felicemente; perché quelle sua virtú lo facevano nel conspetto de' soldati e de' populi sí mirabile, che questi rimanevano quodammodo[240] attoniti e

238 *iure hereditario*: per diritto ereditario.
239 *iniudicato*: senza processo.
240 *quodammodo*: per cosí dire, in qualche modo.

stupidi, e quelli altri reverenti e satisfatti. E perché le azioni di costui furono grandi in un principe nuovo, io voglio monstrare brevemente quanto bene seppe usare la persona della golpe e del lione: le quali nature io dico di sopra essere necessario imitare a uno principe. Conosciuto Severo la ignavia di Iuliano imperatore,[241] persuase al suo esercito, del quale era in Stiavonia [242] capitano, che elli era bene andare a Roma a vendicare la morte di Pertinace, il quale da' soldati pretoriani era suto morto; e sotto questo colore, sanza monstrare di aspirare allo imperio, mosse lo esercito contro a Roma; e fu prima in Italia che si sapessi la sua partita. Arrivato a Roma, fu dal Senato, per timore, eletto imperatore e morto Iuliano. Restava, dopo questo principio, a Severo dua difficultà, volendosi insignorire di tutto lo stato: l'una in Asia, dove Nigro,[243] capo delli eserciti asiatici, s'era fatto chiamare imperatore, e l'altra in Ponente, dove era Albino,[244] quale ancora lui aspirava allo imperio. E, perché iudicava periculoso scoprirsi inimico a tutti e dua, deliberò di assaltare Nigro et ingannare Albino. Al quale scrisse come, sendo dal Senato eletto imperatore, voleva partecipare quella dignità con lui; e mandolli el titulo di Cesare, e per deliberazione del Senato se lo aggiunse collega: le quali cose da Albino furono accettate per vere. Ma, poiché Severo ebbe vinto e morto Nigro, e pacate le cose orientali, ritornatosi a Roma, si querelò in Senato come Albino, poco conoscente de' benefizii ricevuti da lui, aveva dolosamente cerco di ammazzarlo, e per questo era necessitato andare a punire la sua ingratitudine. Di poi andò a trovarlo in Francia, e li tolse lo stato e la vita.

Chi esaminerà adunque tritamente [245] le azioni di costui, lo troverrà uno ferocissimo leone et una astutissima volpe; e vedrà quello temuto e reverito da ciascuno, e dalli eserciti non odiato; e non si maravaglierà se lui, uomo nuovo, arà possuto tenere tanto imperio: perché la sua grandissima

241 Marco Didio Giuliano.
242 L'Illiria.
243 Caio Pescennio Nigro.
244 Decio Clodio Settimio Albino.
245 *tritamente*: minuziosamente.

reputazione lo difese sempre da quello odio ch'e' populi per le sue rapine avevano potuto concìpere.[246] Ma Antonino suo figliuolo fu ancora lui uomo che aveva parte eccellentissime, e che lo facevano maraviglioso nel conspetto de' populi e grato a' soldati; perché era uomo militare, sopportantissimo d'ogni fatica, disprezzatore d'ogni cibo delicato e d'ogni altra mollizie : la qual cosa lo faceva amare da tutti li eserciti. Non di manco la sua ferocia e crudeltà fu tanta e sí inaudita, per avere, dopo infinite occisioni particulari, morto gran parte del populo di Roma, e tutto quello di Alessandria, che diventò odiosissimo a tutto il mondo; e cominciò ad essere temuto etiam da quelli che elli aveva intorno : in modo che fu ammazzato da uno centurione, in mezzo del suo esercito. Dove è da notare che queste simili morti, le quali seguano per deliberazione d'uno animo ostinato, sono da' principi inevitabili, perché ciascuno che non si curi di morire lo può offendere; ma debbe bene el principe temerne meno, perché le sono rarissime. Debbe solo guardarsi di non fare grave iniuria ad alcuno di coloro de' quali si serve, e che elli ha d'intorno al servizio del suo principato : come aveva fatto Antonino, il quale aveva morto contumeliosamente [247] uno fratello di quel centurione, e lui ogni giorno minacciava; tamen lo teneva a guardia del corpo suo : il che era partito temerario e da ruinarvi, come li intervenne.

Ma vegniamo a Commodo, al quale era facilità grande tenere l'imperio, per averlo iure hereditario, sendo figliuolo di Marco; e solo li bastava seguire le vestigie del padre, et a' soldati et a' populi arebbe satisfatto; ma, sendo d'animo crudele e bestiale, per potere usare la sua rapacità ne' populi, si volse ad intrattenere [248] li eserciti e farli licenziosi; dall'altra parte, non tenendo la sua dignità, discendendo spesso ne' teatri a combattere co' gladiatori, e facendo altre cose vilissime e poco degne della maestà imperiale, diventò contennendo nel conspetto de' soldati. Et essendo odiato dall'una parte e disprezzato dall'altra, fu conspirato in lui, e morto.

246 *concìpere* : concepire.
247 *contumeliosamente* : con ignominia.
248 *ad intrattenere* : ad accattivarsi.

Restaci a narrare le qualità di Massimino. Costui fu uomo bellicosissimo; et essendo li eserciti infastiditi della mollizie di Alessandro, del quale ho di sopra discorso, morto lui, lo elessono allo imperio. Il quale non molto tempo possedé; perché dua cose lo feciono odioso e contennendo: l'una essere vilissimo,[249] per avere già guardato le pecore in Tracia (la qual cosa era per tutto notissima, e li faceva una grande dedignazione[250] nel conspetto di qualunque); l'altra, perché, avendo nello ingresso del suo principato differito lo andare a Roma et intrare nella possessione della sede imperiale, aveva dato di sé opinione di crudelissimo, avendo per li sua prefetti, in Roma et in qualunque luogo dello imperio, esercitato molte crudeltà. Tal che, commosso tutto el mondo dallo sdegno per la viltà del suo sangue, e dallo odio per la paura della sua ferocia, si rebellò prima Affrica, di poi el Senato con tutto el populo di Roma; e tutta Italia li conspirò contro. A che si aggiunse el suo proprio esercito; quale, campeggiando Aquileia e trovando difficultà nella espugnazione, infastidito della crudeltà sua, e per vederli tanti inimici temendolo meno, lo ammazzò.

Io non voglio ragionare né di Eliogabalo né di Macrino né di Iuliano, li quali, per essere al tutto contennendi, si spensono subito; ma verrò alla conclusione di questo discorso. E dico, che li principi de' nostri tempi hanno meno questa difficultà di satisfare estraordinariamente a' soldati ne' governi loro; perché, non ostante che si abbi ad avere a quelli qualche considerazione, tamen si resolve presto, per non avere alcuno di questi principi eserciti insieme, che sieno inveterati con li governi et amministrazione delle provincie, come erano li eserciti dello imperio romano. E però, se allora era necessario satisfare piú a' soldati che a' populi, era perché soldati potevano piú che e' populi; ora è piú necessario a tutti e' principi, eccetto che al Turco et al Soldano,[251] satisfare a' populi che a' soldati, perché e' populi possono piú di quelli. Di che io ne eccettuo el Turco, tenendo sempre quello intorno a sé dodici mila fanti e quindici mila cavalli, da' quali depende la securtà e la fortez-

249 *vilissimo* : d'infima estrazione.
250 *dedignazione* : disprezzo.
251 Al Sultano d'Egitto.

77

za del suo regno; et è necessario che, posposto ogni altro respetto, quel signore se li mantenga amici. Similmente el regno del Soldano, sendo tutto in mano de' soldati, conviene che ancora lui, sanza respetto de' populi, se li mantenga amici. Et avete a notare che questo stato del Soldano è disforme da tutti li altri principati; perché elli è simile al pontificato cristiano, il quale non si può chiamare né principato ereditario, né principato nuovo: perché non e' figliuoli del principe vecchio sono eredi e rimangono signori, ma colui che è eletto a quel grado da coloro che ne hanno autorità. Et essendo questo ordine antiquato, non si può chiamare principato nuovo, perché in quello non sono alcune di quelle difficultà che sono ne' nuovi; perché, se bene el principe è nuovo, li ordini di quello stato sono vecchi et ordinati a riceverlo, come se fussi loro signore ereditario.

Ma torniamo alla materia nostra. Dico, che qualunque considerrà el soprascritto discorso, vedrà o l'odio o il disprezzo esser suto cagione della ruina di quelli imperatori prenominati, e conoscerà ancora donde nacque che, parte di loro procedendo in uno modo e parte al contrario, in qualunque di quelli uno di loro ebbe felice e li altri infelice fine. Perché a Pertinace et Alessandro, per essere principi nuovi, fu inutile e dannoso volere imitare Marco, che era nel principato iure hereditario; e similmente a Caracalla, Commodo e Massimino essere stata cosa perniziosa imitare Severo, per non avere avuto tanta virtù che bastassi a seguitare le vestigie sua. Per tanto uno principe nuovo in uno principato nuovo non può imitare le azioni di Marco, né ancora è necessario seguitare quelle di Severo; ma debbe pigliare da Severo quelle parti che per fondare el suo stato sono necessarie, e da Marco quelle che sono convenienti e gloriose a conservare uno stato che sia già stabilito e fermo.

Alcuni principi, per tenere securamente lo stato, hanno disarmato e' loro sudditi; alcuni altri hanno tenuto divise le terre subiette; alcuni hanno nutrito inimicizie contro a sé medesimi; alcuni altri si sono volti a guadagnarsi quelli che li erano suspetti nel principio del suo stato; alcuni hanno edificato fortezze; alcuni le hanno ruinate e destrutte. E benché di tutte queste cose non vi possa dare determinata sentenzia, se non si viene a' particulari [252] di quelli stati dove si avessi a pigliare alcuna simile deliberazione, non di manco io parlerò in quel modo largo che la materia per sé medesima sopporta.

Non fu mai, adunque, che uno principe nuovo disarmassi e' sua sudditi; anzi, quando li ha trovati disarmati, li ha sempre armati; perché, armandosi, quelle arme diventono tua, diventono fedeli quelli che ti sono sospetti, e quelli che erano fedeli si mantengono, e di sudditi si fanno tua partigiani. E perché tutti sudditi non si possono armare, quando si benefichino quelli che tu armi, con li altri si può fare più a sicurtà: e quella diversità del procedere che conoscono in loro [253] li fa tua obbligati; quelli altri ti scusano, iudicando essere necessario, quelli avere più merito che hanno più periculo e più obligo. Ma, quando tu li disarmi, tu cominci ad offenderli, monstri che tu abbi in loro diffidenzia, o per viltà o per poca fede: e l'una e l'altra di queste opinioni concepe [254] odio contro di te. E perché tu non puoi stare disarmato, conviene ti volti alla milizia mercennaria, la quale è di quella qualità che di sopra è detto; [255] e, quando la fussi buona, non può essere tanta, che ti difenda da' nimici potenti e da' sudditi sospetti. Però, come io ho detto, uno principe nuovo in uno principato nuovo sempre vi ha ordinato l'arme. Di questi esempli ne

---

* *Se le fortezze e molte altre cose che ogni giorno si fanno da' principi sono utili o no.*

252 *a' particulari*: alle condizioni specifiche.
253 *in loro*: verso di loro.
254 *concepe*: origina.
255 Nel cap. XIII.

sono piene le istorie. Ma, quando uno principe acquista uno stato nuovo, che come membro si aggiunga al suo vecchio, allora è necessario disarmare quello stato, eccetto quelli che nello acquistarlo sono suti tua partigiani; e quelli ancora, col tempo e con le occasioni, è necessario renderli molli et effeminati, et ordinarsi in modo che tutte l'arme del tuo stato sieno in quelli soldati tua proprii, che nello stato tuo antiquo vivono appresso di te.

Solevano li antiqui nostri, e quelli che erano stimati savi, dire come era necessario tenere Pistoia con le parte [256] e Pisa con le fortezze; e per questo nutrivano in qualche terra loro suddita le differenzie, per possederle piú facilmente. Questo, in quelli tempi che Italia era in uno certo modo bilanciata,[257] doveva essere ben fatto; ma non credo che si possa dare oggi per precetto: perché io non credo che le divisioni facessino mai bene alcuno: anzi è necessario, quando il nimico si accosta, che le città divise si perdino subito; perché sempre la parte più debole si aderirà alle forze esterne, e l'altra non potrà reggere.

E' Viniziani, mossi, come io credo, dalle ragioni soprascritte, nutrivano le sètte guelfe e ghibelline nelle città loro suddite; e benché non li lasciassino mai venire al sangue,[258] tamen nutrivano fra loro questi dispareri, acciò che, occupati quelli cittadini in quelle loro differenzie, non si unissino contro di loro. Il che, come si vide, non tornò loro poi a proposito; perché, sendo rotti a Vailà, subito una parte di quelle prese ardire, e tolsono loro tutto lo stato. Arguiscano, per tanto, simili modi debolezza del principe: perché in uno principato gagliardo mai si permetteranno simili divisioni; perché le fanno solo profitto a tempo di pace, potendosi mediante quelle piú facilmente maneggiare e' sudditi; ma, venendo la guerra, monstra simile ordine la fallacia sua.

Sanza dubbio e' principi diventano grandi, quando superano le difficultà e le opposizioni che sono fatte loro; e però la fortuna, massime quando vuol fare grande uno principe

256 *con le parte*: con l'odio delle fazioni.
257 Si riferisce al periodo dell'equilibrio successivo alla pace di Lodi (1454).
258 *al sangue*: alla violenza aperta.

nuovo, il quale ha maggiore necessità di acquistare reputazione che uno ereditario, gli fa nascere de' nimici, e li fa fare delle imprese contro, acciò che quello abbi cagione di superarle, e su per quella scala che li hanno pòrta e' nimici sua, salire piú alto. Però molti iudicano che uno principe savio debbe, quando ne abbi la occasione, nutrirsi con astuzia qualche inimicizia, acciò che, oppresso quella, ne seguiti maggiore sua grandezza.

Hanno e' principi, et praesertim [259] quelli che sono nuovi, trovato piú fede e piú utilità in quelli uomini che nel principio del loro stato sono suti tenuti sospetti, che in quelli che nel principio erano confidenti. Pandolfo Petrucci, principe di Siena, reggeva lo stato suo piú con quelli che li furono sospetti che con li altri. Ma di questa cosa non si può parlare largamente, perché la varia secondo el subietto. Solo dirò questo, che quelli uomini che nel principio di uno principato erono stati inimici, che sono di qualità che a mantenersi abbino bisogno di appoggiarsi, sempre el principe con facilità grandissima se li potrà guadagnare: e loro maggiormente sono forzati a servirlo con fede, quanto conoscano esser loro piú necessario cancellare con le opere quella opinione sinistra che si aveva di loro. E cosí el principe ne trae sempre piú utilità, che di coloro che, servendolo con troppa sicurtà, straccurono [260] le cose sua.

E, poiché la materia lo ricerca, non voglio lasciare indieto ricordare a' principi, che hanno preso uno stato di nuovo [261] mediante e' favori intrinseci di quello, che considerino bene qual cagione abbi mosso quelli che lo hanno favorito, a favorirlo; e, se ella non è affezione naturale verso di loro, ma fussi solo perché quelli non si contentavano di quello stato, con fatica e difficultà grande se li potrà mantenere amici, perché e' fia impossibile che lui possa contentarli. E discorrendo bene, con quelli esempli che dalle cose antiche e moderne si traggono, la cagione di questo, vedrà esserli molto piú facile guadagnarsi amici quelli uomini che dello stato innanzi si contentavano, e però erano sua inimici, che quelli che, per non se ne contentare, li divento-

259 *praesertim*: particolarmente.
260 *straccurono*: trascurano.
261 *di nuovo*: da poco tempo.

rono amici e favorironlo ad occuparlo.

È suta consuetudine de' principi, per potere tenere piú securamente lo stato loro, edificare fortezze, che sieno la briglia et il freno di quelli che disegnassino fare loro contro, et avere uno refugio securo da uno subito impeto. Io laudo questo modo, perché elli è usitato ab antiquo: [262] non di manco messer Niccolò Vitelli, ne' tempi nostri, si è visto disfare dua fortezze in Città di Castello per tenere quello stato. Guido Ubaldo, duca di Urbino, ritornato nella sua dominazione, donde da Cesare Borgia era suto cacciato, ruinò funditus [263] tutte le fortezze di quella provincia; e iudicò sanza quelle piú difficilmente riperdere quello stato. Bentivogli, ritornati in Bologna, usorono simili termini. Sono dunque le fortezze utili o no, secondo e' tempi: e, se le ti fanno bene in una parte, ti offendano in un'altra. E puossi discorrere questa parte cosí: quel principe che ha piú paura de' populi che de' forestieri, debbe fare le fortezze; ma quello che ha più paura de' forestieri che de' populi, debbe lasciarle indrieto. Alla casa Sforzesca ha fatto e farà piú guerra il castello di Milano, che vi edificò Francesco Sforza, che alcuno altro disordine di quello stato. Però la migliore fortezza che sia, è non essere odiato dal populo; perché, ancora che tu abbi le fortezze, et il populo ti abbi in odio, le non ti salvono; perché non mancano mai a' populi, preso che li hanno l'arme, forestieri che li soccorrino. Ne' tempi nostri, non si vede che quelle abbino profittato ad alcuno principe, se non alla Contessa di Furlí, quando fu morto el conte Girolamo [264] suo consorte; perché mediante quella possé fuggire l'impeto populare, et espettare el soccorso di Milano, e recuperare lo stato. E li tempi stavono allora in modo, che il forestiere non posseva soccorrere el populo; ma di poi, valsono ancora poco a lei le fortezze, quando Cesare Borgia l'assaltò, e che il populo suo inimico si coniunse co' forestieri. Per tanto allora e prima sarebbe suto piú sicuro a lei non essere odiata dal populo, che avere le fortezze. Considerato, adunque, tutte queste cose, io lauderò chi farà le fortezze e chi non le farà,

262 *ab antiquo*: sin dai tempi antichi.
263 *funditus*: dalle fondamenta.
264 Girolamo Riario marito di Caterina Sforza.

e biasimerò qualunque, fidandosi delle fortezze, stimerà poco essere odiato da' populi.

Nessuna cosa fa tanto stimare uno principe, quanto fanno le grande imprese e dare di sé rari esempli. Noi abbiamo ne' nostri tempi Ferrando di Aragonia, presente re di Spagna. Costui si può chiamare quasi principe nuovo, perché d'uno re debole è diventato per fama e per gloria el primo re de' Cristiani; e, se considerrete le azioni sua, le troverrete tutte grandissime e qualcuna estraordinaria. Lui nel principio del suo regno assaltò la Granata; [265] e quella impresa fu el fondamento dello stato suo. Prima, e' la fece ozioso, e sanza sospetto di essere impedito: tenne occupati in quella li animi di quelli baroni di Castiglia, li quali, pensando a quella guerra, non pensavano ad innovare; e lui acquistava in quel mezzo [266] reputazione et imperio sopra di loro, che non se ne accorgevano. Possé nutrire con danari della Chiesia e de' populi eserciti, e fare uno fondamento con quella guerra lunga alla milizia sua, la quale lo ha di poi onorato. Oltre a questo, per possere intraprendere maggiori imprese, servendosi sempre della relligione, si volse ad una pietosa crudeltà, cacciando e spogliando el suo regno de' Marrani; [267] né può esser questo esemplo più miserabile né piú raro. Assaltò sotto questo medesimo mantello l'Affrica; fece l'impresa di Italia; [268] ha ultimamente assaltato la Francia: [269] e così sempre ha fatte et ordite cose grandi, le quali sempre hanno tenuto sospesi et ammirati li animi de' sudditi, et occupati nello evento di esse. E sono nate queste sua azioni in modo l'una dall'altra, che non ha dato mai, infra l'una e l'altra, spazio alli uomini di potere quietamente operarli contro.

* *Che si conviene a un principe perché sia stimato.*
265 Il regno moresco di Granada fu conquistato nel 1492.
266 *in quel mezzo*: nel frattempo.
267 Così erano chiamati con disprezzo gli Ebrei o i Maomettani convertiti forzatamente alla religione cattolica.
268 Per la conquista del Regno di Napoli.
269 Per incamerare la Navarra.

Giova ancora assai a uno principe dare di sé esempli rari circa governi di dentro, simili a quelli che si narrano di messer Bernabò da Milano,[270] quando si ha l'occasione di qualcuno che operi qualche cosa estraordinaria, o in bene o in male, nella vita civile, e pigliare uno modo, circa premiarlo o punirlo, di che s'abbia a parlare assai. E sopra tutto uno principe si debbe ingegnare dare di sé in ogni sua azione fama di uomo grande e di uomo eccellente.

È ancora stimato uno principe, quando elli è vero amico e vero inimico, cioè quando sanza alcuno respetto si scuopre in favore di alcuno contro ad un altro. Il quale partito fia sempre piú utile che stare neutrale: perché, se dua potenti tua vicini vengono alle mani, o sono di qualità che, vincendo uno di quelli, tu abbia a temere del vincitore, o no. In qualunque di questi dua casi, ti sarà sempre piú utile lo scoprirti e fare buona guerra; perché nel primo caso, se non ti scuopri, sarai sempre preda di chi vince, con piacere e satisfazione di colui che è stato vinto, e non hai ragione né cosa alcuna che ti difenda né che ti riceva. Perché chi vince, non vuole amici sospetti e che non lo aiutino nelle avversità; chi perde, non ti riceve, per non avere tu voluto con le arme in mano correre la fortuna sua.

Era passato in Grecia Antioco, messovi dalli Etoli per cacciarne Romani. Mandò Antioco ambasciatori alli Achei, che erano amici de' Romani, a confortarli a stare di mezzo;[271] e da altra parte Romani li persuadevano a pigliare l'arme per loro. Venne questa materia a deliberarsi nel concilio delli Achei, dove el legato di Antioco li persuadeva a stare neutrali: a che el legato romano respose: « *Quod autem isti dicunt non interponendi vos bello, nihil magis alienum rebus vestris est; sine gratia, sine dignitate, praemium victoris eritis.* »[272]

E sempre interverrà che colui che non è amico ti ricer-

270 Barnabò Visconti.
271 *stare di mezzo*: rimanere neutrali.
272 « Riguardo a ciò che sostengono costoro, cioè del non mettervi in mezzo nella guerra, nulla è più alieno dal vostro interesse: senza favore, senza dignità sarete il premio del vincitore » (Livio, xxxv, 49).

cherà della neutralità, e quello che ti è amico ti richiederà che ti scuopra con le arme. E li principi mal resoluti, per fuggire e' presenti periculi, seguono el piú delle volte quella via neutrale, et il piú delle volte rovinano. Ma, quando el principe si scuopre gagliardamente in favore d'una parte, se colui con chi tu ti aderisci vince, ancora che sia potente e che tu rimanga a sua discrezione, elli ha teco obligo, e vi è contratto l'amore; e li uomini non sono mai sí disonesti, che con tanto esemplo di ingratitudine ti opprimessino. Di poi le vittorie non sono mai sí stiette,[273] che il vincitore non abbia ad avere qualche respetto, e massime alla giustizia. Ma, se quello con il quale tu ti aderisci perde, tu se' ricevuto da lui; e mentre che può ti aiuta, e diventi compagno d'una fortuna che può resurgere. Nel secondo caso, quando quelli che combattono insieme sono di qualità che tu non abbia a temere, tanto è maggiore prudenzia lo aderirsi; perché tu vai alla ruina d'uno con lo aiuto di chi lo doverrebbe salvare, se fussi savio; e, vincendo rimane a tua discrezione; et è impossibile, con lo aiuto tuo, che non vinca.

E qui è da notare, che uno principe debbe avvertire di non fare mai compagnia con uno piú potente di sé per offendere altri, se non quando la necessità lo stringe, come di sopra si dice; perché, vincendo, rimani suo prigione: e li principi debbono fuggire quanto possono lo stare a discrezione di altri. Viniziani si accompagnorono con Francia contro al duca di Milano;[274] e potevano fuggire di non fare quella compagnia; di che ne resultò la ruina loro. Ma, quando non si può fuggirla, come intervenne a' Fiorentini, quando el papa e Spagna andorono con li eserciti ad assaltare la Lombardia,[275] allora si debba el principe aderire per le ragioni sopradette. Né creda mai alcuno stato potere pigliare partiti securi, anzi pensi di avere a prenderli tutti dubbii; perché si truova questo nell'ordine delle cose, che mai si cerca fuggire uno inconveniente che non si incorra in uno altro; ma la prudenzia consiste in sapere

273 *stiette*: schiette.
274 Nel 1499.
275 Durante la guerra della Lega Santa.

conoscere le qualità delli inconvenienti, e pigliare el men tristo per buono.

Debbe ancora uno principe monstrarsi amatore delle virtú, et onorare li eccellenti in una arte. Appresso, debbe animare li sua cittadini di potere quietamente esercitare li esercizii loro, e nella mercanzia e nella agricultura, et in ogni altro esercizio delli uomini, e che quello non tema di ornare le sua possessione per timore che li sieno tolte, e quell'altro di aprire uno traffico per paura delle taglie; [276] ma debbe preparare premii a chi vuol fare queste cose, et a qualunque pensa in qualunque modo ampliare la sua città o il suo stato. Debbe, oltre a questo, ne' tempi convenienti dell'anno, tenere occupati e' populi con le feste e spettaculi. E, perché ogni città è divisa in arte o in tribù,[277] debbe tenere conto di quelle università, raunarsi con loro qualche volta, dare di sé esempli di umanità e di munificenzia, tenendo sempre ferma non di manco la maestà della dignità sua, perché questo non vuol mancare in cosa alcuna.

XXII · DE HIS QUOS A SECRETIS PRINCIPES HABENT *

Non è di poca importanzia a uno principe la elezione de' ministri: li quali sono buoni o no, secondo la prudenzia del principe. E la prima coniettura che si fa del cervello d'uno signore, è vedere li uomini che lui ha d'intorno; e quando sono sufficienti e fideli, sempre si può reputarlo savio, perché ha saputo conoscerli sufficienti e mantenerli fideli. Ma, quando sieno altrimenti, sempre si può fare non buono iudizio di lui; perché el primo errore che fa, lo fa in questa elezione.

Non era alcuno che conoscessi messer Antonio da Venafro [278] per ministro di Pandolfo Petrucci, principe di Siena, che non iudicassi Pandolfo esser valentissimo uomo, avendo quello per suo ministro. E, perché sono di tre genera-

276 *per paura delle taglie*: per timore di essere tassato.
277 *in arte o in tribù*: in corporazioni delle Arti o in quartieri.
* *De secretari ch'e principi hanno appresso di loro.*
278 Antonio Giordani da Venafro era un abile e noto giureconsulto (1459-1530).

zione [279] cervelli, l'uno intende da sé, l'altro discerne quello che altri intende, el terzo non intende né sé né altri, quel primo è eccellentissimo, el secondo eccellente, el terzo inutile, conveniva per tanto di necessità, che, se Pandolfo non era nel primo grado, che fussi nel secondo: perché, ogni volta che uno ha iudicio di conoscere el bene o il male che uno fa e dice, ancora che da sé non abbia invenzione,[280] conosce l'opere triste e le buone del ministro, e quelle esalta, e l'altre corregge; et il ministro non può sperare di ingannarlo, e mantiensi buono.

Ma come uno principe possa conoscere el ministro, ci è questo modo che non falla mai. Quando tu vedi el ministro pensare piú a sé che a te, e che in tutte le azioni vi ricerca dentro l'utile suo, questo tale cosí fatto mai fia buono ministro, mai te ne potrai fidare: perché quello che ha lo stato d'uno in mano, non debbe pensare mai a sé, ma sempre al principe, e non li ricordare mai cosa che non appartenga a lui. E dall'altro canto, el principe, per mantenerlo buono, debba pensare al ministro, onorandolo, facendolo ricco, obligandoselo, participandoli li onori e carichi; acciò che vegga che non può stare sanza lui, e che li assai onori non li faccino desiderare più onori, le assai ricchezze non li faccino desiderare piú ricchezze, li assai carichi li faccino temere le mutazioni. Quando dunque e' ministri e li principi circa ministri sono cosí fatti, possono confidare l'uno dell'altro; e quando altrimenti, el fine sempre fia dannoso o per l'uno o per l'altro.

XXIII · QUOMODO ADULATORES SINT FUGIENDI *

Non voglio lasciare indrieto uno capo importante, et uno errore dal quale e' principi con difficoltà si difendano, se non sono prudentissimi, o se non hanno buona elezione. E questi sono li adulatori, delli quali le corte sono piene; perché li uomini si compiacciono tanto nelle cose loro pro-

279 *di tre generazione*: di tre tipi.
280 *invenzione*: la capacità di trovar da sé le soluzioni ai problemi.
* *In che modo si abbino a fuggire li adulatori.*

prie, et in modo vi si ingannono, che con difficultà si difendano da questa peste; et a volersene defendere, si porta periculo di non diventare contennendo. Perché non ci è altro modo a guardarsi dalle adulazioni, se non che li uomini intendino che non ti offendino a dirti el vero; ma, quando ciascuno può dirti el vero, ti manca la reverenzia. Per tanto uno principe prudente debbe tenere uno terzo modo, eleggendo nel suo stato uomini savi, e solo a quelli debbe dare libero arbitrio a parlarli la verità, e di quelle cose sole che lui domanda e non d'altro; ma debbe domandarli d'ogni cosa, e le opinioni loro udire; di poi deliberare da sé, a suo modo; e con questi consigli e con ciascuno di loro portarsi in modo, che ognuno cognosca che quanto più liberamente si parlerà, tanto più li fia accetto: fuora di quelli, non volere udire alcuno, andare drieto alla cosa deliberata, et esser ostinato nelle deliberazioni sua. Chi fa altrimenti, o e' precipita per li adulatori, o si muta spesso per la variazione de' pareri: di che ne nasce la poca estimazione sua.

Io voglio a questo proposito addurre uno esemplo moderno. Pre' Luca, uomo di Massimiliano [281] presente imperatore, parlando di sua maestà, disse come non si consigliava con persona,[282] e non faceva mai di alcuna cosa a suo modo: il che nasceva dal tenere contrario termine al sopradetto. Perché l'imperatore è uomo secreto, non comunica li sua disegni con persona, non ne piglia parere: ma, come nel metterli ad effetto si cominciono a conoscere e scoprire, li cominciono ad essere contradetti da coloro che elli ha d'intorno; e quello, come facile, se ne stoglie. Di qui nasce che quelle cose che fa uno giorno, destrugge l'altro; e che non si intenda mai quello si voglia o disegni fare, e che non si può sopra le sua deliberazioni fondarsi.

Uno principe, per tanto, debbe consigliarsi sempre, ma quando lui vuole, e non quando vuole altri; anzi debbe tòrre animo [283] a ciascuno di consigliarlo d'alcuna cosa, se non gnene domanda; ma lui debbe bene esser largo do-

---

281 Prete Luca Rinaldi, uomo di fiducia e diplomatico dell'imperatore Massimiliano, nonché vescovo di Trieste.

282 *con persona*: con nessuno.

283 *tòrre animo*: scoraggiare, togliere la voglia.

mandatore, e di poi circa le cose domandate paziente udi-
tore del vero; anzi, intendendo che alcuno per alcuno respetto non gnene dica, turbarsene. E perché molti esistima-
no che alcuno principe, il quale dà di sé opinione di prudente, sia così tenuto non per sua natura, ma per li buoni
consigli che lui ha d'intorno, sanza dubio s'inganna. Perché questa è una regola generale che non falla mai: che
uno principe, il quale non sia savio per sé stesso, non può
essere consigliato bene, se già a sorte [284] non si rimettessi in
uno solo che al tutto lo governassi, che fussi uomo prudentissimo. In questo caso, potria bene essere, ma dure-
rebbe poco, perché quello governatore in breve tempo li
torrebbe lo stato; ma, consigliandosi con piú d'uno, uno
principe che non sia savio non arà mai e' consigli uniti,
non saprà per sé stesso unirli: de' consiglieri ciascuno pen-
serà alla proprietà sua; lui non li saprà correggere, né conoscere. E non si possono trovare altrimenti; perché li uomini sempre ti riusciranno tristi, se da una necessità non sono fatti buoni. Però si conclude che li buoni consigli, da
qualunque venghino, conviene naschino dalla prudenzia
del principe, e non la prudenzia del principe da' buoni
consigli.

XXIV · CUR ITALIAE PRINCIPES REGNUM AMISERUNT *

Le cose soprascritte, osservate prudentemente, fanno parere uno principe nuovo antico, e lo rendono subito piú
sicuro e piú fermo nello stato, che se vi fussi antiquato
dentro. Perché uno principe nuovo è molto piú osservato
nelle sua azioni che uno ereditario; e, quando le sono conosciute virtuose, pigliono molto piú li uomini, e molto
piú li obligano che il sangue antico. Perché li uomini sono
molto piú presi dalle cose presenti che dalle passate, e quando nelle presenti truovono el bene, vi si godono e non cercano altro; anzi piglieranno ogni difesa per lui, quando
non manchi nell'altre cose a sé medesimo. E cosí arà dupli-

284 *se già a sorte*: a meno che fortuitamente.
* *Per quale cagione li principi di Italia hanno perso li Stati*
loro.

cata gloria, di avere dato principio a uno principato nuovo, et ornatolo e corroboratolo [285] di buone legge, di buone arme, di buoni amici e di buoni esempli; come quello ha duplicata vergogna, che, nato principe, lo ha per sua poca prudenzia perduto.

E, se si considerrà quelli signori che in Italia hanno perduto lo stato a' nostri tempi, come il re di Napoli,[286] duca di Milano [287] et altri, si troverrà in loro, prima, uno comune defetto quanto alle arme, per le cagioni che di sopra si sono discorse;[288] di poi, si vedrà alcuno di loro, o che arà avuto inimici e' populi, o, se arà avuto el popolo amico, non si sarà saputo assicurare de' grandi: perché, sanza questi defetti, non si perdono li stati che abbino tanto nervo, che possino trarre uno esercito alla campagna. Filippo Macedone, non il padre di Alessandro, ma quello che fu vinto da Tito Quinto,[289] aveva non molto stato, respetto alla grandezza de' Romani e di Grecia che lo assaltò; non di manco, per esser uomo militare e che sapeva intrattenere el populo et assicurarsi de' grandi, sostenne piú anni la guerra contro a quelli: e, se alla fine perdé el dominio di qualche città, li rimase non di manco el regno.

Per tanto questi nostri principi, che erano stati molti anni nel principato loro, per averlo di poi perso non accusino la fortuna, ma la ignavia loro: perché, non avendo mai ne' tempi quieti [290] pensato che possono mutarsi, (il che è comune defetto delli uomini, non fare conto nella bonaccia della tempesta), quando poi vennono tempi avversi, pensorono a fuggirsi e non a defendersi; e sperorono ch'e' populi, infastiditi dalla insolenzia de' vincitori, li richiamassino. Il quale partito, quando mancano li altri, è buono; ma è bene male avere lasciati li altri remedii per quello: perché non si vorrebbe mai cadere, per credere di trovare chi ti ricolga.[291] Il che, o non avviene, o, s'elli avviene non è con tua sicurtà, per essere quella difesa suta

285 *corroboratolo* : rafforzatolo.
286 Federico d'Aragona.
287 Ludovico il Moro.
288 Nei capp. XIII e XIV.
289 Da Tito Quinto Flaminino a Cinocefale (197 a.C.).
290 *ne' tempi quieti* : in tempo di pace.
291 *ricolga* : raccolga.

vile, e non dependere da te. E quelle difese solamente sono buone, sono certe, sono durabili, che dependono da te proprio e dalla virtú tua.

XXV · QUANTUM FORTUNA IN REBUS HUMANIS POSSIT, ET QUOMODO ILLI SIT OCCURRENDUM *

E' non mi è incognito come molti hanno avuto et hanno opinione che le cose del mondo sieno in modo governate dalla fortuna e da Dio, che li uomini con la prudenzia loro non possino correggerle, anzi non vi abbino remedio alcuno; e, per questo, potrebbono iudicare che non fussi da insudare molto nelle cose,[292] ma lasciarsi governare alla sorte. Questa opinione è suta piú creduta ne' nostri tempi per la variazione grande delle cose che si sono viste e veggonsi ogni dí, fuora d'ogni umana coniettura. A che pensando io qualche volta, mi sono in qualche parte inclinato nella opinione loro. Non di manco, perché el nostro libero arbitrio non sia spento, iudico potere esser vero che la fortuna sia arbitra della metà delle azioni nostre, ma che etiam lei ne lasci governare l'altra metà, o presso,[293] a noi. Et assomiglio quella a uno di questi fiumi rovinosi, che, quando s'adirano, allagano e' piani, ruinano li arberi e li edifizii, lievono [294] da questa parte terreno, pongono da quell'altra: ciascuno fugge loro dinanzi, ognuno cede allo impeto loro, sanza potervi in alcuna parte obstare.[295] E, benché sieno cosí fatti, non resta però che [296] li uomini, quando sono tempi quieti, non vi potessino fare provvedimenti e con ripari et argini, in modo che, crescendo poi, o andrebbono per uno canale, o l'impeto loro non sarebbe né sí licenzioso [297] né sí dannoso. Similmente interviene della for-

* *Quanto possa la Fortuna nelle cose umane, et in che modo se li abbia a resistere.*

292 *non fussi da insudare molto nelle cose*: non ci si debba impegnare molto nel mutare la realtà.

293 *o presso*: o quasi.

294 *lievono*: tolgono.

295 *obstare*: porre freno.

296 *non resta però che*: tuttavia ciò non impedisce che...

297 *licenzioso*: sfrenato.

tuna : la quale dimonstra la sua potenzia dove non è ordinata virtú a resisterle, e quivi volta li sua impeti, dove
la sa che non sono fatti li argini e li ripari a tenerla. E
se voi considerrete l'Italia, che è la sedia di queste variazioni e quella che ha dato loro el moto, vedrete essere una
campagna sanza argini e sanza alcuno riparo; ché, s'ella
fussi reparata da conveniente virtù, come la Magna,[298] la
Spagna e la Francia, o questa piena non arebbe fatto le
variazioni grande che ha, o la non ci sarebbe venuta. E
questo voglio basti quanto allo avere detto allo opporsi
alla fortuna in universali.[299]

Ma, restringendomi piú a' particulari, dico come si vede oggi questo principe felicitare,[300] e domani ruinare, sanza
averli veduto mutare natura o qualità alcuna: il che credo che nasca, prima, dalle cagioni che si sono lungamente per lo adrieto discorse, cioè che quel principe che s'ap-
poggia tutto in sulla fortuna, rovina, come quella varia.
Credo, ancora, che sia felice quello che riscontra el modo
del procedere suo con le qualità de' tempi; e similmente
sia infelice quello che con il procedere suo si discordano
e' tempi. Perché si vede li uomini, nelle cose che li 'ndu-
cano al fine, quale ciascuno ha innanzi, cioè glorie e ricchezze, procedervi variamente : l'uno con respeto, l'altro
con impeto; l'uno per violenzia, l'altro con arte;[301] l'uno
per pazienzia, l'altro con il suo contrario : e ciascuno con
questi diversi modi vi può pervenire. Vedesi ancora dua
respettivi,[302] l'uno pervenire al suo disegno, l'altro no; e similmente dua egualmente felicitare con dua diversi studii,[302 bis]
sendo l'uno respettivo e l'altro impetuoso : il che non nasce da altro, se non dalla qualità de' tempi, che si con-
formano o no col procedere loro. Di qui nasce quello ho
detto, che dua, diversamente operando, sortiscano el medesimo effetto; e dua egualmente operando, l'uno si conduce
al suo fine, e l'altro no. Da questo ancora depende la va-

298 La Germania.
299 *in universali* : in generale.
300 *felicitare* : ottenere successi.
301 *con arte* : con intelligenza e sagacia.
302 *dua respettivi* : due persone prudenti.
302 bis *dua diversi studii* : due differenti applicazioni.

riazione del bene: perché, se uno che si governa con respetti e pazienzia, e' tempi e le cose girono in modo che il governo suo sia buono, e' viene felicitando; ma, se e' tempi e le cose si mutano, rovina, perché non muta modo di procedere. Né si truova uomo sí prudente, che si sappi accomodare a questo; sí perché non si può deviare da quello a che la natura l'inclina, sí etiam perché, avendo sempre uno prosperato camminando per una via, non si può persuadere partirsi da quella. E però lo uomo respettivo, quando elli è tempo di venire allo impeto, non lo sa fare; donde rovina: ché, se si mutassi di natura con li tempi e con le cose, non si muterebbe fortuna.

Papa Iulio II procedé in ogni sua cosa impetuosamente; e trovò tanto e' tempi e le cose conforme a quello suo modo di procedere, che sempre sortì felice fine. Considerate la prima impresa che fe' di Bologna, vivendo ancora messer Giovanni Bentivogli. Viniziani non se ne contentavono; [303] el re di Spagna, quel medesimo; con Francia aveva ragionamenti di tale impresa; e non di manco, con la sua ferocia et impeto, si mosse personalmente a quella espedizione. La quale mossa fece stare sospesi e fermi Spagna e Viniziani, quelli per paura, e quell'altro per il desiderio aveva di recuperare tutto el regno di Napoli; [304] e dall'altro canto si tirò drieto el re di Francia; perché, vedutolo quel re mosso, e desiderando farselo amico per abbassare Viniziani, iudicò non poterli negare le sua gente sanza iniuriarlo manifestamente. Condusse adunque Iulio con la sua mossa impetuosa quello che mai altro pontefice, con tutta la umana prudenzia, arebbe condotto; perché, se elli aspettava di partirsi da Roma con le conclusione ferme e tutte le cose ordinate, come qualunque altro pontefice arebbe fatto, mai li riusciva; perché el re di Francia arebbe avuto mille scuse, e li altri messo mille paure. Io voglio lasciare stare l'altre sua azioni, che tutte sono state simili, e tutte li sono successe bene; e la brevità della vita non li ha lasciato sentire el contrario; perché, se fussino venuti tempi che fussi bisognato procedere con respetti, ne seguiva la sua

303 *non se ne contentavono*: non approvavano.
304 Infatti il re di Spagna (*quell'altro*) sperava di recuperare alcuni porti pugliesi in mano ai Veneziani.

ruina; né mai arebbe deviato da quelli modi, a' quali la natura lo inclinava.

Concludo, adunque, che, variando la fortuna, e stando li uomini ne' loro modi ostinati, sono felici mentre concordano insieme, e, come discordano, infelici. Io iudico bene questo, che sia meglio essere impetuoso che respettivo, perché la fortuna è donna; et è necessario, volendola tenere sotto, batterla et urtarla. E si vede che la si lascia piú vincere da questi, che da quelli che freddamente procedano. E però sempre, come donna, è amica de' giovani, perché sono meno respettivi, piú feroci, e con piú audacia la comandano.

XXVI · EXHORTATIO AD CAPESSENDAM ITALIAM IN LIBERTATEMQUE A BARBARIS VINDICANDAM *

Considerato, adunque, tutte le cose di sopra discorse, e pensando meco medesimo se in Italia, al presente, correvano tempi da onorare uno nuovo principe, e se ci era materia che dessi occasione a uno prudente e virtuoso di introdurvi forma che facessi onore a lui e bene alla università delli uomini di quella, mi pare corrino tante cose in benefizio [305] d'uno principe nuovo, che io non so qual mai tempo fussi più atto a questo. E se, come io dissi,[306] era necessario, volendo vedere la virtù di Moisé, che il populo d'Isdrael fussi stiavo in Egitto, et a conoscere la grandezza dello animo di Ciro, ch'e' Persi fussino oppressati da' Medi, e la eccellenzia di Teseo, che li Ateniensi fussino dispersi; cosí al presente, volendo conoscere la virtú d'uno spirito italiano, era necessario che la Italia si riducessi nel termine che ell'è di presente, e che la fussi piú stiava che li Ebrei, piú serva ch'e' Persi, piú dispersa che li Ateniensi, sanza capo, sanza ordine, battuta, spogliata, lacera, corsa,[307]

* *Esortazione a pigliare la Italia e liberarla dalle mani de' barbari.*

305 *in benefizio*: in favore.

306 Nel cap. VI.

307 *corsa*: soggetta a scorrerie.

et avessi sopportato d'ogni sorte ruina. E benché fino a qui si sia monstro qualche spiraculo [308] in qualcuno, da potere iudicare che fussi ordinato da Dio per sua redenzione, tamen si è visto da poi come, nel piú alto corso delle azioni sua, è stato dalla fortuna reprobato.[309] In modo che, rimasa sanza vita, espetta qual possa esser quello che sani le sua ferite, e ponga fine a' sacchi di Lombardia, alle taglie del Reame e di Toscana, e la guarisca di quelle sue piaghe già per lungo tempo infistolite.[310] Vedesi come la prega Dio che le mandi qualcuno che la redima da queste crudeltà et insolenzie barbare. Vedesi ancora tutta pronta e disposta a seguire una bandiera, pur che ci sia uno che la pigli. Né ci si vede al presente in quale lei possa piú sperare che nella illustre casa vostra, quale con la sua fortuna e virtù, favorita da Dio e dalla Chiesia, della quale è ora principe,[311] possa farsi capo di questa redenzione. Il che non fia molto difficile, se vi recherete innanzi le azioni e vita dei soprannominati. E benché quelli uomini sieno rari e maravigliosi, non di manco furono uomini, et ebbe ciascuno di loro minore occasione che la presente: perché l'impresa loro non fu piú iusta di questa né piú facile, né fu a loro Dio piú amico che a voi. Qui è iustizia grande: « *iustum enim est bellum quibus necessarium, et pia arma ubi nulla nisi in armis spes est.* » [312] Qui è disposizione grandissima; né può essere, dove è grande disposizione, grande difficultà, pur che quella [313] pigli delli ordini di coloro che io ho proposti per mira.[314] Oltre a questo, qui si veggano estraordinarii sanza esemplo condotti da Dio: el mare s'è aperto; una nube vi ha scòrto el cammino; la pietra ha versato acqua; qui è piovuto la manna; ogni cosa è concorsa

308 *spiraculo*: spiraglio.
309 *reprobato*: respinto. M. volge la mente al duca Valentino, Cesare Borgia.
310 *infistolite*: incancrenite, imputridite.
311 Giovanni dei Medici era divenuto papa nel 1513 assumendo il nome di Leone x.
312 « giusta è infatti la guerra per coloro ai quali è necessaria, e sacre le armi quando non vi è alcuna speranza se non nella violenza » (Livio, ix, 1).
313 La Casa medicea.
314 *per mira*: per modello.

nella vostra grandezza. El rimanente dovete fare voi. Dio non vuole fare ogni cosa, per non ci tòrre el libero arbitrio e parte di quella gloria che tocca a noi.

E non è maraviglia se alcuno de' prenominati Italiani non ha possuto fare quello che si può sperare facci la illustre casa vostra, e se, in tante revoluzioni di Italia, et in tanti maneggi di guerra, e' pare sempre che in quella la virtù militare sia spenta. Questo nasce, che li ordini antichi di essa non erano buoni, e non ci è suto alcuno che abbia saputo trovare de' nuovi : e veruna cosa fa tanto onore a uno uomo che di nuovo surga, quanto fa le nuove legge e li nuovi ordini trovati da lui. Queste cose, quando sono bene fondate et abbino in loro grandezza, lo fanno reverendo e mirabile : et in Italia non manca materia da introdurvi ogni forma. Qui è virtù grande nelle membra, quando non la mancassi ne' capi. Specchiatevi ne' duelli e ne' congressi [315] de' pochi, quanto li Italiani sieno superiori con le forze, con la destrezza, con lo ingegno. Ma, come si viene alli eserciti, non compariscono.[316] E tutto procede dalla debolezza de' capi; perché quelli che sanno non sono obediti, et a ciascuno pare di sapere, non ci sendo fino a qui alcuno che si sia saputo rilevare, e per virtù e per fortuna, che li altri cedino. Di qui nasce che, in tanto tempo, in tante guerre fatte ne' passati venti anni, quando elli è stato uno esercito tutto italiano, sempre ha fatto mala pruova. Di che è testimone el Taro; di poi Alessandria, Capua, Genova, Vailà, Bologna, Mestri.[317]

Volendo dunque la illustre casa vostra seguitare quelli eccellenti uomini che redimirno le provincie loro, è necessario, innanzi a tutte l'altre cose, come vero fondamento d'ogni impresa, provvedersi d'arme proprie; perché non si può avere né piú fidi né piú veri né migliori soldati. E, benché ciascuno di essi sia buono, tutti insieme diventeranno migliori, quando si vedranno comandare dal loro principe, e da quello onorare et intrattenere. È necessa-

315 *ne' congressi* : negli scontri, nei combattimenti.
316 *non compariscono* : non si mettono in risalto positivamente.
317 Sono tutti avvenimenti militari che vanno dal 1499 al 1513, ricordati dal M. per porre in rilievo l'inefficienza degli eserciti italiani.

rio, per tanto, prepararsi a queste arme, per potere con la virtú italica defendersi dalli esterni. E, benché la fanteria svizzera e spagnola sia esistimata terribile, non di meno in ambo dua è difetto, per il quale uno ordine terzo [318] potrebbe non solamente opporsi loro, ma confidare di superarli. Perché li Spagnoli non possono sostenere e' cavalli, e li Svizzeri hanno ad avere paura de' fanti, quando li riscontrino nel combattere ostinati come loro. Donde si è veduto, e vedrassi per esperienzia, li Spagnoli non potere sostenere una cavalleria franzese, e li Svizzeri essere ruinati da una fanteria spagnola. E, benché di questo ultimo non se ne sia visto intera esperienzia, tamen se n'è veduto uno saggio nella giornata di Ravenna, quando le fanterie spagnole si affrontorono con le battaglie todesche, le quali servono el medesimo ordine che le svizzere: [319] dove li Spagnoli, con agilità del corpo et aiuto de' loro brocchieri, [320] erano intrati tra le picche loro sotto, e stavano securi ad offenderli, sanza che Todeschi vi avessino remedio; e, se non fussi la cavalleria che li urtò, li arebbano consumati tutti. Puossi, adunque, conosciuto el defetto dell'una e dell'altra di queste fanterie, ordinarne una di nuovo, la quale resista a' cavalli e non abbia paura de' fanti: il che farà la generazione dell'arme e la variazione delli ordini. E queste sono di quelle cose che, di nuovo ordinate, dànno reputazione e grandezza a uno principe nuovo.

Non si debba, adunque, lasciare passare questa occasione, acciò che l'Italia, dopo tanto tempo, vegga uno suo redentore. Né posso esprimere con quale amore e' fussi ricevuto in tutte quelle provincie che hanno patito per queste illuvioni esterne; [321] con che sete di vendetta, con che ostinata fede, con che pietà, con che lacrime. Quali porte se li serrerebbano? quali populi li negherebbano la obbedienzia? quale invidia se li opporrebbe? quale Italiano li negherebbe l'ossequio? A ognuno puzza questo barbaro dominio.

318 *uno ordine terzo*: un terzo ordinamento militare.
319 *el medesimo ordine che le svizzere*: la stessa disposizione tattica degli svizzeri.
320 *brocchieri*: piccoli scudi rotondi con una punta acuminata nel centro che venivano impiegati come arma di attacco e di difesa.
321 *illuvioni esterne*: invasioni straniere.

Pigli, adunque, la illustre casa vostra questo assunto, con quello animo e con quella speranza che si pigliano le imprese iuste; acciò che, sotto la sua insegna, e questa patria ne sia nobilitata, e sotto li sua auspizii si verifichi quel detto del Petrarca:

> Virtú contro a furore
> Prenderà l'arme; e fia el combatter corto:
> Ché l'antico valore
> Nelli italici cor non è ancor morto.[322]

---

322 Cfr. Petrarca, canzone *Italia mia*, vv. 93-96.

DISCORSI SOPRA LA PRIMA DECA
DI TITO LIVIO

Io vi mando uno presente, il quale se non corrisponde agli obblighi che io ho con voi, è tale sanza dubbio quale ha potuto Niccolò Machiavelli mandarvi maggiore. Perché in quello io ho espresso quanto io so e quanto io ho imparato per una lunga pratica e continua lezione, delle cose del mondo. E non potendo né voi né altri desiderare da me più, non vi potete dolere se io non vi ho donato più. Bene vi può increscere della povertà dello ingegno mio, quando siano queste mie narrazioni povere; e della fallacia del giudizio, quando io in molte parte discorrendo, m'inganni. Il che essendo, non so quale di noi si abbia ad essere meno obligato all'altro: o io a voi che mi avete forzato a scrivere quello ch'io mai per me medesimo non arei scritto, o voi a me, quando scrivendo non vi abbi satisfatto. Pigliate adunque questo in quello modo che si pigliano tutte le cose degli amici, dove si considera più sempre l'intenzione di chi manda che la qualità della cosa che è mandata. E crediate che in questo io ho una sola sodisfazione, quando io penso che, sebbene io mi fussi ingannato in molte sue circunstanzie, in questa sola so ch'io non ho preso errore, d'avere eletti voi, ai quali sopra ogni altri questi mia Discorsi indirizzi: sì perché facendo questo, mi pare aver mostro qualche gratitudine de' beneficii ricevuti; sì perché e' mi pare essere uscito fuora dell'uso comune di coloro che scrivono, i quali sogliono sempre le loro opere a qualche principe indirizzare; e accecati dall'ambizione e dall'avarizia laudano quello di tutte le virtuose qualitadi, quando da ogni vituperevole parte doverrebbono biasimarlo. Onde io, per non incorrere in questo

1 Entrambi appartenevano ad illustri e vetuste famiglie fiorentine; inoltre, furono sovente compagni di conversazioni dotte con il M. nei giardini di palazzo Rucellai.

errore, ho eletti non quelli che sono principi, ma quelli che per le infinite buone parti loro meriterebbono di essere; non quelli che potrebbono di gradi, di onori e di ricchezze riempiermi, ma quelli che non potendo vorrebbono farlo. Perché gli uomini, volendo giudicare dirittamente, hanno a stimare quelli che sono, non quelli che possono essere liberali; e così quelli che sanno, non quelli che, sanza sapere, possono governare uno regno. E gli scrittori laudano più Ierone Siracusano quando egli era privato, che Perse Macedone[2] quando egli era re: perché a Ierone ad essere principe non mancava altro che li principato, quell'altro non aveva parte alcuna di re, altro che il regno. Godetevi pertanto quel bene o quel male che voi medesimi avete voluto; e se voi starete in questo errore che queste mie opinioni vi siano grate, non mancherò di seguire il resto della istoria, secondo che nel principio vi promissi. Valete.[3]

2 Perseo, figlio di Filippo v di Macedonia (213-162 a.C.).
3 *Valete*: salute.

LIBRO PRIMO

PROEMIO

Ancora che per la invida natura degli uomini sia sempre suto non altrimenti periculoso trovare modi ed ordini nuovi che si fusse cercare acque e terre incognite, per essere quelli più pronti a biasimare che a laudare le azioni d'altri, nondimanco, spinto da quel naturale desiderio che fu sempre in me di operare sanza alcuno respetto quelle cose che io creda rechino comune benefizio a ciascuno, ho deliberato entrare per una via, la quale, non essendo suta ancora da alcuno trita,[4] se la mi arrecherà fastidio e difficultà, mi potrebbe ancora arrecare premio, mediante quelli che umanamente di queste mie fatiche il fine considerassino. E se lo ingegno povero, la poca esperienzia delle cose presenti e la debole notizia delle antique faranno questo mio conato difettivo[5] e di non molta utilità, daranno almeno la via ad alcuno che con più virtù, più discorso e iudizio, potrà a questa mia intenzione satisfare : il che, se non mi arrecherà laude, non mi doverebbe partorire biasimo.

Considerando adunque quanto onore si attribuisca all'antiquità, e come molte volte, lasciando andare infiniti altri esempli, un frammento d'una antiqua statua sia suto comperato gran prezzo, per averlo appresso di sé, onorarne la sua casa e poterlo fare imitare a coloro che di quella arte si dilettono, e come quegli dipoi con ogni industria si sforzono in tutte le loro opere rappresentarlo; e veggiendo da l'altro canto le virtuosissime operazioni che le istorie ci mostrono, che sono state operate da regni e da republiche antique, dai re, capitani, cittadini, latori di leggi[6] ed altri che si sono per la loro patria affaticati, essere più presto ammirate che imitate, anzi, in tanto da ciascuno in ogni

4 *trita* : battuta, calcata.
5 *conato difettivo* : sforzo insufficiente.
6 *latori di leggi* : legislatori.

minima cosa fuggite, che di quella antiqua virtù non ci è rimasto alcun segno: non posso fare che insieme non me ne maravigli e dolga. E tanto più quanto io veggo nelle differenzie [7] che intra cittadini civilmente nascano, o nelle malattie nelle quali li uomini incorrono, essersi sempre ricorso a quelli iudizii o a quelli remedii che dagli antichi sono stati iudicati o ordinati: perché le leggi civili non sono altro che sentenze date dagli antiqui iureconsulti, le quali, ridutte in ordine, a' presenti nostri iureconsulti iudicare insegnano. Né ancora la medicina è altro che esperienzia fatta dagli antiqui medici, sopra la quale fondano e medici presenti e loro iudizii. Nondimanco, nello ordinare le republiche, nel mantenere li stati, nel governare e regni, nello ordinare la milizia ed amministrare la guerra, nel iudicare e suddeti, nello accrescere l'imperio,[8] non si truova principe né republica che agli esempli delli antiqui ricorra. Il che credo che nasca non tanto dalla debolezza nella quale la presente religione ha condotto el mondo, o da quel male che ha fatto a molte provincie e città cristiane uno ambizioso ozio, quanto dal non avere vera cognizione delle storie, per non trarne leggendole quel senso né gustare di loro quel sapore che' le hanno in sé. Donde nasce che infiniti che le leggono, piglino piacere di udire quella varietà degli accidenti che in esse si contengono, sanza pensare altrimenti di imitarle, iudicando la imitazione non solo difficile ma impossibile; come se il cielo, il sole, li elementi, li uomini, fussino variati di moto, di ordine e di potenza da quello che gli erono antiquamente. Volendo pertanto trarre li uomini di questo errore, ho iudicato necessario scrivere sopra tutti quelli libri di Tito Livio che dalla malignità de' tempi non ci sono stati intercetti[9] quello che io, secondo le cognizione delle antique e moderne cose, iudicherò essere necessario per maggiore intelligenzia di essi, a ciò che coloro che leggeranno queste mie declarazioni,[10] possino più facilmente trarne quella utilità per la 'quale si debbe cercare la cognizione delle istorie. E benché questa im-

---

7 *differenzie*: dispute.
8 *l'imperio*: l'autorità, il comando.
9 *intercetti*: sottratti.
10 *declarazioni*: commenti.

presa sia difficile, nondimanco, aiutato da coloro che mi hanno ad entrare sotto questo peso confortato, credo portarlo in modo che ad un altro resterà breve cammino a condurlo a loco destinato.

I · QUALI SIANO STATI UNIVERSALMENTE I PRINCIPII DI QUALUNQUE CITTÀ E QUALE FUSSE QUELLO DI ROMA

Coloro che leggeranno quale principio fusse quello della città di Roma, e da quali latori di leggi e come ordinato, non si maraviglieranno che tanta virtù si sia per più secoli mantenuta in quella città; e che dipoi ne sia nato quello imperio al quale quella republica aggiunse. E volendo discorrere prima il nascimento suo, dico che tutte le città sono edificate o dagli uomini natii del luogo dove le si edificano o dai forestieri. Il primo caso occorre quando agli abitatori dispersi in molte e piccole parti non pare vivere securi; non potendo ciascuna per sé, e per il sito e per il piccolo numero, resistere all'impeto di chi le assaltasse, e ad unirsi per loro difensione venendo il nimico non sono a tempo, o quando fussono, converrebbe loro lasciare abbandonati molti de' loro ridotti, e così verrebbero ad esser sùbita preda dei loro inimici: talmente che, per fuggire questi pericoli, mossi o da loro medesimi o da alcuno che sia infra di loro di maggiore autorità, si ristringono ad abitare insieme in luogo eletto da loro, più commodo a vivere e più facile a difendere

Di queste, infra molte altre, sono state Atene e Vinegia.[11] La prima sotto l'autorità di Teseo fu per simili cagioni dagli abitatori dispersi edificata. L'altra, sendosi molti popoli ridotti in certe isolette che erano nella punta del mare Adriatico, per fuggire quelle guerre che ogni dì per lo avvenimento di nuovi barbari dopo la declinazione[12] dello imperio romano nascevano in Italia, cominciarono infra loro, sanza altro principe particulare che gli ordinasse, a vivere sotto quelle leggi che parevono loro più atte a mantenerli. Il che successe loro felicemente per il lungo ozio che il sito

11 *Vinegia*: Venezia.
12 *declinazione*: caduta.

dette loro, non avendo quel mare uscita, e non avendo quelli populi che affliggevano Italia, navigli da poterli infestare, talché ogni piccolo principio [13] li poté fare venire a quella grandezza nella quale sono.

Il secondo caso, quando da genti forestiere è edificata una città, nasce o da uomini liberi o che dependono da altri, come sono le colonie mandate o da una republica o da uno principe per isgravare le loro terre d'abitatori, o per difesa di quel paese che di nuovo acquistato vogliono sicuramente e sanza ispesa mantenersi: delle quali città il Popolo romano ne edificò assai e per tutto l'imperio suo, ovvero le sono edificate da uno principe non per abitarvi ma per sua gloria, come la città di Alessandria da Alessandro.[14] E per non avere queste cittadi la loro origine libera, rade volte occorre che le facciano progressi grandi, e possinsi intra i capi dei regni numerare. Simile a queste fu l'edificazione di Firenze, perché (o edificata da' soldati di Silla [15] o a caso dagli abitatori dei monti di Fiesole, i quali confidatisi in quella lunga pace che sotto Ottaviano nacque nel mondo si ridussero ad abitare nel piano sopra Arno) si edificò sotto l'imperio romano, né poté ne' principii suoi fare altri augumenti che quelli che per cortesia del principe gli erano concessi.

Sono liberi gli edificatori delle cittadi quando alcuni popoli o sotto un principe o da per sé sono constretti o per morbo o per fame o per guerra a abbandonare il paese patrio e cercarsi nuova sede: questi tali, o egli abitano le cittadi che e' truovono ne' paesi ch'egli acquistano, come fe' Moises, o e' ne edificano di nuovo come fe' Enea. In questo caso è dove si conosce la virtù dello edificatore e la fortuna dello edificato: la quale è più o meno maravigliosa, secondo che più o meno è virtuoso colui che ne è stato principio. La virtù del quale si conosce in duo modi: il primo è nella elezione del sito,[16] l'altro nella ordinazione delle leggi. E perché gli uomini operano o per necessità

13 *talché ogni piccolo principio*: in modo che il loro pur modesto principio.
14 Alessandro Magno (356-323 a.C).
15 Il famoso antagonista di Mario (138-78 a.C.).
16 *elezione del sito*: scelta del luogo.

o per elezione, e perché si vede quivi essere maggior virtù dove la elezione ha meno autorità,[17] è da considerare se sarebbe meglio eleggere per la edificazione delle cittadi luoghi sterili, acciocché gli uomini constretti a industriarsi, meno occupati dall'ozio vivessono più uniti, àvendo per la povertà del sito minore cagione di discordie, come interviene in Raugia [18] e in molte altre cittadi in simili luoghi edificate: la quale elezione sarebbe sanza dubbio più savia e più utile, quando gli· uomini fossero contenti a vivere del loro e non volessono cercare di comandare altrui. Pertanto non potendo gli uomini assicurarsi se non con la potenzia, è necessario fuggire questa sterilità del `paese, e porsi in luoghi fertilissimi, dove potendo per la ubertà del sito ampliare, possano e difendersi da chi l'assaltasse, e opprimere qualunque alla grandezza sua si opponesse. E quanto a quell'ozio che le arrecasse il sito, si debbe ordinare che a quelle necessità le leggi la costringhino che il sito non la costrignesse; ed imitare quelli che sono stati savi ed hanno abitato in paesi amenissimi [19] e fertilissimi e atti a produrre uomini oziosi ed inabili a ogni virtuoso esercizio, che per ovviare a quelli danni i quali l'amenità del paese mediante l'ozio arebbe causati, hanno posto una necessità di esercizio a quelli che avevano a essere soldati, di qualità che per tale ordine vi sono diventati migliori soldati che in quelli paesi i quali naturalmente sono stati aspri e sterili: infra i quali fu il regno degli Egizii che non ostante che il paese sia amenissimo, tanto potette quella necessità ordinata dalle leggi che ne nacque uomini eccellentissimi, e se li nomi loro non fussono dalla antichità spenti, si vedrebbe come ei meriterebbero più laude che Alessandro Magno e molti altri de' quali ancora è la memoria fresca. E chi avesse considerato il regno del Soldano e l'ordine de' Mammalucchi [20] e di quella loro milizia, avanti che da Salì Gran

17 Dove la scelta del luogo è stata più disgraziata, tanto più gli abitanti possono guadagnar merito nella costruzione della città.
18 Ragusa in Dalmazia.
19 *amenissimi*: ridenti, piacevoli.
20 Antico ordine militare che di fatto governò l'Egitto a partire dal 1252 sino al 1517, anno in cui i territori egiziani furono annessi all'impero turco.

Turco [21] fusse stata spenta, arebbe veduto in quello molti esercizi circa i soldati, ed averebbe in fatto conosciuto quanto essi temevano quell'ozio a che la benignità del paese li poteva condurre, se non vi avessono con leggi fortissime ovviato.

Dico adunque essere più prudente elezione porsi in luogo fertile, quando quella fertilità con le leggi infra debiti termini si ristringa. Ad Alessandro Magno, volendo edificare una città per sua gloria, venne Dinocrate architetto, e gli mostrò come e' la poteva edificare sopra il monte Atho, il quale luogo, oltre allo essere forte, potrebbe ridursi in modo che a quella città si darebbe forma umana, il che sarebbe cosa maravigliosa e rara, e degna della sua grandezza; e domandandolo Alessandro di quello che quelli abitatori viverebbono, rispose non ci avere pensato: di che quello si rise, e lasciato stare quel monte, edificò Alessandria, dove gli abitatori avessero a stare volentieri per la grassezza del paese e per la commodità del mare e del Nilo. Chi esaminerà adunque la edificazione di Roma, se si prenderà Enea per suo primo progenitore, sarà di quelle cittadi edificate da' forestieri: se Romolo, di quelle edificate dagli uomini natii del luogo; ed in qualunque modo la vedrà avere principio libero sanza dependere da alcuno: vedrà ancora, come di sotto si dirà, a quante necessitadi le leggi fatte da Romolo, Numa e gli altri la costringessono, talmente che la fertilità del sito, la commodità del mare, le spesse vittorie, la grandezza dello imperio, non la poterono per molti secoli corrompere, e la mantennero piena di tanta virtù, di quanta mai fusse alcun'altra città o republica ornata.

E perché le cose operate da lei e che sono da Tito Livio celebrate sono seguite o per publico o per privato consiglio, o dentro o fuori della cittade, io comincerò a discorrere sopra quelle cose occorse dentro e per consiglio publico, le quali degne di maggiore annotazione giudicherò, aggiungendovi tutto quello che da loro dependessi: con i quali Discorsi questo primo libro ovvero questa prima parte si terminerà.

21 Selim 1, il conquistatore dell'Egitto e della Siria (1467-1520).

Io voglio porre da parte il ragionare di quelle cittadi che
hanno avuto il loro principio sottoposto a altrui, e parlerò
di quelle che hanno avuto il principio lontano da ogni servitù esterna, ma si sono subito governate per loro arbitrio
o come republiche o come principato, le quali hanno avuto, come diversi principii, diverse leggi ed ordini.[22] Perché
ad alcune, o nel principio d'esse o dopo non molto tempo,
sono state date da uno solo le leggi e ad un tratto, come
quelle che furono date da Licurgo [23] agli Spartani: alcune
le hanno avute a caso ed in più volte e secondo li accidenti,
come ebbe Roma. Talché felice si può chiamare quella republica la quale sortisce uno uomo sì prudente che gli dia
leggi ordinate in modo che, sanza avere bisogno di ricor-
reggerle, possa vivere sicuramente sotto quelle; e si vede
che Sparta le osservò più che ottocento anni sanza cor-
romperle o sanza alcuno tumulto pericoloso. E pel contrario tiene qualche grado d'infelicità quella città che non si
sendo abbattuta a uno ordinatore prudente,[24] è necessitata
da se medesima riordinarsi; e di queste ancora è più infelice quella che è più discosto dall'ordine; e quella ne è più
discosto che co' suoi ordini è al tutto fuori del diritto
cammino che la possa condurre al perfetto e vero fine,
perché quelle che sono in questo grado [25] è quasi impossibile
che per qualunque accidente si rassettino. Quelle altre che,
se le non hanno l'ordine perfetto, hanno preso il principio
buono e atto a diventare migliore, possono per la occor-
renzia degli accidenti diventare perfette. Ma fia bene vero
questo: che mai non si ordineranno sanza periculo, perché
gli assai uomini non si accordano mai ad una legge nuova
che riguardi uno nuovo ordine nella città, se non è mostro
loro [26] da una necessità che bisogni farlo; e non potendo ve-

22 *Ordini*: istituzioni.
23 Il famoso legislatore di Sparta.
24 *che non si sendo abbattuta a uno ordinatore prudente*: che
non è capitata in un legislatore prudente.
25 *in questo grado*: in questa circostanza.
26 *mostro loro*: loro evidente.

nire questa necessità sanza periculo, è facil cosa che quella republica rovini avanti che la si sia condotta a una perfezione d'ordine. Di che ne fa fede appieno la republica di Firenze, la quale fu dallo accidente d'Arezzo nel dua riordinata, e da quel di Prato nel dodici disordinata.[27]

Volendo adunque discorrere quali furono gli ordini della città di Roma e quali accidenti alla sua perfezione la condussero, dico come alcuni che hanno scritto delle republiche dicono essere in quelle uno de' tre stati, chiamati da loro Principato, Ottimati e Popolare,[28] e come coloro che ordinano una città debbono volgersi ad uno di questi, secondo pare loro più a proposito. Alcuni altri e, secondo la opinione di molti, più savi, hanno opinione che siano di sei ragioni governi:[29] delle quali tre ne siano pessimi, tre altri siano buoni in loro medesimi, ma sì facili a corrompersi che vengono ancora essi a essere perniziosi. Quelli che sono buoni sono e soprascritti tre: quelli che sono rei, sono tre altri i quali da questi tre dipendano, e ciascuno d'essi è in modo simile a quello che gli è propinquo, che facilmente saltano dall'uno all'altro: perché il Principato facilmente diventa tirannico, gli Ottimati con facilità diventano stato di pochi, il Popolare sanza difficultà in licenzioso si converte. Talmente che se uno ordinatore di republica ordina in una città uno di quelli tre stati, ve lo ordina per poco tempo, perché nessuno rimedio può farvi a fare che non sdruccioli nel suo contrario, per la similitudine che ha in questo caso la virtute ed il vizio.

Nacquono queste variazioni de' governi a caso intra gli uomini, perché nel principio del mondo, sendo gli abitatori rari, vissono un tempo dispersi a similitudine delle bestie; dipoi moltiplicando la generazione si ragunarono insieme, e per potersi meglio difendere cominciorono a riguardare infra loro quello che fusse più robusto e di mag-

27 Infatti, nel 1502 in occasione della ribellione di Arezzo, domata grazie all'intervento francese, furono apportate utili modifiche alle istituzioni fiorentine. Viceversa, la distruzione spagnola di Prato (29 agosto 1512), consentì il rientro dei Medici a Firenze e la fine della Repubblica di Pier Soderini.

28 Ovvero monarchia, aristocrazia, democrazia.

29 *di sei ragioni governi*: governi di sei forme.

giore cuore, e fecionlo come capo e lo ubedivano. Da questo nacque la cognizione delle cose oneste e buone, differenti dalle perniziose e ree: perché, veggendo che se uno noceva al suo benificatore ne veniva odio e compassione intra gli uomini, biasimando gl'ingrati ed onorando quelli che fussero grati, e pensando ancora che quelle medesime ingiurie potevano essere fatte a loro, per fuggire simile male si riducevano a fare leggi, ordinare punizioni a chi contrafacessi:[30] donde venne la cognizione della iustizia. La quale cosa faceva che avendo dipoi a eleggere un principe, non andavano dietro al più gagliardo, ma a quello che fusse più prudente e più giusto. Ma come dipoi si cominciò a fare il principe per successione e non per elezione, subito cominciarono li eredi a degenerare dai loro antichi, e lasciando l'opere virtuose pensavano che i principi non avessero a fare altro che superare gli altri di sontuosità e di lascivia e d'ogni altra qualità di licenza. In modo che cominciando il principe a essere odiato e per tale odio a temere, e passando tosto dal timore all'offese, ne nasceva presto una tirannide. Da questo nacquero appresso i principii delle rovine e delle conspirazioni e congiure contro a' principi, non fatte da coloro che fussono o timidi o deboli, ma da coloro che per generosità, grandezza d'animo, ricchezza e nobiltà avanzavano gli altri: i quali non potevano sopportare la inonesta vita di quel principe. La moltitudine adunque seguendo l'autorità di questi potenti s'armava contro al principe, e, quello spento, ubbidiva loro come a suoi liberatori. E quelli avendo in odio il nome d'uno solo capo, constituivano di loro medesimi uno governo, e nel principio avendo rispetto alla passata tirannide si governavano secondo le leggi ordinate da loro, posponendo ogni loro commodo alla commune utilità, e le cose private e le publiche con somma diligenzia governavano e conservavano. Venuta dipoi questa amministrazione ai loro figliuoli, i quali non conoscendo la variazione della fortuna, non avendo mai provato il male, e non volendo stare contenti alla civile equalità, ma rivoltisi alla avarizia, alla ambizione, alla usurpazione delle donne, feciono che d'uno governo d'Ottimati diventassi uno governo di pochi, sanza avere rispetto ad

30 *a chi contrafacessi*: a chi contravveniva alle leggi.

alcuna civiltà: talché in breve tempo intervenne loro come al tiranno, perché infastidita da' loro governi la moltitudine, si fe' ministra di qualunque disegnassi in alcun modo offendere quelli governatori, e così si levò presto alcuno che con l'aiuto della moltitudine li spense. Ed essendo ancora fresca la memoria del principe e delle ingiurie ricevute da quello, avendo disfatto lo stato de' pochi, e non volendo rifare quel del principe, si volsero allo stato popolare, e quello ordinarono in modo che né i pochi potenti né uno principe vi avesse autorità alcuna. E perché tutti gli stati nel principio hanno qualche riverenzia,[31] si mantenne questo stato popolare un poco ma non molto, massime spenta che fu quella generazione che l'aveva ordinato; perché subito si venne alla licenzia, dove non si temevano né gli uomini privati né i publici: di qualità che vivendo ciascuno a suo modo si facevano ogni dì mille ingiurie, talché costretti per necessità o per suggestione d'alcuno buono uomo, o per fuggire tale licenzia, si ritorna di nuovo al principato, e da quello di grado in grado si riviene verso la licenzia, ne' modi e per le cagioni dette.

E questo è il cerchio nel quale girando tutte le republiche si sono governate e si governano; ma rade volte ritornano ne' governi medesimi, perché quasi nessuna republica può essere di tanta vita che possa passare molte volte per queste mutazioni e rimanere in piede. Ma bene interviene che nel travagliare una republica, mancandoli sempre consiglio e forze diventa suddita d'uno stato propinquo che sia meglio ordinato di lei; ma posto che questo non fusse, sarebbe atta una republica a rigirarsi infinito tempo in questi governi.

Dico adunque che tutti i detti modi sono pestiferi, per la brevità della vita che è ne' tre buoni e per la malignità che è ne' tre rei. Talché avendo quelli che prudentemente ordinano leggi conosciuto questo difetto, fuggendo ciascuno di questi modi per se stesso, ne elessero uno che participasse di tutti, iudicandolo più fermo e più stabile, perché l'uno guarda l'altro, sendo in una medesima città il Principato, gli Ottimati e il governo Popolare.

Intra quelli che hanno per simili constituzioni meritato

31 *riverenzia*: dignità, prestigio.

più laude è Licurgo, il quale ordinò in modo le sue leggi in Sparta che dando le parti sue [31 bis] ai Re, agli Ottimati e al Popolo, fece uno stato che durò più che ottocento anni, con somma laude sua e quiete di quella città. Al contrario intervenne a Solone,[32] il quale ordinò le leggi in Atene : che per ordinarvi solo lo stato popolare, lo fece di sì breve vita che avanti morisse vi vidde nata la tirannide di Pisistrato;[33] e benché dipoi anni quaranta ne fussero gli eredi suoi cacciati e ritornasse Atene in libertà, perché la riprese lo stato popolare secondo gli ordini di Solone, non lo tenne più che cento anni, ancora che per mantenerlo facessi molte constituzioni, per le quali si reprimeva la insolenzia de' grandi e la licenza dell'universale, le quali non furono da Solone considerate : nientedimeno, perché la non le mescolò con la potenzia del Principato e con quella degli Ottimati, visse Atene a rispetto di Sparta brevissimo tempo.

Ma vegnamo a Roma, la quale non ostante che non avesse uno Licurgo che la ordinasse in modo nel principio che la potesse vivere lungo tempo libera, nondimeno furo tanti gli accidenti che in quella nacquero, per la disunione che era intra la Plebe ed il Senato, che quello che non aveva fatto uno ordinatore lo fece il caso. Perché se Roma non sortì [34] la prima fortuna, sortì la seconda : perché i primi ordini suoi se furono difettivi, nondimeno non deviarono dalla diritta via che li potesse condurre alla perfezione. Perché Romolo e tutti gli altri Re fecero molte e buone leggi, conformi ancora al vivere libero; ma perché il fine loro fu fondare un regno e non una republica, quando quella città rimase libera vi mancavano molte cose che era necessario ordinare in favore della libertà, le quali non erano state da quelli re ordinate. E avvengaché quelli suoi re perdessono l'imperio per le cagioni e modi discorsi, nondimeno quelli che li cacciarono, ordinandovi subito duoi consoli che stessono nel luogo del Re, vennero a cacciare di Roma il

---

31 bis *dando le parti sue* : assegnando le rispettive competenze.

32 Solone (640-558 a.C.) fu il legislatore che compilò la costituzione democratica di Atene.

33 Pisistrato (612-527 a.C.), nipote di Solone, divenne tiranno di Atene ed annullò le leggi democratiche.

34 *sortì* : ebbe in sorte.

nome e non la potestà regia; talché essendo in quella repubblica i Consoli e il Senato, veniva solo a essere mista di due qualità delle tre soprascritte, cioè di Principato e di Ottimati. Restavali solo a dare luogo al governo popolare: onde sendo diventata la Nobilità romana insolente per le cagioni che di sotto si diranno, si levò il Popolo contro di quella, talché, per non perdere il tutto, fu constretta concedere al Popolo la sua parte; e dall'altra parte il Senato e i Consoli restassono con tanta autorità che potessono tenere in quella republica il grado loro. E così nacque la creazione de' Tribuni della plebe, dopo la quale creazione venne a essere più stabilito lo stato di quella republica, avendovi tutte le tre qualità di governo la parte sua. E tanto li fu favorevole la fortuna, che benché si passasse dal governo de' Re e degli Ottimati al Popolo, per quelli medesimi gradi e per quelle medesime cagioni che di sopra si sono discorse, nondimeno non si tolse mai, per dare autorità agli Ottimati, tutta l'autorità alle qualità regie, né si diminuì l'autorità in tutto agli Ottimati per darla al Popolo; ma rimanendo mista, fece una republica perfetta; alla quale perfezione venne per la disunione della Plebe e del Senato, come nei dua prossimi seguenti capitoli largamente si dimosterrà.

III · QUALI ACCIDENTI FACESSONO CREARE IN ROMA I TRIBUNI DELLA PLEBE, IL CHE FECE LA REPUBLICA PIÙ PERFETTA

Come dimostrano tutti coloro che ragionano del vivere civile, e come ne è piena di esempli ogni istoria, è necessario a chi dispone una republica ed ordina leggi in quella, presupporre tutti gli uomini rei,[35] e che li abbiano sempre a usare la malignità dello animo loro qualunque volta ne abbiamo libera occasione; e quando alcuna malignità sta occulta un tempo, procede da una occulta cagione, che per non si essere veduta esperienza del contrario non si conosce; ma la fa poi scoprire il tempo, il quale dicono essere padre di ogni verità.

Pareva che fusse in Roma intra la Plebe ed il Senato, cacciati i Tarquinii, una unione grandissima, e che i Nobili avessono diposto quella loro superbia e fossero diventati

35 *rei*: predisposti alla malvagità.

d'animo popolare, e sopportabili da qualunque ancora che infimo. Stette nascoso questo inganno, né se ne vide la cagione infino che i Tarquinii vissero, dei quali temendo la Nobilità, ed avendo paura che la Plebe male trattata non si accostasse loro, si portava umanamente con quella; ma come prima ei furono morti i Tarquinii e che ai Nobili fu la paura fuggita, cominciarono a sputare contro alla Plebe quel veleno che si avevano tenuto nel petto, ed in tutti i modi che potevano la offendevano: la quale cosa fa testimonianza a quello che di sopra ho detto, che gli uomini non operono mai nulla bene se non per necessità; ma dove la elezione abonda,[36] e che vi si può usare licenza, si riempie subito ogni cosa di confusione e di disordine. Però si dice che la fame e la povertà fa gli uomini industriosi, e le leggi gli fanno buoni. E dove una cosa per se medesima sanza la legge opera bene, non è necessaria la legge; ma quando quella buona consuetudine manca è subito la legge necessaria. Però mancati i Tarquinii, che con la paura di loro tenevano la Nobilità a freno, convenne pensare a uno nuovo ordine che facesse quel medesimo effetto che facevano i Tarquinii quando erano vivi. E però dopo molte confusioni, romori e pericoli di scandoli che nacquero intra la Plebe e la Nobilità, si venne per sicurtà della Plebe alla creazione de' Tribuni: e quelli ordinarono[37] con tante preminenzie e tanta riputazione che poterono essere sempre dipoi mezzi[38] intra la Plebe e il Senato, e ovviare alla insolenzia de' Nobili.

IV · CHE LA DISUNIONE DELLA PLEBE E DEL SENATO ROMANO FECE LIBERA E POTENTE QUELLA REPUBLICA

Io non voglio mancare di discorrere sopra questi tumulti che furono in Roma dalla morte de' Tarquinii alla creazione de' Tribuni, e dipoi alcune altre cose contro la opinione di molti che dicono Roma essere stata una republica

36 *ma dove la elezione abonda*: dove vi è troppa possibilità di scelta.
37 *ordinarono*: istituirono i tribuni.
38 *mezzi*: mediatori.

tumultuaria, e piena di tanta confusione che se la buona fortuna e la virtù militare non avesse sopperito a' loro difetti, sarebbe stata inferiore a ogni altra republica. Io non posso negare che la fortuna e la milizia non fussero cagioni dell'imperio romano; ma e' mi pare bene che costoro non si avegghino che dove è buona milizia conviene che sia buono ordine, e rade volte anco occorre che non vi sia buona fortuna. Ma vegnamo agli altri particulari di quella città. Io dico che coloro che dannano i tumulti intra i Nobili e la Plebe mi pare che biasimino quelle cose che furono prima causa del tenere libera Roma, e che considerino più a' romori ed alle grida che di tali tumulti nascevano, che a' buoni effetti che quelli partorivano; e che e' non considerino, come e' sono in ogni republica due umori diversi, quello del popolo e quello de' grandi; e come tutte le leggi che si fanno in favore della libertà, nascano dalla disunione loro, come facilmente si può vedere essere seguito in Roma: perché da' Tarquinii ai Gracchi,[39] che furono più di trecento anni, i tumulti di Roma rade volte partorivano esilio, e radissime sangue. Né si possano per tanto iudicare questi tumulti nocivi, né una republica divisa, che in tanto tempo per le sue differenzie non mandò in esilio più che otto o dieci cittadini, e ne ammazzò pochissimi, e non molti ancora ne condannò in danari. Né si può chiamare in alcun modo con ragione una republica inordinata, dove sieno tanti esempli di virtù, perché li buoni esempli nascano dalla buona educazione, la buona educazione dalle buone leggi, e le buone leggi da quelli tumulti che molti inconsideratamente dannano; perché chi esaminerà bene il fine d'essi, non troverrà ch'egli abbiano partorito alcuno esilio o violenza in disfavore del commune bene, ma leggi e ordini in beneficio della publica libertà. E se alcuno dicessi: i modi erano straordinarii e quasi efferati, vedere il popolo insieme gridare contro al Senato, il Senato contro al Popolo, correre tumultuariamente per le strade, serrare le botteghe, partirsi tutta la plebe di Roma, le quali cose tutte spaventano non che altro chi legge; dico come ogni città debbe avere i suoi modi con i quali il popolo possa sfo-

39 È il periodo compreso tra la cacciata di Tarquinio il Superbo e della sua stirpe (509 a.C.) e la morte di Caio Gracco (121 a.C.).

gare l'ambizione sua, e massime [40] quelle città che nelle cose importanti si vogliono valere del popolo: intra le quali la città di Roma aveva questo modo, che quando il popolo voleva ottenere una legge, o e' faceva alcuna delle predette cose o e' non voleva dare il nome per andare alla guerra, tanto che a placarlo bisognava in qualche parte sodisfarli. E i desiderii de' popoli liberi rade volte sono perniziosi alla libertà, perché e' nascono o da essere oppressi, o da suspizione di avere ad essere oppressi. E quando queste opinioni fossero false e' vi è il rimedio delle concioni,[41] che surga qualche uomo da bene che orando dimostri loro come ei s'ingannano; e li popoli, come dice Tullio,[42] benché siano ignoranti sono capaci della verità, e facilmente cedano quando da uomo degno di fede è detto loro il vero.

Debbesi adunque più parcamente [43] biasimare il governo romano, e considerare che tanti buoni effetti quanti uscivano di quella republica non erano causati se non da ottime cagioni. E se i tumulti furono cagione della creazione de' Tribuni meritano somma laude; perché oltre al dare la parte sua all'amministrazione popolare, furono constituiti per guardia della libertà romana, come nel seguente capitolo si mosterrà.

V · DOVE PIÙ SICURAMENTE SI PONGA LA GUARDIA DELLA LIBERTÀ, O NEL POPOLO O NE' GRANDI; E QUALI HANNO MAGGIORE CAGIONE DI TUMULTUARE, O CHI VUOLE ACQUISTARE O CHI VUOLE MANTENERE

Quelli che prudentemente hanno constituita una republica, intra le più necessarie cose ordinate da loro è stato constituire una guardia alla libertà, e secondo che questa è bene collocata, dura più o meno quel vivere libero. E perché in ogni republica sono uomini grandi e popolari, si è dubitato nelle mani di quali sia meglio collocata detta guardia. E appresso a' Lacedemonii, e ne' nostri tempi appresso

40 *massime*: principalmente.
41 *concioni*: arringhe.
42 M. Tullio Cicerone, *De Amicitia*, XXV-XXVI.
43 *parcamente*: cautamente.

de' Viniziani, la è stata messa nelle mani de' Nobili; ma appresso de' Romani fu messa nelle mani della Plebe.

Pertanto è necessario esaminare quale di queste repubbliche avesse migliore elezione.[44] E se si andasse dietro alle ragioni,[45] ci è che dire da ogni parte; ma se si esaminasse il fine loro,[46] si piglierebbe la parte de' Nobili, per avere avuta la libertà di Sparta e di Vinegia più lunga vita che quella di Roma. E venendo alle ragioni dico, pigliando prima la parte de' Romani, come e' si debbe mettere in guardia coloro d'una cosa che hanno meno appetito di usurparla. E sanza dubbio, se si considerrà il fine de' nobili e degli ignobili, si vedrà in quelli desiderio grande di dominare ed in questi solo desiderio di non essere dominati, e per conseguente maggiore volontà di vivere liberi, potendo meno sperare di usurparla [47] che non possono i grandi; talché essendo i popolari preposti a guardia d'una libertà, è ragionevole ne abbino più cura, e non la potendo occupare loro, non permettino che altri la occupi. Dall'altra parte, chi difende l'ordine spartano e veneto dice che coloro che mettono la guardia in mano di potenti fanno due opere buone: l'una che ei satisfanno più all'ambizione di coloro ch'avendo più parte nella republica per avere questo bastone in mano, hanno cagione di contentarsi più; l'altra che lievono una qualità di autorità dagli animi inquieti della plebe, che è cagione d'infinite dissensioni e scandoli in una republica, e atta a ridurre la Nobilità a qualche disperazione che col tempo faccia cattivi effetti. E ne dànno per esempio la medesima Roma, che per avere i Tribuni della plebe questa autorità nelle mani, non bastò loro avere un Consolo plebeio, ché gli vollono avere ambedue. Da questo ei vollono la Censura, il Pretore e tutti gli altri gradi dell'imperio della città; né bastò loro questo, ché menati [48] dal medesimo furore cominciorono poi col tempo a adorare quelli uomini che vedevano atti a battere la Nobilità: donde nacque la potenza di Mario e la rovina di

44 *avesse migliore elezione*: abbia operato la scelta più giusta.
45 *ragioni*: motivazioni.
46 *il fine loro*: il risultato.
47 *usurparla*: usurpare la libertà.
48 *menati*: trasportati.

Roma. E veramente chi discorressi bene l'una cosa e l'altra, potrebbe stare dubbio, quale da lui fusse eletto per guardia di tale libertà non sappiendo quale umore di uomini sia più nocivo in una republica: o quello che desidera mantenere l'onore già acquistato, o quel che desidera acquistare quello che non ha.

Ed in fine chi sottilmente esaminerà tutto, ne farà questa conclusione: o tu ragioni d'una republica che voglia fare uno imperio, come Roma, o d'una che le basti mantenersi.[49] Nel primo caso gli è necessario fare ogni cosa come Roma; nel secondo può imitare Vinegia e Sparta, per quelle cagioni, e come nel seguente capitolo si dirà.

Ma per tornare a discorrere quali uomini siano in una republica più nocivi, o quelli che desiderano d'acquistare, o quelli che temono di non perdere l'acquistato, dico, che sendo creato Marco Menenio Dittatore [50] e Marco Fulvio Maestro de' cavagli,[51] tutti a due plebei, per ricercare certe congiure che si erano fatte in Capova [52] contro a Roma, fu data ancora loro autorità dal popolo di potere ricercare chi in Roma per ambizione e modi straordinari s'ingegnasse di venire al consolato ed agli altri onori della città. E parendo alla Nobilità che tale autorità fusse data al Dittatore contro a lei, sparsono per Roma che non i nobili erano quelli che cercavano gli onori per ambizione e modi straordinari, ma gl'ignobili, i quali non confidatisi nel sangue [53] e nella virtù loro, cercavano per vie straordinarie venire a quelli gradi, e particularmente accusavano il Dittatore. E tanto fu potente questa accusa che Menenio, fatta una concione e dolutosi delle calunnie dategli da' Nobili, depose la dittatura, e sottomessesi al giudizio che di lui fusse fatto dal Popolo; e dipoi agitata [54] la causa sua, ne fu assoluto: [55] dove si disputò assai quale sia più ambizioso, o quel che vuole mantenere o quel che vuole acquistare; perché facil-

49 *che le basti mantenersi*: cioè, che non voglia allargare il proprio dominio.
50 Gaio Menio.
51 M. Foslio capo della cavalleria (magister equitum).
52 Capua.
53 *nel sangue*: nella propria stirpe nobile.
54 *agitata*: dibattuta.
55 *assoluto*: assolto.

mente l'uno e l'altro appetito può essere cagione di tumulti grandissimi. Pur nondimeno il più delle volte sono causati da chi possiede, perché la paura del perdere genera in loro le medesime voglie che sono in quelli che desiderano acquistare: perché non pare agli uomini possedere sicuramente quello che l'uomo ha, se non si acquista di nuovo dell'altro. E di più vi è, che possedendo molto, possono con maggiore potenza e maggiore moto fare alterazione. Ed ancora vi è di più, che gli loro scorretti e ambiziosi portamenti accendano, ne' petti di chi non possiede, voglia di possedere, o per vendicarsi contro di loro spogliandoli, o per potere ancora loro entrare in quelle ricchezze e in quegli onori che veggono essere male usati dagli altri.

VI · SE IN ROMA SI POTEVA ORDINARE UNO STATO CHE TOGLIESSE VIA LE INIMICIZIE INTRA IL POPOLO ED IL SENATO

Noi abbiamo discorsi di sopra gli effetti che facevano le controversie intra il Popolo ed il Senato. Ora sendo quelle seguitate infino al tempo de' Gracchi, dove furono cagione della rovina del vivere libero, potrebbe alcuno desiderare che Roma avesse fatti gli effetti grandi che la fece, sanza che in quella fussono tali inimicizie; però mi è parso cosa degna di considerazione vedere se in Roma si poteva ordinare uno stato che togliesse via dette controversie. Ed a volere esaminare questo, è necessario ricorrere a quelle republiche le quali sanza tante inimicizie e tumulti sono state lungamente libere, e vedere quale stato era in loro, e se si poteva introdurre in Roma. In esempio tra gli antichi ci è Sparta, tra i moderni Vinegia, state da me di sopra nominate.[55 bis] Sparta fece uno Re con uno piccolo Senato [56] che la governasse. Vinegia non ha diviso il governo con i nomi, ma sotto una appellagione tutti quelli che possono avere amministrazione si chiamano Gentiluomini.[57] Il quale modo lo dette il caso più che la prudenza di chi dette loro le leg-

55 bis Cfr. capp. I e II del presente libro.
56 Il consiglio degli anziani (gerusìa), composto da 28 membri (geronti) di età non inferiore ai sessant'anni.
57 Il patriziato veneziano.

gi; perché sendosi ridotti in su quegli scogli dove è ora quella città per le cagioni dette di sopra, molti abitatori, come furono cresciuti in tanto numero che a volere vivere insieme bisognasse loro far leggi, ordinarono una forma di governo; e convenendo spesso insieme ne' consigli a diliberare della città, quando parve loro essere tanti che fossero a sufficienza a uno vivere politico, chiusono la via a tutti quegli altri che vi venissono ad abitare di nuovo, di potere convenire ne' loro governi [58] e col tempo trovandosi in quel luogo assai abitatori fuori del governo, per dare riputazione a quelli che governavano li chiamarono Gentiluomini, e gli altri Popolani. Potette questo modo nascere e mantenersi sanza tumulto, perché quando e' nacque, qualunque [59] allora abitava in Vinegia fu fatto del governo, di modo che nessuno si poteva dolere: quelli che dipoi vi vennero ad abitare, trovando lo stato fermo e terminato, non avevano cagione né commodità di fare tumulto. La cagione non vi era, perché non era stato loro tolto cosa alcuna: la commodità non vi era, perché chi reggeva li teneva in freno, e non gli adoperava in cosa dove e' potessono pigliare autorità. Oltre a di questo quelli che dipoi vennono ad abitar Vinegia, non sono stati molti e di tanto numero che vi sia disproporzione da chi li governa a loro che sono governati; perché il numero de' Gentiluomini o egli è equale al loro o egli è superiore; sicché per queste cagione Vinegia potette ordinare quello stato e mantenerlo unito.

Sparta, come ho detto, essendo governata da uno Re e da uno stretto Senato, potette mantenersi così lungo tempo, perché essendo in Sparta pochi abitatori, e avendo tolta la via a chi vi venisse ad abitare, ed avendo preso le leggi di Licurgo con riputazione,[60] le quali osservando levavano [61] via tutte le cagioni de' tumulti, poterono vivere uniti lungo tempo: perché Licurgo con le sue leggi fece in Sparta

58 M. si riferisce alla « Serrata del Maggior Consiglio » (1297) in cui si consolidò notevolmente il sistema oligarchico di Venezia.
59 *qualunque* : chiunque.
60 *riputazione* : deferenza.
61 È riferito ad abitatori.

più equalità di sustanze e meno equalità di grado; [62] perché quivi era una equale povertà, ed i plebei erano manco ambiziosi, perché i gradi della città si distendevano in pochi cittadini, ed erano tenuti discosto dalla plebe, né gli nobili col trattarli male dettono mai loro desiderio di avergli. Questo nacque dai Re spartani, i quali essendo collocati in quel principato e posti in mezzo di quella Nobilità, non avevano il maggiore rimedio a tenere ferma la loro degnità che tenere la Plebe difesa da ogni ingiuria; il che faceva che la Plebe non temeva, e non desiderava imperio; e non avendo imperio, né temendo, era levata via la gara che la potesse avere con la Nobilità e la cagione de' tumulti, e poterono vivere uniti lungo tempo. Ma due cose principali causarono questa unione: l'una essere pochi gli abitatori di Sparta, e per questo poterono essere governati da pochi; l'altra che non accettando forestieri nella loro republica non avevano occasione né di corrompersi né di crescere in tanto che la fusse insopportabile a quelli pochi che la governavano.

Considerando adunque tutte queste cose, si vede come a' legislatori di Roma era necessario fare una delle due cose a volere che Roma stesse quieta come le sopradette republiche: o non adoperare la plebe in guerra, come i Viniziani, o non aprire la via a' forestieri, come gli Spartani. E loro feciono l'una e l'altra: il che dette alla plebe forze ed augumento, ed infinite occasioni di tumultuare. Ma venendo lo stato romano a essere più quieto, ne seguiva questo inconveniente, ch'egli era anche più debile, perché e' gli si troncava la via di potere venire a quella grandezza dove ci pervenne. In modo che volendo Roma levare le cagioni de' tumulti, levava ancora le cagioni dello ampliare. Ed in tutte le cose umane si vede questo, chi le esaminerà bene, che non si può mai cancellare uno inconveniente, che non ne surga un altro. Pertanto se tu vuoi fare uno populo numeroso ed armato, per poter fare un grande imperio, lo fai di qualità che tu non lo puoi dopo maneggiare a tuo modo; se tu lo mantieni o piccolo o disarmato per poter maneggiarlo, se tu acquisti dominio,

62 *più equalità... di grado*: più eguaglianza economica e meno eguaglianza onorifica.

non lo puoi tenere, o ei diventa sì vile che tu sei preda di qualunque ti assalta, e però in ogni nostra diliberazione si debbe considerare dove sono meno inconvenienti, e pigliare quello per migliore partito, perché tutto netto, tutto sanza sospetto non si truova mai. Poteva dunque Roma a similitudine di Sparta fare uno principe a vita, fare uno Senato piccolo; ma non poteva, come lei, non crescere il numero de' cittadini suoi, volendo fare un grande imperio; il che faceva che il Re a vita ed il piccolo numero del Senato quanto alla unione gli sarebbe giovato poco.

Se alcuno volesse pertanto ordinare una republica di nuovo, arebbe a esaminare se volesse che ampliasse come Roma di dominio e di potenza, ovvero che la stesse dentro a brevi termini.[63] Nel primo caso è necessario ordinarla come Roma e dare luogo a' tumulti e alle dissensioni universali il meglio che si può, perché sanza gran numero di uomini e bene armati non mai una republica potrà crescere, o se la crescerà mantenersi. Nel secondo caso la puoi ordinare come Sparta e come Vinegia; ma perché l'ampliare è il veleno di simili republiche, debbe, in tutti quelli modi che si può, chi le ordina proibire loro lo acquistare, perché tali acquisti fondati sopra una republica debole sono al tutto lo rovina sua, come intervenne a Sparta ed a Vinegia: delle quali la prima, avendosi sottomessa quasi tutta la Grecia, mostrò in su uno minimo accidente il debile fondamento suo; perché seguita la ribellione di Tebe causata da Pelopida, ribellandosi l'altre cittadi, rovinò al tutto quella republica. Similmente Vinegia, avendo occupato gran parte d'Italia, e la maggiore parte non con guerra ma con danari e con astuzia, come la ebbe a fare pruova delle forze sue, perdette in una giornata[64] ogni cosa. Crederrei bene che a fare una republica che durasse lungo tempo, fusse il modo ordinarla dentro come Sparta o come Vinegia, porla in luogo forte e di tale potenza che nessuno credesse poterla subito opprimere, e dall'altra parte non fusse sì grande che la fusse formidabile a' vicini; e così potrebbe lungamente godersi il suo stato. Perché per due cagioni si fa guerra a una republica, l'una per diventarne

63 *dentro a brevi termini*: senza mire espansionistiche.
64 Nella battaglia di Agnadello (14 maggio 1509).

signore, l'altra per paura ch'ella non ti occupi. Queste due cagioni il sopradetto modo quasi in tutto toglie via: perché se la è difficile a espugnarsi, come io la presuppongo, sendo bene ordinata alla difesa, rade volte accaderà o non mai che uno possa fare disegno di acquistarla. Se la si starà intra i termini suoi,[65] e veggasi per esperienza che in lei non sia ambizione, non occorrerà mai che uno per paura di sé le faccia guerra; e tanto più sarebbe questo, se e' fussi in lei constituzione o legge che le proibisse l'ampliare. E sanza dubbio credo che potendosi tenere la cosa bilanciata in questo modo, che e' sarebbe il vero vivere politico e la vera quiete d'una città. Ma sendo tutte le cose degli uomini in moto, e non potendo stare salde, conviene che le salghino o che le scendino, e a molte cose che la ragione non t'induce, t'induce la necessità; talmente che avendo ordinata una republica atta a mantenersi non ampliando, e la necessità la conducesse ad ampliare, si verrebbe a tor via[65 bis] i fondamenti suoi ed a farla rovinare più tosto. Così dall'altra parte, quando il Cielo le fusse sì benigno che la non avesse a fare guerra, ne nascerebbe che l'ozio la farebbe o efeminata o divisa; le quali due cose insieme, o ciascuna per sé, sarebbono cagione della sua rovina. Pertanto non si potendo, come io credo, bilanciare questa cosa, né mantenere questa via del mezzo a punto, bisogna nello ordinare la republica pensare alla parte più onorevole, ed ordinarla in modo che quando pure la necessità la inducesse ad ampliare, ella potesse quello ch'ella avesse occupato conservare. E per tornare al primo ragionamento, credo ch'e' sia necessario seguire l'ordine romano e non quello dell'altre republiche, perché trovare un modo mezzo infra l'uno e l'altro non credo si possa; e quelle inimicizie che intra il popolo ed il senato nascessino, tollerarle, pigliandole per uno inconveniente necessario a pervenire alla romana grandezza. Perché oltre all'altre ragioni allegate, dove si dimostra l'autorità tribunizia essere stata necessaria per la guardia della libertà, si può facilmente considerare il benefizio che fa nelle republiche l'autorità dello

---

65 *intra i termini suoi*: nei suoi confini.
65 bis *a tor via*: a eliminare, a negare.

accusare,[66] la quale era intra gli altri commessa a' Tribuni, come nel seguente capitolo si discorrerà.

VII · QUANTO SIANO NECESSARIE IN UNA REPUBLICA LE ACCUSE A MANTENERLA IN LIBERTADE

A coloro che in una città sono preposti per guardia della sua libertà, non si può dare autorità più utile e necessaria quanto è quella di potere accusare i cittadini al popolo o a qualunque magistrato o consiglio, quando peccassono in alcuna cosa contro allo stato libero. Questo ordine fa due effetti utilissimi a una republica. Il primo è che i cittadini per paura di non essere accusati non tentano cose contro allo Stato, e tentandole sono incontinente e sanza rispetto oppressi: l'altro è che si dà via onde sfogare a quegli omori che crescono nelle cittadi, in qualunque modo, contro a qualunque cittadino. E quando questi omori non hanno onde sfogarsi ordinariamente,[67] ricorrono a' modi straordinari, che fanno rovinare tutta una republica. E però non è cosa che faccia tanto stabile e ferma una republica, quanto ordinare quella in modo che l'alterazione di quegli omori che l'agitano abbia una via da sfogarsi ordinata dalle leggi. Il che si può per molti esempli dimostrare, e massime per quello che adduce Tito Livio[68] di Coriolano, dove ei dice che essendo irritata contro alla Plebe la Nobilità romana, per parerle che la Plebe avessi troppa autorità mediante la creazione de' Tribuni che la difendevano, ed essendo Roma, come avviene, venuta in penuria grande di vettovaglie, ed avendo il Senato mandato per grani in Sicilia Coriolano inimico alla fazione popolare, consigliò come egli era venuto il tempo da potere gastigare[69] la Plebe e torle quella autorità che ella si aveva in pregiudicio della Nobilità presa, tenendola affamata e non li distribuendo il frumento; la quale sentenzia sendo ve-

66 *l'autorità dello accusare*: la facoltà di contestare pubblicamente.
67 *ordinariamente*: legalmente.
68 Cfr. Livio, II, 33-40.
69 *gastigare*: punire, reprimere.

nuta agli orecchi del Popolo, venne in tanta indegnazione contro a Coriolano, che allo uscire del Senato lo arebbero tumultuariamente morto, se gli Tribuni non lo avessero citato a comparire a difendere la causa sua. Sopra il quale accidente si nota quello che di sopra si è detto, quanto sia utile e necessario che le republiche con le leggi loro diano onde sfogarsi all'ira che concepe [70] la universalità contro a uno cittadino: perché quando questi modi ordinari non vi siano, si ricorre agli straordinari, e sanza dubbio questi fanno molto peggiori effetti che non fanno quelli.

Perché se ordinariamente uno cittadino è oppresso, ancora che li fusse fatto torto, ne séguita o poco o nissuno disordine in la republica; perché la esecuzione si fa sanza forze private e sanza forze forestieri, che sono quelle che rovinano il vivere libero; ma si fa con forze ed ordini publici, che hanno i termini loro particulari, né trascendono a cosa che rovini la republica. E quanto a corroborare questa opinione con gli esempli, voglio che degli antiqui mi basti questo di Coriolano, sopra el quale ciascuno consideri quanto male saria resultato alla republica romana se tumultuariamente ei fusse stato morto, perché ne nasceva offesa da privati a privati, la quale offesa genera paura, la paura cerca difesa, per la difesa si procacciano partigiani, da' partigiani nascono le parti [71] nelle cittadi, dalle parti la rovina di quelle. Ma sendosi governata la cosa mediante chi ne aveva autorità, si vennero a tor via tutti quelli mali che ne potevano nascere governandola con autorità privata.

Noi avemo visto ne' nostri tempi quale novità ha fatto alla republica di Firenze non potere la moltitudine sfogare l'animo suo ordinariamente contro a un suo cittadino, come accadé nel tempo di Francesco Valori [72] ch'era come principe della città; il quale sendo giudicato ambizioso da molti, e uomo che volesse con la sua audacia e animosità transcendere il vivere civile, e non essendo nella republica via a potergli resistere se non una setta contraria alla sua: ne

70 *concepe*: concepisce.
71 *parti*: fazioni.
72 Acceso savonaroliano fu a capo del governo popolare a Firenze nel 1494: venne ucciso nella repressione contro il Savonarola.

nacque che non avendo paura quello se non di modi straordinari, si cominciò a fare fautori [73] che lo difendessono; dal-
l'altra parte quelli che lo oppugnavano non avendo via
ordinaria a reprimerlo, pensarono alle vie straordinarie,
intanto che si venne alle armi. E dove, quando per l'ordinario [74] si fusse potuto opporsegli, sarebbe la sua autorità
spenta con suo danno solo, avendosi a spegnere per lo straordinario seguì con danno non solamente suo ma di molti
altri nobili cittadini. Potrebbesi ancora allegare, in sostentamento della soprascritta conclusione, l'accidente seguìto
pur in Firenze sopra Piero Soderini [75] il quale al tutto seguì
per non essere in quella republica alcuno modo di accuse
contro alla ambizione de' potenti cittadini: perché lo accusare uno potente a otto giudici [76] in una republica non basta;
bisogna che i giudici siano assai, perché i pochi sempre
fanno a modo de' pochi. Tanto che se tali modi vi fussono
stati, o i cittadini lo arebbero accusato, vivendo lui male,
e per tale mezzo, sanza far venire l'esercito spagnuolo,
arebbono sfogato l'animo loro; o non vivendo male, non
arebbono avuto ardire operargli contro, per paura di non
essere accusati essi, e così sarebbe da ogni parte cessato
quello appetito che fu cagione di scandolo.

Tanto che si può conchiudere questo: che qualunque
volta si vede che le forze estrane siano chiamate da una
parte di uomini che vivono in una città, si può credere
nasca da' cattivi ordini di quella, per non essere dentro
a quel cerchio ordine da potere sanza modi istraordinari
sfogare i maligni omori che nascono negli uomini; a che
si provede al tutto con ordinarvi le accuse agli assai giudici e dare riputazione a quelle. I quali modi furono in
Roma sì bene ordinati che, in tante dissensioni della Plebe
e del Senato, mai o il Senato o la Plebe o alcuno particulare cittadino non disegnò valersi di forze esterne; perché
avendo il rimedio in casa, non erano necessitati andare
per quello fuori. E benché gli esempli soprascritti siano as-

73 *fautori*: partigiani.
74 *per l'ordinario*: con mezzi legali.
75 Gonfaloniere a vita della Repubblica fiorentina dopo la caduta del Savonarola, al ritorno dei Medici (1512) andò in esilio.
76 Gli Otto di guardia e balìa.

sai sufficienti a provarlo, nondimeno ne voglio addurre un altro, recitato da Tito Livio nella sua istoria: [77] il quale riferisce come sendo stato in Chiusi, città in quelli tempi nobilissima in Toscana, da uno Lucumone [78] violata una sorella di Arunte,[79] e non potendo Arunte vendicarsi per la potenza del violatore, se n'andò a trovare i Franciosi,[80] che allora regnavano in quello luogo che oggi si chiama Lombardia, e quelli confortò a venire con armata mano a Chiusi, mostrando loro come con loro utile lo potevano vendicare della ingiuria ricevuta: che se Arunte avesse veduto potersi vendicare con i modi della città, non arebbe cerco le forze barbare. Ma come queste accuse sono utili in una republica, così sono inutili e dannose le calunnie, come nel capitolo seguente discorreremo.

VIII · QUANTO LE ACCUSE SONO UTILI ALLE REPUBLICHE, TANTO SONO PERNIZIOSE LE CALUNNIE

Non ostante che la virtù di Furio Cammillo,[81] poi ch'egli ebbe libera Roma dalla oppressione de' Franciosi, avesse fatto che tutti i cittadini romani, sanza parere loro tòrsi riputazione o grado cedevano a quello, nondimanco Manlio Capitolino non poteva sopportare che gli fusse attribuito tanto onore e tanta gloria, parendogli, quanto alla salute di Roma, per avere salvato il Campidoglio avere meritato quanto Cammillo, e quanto all'altre belliche laude non essere inferiore a lui. Di modo che carico d'invidia, non potendo quietarsi per la gloria di quello, e veggendo non potere seminare discordia infra i Padri [82] si volse alla Plebe seminando varie opinioni sinistre intra quella. E intra le altre cose che diceva, era come il tesoro, il quale si era adunato insieme per dare ai Franciosi e poi non dato loro,

77 Cfr. Livio, v, 33.
78 Alto dignitario etrusco.
79 Personaggio leggendario della società etrusca.
80 Galli.
81 M. Furio Camillo fu il conquistatore di Veio e gli viene attribuita la fama di aver cacciato da Roma i Galli di Brenno (IV sec. a.C.).
82 I senatori.

era stato usurpato da privati cittadini; e quando si riavesse, si poteva convertirlo in publica utilità, alleggerendo la Plebe da' tributi o da qualche privato debito. Queste parole poterono assai nella Plebe, talché cominciò a avere concorso ed a fare a sua posta dimolti tumulti nella città; la quale cosa dispiacendo al Senato, e parendogli di momento e pericolosa, creò uno Dittatore[83] perché ei riconoscesse questo caso e frenasse lo empito di Manlio. Onde è che subito il Dittatore lo fece citare, e condussonsi in publico, all'incontro l'uno dell'altro, il Dittatore in mezzo de' Nobili, e Manlio nel mezzo della Plebe. Fu domandato Manlio che dovesse dire appresso a chi fusse questo tesoro ch'e' diceva, perché n'era così desideroso il Senato d'intenderlo come la Plebe; a che Manlio non rispondeva particularmente, ma andando sfuggendo diceva come non era necessario dire loro quello che e' si sapevano, tanto che il Dittatore lo fece mettere in carcere.

È da notare per questo testo[84] quanto siano, nelle città libere ed in ogni altro modo di vivere, detestabili le calunnie; e come per reprimerle si debba non perdonare a ordine alcuno che vi faccia a proposito. Né può essere migliore ordine a torle via che aprire assai luoghi alle accuse, perché quanto le accuse giovano alle republiche tanto le calunnie nuocono; e dall'una all'altra parte è questa differenza, che le calunnie non hanno bisogno né di testimone né di alcuno altro particulare riscontro a provarle, in modo che ciascuno e da ciascuno può essere calunniato; ma non può già essere accusato, avendo le accuse bisogno di riscontri veri e di circunstanze che mostrino la verità dell'accusa. Accusansi gli uomini a' magistrati, a' popoli, a' consigli; calunnionsi per le piazze e per le logge. Usasi più questa calunnia dove si usa meno l'accusa, e dove le città sono meno ordinate a riceverle. Però uno ordinatore d'una republica debbe ordinare che si possa in quella accusare ogni cittadino sanza alcuna paura o sanza alcuno rispetto; e fatto questo e bene osservato, debbe punire acremente i calunniatori: i quali non si possono dolere quando siano puniti, avendo i luoghi aperti a udire le accuse di colui

83 A. Cornelio Cosso.
84 *testo*: esempio.

che gli avesse per le logge calunniato.[85] E dove non è bene ordinata questa parte, seguitano sempre disordini grandi; perché le calunnie irritano e non gastigano i cittadini : e gli irritati pensano di valersi, odiando più presto che temendo le cose che si dicono contro a loro.

Questa parte, come è detto, era bene ordinata in Roma, ed è stata sempre male ordinata nella nostra città di Firenze. E come a Roma questo ordine fece molto bene, a Firenze questo disordine fece molto male. E chi legge le istorie di questa città, vedrà quante calunnie sono state in ogni tempo date a' suoi cittadini che si sono adoperati nelle cose importanti di quella. Dell'uno dicevano ch'egli aveva rubati i danari al Comune; dell'altro che non aveva vinta una impresa per essere stato corrotto, e che quell'altro per sua ambizione aveva fatto il tale ed il tale inconveniente. Di che ne nasceva che da ogni parte ne surgeva odio, donde si veniva alla divisione, dalla divisione alle sètte, dalle sètte alla rovina. Che se fusse stato in Firenze ordine d'accusare [86] i cittadini e punire i calunniatori, non seguivano infiniti scandoli che sono seguiti : perché quelli cittadini, o condannati o assoluti che fussono, non arebbono potuto nuocere alla città, e sarebbono stati accusati meno assai che non ne erano calunniati, non si potendo, come ho detto, accusare come calunniare ciascuno. Ed intra l'altre cose di che si è valuto alcuno cittadino per venire alla grandezza sua, sono state queste calunnie; le quali venendo contro a cittadini potenti, che all'appetito suo si opponevano, facevono assai per quello, perché pigliando la parte del Popolo, e confermandolo nella mala opinione ch'egli aveva di loro, se lo fece amico. E benché se ne potessi addurre assai esempli, voglio essere contento solo d'uno. Era lo esercito fiorentino a campo a Lucca [87] comandato da messer Giovanni Guicciardini, commissario di quello. Vollono o i cattivi suoi governi o la cattiva sua fortuna, che la espugnazione di quella città non seguisse.

85 Chi aveva preferito formulare calunnie nei luoghi d'incontro della vita quotidiana (*per le logge*), anziché aver sostenuto le proprie accuse nei luoghi adeguati e legali (*i luoghi aperti a udire*).

86 *ordine d'accusare* : istituti adatti a ricevere le denunce.

87 Nel 1433.

Pure, comunque il caso stesse, ne fu incolpato messer Giovanni, dicendo com'egli era stato corrotto da' Lucchesi; la quale calunnia sendo favorita dagl'inimici suoi, condusse messer Giovanni quasi in ultima disperazione. E benché per giustificarsi e' si volessi mettere nelle mani del Capitano,[88] nondimeno non si potette mai giustificare, per non essere modi in quella republica da poterlo fare. Di che ne nacque assai sdegni intra gli amici di messer Giovanni, che erano la maggior parte degli uomini grandi, e intra coloro che desideravano fare novità in Firenze. La quale cosa, e per questa e per altre simili cagioni, tanto crebbe che ne seguì la rovina di quella republica.[89]

Era dunque Manlio Capitolino calunniatore e non accusatore; ed i Romani mostrarono in questo caso appunto come i calunniatori si debbono punire. Perché si debbe farli diventare accusatori, e quando l'accusa si riscontri vera, o premiarli, o non punirli; ma quando la non si riscontri vera, punirli come fu punito Manlio.

IX · COME EGLI È NECESSARIO ESSERE SOLO, A VOLERE ORDINARE UNA REPUBLICA DI NUOVO, O AL TUTTO FUOR DEGLI ANTICHI SUOI ORDINI RIFORMARLA

Ei parrà forse ad alcuno che io sia troppo trascorso dentro[90] nella istoria romana, non avendo fatto alcuna menzione ancora degli ordinatori di quella republica né di quelli ordini che alla religione o alla milizia riguardassero. E però non volendo tenere più sospesi gli animi di coloro che sopra questa parte volessono intendere alcune cose, dico come molti per avventura giudicheranno di cattivo esempio che uno fondatore d'un vivere civile, quale fu Romolo, abbia prima morto[91] un suo fratello, dipoi consentito alla morte di Tito Tazio Sabino,[92] eletto da lui com-

88 Capitano del popolo.
89 L'anno seguente i Medici entrarono in Firenze e Cosimo prese il potere (1435).
90 *trascorso dentro* : superficiale.
91 *morto* : ucciso.
92 Il re dei Sabini fatto uccidere da Romolo.

pagno nel regno : giudicando per questo, che gli suoi cittadini potessono con l'autorità del loro principe, per ambizione e desiderio di comandare, offendere quelli che alla loro autorità si opponessero. La quale opinione sarebbe vera, quando non si considerasse che fine lo avesse indotto a fare tal omicidio.

E debbesi pigliare questo per una regola generale : che mai o rado occorre [93] che alcuna republica o regno sia da principio ordinato bene, o al tutto di nuovo fuora degli ordini vecchi riformato, se non è ordinato da uno; anzi è necessario che uno solo sia quello che dia il modo e dalla cui mente dependa qualunque simile ordinazione. Però uno prudente ordinatore d'una republica, e che abbia questo animo di volere giovare non a sé ma al bene comune, non alla sua propria successione ma alla comune patria, debbe ingegnarsi di avere l'autorità solo; né mai uno ingegno savio riprenderà alcuno di alcuna azione straordinaria, che per ordinare un regno o constituire una republica usasse. Conviene bene che, accusandolo il fatto, lo effetto lo scusi; e quando sia buono come quello di Romolo, sempre lo scuserà : perché colui che è violento per guastare, non quello che è per racconciare,[94] si debbe riprendere. Debbe bene in tanto essere prudente e virtuoso, che quella autorità che si ha presa non la lasci ereditaria a un altro; perché sendo gli uomini più proni [95] al male che al bene, potrebbe il suo successore usare ambiziosamente quello che virtuosamente da lui fusse stato usato. Oltre a di questo, se uno è atto a ordinare, non è la cosa ordinata per durare molto quando la rimanga sopra le spalle d'uno, ma sì bene quando la rimane alla cura di molti, e che a molti stia [96] il mantenerla. Perché così come molti non sono atti a ordinare una cosa, per non conoscere il bene di quella, causato dalle diverse opinioni che sono fra loro, così conosciuto che lo hanno non si accordano a lasciarlo. E che Romolo fusse di quelli che nella morte del fratello e

93 *occorre* : succede.
94 *non quello che è per racconciare* : non colui che è violento per accomodare.
95 *proni* : disposti.
96 *stia* : importi, interessi.

del compagno meritasse scusa, e che quello che fece fusse per il bene comune e non per ambizion propria, lo dimostra lo avere quello subito ordinato uno Senato con il quale si consigliasse e secondo la opinione del quale deliberasse. E chi considerrà bene l'autorità che Romolo si riserbò, vedrà non se ne essere riserbata alcun'altra che comandare agli eserciti quando si era deliberata la guerra, e di ragunare [97] il Senato. Il che si vide poi quando Roma divenne libera per la cacciata de' Tarquinii, dove da' Romani non fu innovato alcun ordine dello antico, se non che in luogo d'uno Re perpetuo fossero due Consoli annuali. Il che testifica [98] tutti gli ordini primi di quella città essere stati più conformi a uno vivere civile e libero che ad uno assoluto e tirannico.

Potrebbesi dare in sostentamento delle cose soprascritte infiniti esempli, come Moises, Licurgo, Solone ed altri fondatori di regni e di republiche, e quali poterono, per aversi attribuito un'autorità, formare leggi a proposito del bene comune; ma li voglio lasciare indietro come cosa nota. Addurronne solamente uno, non sì celebre, ma da considerarsi per coloro che desiderassono essere di buone leggi ordinatori: il quale è che, desiderando Agide re di Sparta ridurre [99] gli Spartani intra quelli termini che le leggi di Licurgo gli avevono rinchiusi, parendogli che, per esserne in parte deviati, la sua città avesse perduto assai di quella antica virtù, e per conseguente di forze e d'imperio, fu ne' suoi primi principii ammazzato dagli Efori spartani [100] come uomo che volesse occupare la tirannide. Ma succedendo dopo lui nel regno Cleomene, e nascendogli il medesimo desiderio per gli ricordi e scritti ch'egli aveva trovati d'Agide, dove si vedeva quale era la mente ed intenzione sua, conobbe non potere fare questo bene alla sua patria se non diventava solo di autorità: parendogli per l'ambizione degli uomini non potere fare utile a molti contro alla vo-

97 *ragunare*: convocare.
98 *testifica*: dimostra.
99 *ridurre*: ricondurre.
100 I cinque supremi magistrati di Sparta, conservatori delle leggi e sovrintendenti alla vita pubblica che spesso operarono in contrapposizione con il potere regale.

glia di pochi; e presa occasione conveniente, fece ammazzare tutti gli Efori e qualunque altro gli potesse contrastare; dipoi rinnovò in tutto le leggi di Licurgo. La quale diliberazione era atta a fare resuscitare Sparta, e dare a Cleomene quella riputazione che ebbe Licurgo, se non fusse stata la potenza de' Macedoni e la debolezza delle altre repubbliche greche. Perché essendo dopo tale ordine assaltato da' Macedoni e trovandosi per se stesso inferiore di forze, e non avendo a che rifuggire, fu vinto;[101] e restò quel suo disegno, quantunque giusto e laudabile, imperfetto.

Considerato adunque tutte queste cose, conchiudo come a ordinare una repubblica è necessario essere solo; e Romolo per la morte di Remo e di Tito Tazio meritare iscusa e non biasimo.

X · QUANTO SONO LAUDABILI I FONDATORI D'UNA REPUBLICA O D'UNO REGNO, TANTO QUELLI D'UNA TIRANNIDE SONO VITUPERABILI

Intra tutti gli uomini laudati, sono i laudatissimi quelli che sono stati capi e ordinatori delle religioni. Appresso dipoi quelli che hanno fondato o republiche o regni. Dopo a costoro sono celebri quelli che, preposti agli eserciti, hanno ampliato o il regno loro o quello della patria. A questi si aggiungono gli uomini litterati, e, perché questi sono di più ragioni,[102] sono celebrati ciascuno d'essi secondo il grado suo. A qualunque altro uomo, il numero de' quali è infinito, si attribuisce qualche parte di laude, la quale gli arreca l'arte e lo esercizio suo. Sono pel contrario infami e detestabili gli uomini distruttori delle religioni, dissipatori de' regni e delle republiche, inimici delle virtù, delle lettere e d'ogni altra arte che arrechi utilità e onore alla umana generazione, come sono gl'impii,[103] i violenti, gl'ignoranti, i dappochi, gli oziosi, i vili. E nessuno sarà mai sì pazzo o sì savio, sì tristo o sì buono, che prepostagli la elezione delle

101 A Sellasia (luglio del 222 a.C.).
102 *ragioni*: generi.
103 *impii*: empi, sacrileghi.

due qualità d'uomini,[104] non laudi quella che è da laudare e biasimi quella che è da biasimare. Nientedimeno dipoi quasi tutti, ingannati da uno falso bene e da una falsa gloria, si lasciono andare, o voluntariamente o ignorantemente, nei gradi di coloro che meritano più biasimo che laude. E potendo fare con perpetuo loro onore o una republica o uno regno, si volgono alla tirannide, né si avveggono per questo partito quanta fama, quanta gloria, quanto onore, sicurtà, quiete, con sodisfazione d'animo ei fuggono, e in quanta infamia, vituperio, biasimo, pericolo e inquietudine incorrono.

Ed è impossibile che quelli che in stato privato vivono in una republica, o che per fortuna o per virtù ne diventono principi, se leggessono le istorie, e delle memorie delle antiche cose facessono capitale, che non volessero quelli tali privati vivere nella loro patria più tosto Scipioni che Cesari, e quelli che sono principi, più tosto Agesilai,[105] Timoleoni, Dioni,[106] che Nabidi, Falari [107] e Dionisii: perché vedrebbono questi essere sommamente vituperati, e quelli eccessivamente laudati. Vedrebbono ancora come Timoleone e gli altri non ebbono nella patria loro meno autorità che si avessono Dionisio e Falari, ma vedrebbono di lunga avervi avuta più sicurtà.

Né sia alcuno che s'inganni per la gloria di Cesare, sentendolo massime celebrare dagli scrittori; perché quegli che lo laudano sono corrotti dalla fortuna sua e spauriti dalla lunghezza dello imperio, il quale reggendosi sotto quel nome,[108] non permetteva che gli scrittori parlassono liberamente di lui. Ma chi vuole conoscere quello che gli scrittori liberi ne direbbono, vegga quello che dicono di Catilina.[109] E tanto è più biasimevole Cesare quanto più è da bia-

104 *prepostagli la... d'uomini*: dovendo scegliere tra le due qualità d'uomini.

105 Agesilao II re di Sparta (399-358 a.C.).

106 Dione e Timoleone posero fine alla tirannide di Dionisio II a Siracusa (IV sec. a.C.).

107 Falaride tiranno di Agrigento (570-555 a.C.).

108 Infatti gli imperatori si pregiarono del nome di Cesare.

109 Lucio Sergio Catilina (109-62 a.C.), il patrizio romano che ordì una famosa congiura contro lo Stato scoperta e denunciata in Senato da Cicerone.

simare quello che ha fatto che quello che ha voluto fare un male. Vegga ancora con quante laude ei celebrano Bruto,[110] talché non potendo biasimare quello per la sua potenza, ei celebrano il nimico suo.

Consideri ancora quello che è diventato principe in una repubblica quanta laude, poiché Roma fu diventata Imperio, meritarono più quelli imperadori che vissero sotto le leggi e come principi buoni, che quelli che vissero al contrario; e vedrà come a Tito, Nerva, Traiano, Adriano, Antonino e Marco non erano necessari i soldati pretoriani né la moltitudine delle legioni a difenderli, perché i costumi loro, la benivolenza del popolo, l'amore del Senato gli difendeva. Vedrà ancora come a Caligola, Nerone, Vitellio, ed a tanti altri scelerati imperatori non bastarono gli eserciti orientali ed occidentali a salvarli contro a quelli inimici che li loro rei costumi, la loro malvagia vita aveva loro generati. E se la istoria di costoro fusse bene considerata, sarebbe assai ammaestramento a qualunque principe a mostrargli la via della gloria o del biasimo, e della sicurtà o del timore suo. Perché di ventisei imperatori che furono da Cesare a Massimino, sedici ne furono ammazzati, dieci morirono ordinariamente.[111] E se di quelli che furono morti ve ne fu alcun buono, come Galba e Pertinace, fu morto da quella corruzione che lo antecessore suo aveva lasciata nei soldati: e se tra quelli che morirono ordinariamente ve ne fu alcuno scelerato, come Severo, nacque da una sua grandissima fortuna e virtù, le quali due cose pochi uomini accompagnano. Vedrà ancora per la lezione di questa istoria come si può ordinare un regno buono: perché tutti gl'imperatori che succederono all'imperio per eredità, eccetto Tito, furono cattivi; quelli che per adozione,[112] furono tutti buoni, come furono quei cinque da Nerva a Marco.[113] E come l'imperio cadde negli eredi, e' ritornò nella sua rovina.

110 Marco Iunio Bruto, il più illustre dei congiurati contro Giulio Cesare.

111 *ordinariamente*: di morte naturale.

112 Mediante l'adozione l'imperatore poteva scegliere il successore che riteneva più adatto.

113 I cinque imperatori furono: Cocceio Nerva (96-98 d.C.),

Pongasi adunque innanzi un principe i tempi da Nerva a Marco, e conferiscagli [114] con quelli che erano stati prima e che furono poi; e dipoi elegga in quali volesse essere nato, o a quali volesse essere preposto. Perché in quelli governati da' buoni vedrà un principe sicuro in mezzo de' suoi sicuri cittadini, ripieno di pace e di giustizia il mondo: vedrà il Senato con la sua autorità, i magistrati co' suoi onori, godersi i cittadini ricchi le loro ricchezze, la nobilità e la virtù esaltata, vedrà ogni quiete ed ogni bene; e dall'altra parte, ogni rancore, ogni licenza, corruzione e ambizione spenta. Vedrà i tempi aurei dove ciascuno può tenere e difendere quella opinione che vuole. Vedrà in fine trionfare il mondo: pieno di riverenza e di gloria il principe, d'amore e sicurtà i popoli. Se considererà dipoi tritamente i tempi degli altri imperatori, gli vedrà atroci per le guerre, discordi per le sedizioni, nella pace e nella guerra crudeli: tanti principi morti col ferro, tante guerre civili, tante esterne, l'Italia afflitta e piena di nuovi infortunii, [115] rovinate e saccheggiate le città di quella. Vedrà Roma arsa, il Campidoglio da' suoi cittadini disfatto, desolati gli antichi templi, corrotte le cerimonie, ripiene le città di adulterii: vedrà il mare pieno di esilii, [116] gli scogli pieni di sangue. Vedrà in Roma seguire innumerabili crudeltadi: e la nobiltà, le ricchezze, i passati onori e sopra tutto la virtù essere imputate a peccato capitale. Vedrà premiare gli calunniatori, essere corrotti i servi contro al signore, i liberti contro al padrone; e quelli a chi fussero mancati inimici, essere oppressi dagli amici. E conoscerà allora benissimo quanti obblighi Roma, l'Italia e il mondo abbia con Cesare.

E sanza dubbio se e' sarà nato d'uomo, si sbigottirà da ogni imitazione de' tempi cattivi, ed accenderassi d'uno immenso desiderio di seguire i buoni. E veramente cercando un principe la gloria del mondo, doverrebbe desiderare di possedere una città corrotta, non per guastarla in

Marco Ulpio Traiano (98-117 d. C.), Elio Adriano (117-138 d.C.), Antonino Pio (138-161 d.C.), Marco Aurelio (161-180 d.C.).

114 *conferiscagli*: li paragoni.
115 *infortunii*: disgrazie.
116 *il mare pieno di esilii*: esiliati che, per mare, lasciano l'Italia.

tutto come Cesare, ma per riordinarla come Romolo. E veramente i cieli non possono dare agli uomini maggiore occasione di gloria, né gli uomini la possono maggiore desiderare. E se a volere ordinare bene una città si avesse di necessità a diporre il principato, meriterebbe quello che non la ordinasse, per non cadere di quel grado, qualche scusa. Ma potendosi tenere il principato ed ordinarla, non si merita scusa alcuna. E in somma considerino quelli a chi i cieli dànno tale occasione, come e' sono loro preposte due vie: l'una che li fa vivere sicuri, e dopo la morte li rende gloriosi: l'altra li fa vivere in continove [117] angustie, e dopo la morte lasciare di sé una sempiterna infamia.

XI · DELLA RELIGIONE DE' ROMANI

Avvenga che Roma avesse il primo suo ordinatore Romolo, e che da quello abbi a riconoscere come figliuola il nascimento e la educazione sua, nondimeno giudicando i cieli che gli ordini di Romolo non bastassero a tanto imperio, inspirarono nel petto del Senato romano di eleggere Numa Pompilio per successore a Romolo; acciò che quelle cose che da lui fossero state lasciate indietro, fossero da Numa ordinate. Il quale trovando un popolo ferocissimo, e volendolo ridurre nelle obedienze civili con le arti della pace, si volse alla religione come cosa al tutto necessaria a volere mantenere una civiltà, e la constituì in modo che per più secoli non fu mai tanto timore di Dio quanto in quella republica; il che facilitò qualunque impresa che il Senato o quelli grandi uomini romani disegnassero fare. E chi discorrerà [118] infinite azioni, e del popolo di Roma tutto insieme e di molti de' Romani da per sé, vedrà come quelli cittadini temevono più assai rompere il giuramento che le leggi, come coloro che stimavano più la potenza di Dio che quella degli uomini. Come si vede manifestamente per gli esempli di Scipione e di Manlio Torquato: perché dopo la rotta che Annibale aveva dato ai Romani a Canne,[119] molti citta-

117 *continove*: continue.
118 *discorrerà*: esaminerà scorrendole.
119 Il 2 agosto 216 a.C.

dini si erano adunati insieme, e sbigottiti della patria si erano convenuti abbandonare la Italia e girsene [120] in Sicilia; il che sentendo Scipione gli andò a trovare, e col ferro ignudo in mano li costrinse a giurare di non abbandonare la patria. Lucio Manlio, padre di Tito Manlio, che fu dipoi chiamato Torquato, era stato accusato da Marco Pomponio, Tribuno della plebe, ed innanzi che venisse il dì del giudizio Tito andò a trovare Marco, e minacciando di ammazzarlo se non giurava di levare l'accusa al padre lo costrinse al giuramento, e quello per timore avendo giurato gli levò l'accusa. E così quelli cittadini, i quali lo amore della patria le leggi di quella non ritenevano in Italia, vi furono ritenuti da un giuramento che furono forzati a pigliare; e quel Tribuno pose da parte l'odio che egli aveva col padre, la ingiuria che gli avea fatto il figliuolo, e l'onore suo, per ubbidire al giuramento preso: il che non nacque da altro che da quella religione che Numa aveva introdotta in quella città.

E vedesi, chi considera bene le istorie romane, quanto serviva la religione a comandare gli eserciti, ad animire la Plebe,[121] a mantenere gli uomini buoni a fare vergognare i rei. Talché se si avesse a disputare a quale principe Roma fusse più obligata o a Romolo o a Numa credo più tosto Numa otterrebbe il primo grado: perché dove è religione facilmente si possono introdurre l'armi e dove sono l'armi e non religione con difficoltà si può introdurre quella. E si vede che a Romolo per ordinare il Senato e per fare altri ordini civili e militari, non gli fu necessario dell'autorità di Dio ma fu bene necessario a Numa il quale simulò di avere domestichezza con una Ninfa,[122] la quale lo consigliava di quello ch'egli avesse a consigliare al popolo; e tutto nasceva perché voleva mettere ordini nuovi ed inusitati in quella città, e dubitava che la sua autorità non bastasse.

E veramente mai fu alcuno ordinatore di leggi straordinarie in uno popolo che non ricorresse a Dio, perché altrimenti non sarebbero accettate: perché sono molti i beni co-

120 *girsene*: andarsene.
121 *animire la Plebe*: infondere coraggio nella Plebe.
122 La ninfa Egeria.

nosciuti da uno prudente, i quali non hanno in sé ragioni evidenti da poterli persuadere a altrui. Però gli uomini savi che vogliono tòrre questa difficultà ricorrono a Dio. Così fece Licurgo, così Solone, così molti altri che hanno avuto il medesimo fine di loro. Maravigliando [123] adunque il Popolo romano la bontà e la prudenza sua, cedeva ad ogni sua diliberazione. Ben è vero che l'essere quelli tempi pieni di religione, e quegli uomini con i quali egli aveva a travagliare grossi,[124] gli dettono facilità grande a conseguire i disegni suoi, potendo imprimere in loro facilmente qualunque nuova forma. E sanza dubbio chi volesse ne' presenti tempi fare una republica, più facilità troverrebbe negli uomini montanari, dove non è alcuna civiltà, che in quelli che sono usi a vivere nelle cittadi dove la civiltà è corrotta; ed uno scultore trarrà più facilmente una bella statua d'un marmo rozzo, che d'uno male abbozzato da altrui.

Considerato adunque tutto, conchiudo che la religione introdotta da Numa fu intra le prime cagioni della felicità di quella città, perché quella causò buoni ordini, i buoni ordini fanno buona fortuna, e dalla buona fortuna nacquero i felici successi delle imprese. E come la osservanza del culto divino è cagione della grandezza delle republiche, così il dispregio di quello è cagione della rovina di esse. Perché dove manca il timore di Dio, conviene o che quel regno rovini o che sia sostenuto dal timore d'uno principe che sopperisca a' defetti della religione. E perché i principi sono di corta vita, conviene che quel regno manchi presto, secondo che manca la virtù d'esso. Donde nasce che gli regni i quali dipendono solo dalla virtù d'uno uomo sono poco durabili: perché quella virtù manca con la vita di quello, e rade volte accade che la sia rinfrescata con la successione, come prudentemente Dante dice:

> Rade volte discende per li rami
> l'umana probitate, e questo vuole
> quei che la dà, perché da lui si chiami.[125]

123 *Maravigliando*: considerando con meraviglia.
124 *grossi*: semplici.
125 Dante, *Purgatorio*, VII, vv. 121-123.

Non è adunque la salute di una republica o d'uno regno avere uno principe che prudentemente governi mentre vive, ma uno che l'ordini in modo che morendo ancora la si mantenga. E benché agli uomini rozzi più facilmente si persuada uno ordine o una opinione nuova, non è però per questo impossibile persuaderla ancora agli uomini civili, e che presumono non essere rozzi. Al popolo di Firenze non pare essere né ignorante né rozzo; nondimeno da frate Girolamo Savonarola fu persuaso che parlava con Dio. Io non voglio giudicare s'egli era vero o no, perché d'uno tanto uomo se ne debbe parlare con riverenza. Ma io dico bene che infiniti lo credevono, sanza avere visto cosa nessuna straordinaria da farlo loro credere: perché la vita sua, la dottrina, e il suggetto che prese,[126] erano sufficienti a fargli prestare fede. Non sia pertanto nessuno che si sbigottisca di non potere conseguire quel che è stato conseguito da altri: perché gli uomini, come nella prefazione nostra si disse, nacquero, vissero e morirono, sempre con uno medesimo ordine.

XII · DI QUANTA IMPORTANZA SIA TENERE CONTO DELLA RELIGIONE, E COME LA ITALIA, PER ESSERNE MANCATA MEDIANTE LA CHIESA ROMANA, È ROVINATA

Quelli principi o quelle republiche le quali si vogliono mantenere incorrotte, hanno sopra ogni altra cosa a mantenere incorrotte le cerimonie della loro religione, e tenerle sempre nella loro venerazione. Perché nessuno maggiore indizio si puote avere della rovina d'una provincia, che vedere dispregiato il culto divino. Questo è facile a intendere, conosciuto che si è in su che sia fondata la religione dove l'uomo è nato. Perché ogni religione ha il fondamento della vita sua in su qualche principale ordine suo. La vita della religione Gentile[127] era fondata sopra i responsi degli oracoli e sopra la setta degli indovini e degli aruspici; tutte le altre loro cerimonie, sacrifici e riti, depende-

126 Il Savonarola si riferiva continuamente nelle sue prediche alla Bibbia.
127 Religione pagana.

vano da queste. Perché loro facilmente credevono che quello Iddio che ti poteva predire il tuo futuro bene o il tuo futuro male, te lo potessi ancora concedere. Di qui nascevano i templi, di qui i sacrifici, di qui le supplicazioni ed ogni altra cerimonia in venerarli: per che [128] l'oracolo di Delo,[129] il tempio di Giove Ammone ed altri celebri oracoli i quali riempivano il mondo di ammirazione e divozione. Come costoro cominciarono dipoi a parlare a modo de' potenti, e che questa falsità si fu scoperta ne' popoli, diventarono gli uomini increduli ed atti a perturbare ogni ordine buono. Debbono adunque i principi d'una republica o d'uno regno, i fondamenti della religione che loro tengono mantenergli: e fatto questo, sarà loro facil cosa mantenere la loro republica religiosa, e per conseguente buona e unita. E debbono tutte le cose che nascano in favore di quella, come che le giudicassono false, favorirle e accrescerle; e tanto più lo debbono fare quanto più prudenti sono, e quanto più conoscitori delle cose naturali. E perché questo modo è stato osservato dagli uomini savi, ne è nato l'opinione dei miracoli che si celebrano nelle religioni eziandio false; perché i prudenti gli augumentano,[130] da qualunque principio e' si nascano, e l'autorità loro dà poi a quelli fede appresso a qualunque. Di questi miracoli ne fu a Roma assai, intra i quali fu che saccheggiando i soldati romani la città de' Veienti, alcuni di loro entrarono nel tempio di Giunone ed accostandosi alla immagine di quella e dicendole « Vis venire Romam? »[131] parve a alcuno vedere che la accennasse,[132] a alcuno altro che la dicesse di sì. Perché sendo quegli uomini ripieni di religione (il che dimostra Tito Livio, perché nello entrare nel tempio vi entrarono sanza tumulto, tutti devoti e pieni di riverenza), parve loro udire quella risposta che alla domanda loro per avventura si avevano presupposta;[133] la quale opinione e credulità da Cammillo e dagli altri principi della città fu al tutto favorita ed accre-

128 *per che*: donde.

129 Nell'isola di Delo era situato il tempio di Apollo.

130 *augumentano*: esagerano.

131 « Vuoi venire a Roma? ».

132 *che la accennasse*: che facesse cenno affermativo con il capo.

133 *si avevano presupposta*: avevano previsto, immaginato.

sciuta. La quale religione se ne' principi della republica cristiana si fusse mantenuta secondo che dal datore d'essa ne fu ordinato, sarebbero gli stati e le republiche cristiane più unite, più felici assai che le non sono. Né si può fare altra maggiore coniettura della declinazione d'essa, quanto è vedere come quelli populi che sono più propinqui alla Chiesa romana, capo della religione nostra, hanno meno religione. E chi considerasse i fondamenti suoi, e vedesse l'uso presente quanto è diverso da quelli, giudicherebbe essere propinquo sanza dubio o la rovina o il fragello.

E perché molti sono d'opinione che il bene essere delle città d'Italia nasca dalla Chiesa romana, voglio contro a essa discorrere quelle ragioni che mi occorrono, e ne allegherò due potentissime le quali secondo me non hanno repugnanzia.[134] La prima è che per gli esempli rei di quella corte questa provincia [135] ha perduto ogni divozione e ogni religione; il che si tira dietro infiniti inconvenienti e infiniti disordini: perché così come dove è religione si presuppone ogni bene, così dove quella manca si presuppone il contrario. Abbiamo adunque con la Chiesa e con i preti noi Italiani questo primo obligo: di essere diventati sanza religione e cattivi. Ma ne abbiamo ancora uno maggiore, il quale è la seconda cagione della rovina nostra: questo è che la Chiesa ha tenuto e tiene questa provincia divisa. E veramente alcuna provincia non fu mai unita o felice, se la non viene tutta alla ubbidienza d'una republica o d'uno principe, come è avvenuto alla Francia ed alla Spagna. E la cagione che la Italia non sia in quel medesimo termine, né abbia anch'ella o una republica o uno principe che la governi, è solamente la Chiesa: perché avendovi quella abitato e tenuto imperio temporale, non è stata sì potente né di tanta virtù che l'abbia potuto occupare la tirannide d'Italia e farsene principe, e non è stata, dall'altra parte, sì debile che per paura di non perdere il dominio delle sue cose temporali la non abbia potuto convocare uno potente che la difenda contro a quello che in Italia fusse diventato troppo potente: come si è veduto anticamente per assai esperienze, quando mediante Carlo Magno la ne cac-

134 *non hanno repugnanzia*: non sono contraddittorie.
135 L'Italia.

ciò i Longobardi ch'erano già quasi re di tutta Italia,[136] e quando ne' tempi nostri ella tolse la potenza a' Viniziani con l'aiuto di Francia; dipoi ne cacciò i Franciosi con l'aiuto de' Svizzeri.[137] Non essendo adunque stata la Chiesa potente da potere occupare la Italia, né avendo permesso che un altro la occupi, è stata cagione che la non è potuta venire sotto uno capo, ma è stata sotto più principi e signori, da' quali è nata tanta disunione e tanta debolezza che la si è condotta a essere stata preda, non solamente de' barbari potenti, ma di qualunque l'assalta. Di che noi altri Italiani abbiamo obligo con la Chiesa, e non con altri. E chi volesse per esperienza certa vedere più pronta la verità, bisognerebbe che fusse di tanta potenza che mandasse ad abitare la corte romana, con l'autorità che l'ha in Italia, in le terre de' Svizzeri, i quali oggi sono solo popoli che vivono, e quanto alla religione e quanto agli ordini militari, secondo gli antichi; e vedrebbe che in poco tempo farebbero più disordine in quella provincia i rei costumi di quella corte che qualunque altro accidente che in qualunque tempo vi potesse surgere.

XIII · COME I ROMANI SI SERVIRONO DELLA RELIGIONE PER RIORDINARE LA CITTÀ E SEGUIRE LE LORO IMPRESE E FERMARE I TUMULTI

Ei non mi par fuora di proposito addurre alcuno esemplo dove i Romani si servirono della religione per riordinare la città e per seguire le imprese loro; e quantunque in Tito Livio ne siano molti, nondimeno voglio essere contento a questi. Avendo creato il Popolo romano i Tribuni di potestà consolare,[138] e fuora che uno tutti plebei, ed essendo occorso quell'anno peste e fame, e venuto certi prodigii, usorono questa occasione i Nobili nella [139] nuova creazione de' Tribuni: dicendo che gl'Iddii erano adirati per avere Roma male usato la maiestà del suo imperio, e che non

136 Nell'VIII sec.
137 Prima con la Lega di Cambrai, poi con la Lega Santa.
138 Nel 444 a.C.
139 *nella*: contro la.

era altro rimedio a placare gl'Iddii che ridurre la elezione de' Tribuni nel luogo suo; di che nacque che la plebe, sbigottita da questa religione, creò i Tribuni tutti nobili. Vedesi ancora nella espugnazione della città de' Veienti, come i capitani degli eserciti si valevano della religione per tenergli disposti a una impresa: che essendo il lago Albano quello anno cresciuto mirabilmente, ed essendo i soldati romani infastiditi per la lunga ossidione, e volendo tornarsene a Roma, trovarono i Romani come Apollo e certi altri risponsi dicevano che quello anno si espugnerebbe la città de' Veienti che si derivassi il lago Albano;[140] la quale cosa fece ai soldati sopportare i fastidii della ossidione, presi da questa speranza di espugnare la terra, e stettono contenti a seguire la impresa, tanto che Cammillo fatto Dittatore espugnò detta città dopo dieci anni che la era stata assediata. E così la religione usata bene giovò e per la espugnazione di quella città e per la restituzione del Tribunato nella Nobilità: ché sanza detto mezzo difficilmente si sarebbe condotto e l'uno e l'altro.

Non voglio mancare di addurre a questo proposito un altro esempio. Erano nati in Roma assai tumulti per cagione di Terentillo tribuno, volendo lui proporre certa legge, per le cagioni che di sotto nel suo luogo si diranno;[141] e tra i primi rimedi che vi usò la Nobilità fu la religione, della quale si servirono in due modi. Nel primo fecero vedere i libri Sibillini,[142] e rispondere come alla città mediante la civile sedizione soprastavano quello anno pericoli di non perdere[143] la libertà; la quale cosa ancora che fusse scoperta da' Tribuni, nondimeno messe tanto terrore ne' petti della plebe che la raffreddò nel seguirli. L'altro modo fu che avendo un Appio Erdonio, con una moltitudine di sbanditi e di servi, in numero di quattromila uomini, occupato di notte il Campidoglio, in tanto che si poteva temere che se gli Equi e i Volsci, perpetui inimici al nome romano, ne fossero venuti a Roma, la arebbono espugnata; e non ces-

---

140 *derivassi il lago Albano*: si deviassero le acque del lago di Albano.

141 Più avanti nel cap. xxxix del presente libro.

142 I libri in cui erano raccolti i responsi delle Sibille.

143 *di non perdere*: di perdere.

sando i Tribuni per questo continovare nella pertinacia loro di proporre la legge Terentilla, dicendo che quello insulto [144] era simulato e non vero, uscì fuori del Senato un Publio Rubezio cittadino grave e di autorità, con parole parte amorevoli parte minaccianti, mostrandogli i pericoli della città e la intempestiva domanda loro, tanto ch'ei costrinse la plebe a giurare di non si partire dalla voglia [145] del consolo. Tanto che la plebe ubbidiente, per forza ricuperò il Campidoglio; ma essendo in tale espugnazione morto Publio Valerio consolo, subito fu rifatto consolo Tito Quinzio, il quale per non lasciare riposare la plebe né darle spazio a pensare alla legge Terentilla, le comandò s'uscisse di Roma per andare contro ai Volsci; dicendo che per quel giuramento aveva fatto di non abbandonare il consolo, era obligato a seguirlo: a che i Tribuni si opponevano, dicendo come quel giuramento s'era dato al consolo morto e non a lui. Nondimeno Tito Livio mostra come la Plebe per paura della religione volle più tosto ubbidire al consolo che credere a' Tribuni, dicendo in favore della antica religione queste parole: « Nondum haec, quae nunc tenet saeculum, negligentia Deum venerat, nec interpretando sibi quisque iusiurandum et leges apta facebat ».[146] Per la quale cosa dubitando i Tribuni di non perdere allora tutta la lor dignità, si accordarono col consolo di stare alla ubbidienza di quello, e che per uno anno non si ragionasse della legge Terentilla, ed i Consoli per uno anno non potessero trarre fuori la plebe alla guerra. E così la religione fece al Senato vincere quelle difficultà che sanza essa mai averebbe vinte.

144 *insulto* : assalto.
145 *non si partire dalla voglia* : di rispettare la volontà.
146 « Non si era ancora giunti al disinteresse verso gli Dei, che è caratteristico del presente secolo, né ciascuno dava interpretazioni delle leggi e del giuramento a proprio vantaggio » (Livio, III, 20, 5).

Non solamente gli augurii, come di sopra si è discorso,
erano il fondamento in buona parte dell'antica religione de'
Gentili, ma ancora erano quelli che erano cagione del bene essere della Republica romana. Donde i Romani ne
avevano più cura che di alcuno altro ordine di quella; ed
usavongli ne' comizii consolari, nel principiare le imprese,
nel trar fuora gli eserciti, nel fare le giornate, ed in ogni
azione loro importante, o civile o militare; né mai sarebbono iti ad una espedizione, che non avessono persuaso ai
soldati che gli Dei promettevano loro la vittoria. Ed intra
gli altri auspicii avevano negli eserciti certi ordini di aruspici, ch'e' chiamavano pullarii.[147] E qualunque volta eglino
ordinavano di fare la giornata con il nimico, ei volevano
che i pullarii facessono i loro auspicii: e beccando i polli,
combattevono con buono augurio; non beccando, si astenevano dalla zuffa. Nondimeno quando la ragione mostrava loro una cosa doversi fare, non ostante che gli auspicii
fossero avversi, la facevano in ogni modo; ma rivoltavanla
con termini e modi tanto attamente[148] che non paresse che
la facessino con dispregio della religione.

Il quale termine fu usato da Papirio consolo in una zuffa
che ei fece importantissima coi Sanniti, dopo la quale restarono in tutto deboli ed afflitti. Perché sendo Papirio
in su' campi rincontro ai Sanniti, e parendogli avere nella
zuffa la vittoria certa e volendo per questo fare la giornata, comandò ai pullarii che facessono i loro auspicii; ma
non beccando i polli, e veggendo il principe de' pullarii la
gran disposizione dello esercito di combattere e la opinione
che era nel capitano ed in tutti i soldati di vincere, per
non tòrre occasione di bene operare a quello esercito, riferì al consolo come gli auspicii procedevono bene. Talché
Papirio ordinando le squadre, ed essendo da alcuni de' pullarii detto a certi soldati i polli non avere beccato, quelli

147 *pullarii*: erano coloro che custodivano i polli sacri.
148 *attamente*: accortamente, prudentemente.

lo dissono a Spurio Papirio nepote del consolo, e quello riferendolo al consolo, rispose subito ch'egli attendessi a fare l'ufficio suo bene : che quanto a lui ed allo esercito gli auspicii erano buoni, e se il pullario aveva detto le bugie, le tornerebbono in pregiudizio suo. E perché lo effetto corrispondesse al pronostico, comandò ai legati che costituissono i pullarii nella prima fronte della zuffa. Onde nacque che andando contro a' nemici, sendo da un soldato romano tratto uno dardo, a caso ammazzò il principe de' pullarii; la quale cosa udita il consolo, disse come ogni cosa procedeva bene e col favore degli Dei, perché lo esercito con la morte di quel bugiardo s'era purgato da ogni colpa e da ogni ira che quelli avessono presa contro a di lui. E così col sapere bene accomodare i disegni suoi agli auspicii, prese partito di azzuffarsi, sanza che quello esercito si avvedesse che in alcuna parte quello avesse negletti gli ordini della loro religione.

Al contrario fece Appio Pulcro in Sicilia nella prima guerra Punica, ché volendo azzuffarsi con l'esercito cartaginese, fece fare gli auspicii a' pullarii, e riferendogli quelli come i polli non beccavano, disse : « Veggiamo se volessero bere! » e gli fece gittare in mare. Donde che azzuffandosi, perdé la giornata; di che egli fu a Roma condannato, e Papirio onorato : non tanto per avere l'uno vinto e l'altro perduto, quanto per avere l'uno fatto contro agli auspicii prudentemente, e l'altro temerariamente. Né ad altro fine tendeva questo modo dello aruspicare,[149] che di fare i soldati confidentemente ire alla zuffa, dalla quale confidenza quasi sempre nasce la vittoria. La qual cosa fu non solamente usata dai Romani, ma dagli esterni : di che mi pare da addurne uno esempio nel seguente capitolo.

XV · I SANNITI PER ESTREMO RIMEDIO ALLE COSE LORO AFFLITTE RICORSERO ALLA RELIGIONE

Avendo i Sanniti avuto più rotte da' Romani, ed essendo stati per ultimo distrutti in Toscana, e morti i loro eserciti e gli loro capitani, ed essendo stati vinti i loro compa-

149 *aruspicare* : trarre auspici, presagi.

gni, come Toscani, Franciosi ed Umbri,[150] « nec suis nec externis viribus iam stare poterant, tamen bello non abstinebant; adeo ne infeliciter quidem defensae libertatis taedebat, et vinci quam non tentare victoriam malebant ».[151] Onde deliberarono fare l'ultima prova; e perché ei sapevano che a volere vincere era necessario indurre ostinazione negli animi de' soldati e che a indurvela non era migliore mezzo che la religione, pensarono di ripetere uno antico loro sacrificio, mediante Ovio Paccio loro sacerdote, il quale ordinarono in questa forma: che fatto il sacrificio solenne, e fatto intra le vittime morte e gli altari accesi giurare tutti i capi dell'esercito di non abbandonare mai la zuffa, citorono[152] i soldati ad uno ad uno, ed intra quegli altari, nel mezzo di più centurioni, con le spade nude in mano, gli facevano prima giurare che non ridirebbono cosa vedessono o sentissono, dipoi con parole esecrabili e versi pieni di spavento gli facevano promettere agli Dei d'essere presti dove gl'imperatori gli mandassono, e di non si fuggire mai dalla zuffa, e d'ammazzare qualunque ei vedessono che si fuggisse: la quale cosa non osservata, tornassi sopra il capo della sua famiglia e della sua stirpe. Ed essendo sbigottiti alcuni di loro, non volendo giurare, subito da' loro centurioni erano morti: talché gli altri che succedevono poi, impauriti dalla ferocità dello spettacolo, giurarono tutti. E per fare questo loro assembramento più magnifico, sendo quarantamila uomini, ne vestirono la metà di panni bianchi con creste e pennacchi sopra le celate, e così ordinati si posero presso ad Aquilonia. Contro a costoro venne Papirio,[153] il quale nel confortare i suoi soldati disse: « Non enim cristas vulnera facere, et picta atque aurata scuta transire romanum pilum ».[154] E per debilitare la

150 Gli Etruschi, i Galli e gli Umbri.

151 « essi non potevano ormai resistere né con le proprie forze né con quelle alleate, tuttavia non si tenevano lontano dal combattimento; a tal segno stava loro a cuore la libertà anche se infelicemente difesa, e piuttosto volevano essere vinti che non tentare di vincere. » (Livio, x, 31, 14-15).

152 *citorono*: chiamarono.

153 Lucio Papirio Cursore, figlio del Papirio nominato in precedenza.

154 « che infatti le creste non producono ferite, mentre il gia-

opinione che avevono i suoi soldati de' nimici per il giuramento preso, disse che quello era a timore non a fortezza loro: perché in quel medesimo tempo gli avevano avere paura de' cittadini, degl'Iddii e de' nimici. E venuti al conflitto, furono superati i Sanniti, perché la virtù romana, e il timore conceputo per le passate rotte, superò qualunque ostinazione ei potessero avere presa per virtù della religione e per il giuramento preso. Nondimeno si vede come a loro non parve potere avere altro rifugio, né tentare altro rimedio a potere pigliare speranza di recuperare la perduta virtù. Il che testifica appieno quanta confidenza si possa avere mediante la religione bene usata. E benché questa parte più tosto per avventura si richiederebbe essere posta intra le cose estrinseche,[155] nondimeno dependendo da uno ordine de' più importanti della Republica di Roma, mi è parso da connetterlo in questo luogo, per non dividere questa materia e averci a ritornare più volte.

XVI · UNO POPOLO USO A VIVERE SOTTO UNO PRINCIPE, SE PER QUALCHE ACCIDENTE DIVENTA LIBERO, CON DIFFICOLTÀ MANTIENE LA LIBERTÀ

Quanta difficultà sia a uno popolo uso a vivere sotto uno principe perservare [156] dipoi la libertà se per alcuno accidente l'acquista come l'acquistò Roma dopo la cacciata de' Tarquinii, lo dimostrono infiniti esempli che si leggono nelle memorie delle antiche istorie. E tale difficultà è ragionevole: perché quel popolo è non altrimenti che un animale bruto, il quale, ancora che di natura feroce e silvestre, sia stato nutrito sempre in carcere ed in servitù, che dipoi lasciato a sorte in una campagna libero, non essendo uso a pascersi [157] né sapendo li luoghi dove si abbia a rifuggire,[158] diventa preda del primo che cerca rincatenarlo:

vellotto romano trapassava gli scudi anche se dipinti e dorati » (Livio, x, 39, 12).

155 *le cose estrinseche*: le cose concernenti la politica estera di Roma.

156 *perservare*: conservare.

157 *a pascersi*: a procacciarsi il cibo.

158 *rifuggire*: rifugiarsi.

Questo medesimo interviene a uno populo, il quale sendo uso a vivere sotto i governi d'altri, non sapiendo ragionare né delle difese o offese publiche, non conoscendo i principi né essendo conosciuto da loro, ritorna presto sotto uno giogo il quale il più delle volte è più grave che quello che poco innanzi si aveva levato d'in sul collo; e trovasi in queste difficultà quantunque che la materia [159] non sia corrotta. Perché un popolo dove in tutto è entrata la corruzione non può non che piccol tempo ma punto [160] vivere libero, come di sotto si discorrerà: e però i ragionamenti nostri sono di quelli popoli dove la corruzione non sia ampliata assai, e dove sia più del buono che del guasto.

Aggiungesi alla soprascritta un'altra difficultà, la quale è che lo stato che diventa libero si fa partigiani inimici e non partigiani amici. Partigiani inimici gli diventono tutti coloro che dello stato tirannico si prevalevono [161] pascendosi delle ricchezze del principe: a' quali sendo tolta la facultà del valersi, non possono vivere contenti, e sono forzati ciascuno di tentare di ripigliare la tirannide per ritornare nell'autorità loro. Non si acquista, come ho detto, partigiani amici, perché il vivere libero prepone onori e premii mediante alcune oneste e determinate cagioni, e fuora di quelle non premia né onora alcuno; e quando uno ha quegli onori e quegli utili che gli pare meritare, non confessa avere obligo con coloro che lo rimunerano: oltre a di questo, quella comune utilità che del vivere libero si trae, non è da alcuno, mentre che ella si possiede conosciuta [162] la quale è di potere godere liberamente le cose sue sanza alcuno sospetto, non dubitare dell'onore delle donne, di quel de' figliuoli, non temere di sé; perché nessuno confesserà mai avere obligo con uno che non l'offenda.

Però, come di sopra si dice, viene ad avere lo stato libero e che di nuovo surge, partigiani inimici e non partigiani amici. E volendo rimediare a questi inconvenienti e a quegli disordini che le soprascritte difficultà si arrecherebbono seco, non ci è più potente rimedio né più valido né più

159 Per materia s'intende il popolo.
160 *punto*: per nulla.
161 *si prevalevono*: profittavano.
162 *non è... conosciuta*: è misconosciuta quando si possiede.

sicuro né più necessario, che ammazzare i figliuoli di Bruto: [163] i quali, come la istoria mostra, non furono indotti insieme con altri giovani romani a congiurare contro alla patria per altro, se non perché non si potevono valere straordinariamente sotto i consoli come sotto i re: in modo che la libertà di quel popolo pareva che fosse diventata la loro servitù. E chi prende a governare una moltitudine o per via di libertà o per via di principato, e non si assicura di [164] coloro che a quell'ordine nuovo sono inimici, fa uno stato di poca vita. Vero è che io giudico infelici quelli principi che per assicurare lo stato loro hanno a tenere vie straordinarie, avendo per nimici la moltitudine: perché quello che ha per nimici i pochi, facilmente e sanza molti scandoli si assicura: ma chi ha per nimico l'universale non si assicura mai, e quanta più crudeltà usa, tanto più debole diventa il suo principato. Talché il maggiore rimedio che ci abbia, è cercare di farsi il popolo amico.

E benché questo discorso sia disforme dal soprascritto, parlando qui d'uno principe e quivi d'una republica, nondimeno, per non avere a tornare più in su questa materia, ne voglio parlare brevemente. Volendo pertanto uno principe guadagnarsi uno popolo che gli fosse inimico, parlando di quelli principi che sono diventati della loro patria tiranni, dico ch'ei debbe esaminare prima quello che il popolo desidera, e troverrà sempre ch'ei desidera due cose: l'una, vendicarsi contro a coloro che sono cagione che sia servo; l'altra, di riavere la sua libertà. Al primo desiderio il principe può sodisfare in tutto, al secondo in parte. Quanto al primo ce n'è lo esemplo appunto. Clearco tiranno di Eraclea, sendo in esilio, occorse che per controversia venuta intra il popolo e gli ottimati di Eraclea, che, veggendosi gli ottimati inferiori, si volsono a favorire Clearco, e congiuratisi seco lo missono contro alla disposizione popolare in Eraclea, e tolsono la libertà al popolo. In modo che trovandosi Clearco intra la insolenzia degli ottimati, i quali non poteva in alcuno modo né contentare né correggere, e la rabbia de' popolari che non potevano sop-

163 Lucio Giunio Bruto, primo console dopo la cacciata dei re Tarquinii.

164 *non si assicura di*: non si premunisce da.

portare lo avere perduta la libertà, diliberò a un tratto liberarsi dal fastidio de' grandi e guadagnarsi il popolo. E presa sopr'a questo conveniente occasione, tagliò a pezzi tutti gli ottimati con una estrema sodisfazione de' popolari. E così egli per questa via sodisfece a una delle voglie che hanno i popoli, cioè di vendicarsi. Ma quanto all'altro popolare desiderio di riavere la sua libertà, non potendo il principe sodisfargli, debbe esaminare quali cagioni sono quelle che gli fanno desiderare d'essere liberi : e troverrà che una piccola parte di loro desidera di essere libera per comandare, ma tutti gli altri, che sono infiniti, desiderano la libertà per vivere sicuri. Perché in tutte le republiche, in qualunque modo ordinate, ai gradi del comandare non aggiungono mai quaranta o cinquanta cittadini; e perché questo è piccolo numero, è facil cosa assicurarsene, o con levargli via o con fare loro parte di tanti onori che secondo le condizioni loro e' si abbino in buona parte a contentare. Quelli altri ai quali basta vivere sicuri, si sodisfanno facilmente faccendo ordini e leggi dove insieme con la potenza sua si comprenda la sicurtà universale. E quando uno principe faccia questo, e che il popolo vegga che per accidente nessuno ei non rompa tali leggi, comincerà in breve tempo a vivere sicuro e contento. In esempio ci è il regno di Francia, il quale non vive sicuro per altro che per essersi quelli re obligati a infinite leggi, nelle quali si comprende la sicurtà di tutti i suoi populi. E chi ordinò quello stato volle che quelli re, dell'armi e del danaio facessero a loro modo, ma che d'ogni altra cosa non ne potessono altrimenti disporre che [165] le leggi si ordinassero. Quello principe adunque o quella republica che non si assicura nel principio dello stato suo, conviene che si assicuri nella prima occasione come fecero i Romani. Chi lascia passare quella, si pente tardi di non avere fatto quello che doveva fare.

Sendo pertanto il popolo romano ancora non corrotto, quando ei ricuperò la libertà potette mantenerla, morti i figliuoli di Bruto e spenti i Tarquinii, con tutti quelli modi ed ordini che altra volta si sono discorsi. Ma se fusse stato

165 *altrimenti... che* : se non quando.

quel popolo corrotto, né in Roma né altrove si truova rimedii validi a mantenerla, come nel seguente capitolo mosterremo.[166]

XVII · UNO POPOLO CORROTTO, VENUTO IN LIBERTÀ, SI PUÒ CON DIFFICULTÀ GRANDISSIMA MANTENERE LIBERO

Io giudico ch'egli era necessario o che i re si estinguessono in Roma o che Roma in brevissimo tempo divenisse debole e di nessuno valore: perché considerando a quanta corruzione erano venuti quelli re, se fossero seguitati così due o tre successioni, e che quella corruzione che era in loro si fosse cominciata ad istendere per le membra, come le membra fossero state corrotte era impossibile mai più riformarla. Ma perdendo il capo quando il busto era intero, poterono facilmente ridursi a vivere liberi ed ordinati. E debbesi presupporre per cosa verissima che una città corrotta che viva sotto uno principe, come che quel principe con tutta la sua stirpe si spenga, mai non si può ridurre libera, anzi conviene che l'un principe spenga l'altro; e sanza creazione d'uno nuovo signore non si posa mai, se già la bontà d'uno, insieme con la virtù, non la tenesse libera; ma durerà tanto quella libertà quanto durerà la vita di quello: come intervenne a Siracusa di Dione e di Timoleone, la virtù de' quali in diversi tempi, mentre vissono, tenne libera quella città: morti che furono, si ritornò nell'antica tirannide. Ma non si vede il più forte esemplo che quello di Roma, la quale cacciati i Tarquinii poté subito prendere e mantenere quella libertà; ma morto Cesare, morto Caio Caligola, morto Nerone, spenta tutta la stirpe cesarea, non poté mai, non solamente mantenere, ma pure dar principio alla libertà. Né tanta diversità di evento in una medesima città nacque da altro, se non da non essere ne' tempi de' Tarquinii il popolo romano ancora corrotto, ed in questi ultimi tempi essere corrottissimo. Perché allora, a mantenerlo saldo e disposto a fuggire i re, bastò solo farlo giurare che non consentirebbe mai che a Roma alcuno regnasse; e negli altri tempi non bastò l'auto-

166 *mosterremo*: dimostreremo.

rità e severità di Bruto con tutte le legioni orientali [167] a tenerlo disposto a volere mantenersi quella libertà che esso a similitudine del primo Bruto gli aveva renduta. Il che nacque da quella corruzione che le parti mariane [168] avevano messa nel popolo, delle quali sendo capo Cesare, potette accecare quella moltitudine ch'ella non conobbe il giogo che da se medesima si metteva in sul collo.

E benché questo esemplo di Roma sia da preporre a qualunque altro esemplo, nondimeno voglio a questo proposito addurre innanzi popoli conosciuti ne' nostri tempi. Pertanto dico che nessuno accidente, benché grave e violento, potrebbe ridurre mai Milano o Napoli liberi, per essere quelle membra tutte corrotte. Il che si vide dopo la morte di Filippo Visconti, ché volendosi ridurre Milano alla libertà,[169] non potette e non seppe mantenerla. Però fu felicità grande quella di Roma che questi re diventassero corrotti presto, acciò ne fussono cacciati, ed innanzi che la loro corruzione fusse passata nelle viscere di quella città: la quale incorruzione fu cagione che gl'infiniti tumulti che furono in Roma, avendo gli uomini il fine buono, non nocerono anzi giovorono alla Republica.

E si può fare questa conclusione: che dove la materia non è corrotta, i tumulti ed altri scandoli non nuocono; dove la è corrotta, le leggi bene ordinate non giovano, se già le non son mosse da uno che con una estrema forza le faccia osservare tanto che la materia diventi buona; il che non so se si è mai intervenuto o se fusse possibile ch'egli intervenisse. Perché e' si vede, come poco di sopra dissi, che una città venuta in declinazione per corruzione di materia, se mai occorre che la si rilievi [170] occorre per la virtù d'uno uomo che è vivo allora, non per la virtù dello universale che sostenga gli ordini buoni; e subito che quel tale è morto, la si ritorna nel suo pristino abito: come intervenne a Tebe, la quale per la virtù di Epaminonda, men-

167 Bruto e Cassio erano governatori della Macedonia e della Siria.
168 *le parti mariane*: le fazioni di Caio Mario.
169 Si riferisce alla istituzione della Repubblica Ambrosiana (1447).
170 *se mai occorre che la si rilievi*: se mai accade che si risollevi.

tre lui visse, potette tenere forma di republica e di imperio; ma morto quello, la si ritornò ne' primi disordini suoi. La cagione è, che non può essere uno uomo di tanta vita che 'l tempo basti ad avvezzare bene una città lungo tempo male avvezza. E se uno d'una lunghissima vita o due successioni virtuose continue non la dispongano, come la manca di loro,[171] come di sopra è detto, rovina; se già con di molti pericoli e di molto sangue e' non la facesse rinascere. Perché tale corruzione e poca attitudine alla vita libera nasce da una inequalità che è in quella città, e volendola ridurre equale è necessario usare grandissimi straordinari,[172] i quali pochi sanno o vogliono usare, come in altro luogo più particularmente si dirà.

XVIII · IN CHE MODO NELLE CITTÀ CORROTTE SI POTESSE MANTENERE UNO STATO LIBERO ESSENDOVI, O NON VI ESSENDO, ORDINARVELO

Io credo che non sia fuora di proposito né disforme dal soprascritto discorso considerare se in una città corrotta si può mantenere lo stato libero, sendovi; o quando e' non vi fusse, se vi si può ordinare. Sopra la quale cosa dico come gli è molto difficile fare o l'uno o l'altro; e benché sia quasi impossibile darne regola, perché sarebbe necessario procedere secondo i gradi della corruzione, nondimanco essendo bene ragionare d'ogni cosa, non voglio lasciare questa indietro. E presupporrò una città corrottissima, donde verrò ad accrescere più tale difficultà: perché non si truovano né leggi né ordini che bastino a frenare una universale corruzione. Perché così come gli buoni costumi per mantenersi hanno bisogno delle leggi, così le leggi per osservarsi hanno bisogno de' buoni costumi. Oltre a di questo, gli ordini e le leggi fatte in una republica nel nascimento suo, quando erano gli uomini buoni, non sono dipoi più a proposito, divenuti che ei sono rei. E se le leggi secondo gli accidenti in una città variano, non variano mai, o rade volte, gli ordini suoi: il che fa che le nuove leggi non ba-

171 *come la manca di loro*: alla loro scomparsa.
172 *grandissimi straordinari*: metodi eccezionali.

stano, perché gli ordini che stanno saldi le corrompono. E per dare ad intendere meglio questa parte, dico come in Roma era l'ordine del governo o vero dello stato, e le leggi dipoi che con i magistrati frenavano i cittadini. L'ordine dello stato era l'autorità del Popolo, del Senato, de' Tribuni, de' Consoli, il modo di chiedere e del creare i magistrati ed il modo di fare le leggi. Questi ordini poco o nulla variarono negli accidenti. Variarono le leggi che frenavano i cittadini, come fu la legge degli adulterii, la suntuaria, quella della ambizione [173] e molte altre, secondo che di mano in mano i cittadini diventavano corrotti. Ma tenendo fermo gli ordini dello stato, che nella corruzione non erano più buoni, quelle legge che si rinnovavano non bastavano a mantenere gli uomini buoni; ma sarebbono bene giovate, se con la innovazione delle leggi si fussero rimutati gli ordini.

E che sia il vero, che tali ordini nella città corrotta non fussero buoni, si vede espresso in doi capi principali, quanto al creare i magistrati e le leggi. Non dava il popolo romano il consolato e gli altri primi gradi della città se non a quelli che lo domandavano. Questo ordine fu nel principio buono, perché e' non gli domandavano se non quelli cittadini che se ne giudicavano degni, ed averne la repulsa era ignominioso; sì che per esserne giudicati degni ciascuno operava bene. Diventò questo modo poi nella città corrotta perniziosissimo : perché non quelli che avevano più virtù, ma quelli che avevano più potenza domandavano i magistrati, e gl'impotenti, comecché [174] virtuosi, se ne astenevano di domandarli per paura. Vennesi a questo inconveniente non a un tratto ma per i mezzi,[175] come si cade in tutti gli altri inconvenienti : perché avendo i Romani domata l'Africa e l'Asia e ridotta quasi tutta la Grecia a sua ubbidienza, erano divenuti sicuri della libertà loro, né pareva loro avere più nimici che dovessono fare loro paura. Questa sicurtà e questa debolezza de' nimici fece che il popolo romano nel dare il consolato non riguardava più la virtù ma la grazia, tirando a quel

173 Si tratta delle leggi contro l'adulterio, contro il lusso smodato (*suntuaria*) e contro i brogli elettorali (*ambizione*).

174 *comecché* : sebbene.

174 *ma per i mezzi* : non all'improvviso, ma gradualmente.

grado [176] quelli che meglio sapevano intrattenere gli uomini, non quelli che sapevano meglio vincere i nimici; dipoi, da quelli che avevano più grazia ei discesono [177] a darlo a quegli che avevano più potenza. Talché i buoni per difetto di tale ordine [178] ne rimasero al tutto esclusi. Poteva uno tribuno e qualunque altro cittadino proporre al Popolo una legge, sopra la quale ogni cittadino poteva parlare o in favore o incontro, innanzi che la si deliberasse. Era questo ordine buono, quando i cittadini erano buoni: perché sempre fu bene che ciascuno che intende uno bene per il publico lo possa proporre, ed è bene che ciascuno sopra quello possa dire l'opinione sua, acciò che il popolo, inteso ciascuno, possa poi eleggere il meglio. Ma diventati i cittadini cattivi, diventò tale ordine pessimo: perché solo i potenti proponevono leggi, non per la comune libertà ma per la potenza loro, e contro a quelle non poteva parlare alcuno per paura di quelli; talché il popolo veniva o ingannato o sforzato a diliberare la sua rovina.

Era necessario pertanto, a volere che Roma nella corruzione si mantenesse libera, che così come aveva nel processo del vivere suo fatte nuove leggi, l'avesse fatti nuovi ordini; perché altri ordini e modi di vivere si debbe ordinare in uno suggetto cattivo che in uno buono, né può essere la forma simile in una materia al tutto contraria. Ma perché questi ordini, o e' si hanno a rinnovare tutti a un tratto, scoperti che sono non essere più buoni, o a poco a poco in prima che si conoschino per ciascuno, dico che l'una e l'altra di queste due cose è quasi impossibile. Perché a volergli rinnovare a poco a poco, conviene che ne sia cagione uno prudente che vegga questo inconveniente assai discosto, e quando e' nasce. Di questi tali è facilissima cosa che in una città non ne surga mai nessuno, e quando pure ve ne surgessi, non potrebbe persuadere mai a altrui quello che egli proprio intendesse; perché gli uomini usi a vivere in un modo non lo vogliono variare, e tanto più non veggendo il male in viso, ma avendo a essere loro

176 *tirando a quel grado*: eleggendo a quella carica.
177 *ei discesono*: si abbassarono, si degradarono.
178 *per difetto di tale ordine*: per i limiti dell'istituto per l'elezione consolare.

mostro per coniettura.[179] Quanto all'innovare questi ordini a un tratto, quando ciascuno conosce che non son buoni, dico che questa inutilità che facilmente si conosce è difficile a ricorreggerla; perché a fare questo non basta usare termini ordinari essendo i modi ordinari cattivi, ma è necessario venire allo straordinario, come è alla violenza ed all'armi, e diventare innanzi a ogni cosa principe di quella città e poterne disporre a suo modo. E perché il riordinare una città al vivere politico presuppone uno uomo buono. E il diventare per violenza principe di una republica presuppone uno uomo cattivo, per questo si troverrà che radissime volte accaggia[180] che uno buono, per vie cattive, ancora che il fine suo fusse buono, voglia diventare principe; e che uno reo, divenuto principe, voglia operare bene, e che gli caggia mai nello animo usare quella autorità bene che gli ha male acquistata.

Da tutte le soprascritte cose nasce la difficultà o impossibilità, che è nelle città corrotte, a mantenervi una republica o a crearvela di nuovo. E quando pure la vi si avesse a creare o a mantenere, sarebbe necessario ridurla più verso lo stato regio che verso lo stato popolare, acciocché quegli uomini i quali dalle leggi per la loro insolenzia non possono essere corretti, fussero da una podestà quasi regia in qualche modo frenati. E a volergli fare per altre vie diventare buoni, sarebbe o crudelissima impresa o al tutto impossibile, come io dissi di sopra[181] che fece Cleomene il quale, se per essere solo ammazzò gli Efori, e se Romolo per le medesime cagioni ammazzò il fratello e Tito Tazio Sabino, e dipoi usarono bene quella loro autorità, nondimeno si debbe avvertire che l'uno e l'altro di costoro non avevano il suggetto di quella corruzione macchiato[182] della quale in questo capitolo ragioniamo, e però poterono volere, e volendo, colorire il disegno loro.

179 *ma avendo... per coniettura*: dovendo loro essere indicato per congettura.

180 *accaggia*: accada.

181 Nel cap. ix di questo libro.

182 *non avevano... macchiato*: il popolo (*il suggetto*) non era in preda a quella corruzione.

Considerato la virtù ed il modo del procedere di Romolo, Numa e di Tullo,[183] i primi tre re romani, si vede come Roma sortì una fortuna grandissima, avendo il primo re ferocissimo e bellicoso, l'altro quieto e religioso, il terzo simile di ferocità a Romolo, e più amatore della guerra che della pace. Perché in Roma era necessario che surgesse ne' primi principii suoi un ordinatore del vivere civile, ma era bene poi necessario che gli altri re ripigliassero la virtù di Romolo, altrimenti quella città sarebbe diventata effeminata, e preda de' suoi vicini. Donde si può notare che uno successore non di tanta virtù quanto il primo, può mantenere uno stato per la virtù di colui che lo ha retto innanzi, e si può godere le sue fatiche; ma s'egli avviene, o che sia di lunga vita o che dopo lui non surga un altro che ripigli la virtù di quel primo, è necessitato quel regno a rovinare. Così per il contrario, se dua l'uno dopo l'altro sono di gran virtù, si vede spesso che fanno cose grandissime, e che ne vanno con la fama in fino al cielo.

Davit [184] sanza dubbio fu un uomo per arme, per dottrina, per giudizio eccellentissimo, e fu tanta la sua virtù, che avendo vinti e battuti tutti i suoi vicini, lasciò a Salomone suo figliuolo uno regno pacifico, quale egli si potette con l'arte della pace e non con la guerra conservare, e si potette godere felicemente la virtù di suo padre. Ma non potette già lasciarlo a Roboam [185] suo figliuolo, il quale non essendo per virtù simile allo avolo, né per fortuna simile al padre, rimase con fatica erede della sesta parte del regno. Baisit,[186] sultan de' Turchi, come che fussi più amatore della pace che della guerra, potette godersi le fatiche di Maumetto [187] suo padre, il quale avendo, come Davit, battuto i suoi vicini gli lasciò un regno fermo, e da poterlo con

183 Tullo Ostilio.
184 Davide.
185 Roboamo.
186 Bayazid II (1481-1512).
187 Maometto II, detto il Conquistatore (1451-1481).

l'arte della pace facilmente conservare. Ma se il figliuolo suo Salì,[188] presente signore, fusse stato simile al padre e non all'avolo, quel regno rovinava; ma e' si vede costui essere per superare la gloria dell'avolo. Dico pertanto con questi esempli che dopo uno eccellente principe si può mantenere uno principe debole, ma dopo un debole non si può con un altro debole mantenere alcun regno, se già e' non fusse come quello di Francia, che gli ordini suoi antichi lo mantenessero: e quelli principi sono deboli che non stanno in su la guerra.[189]

Conchiudo pertanto con questo discorso, che la virtù di Romolo fu tanta che la potette dare spazio a Numa Pompilio di potere molti anni con l'arte della pace reggere Roma; ma dopo lui successe Tullo, il quale per la sua ferocità riprese la riputazione di Romolo; dopo il quale venne Anco,[190] in modo dalla natura dotato che poteva usare la pace e sopportare la guerra. E prima si dirizzò a volere tenere la via della pace, ma subito conobbe come i vicini giudicandolo effeminato lo stimavano poco: talmente che pensò che a volere mantenere Roma bisognava volgersi alla guerra, e somigliare Romolo, e non Numa.

Da questo piglino esemplo tutti i principi che tengono stato: ché chi somiglierà Numa[191] lo terrà o non terrà secondo che i tempi o la fortuna gli girerà sotto; ma chi somiglierà Romolo, e fia come esso armato di prudenza e d'armi, lo terrà in ogni modo, se da una ostinata ed eccessiva forza non gli è tolto. E certamente si può stimare che se Roma sortiva per terzo suo re un uomo che non sapesse con le armi renderle la sua riputazione, non arebbe mai poi, o con grandissima difficultà, potuto pigliare piede, né fare quegli effetti ch'ella fece. E così in mentre che la visse sotto i re, la portò questi pericoli di rovinare sotto uno re o debole o malvagio.

188 Selim I, il Crudele (1512-1520).
189 *che non stanno in su la guerra*: che non sono sempre pronti ad affrontare una guerra.
190 Anco Marcio.
191 *chi somiglierà Numa*: chi si renderà simile a Numa.

Poiché Roma ebbe cacciati i re, mancò di quelli pericoli
i quali di sopra sono detti che la portava, succedendo in
lei uno re o debole o cattivo. Perché la somma dello imperio [192] si ridusse ne' consoli, i quali, non per eredità o per inganni o per ambizione violenta, ma per suffragi liberi venivano a quello imperio, ed erano sempre uomini eccellentissimi; de' quali godendosi Roma la virtù e la fortuna, di
tempo in tempo poté venire a quella sua ultima grandezza
in altrettanti anni che la era stata sotto i re. Perché si
vede come due continove successioni di principi virtuosi
sono sufficienti ad acquistare il mondo, come furono Filippo di Macedonia e Alessandro Magno. Il che tanto più
debbe fare una republica, avendo per il modo dello eleggere non solamente due successioni ma infiniti principi vir-
tuosissimi che sono l'uno dell'altro successori; la quale virtuosa successione fia sempre in ogni republica bene ordinata.

Debbono i presenti principi e le moderne republiche, le
quali circa le difese ed offese mancano di soldati propri,
vergognarsi di loro medesime e pensare, con lo esempio di
Tullo, tale difetto essere non per mancamento di uomini
atti alla milizia ma per colpa sua, che non han saputo
fare i suoi uomini militari. Perché Tullo, sendo stata Roma in pace quarant'anni, non trovò, succedendo egli nel
regno, uomo che fusse stato mai in guerra. Nondimeno disegnando esso fare guerra, non pensò valersi né de' Sanniti,
né de' Toscani, né di altri che fussero consueti stare nel-
l'armi; ma diliberò, come uomo prudentissimo, di valersi

192 *la somma dello imperio*: la suprema autorità, l'alto comando.

de' suoi. E fu tanta la sua virtù che in un tratto sotto il suo governo gli poté fare soldati eccellentissimi. Ed è più vero che alcuna altra verità, che se dove è uomini non è soldati, nasce per difetto del principe, e non per altro difetto o di sito o di natura.

Di che ce n'è uno esemplo freschissimo.[193] Perché ognuno sa come ne' prossimi tempi il re d'Inghilterra assaltò il regno di Francia,[194] né prese altri soldati che populi suoi; e per essere stato quel regno più che trenta anni sanza fare guerra, non aveva né soldati né capitano che avesse mai militato; nondimeno non dubitò con quelli assaltare uno regno pieno di capitani e di buoni eserciti, i quali erano stati continovamente sotto l'armi nelle guerre d'Italia. Tutto nacque da essere quel re prudente uomo, e quel regno bene ordinato, il quale nel tempo della pace non intermette [195] gli ordini della guerra.

Pelopida ed Epaminonda tebani, poiché gli ebbero libera Tebe e trattala dalla servitù dello imperio spartano, trovandosi in una città usa a servire, ed in mezzo di popoli effeminati, non dubitarono, tanta era la virtù loro, di ridurgli sotto l'armi e con quelle andare a trovare alla campagna gli eserciti spartani, e vincergli; e chi ne scrive dice come questi duoi in brieve tempo mostrarono che non solamente in Lacedemonia nascevano gli uomini da guerra, ma in ogni altra parte dove nascessi uomini, pure che si trovasse chi li sapesse indirizzare alla milizia, come si vede che Tullo seppe indirizzare i Romani. E Virgilio non potrebbe meglio esprimere questa opinione, né con altre parole mostrare di accostarsi a quella, dove dice:

> ... Desidesque movebit
> Tullus in arma viros.[196]

193 *freschissimo*: recentissimo.
194 Enrico VIII invase la Francia nel 1513.
195 *non intermette*: non tralascia.
196 « Tullo spingerà gli oziosi alle armi » (Virgilio, *Eneide*, VI, vv. 813-814).

Tullo re di Roma e Mezio re di Alba convennero che quello popolo fusse signore dell'altro, di cui i soprascritti tre uomini vincessero. Furono morti tutti i Curiazii albani, restò vivo uno degli Orazii romani : e per questo restò Mezio re albano con il suo popolo suggetto a' Romani. E tornando quello Orazio vincitore in Roma, scontrando [197] una sua sorella che era a uno de' tre Curiazii morti maritata, che piangeva la morte del marito, l'ammazzò. Donde quello Orazio per questo fallo fu messo in giudizio, e dopo molte dispute fu libero più per li prieghi [198] del padre che per li suoi meriti. Dove sono da notare tre cose. L'una, che mai non si debbe con parte delle sue forze arrischiare tutta la sua fortuna; l'altra, che non mai in una città bene ordinata le colpe con gli meriti si ricompensano; la terza, che non mai sono i partiti savi [199] dove si debba o possa dubitare della inosservanza. Perché gl'importa tanto a una città lo essere serva, che mai non si doveva credere che alcuno di quelli re o di quelli popoli stessero contenti che tre loro cittadini gli avessero sottomessi, come si vide che volle fare Mezio; il quale benché subito dopo la vittoria de' Romani si confessassi vinto e promettessi la ubbidienza a Tullo, nondimeno nella prima espedizione che gli ebbero a convenire contro a' Veienti, si vide come ei cercò d'ingannarlo, come quello che tardi si era avveduto della temerità del partito preso da lui. E perché di questo terzo notabile [200] se n'è parlato assai, parleremo solo degli altri due ne' seguenti duoi capitoli.

197 *scontrando* : incontrando.
198 *prieghi* : suppliche.
199 *i partiti savi* : le risoluzioni sagge.
200 *terzo notabile* : sott. caso.

Non fu mai giudicato partito savio mettere a pericolo tutta la fortuna tua, e non tutte le forze. Questo si fa in più modi. L'uno è faccendo come Tullo e Mezio, quando e' commissono [201] la fortuna tutta della patria loro e la virtù di tanti uomini quanti aveva l'uno e l'altro di costoro negli eserciti suoi, alla virtù e fortuna di tre de' loro cittadini, che veniva a essere una minima parte delle forze di ciascuno di loro. Né si avvidono come per questo partito tutta la fatica che avevano durata i loro antecessori nell'ordinare la republica, per farla vivere lungamente libera e per fare i suoi cittadini difensori della loro libertà, era quasi che stata vana, stando nella potenza di sì pochi a perderla. La quale cosa da quelli re non poté essere peggio considerata.

Cadesi ancora in questo inconveniente quasi sempre per coloro che, venendo il nimico, disegnano di tenere i luoghi difficili e guardare i passi. Perché quasi sempre questa diliberazione sarà dannosa, se già [202] in quello luogo difficile commodamente tu non potessi tenere tutte le forze tue. In questo caso, tale partito è da prendere; ma sendo il luogo aspro, e non vi potendo tenere tutte le forze, il partito è dannoso. Questo mi fa giudicare così lo esemplo di coloro che essendo assaltati da uno inimico potente, ed essendo il paese loro circundato da' monti e luoghi alpestri, non hanno mai tentato di combattere il nimico in su' passi ed in su' monti, ma sono iti a rincontrarlo di là da essi, o quando non hanno voluto fare questo, lo hanno aspettato dentro a essi monti, in luoghi benigni e non alpestri. E la cagione ne è stata la preallegata: perché non si potendo condurre alla guardia de' luoghi alpestri molti uomini, sì per non vi potere vivere lungo tempo, sì per essere i luoghi stretti e capaci di pochi, non è possibile sostenere uno nimico che venga grosso [203] a urtarti; ed al nimico è facile il

201 *commissono*: confidarono.
202 *se già*: a meno che.
203 *grosso*: in forze.

venire grosso, perché la intenzione sua è passare e non fermarsi, ed a chi l'aspetta è impossibile aspettarlo grosso, avendo ad alloggiarsi per più tempo, non sappiendo quando il nimico voglia passare in luoghi, come io ho detto, stretti e sterili. Perdendo adunque quel passo che tu ti avevi presupposto tenere, e nel quale i tuoi popoli e lo esercito tuo confidava, entra il più delle volte ne' popoli e nel residuo delle genti tua tanto terrore che sanza potere esperimentare la virtù d'esse rimani perdente, e così vieni a avere perduta tutta la tua fortuna con parte delle tue forze.

Ciascuno sa con quanta difficultà Annibale passasse l'Alpe che dividono la Lombardia dalla Francia e con quanta difficultà passasse quelle [204] che dividono la Lombardia dalla Toscana; [205] nondimeno i Romani l'aspettarono prima in sul Tesino e dipoi nel piano d'Arezzo,[206] e vollon più tosto che il loro esercito fusse consumato da il nimico nelli luoghi dove poteva vincere, che condurlo su per l'Alpe ad essere distrutto dalla malignità del sito.

E chi leggerà sensatamente tutte le istorie, troverrà pochissimi virtuosi capitani avere tentato di tenere simili passi; e per le ragioni dette, e perché e' non si possono chiudere tutti, sendo i monti come campagne, ed avendo non solamente le vie consuete e frequentate, ma molte altre, le quali se non sono note a' forestieri, sono note a' paesani, con l'aiuto de' quali sempre sarai condotto in qualunque luogo contro alla voglia di chi ti si oppone. Di che se ne può addurre uno freschissimo esemplo nel 1515. Quando Francesco re di Francia disegnava passare in Italia per la recuperazione dello stato di Lombardia,[207] il maggior fondamento che facevono coloro che erano alla sua impresa contrari, era che gli Svizzeri lo terrebbono a' passi in su' monti. E come per esperienza poi si vidde, quel loro fondamento restò vano: perché lasciato quel re da parte dua o tre luoghi guardati da loro, se ne venne per un'altra via incognita, e fu prima in Italia e loro apresso che lo aves-

204 *passasse quelle*: valicasse quelle montagne.
205 Sono gli Appennini.
206 Sul Ticino e sul Trebbia (218 a.C.) e quindi al lago Trasimeno (217 a.C.).
207 La Francia di Luigi XII l'aveva perduto nel 1513.

sono presentito. Talché loro sbigottiti si ritirarono in Milano, e tutti i populi di Lombardia si accostarono alle genti franciose, sendo mancati di quella opinione avevano, che i Franciosi dovessero essere ritenuti in su' monti.

XXIV · LE REPUBLICHE BENE ORDINATE COSTITUISCONO PREMII E PENE A' LORO CITTADINI, NÉ COMPENSONO MAI L'UNO CON L'ALTRO

Erano stati i meriti di Orazio grandissimi, avendo con la sua virtù vinti i Curiazii. Era stato il fallo suo atroce, avendo morto la sorella. Nondimeno dispiacque tanto tale omicidio a' Romani, che lo condussono a disputare della vita,[208] non ostante che gli meriti suoi fussero tanto grandi e sì freschi. La quale cosa a chi superficialmente la considerasse, parrebbe un esemplo d'ingratitudine popolare. Nondimeno chi la esamina meglio, e con migliore considerazione ricerca quali debbono essere gli ordini delle republiche, biasimerà quel popolo più tosto per averlo assoluto che per averlo voluto condannare; e la ragione è questa, che nessuna republica bene ordinata non mai cancellò i demeriti con gli meriti de' suoi cittadini, ma avendo ordinati i premii a una buona opera e le pene a una cattiva, ed avendo premiato uno per avere bene operato, se quel medesimo opera dipoi male, lo gastiga sanza avere riguardo alcuno alle sue buone opere. E quando questi ordini sono bene osservati, una città vive libera molto tempo, altrimenti sempre rovinerà tosto. Perché se a un cittadino che abbia fatto qualche egregia opera per la città, si aggiugne, oltre alla riputazione che quella cosa gli arreca, una audacia e confidenza di poter sanza temere pena fare qualche opera non buona, diventerà in brieve tempo tanto insolente che si risolverà ogni civiltà.[209]

È bene necessario, volendo che sia tenuta la pena per le malvagie opere, osservare i premii per le buone, come si

208 *a disputare della vita*: a difendere la propria incolumità da un'accusa che, se fondata, gli sarebbe costata la vita.

209 *si risolverà ogni civiltà*: si scioglierà dal rispetto delle regole della convivenza civile.

vide che fece Roma. E benché una republica sia povera, e possa dare poco, debbe da quel poco non astenersi: perché sempre ogni piccol dono, dato ad alcuno per ricompensa di bene ancora che grande, sarà stimato da chi lo riceve onorevole e grandissimo. È notissima la istoria di Orazio Cocle e quella di Muzio Scevola: [210] come l'uno sostenne i nimici sopra un ponte tanto che si tagliasse, l'altro si arse la mano che aveva errato volendo ammazzare Porsenna re degli Toscani. A costoro per queste due opere tanto egregie fu donato dal publico dua staiora [211] di terra per ciascuno. È nota ancora la istoria di Manlio Capitolino. A costui, per avere salvato il Campidoglio da' Franciosi che vi erano a campo, fu dato da quelli che insieme con lui vi erano assediati dentro una piccola misura di farina. Il quale premio, secondo la fortuna che allora correva in Roma, fu grande; e di qualità che, mosso poi Manlio o da invidia o dalla sua cattiva natura a fare nascere sedizione in Roma, e cercando guadagnarsi il popolo, fu sanza rispetto alcuno de' suoi meriti gittato precipite da quello Campidoglio che esso prima con tanta sua gloria aveva salvo.

XXV · CHI VUOLE RIFORMARE UNO STATO ANTICATO IN UNA CITTÀ LIBERA, RITENGA ALMENO L'OMBRA DE' MODI ANTICHI

Colui che desidera o che vuole riformare uno stato d'una città, a volere che sia accetto e poterlo con satisfazione di ciascuno mantenere, è necessitato a ritenere l'ombra almanco de' modi antichi,[212] acciò che a' populi non paia avere mutato ordine, ancoraché in fatto gli ordini nuovi fussero al tutto alieni dai passati; perché lo universale degli uomini si pascono così di quel che pare come di quello che è: anzi molte volte si muovono più per le cose che paiono che per quelle che sono. Per questa cagione i Romani, co-

210 Orazio Coclite e Caio Muzio Scevola, i leggendari eroi romani durante la guerra contro gli Etruschi del re Porsenna.
211 *staiora*: staia.
212 *a ritenere l'ombra almanco de' modi antichi*: a conservare almeno la parvenza degli antichi costumi.

noscendo nel principio del loro vivere libero questa necessità, avendo in cambio d'uno re creati duoi consoli, non vollono ch'egli avessono più che dodici littori,[213] per non passare il numero di quelli che ministravano ai re. Oltre a di questo, faccendosi in Roma uno sacrificio anniversario il quale non poteva essere fatto se non dalla persona del re, e volendo i Romani che quel popolo non avesse a desiderare per la assenzia degli re alcuna cosa delle antiche, crearono uno capo di detto sacrificio, il quale loro chiamarono Re Sacrificulo, e sottomessonlo[214] al sommo Sacerdote. Talmente che quel popolo per questa via venne a sodisfarsi di quel sacrificio, e non avere mai cagione per mancamento di esso di disiderare la ritornata de' re. E questo si debbe osservare da tutti coloro che vogliono scancellare un antico vivere in una città, e ridurla a uno vivere nuovo e libero. Perché alterando le cose nuove le menti degli uomini, ti debbi ingegnare che quelle alterazioni ritenghino più dello antico sia possibile; e se i magistrati variano e di numero e d'autorità e di tempo,[215] degli antichi che almeno ritenghino il nome. E questo, come ho detto, debbe osservare colui che vuole ordinare uno vivere politico, o per via di republica o di regno; ma quello che vuole fare una potestà assoluta, la quale dagli autori è chiamata tirannide, debbe rinnovare ogni cosa, come nel seguente capitolo si dirà.

XXVI · UNO PRINCIPE NUOVO, IN UNA CITTÀ O PROVINCIA PRESA DA LUI, DEBBE FARE OGNI COSA NUOVA

Qualunque diventa principe o d'una città o d'uno stato, e tanto più quando i fondamenti suoi fussono deboli, e non si volga o per via di regno o di republica alla vita civile, il migliore rimedio che egli abbia a tenere quel principato è, sendo egli nuovo principe, fare ogni cosa in quello stato di nuovo; come è: nelle città fare nuovi governi con nuovi nomi, con nuove autorità, con nuovi uomini; fare i ricchi poveri, i poveri ricchi, come fece Davit

213 Esecutori di giustizia e scorta armata dei due consoli.
214 *sottomessonlo*: lo sottomisero.
215 *di tempo*: di durata della carica.

quando ei diventò re: « qui esurientes implevit bonis, et divites dimisit inanes »;[216] edificare oltra di questo nuove città, disfare delle edificate, cambiare gli abitatori da un luogo a un altro, ed in somma non lasciare cosa niuna intatta in quella provincia, e che non vi sia né grado, né ordine, né stato, né ricchezza, che chi la tiene non la riconosca da te; e pigliare per sua mira Filippo di Macedonia, padre di Alessandro, il quale con questi modi, di piccol re diventò principe di Grecia. E chi scrive di lui dice che tramutava[217] gli uomini di provincia in provincia, come e mandriani tramutano le mandrie loro. Sono questi modi crudelissimi e nimici d'ogni vivere non solamente cristiano ma umano, e debbegli qualunque uomo fuggire, e volere piuttosto vivere privato che re con tanto rovina degli uomini. Nondimeno colui che non vuole pigliare quella prima via del bene, quando si voglia mantenere conviene che entri in questo male. Ma gli uomini pigliono certe vie del mezzo[218] che sono dannosissime: perché non sanno essere né tutti cattivi né tutti buoni, come nel seguente capitolo per esemplo si mostrerà.

XXVII · SANNO RARISSIME VOLTE GLI UOMINI ESSERE AL TUT-TO CATTIVI O AL TUTTO BUONI

Papa Iulio secondo, andando nel 1505 a Bologna per cacciare di quello stato la casa de' Bentivogli, la quale aveva tenuto il principato di quella città cento anni, voleva ancora trarre Giovampagolo Baglioni di Perugia,[219] della quale era tiranno, come quello che aveva congiurato contro a tutti i tiranni che occupavano le terre della Chiesa. E pervenuto presso a Perugia con questo animo e deliberazione nota a ciascuno, non aspettò di entrare in quella città con lo esercito suo che lo guardasse, ma vi entrò disarmato, non ostante che vi fusse drento Giovampagolo con

216 « che riempì di beni i poveri e spogliò delle loro sostanze gli opulenti » (Luca, 1, 53).
217 *tramutava*: faceva spostare.
218 *del mezzo*: di mezzo.
219 *trarre Giovampagolo Baglioni di Perugia*: espellere Giampaolo Baglioni da Perugia.

gente assai, quale per difesa di sé aveva ragunata. Sì che portato da quel furore con il quale governava tutte le cose, con la semplice sua guardia si rimisse nelle mani del nimico; il quale dipoi ne menò seco lasciando un governatore in quella città che rendesse ragione per la Chiesa. Fu notata, dagli uomini prudenti che col papa erano,[220] la temerità del papa e la viltà di Giovampagolo, né potevono estimare donde si venisse che quello non avesse con sua perpetua fama oppresso ad un tratto il nimico suo, e sé arricchito di preda, sendo col papa tutti li cardinali con tutte le loro delizie. Né si poteva credere si fusse astenuto o per bontà o per coscienza che lo ritenesse: perché in uno petto [221] d'un uomo facinoroso, che si teneva la sorella,[222] che aveva morti i cugini e i nipoti per regnare, non poteva scendere alcun pietoso rispetto; ma si conchiuse, nascesse [223] che gli uomini non sanno essere onorevolmente cattivi o perfettamente buoni, e come una malizia ha in sé grandezza o è in alcuna parte generosa, e' non vi sanno entrare.

Così Giovampagolo, il quale non stimava essere incesto e publico parricida,[224] non seppe, o a dir meglio non ardì, avendone giusta occasione, fare una impresa dove ciascuno avesse ammirato l'animo suo, e avesse di sé lasciato memoria eterna sendo il primo che avesse dimostro a' prelati quanto sia da stimare poco chi vive e regna come loro, ed avessi fatto una cosa la cui grandezza avesse superato ogni infamia, ogni pericolo che da quella potesse dependere.

XXVIII · PER QUALE CAGIONE I ROMANI FURONO MENO INGRATI CONTRO AGLI LORO CITTADINI CHE GLI ATENIESI

Qualunque legge le cose fatte dalle republiche, troverrà in tutte qualche spezie d'ingratitudine contro a' suoi cittadini, ma ne troverrà meno in Roma che in Atene e

220 Tra cui lo stesso M.
221 *in uno petto*: nella coscienza, nell'animo.
222 *che si teneva la sorella*: che aveva come amante la sorella.
223 *nascesse*: che la sua irresoluzione fosse originata dal fatto...
224 *incesto e pubblico parricida*: incestuoso e assassino di parenti.

per avventura in qualunque altra republica. E ricercando la cagione di questo, parlando di Roma e d'Atene, credo accadessi perché i Romani avevano meno cagione di sospettare de' suoi cittadini che gli Ateniesi. Perché a Roma, ragionando di lei dalla cacciata de' Re infino a Silla e Mario, non fu mai tolta la libertà da alcuno suo cittadino, in modo che in lei non era grande cagione di sospettare di loro, e per conseguente di offendergli inconsideratamente. Intervenne bene ad Atene il contrario: perché sendogli tolta la libertà da Pisistrato nel suo più florido tempo, e sotto uno inganno di bontà, come prima la diventò poi libera, ricordandosi delle ingiurie ricevute e della passata servitù, diventò prontissima vendicatrice, non solamente degli errori ma della ombra degli errori de' suoi cittadini. Quinci nacque lo esilio e la morte di tanti eccellenti uomini; quinci l'ordine dell'ostracismo, ed ogni altra violenza che contro a' suoi ottimati in varii tempi da quella città fu fatta. Ed è verissimo quello che dicono questi scrittori della civiltà: che i popoli mordono più fieramente poi ch'egli hanno recuperata la libertà che poi che l'hanno conservata. Chi considererà adunque quanto è detto, non biasimerà in questo Atene né lauderà Roma; ma ne accuserà solo la necessità per la diversità degli accidenti che in queste città nacquero. Perché si vedrà, chi considererà le cose sottilmente, che se a Roma fusse stata tolta la libertà come a Atene, non sarebbe stata Roma più pia verso i suoi cittadini che si fusse quella. Di che si può fare verissima coniettura per quello che occorse dopo la cacciata de' re contro a Collatino ed a Publio Valerio: de' quali il primo, ancora che si trovasse a liberare Roma, fu mandato in esilio non per altra cagione che per tenere il nome de' Tarquinii;[225] l'altro, avendo solo dato di sé sospetto per edificare una casa in sul monte Celio, fu ancora per esser fatto esule.[226] Talché si può stimare, veduto quanto Roma fu in[227] questi due sospettosa e severa, che l'arebbe usata la ingratitudine come Atene, se da' suoi cittadini, come quella, ne'

225 Lucio Tarquinio Collatino fu cacciato da Roma per la sua appartenenza alla stirpe del re Tarquinio il Superbo.
226 Publio Valerio Publicola console, rischiò l'esilio.
227 *in*: contro.

primi tempi ed innanzi allo augumento suo, fusse stata ingiuriata. E per non avere a tornare più sopra questa materia della ingratitudine, ne dirò quello ne occorrerà nel seguente capitolo.

XXIX · QUALE SIA PIÙ INGRATO, O UNO POPOLO O UNO
PRINCIPE

Egli mi pare a proposito della soprascritta materia da discorrere quale usi con maggiori esempli questa ingratitudine, o uno popolo o uno principe. E per disputare meglio questa parte, dico come questo vizio della ingratitudine nasce o dall'avarizia o da il sospetto. Perché quando o uno popolo o uno principe ha mandato fuori uno suo capitano in una espedizione importante, dove quel capitano vincendola ne abbia acquistata assai gloria, quel principe o quel popolo è tenuto allo incontro a premiarlo; e se in cambio di premio, o e' lo disonora o e' l'offende mosso dall'avarizia, non volendo ritenuto da questa cupidità satisfarli, fa uno errore che non ha scusa, anzi si tira dietro una infamia eterna. Pure si truova molti principi che ci peccono.[228] E Cornelio Tacito dice con questa sentenzia la cagione: « Proclivius est iniuriae, quam beneficio vicem exsolvere, quia gratia oneri, ultio in questu habetur ».[229] Ma quando ei non lo premia, o a dir meglio l'offende, non mosso da avarizia ma da sospetto, allora merita e il popolo e il principe qualche scusa. E di queste ingratitudini usate per tale cagione se ne legge assai: perché quello capitano il quale virtuosamente ha acquistato uno imperio al suo signore superando i nimici e riempiendo sé di gloria e gli suoi soldati di ricchezze, di necessità e con i soldati suoi e con i nimici e con i sudditi propri di quel principe acquista tanta riputazione che quella vittoria non può sapere di buono [230] a quel signore che lo ha mandato. E perché la natura degli

228 *ci peccono*: in ciò sbagliano.
229 « È più semplice ripagare ad un'ingiuria che a un beneficio, perché la gratitudine è considerata un peso e la vendetta un guadagno » (Tacito, *Historiae*, IV, 3).
230 *non può sapere di buono*: non può non essere sospetta.

uomini è ambiziosa e sospettosa e non sa porre modo [231] a nessuna sua fortuna, è impossibile che quel sospetto, che subito nasce nel principe dopo la vittoria di quel suo capitano, non sia da quel medesimo accresciuto per qualche suo modo o termine usato insolentemente. Talché il principe non può pensare a altro che assicurarsene; e per fare questo ei pensa o di farlo morire o di torgli la riputazione che ei si ha guadagnata nel suo esercito o ne' suoi populi, e con ogni industria mostrare che quella vittoria è nata non per la virtù di quello, ma per fortuna o per viltà de' nimici, o per prudenza degli altri capi che sono stati seco in tale fazione.

Poiché Vespasiano sendo in Giudea [232] fu dichiarato dal suo esercito imperatore, Antonio Primo che si trovava con un altro esercito in Illiria, prese le parti sue e vénnene in Italia contro a Vitellio, [233] quale regnava a Roma, e virtuosissimamente ruppe dua eserciti Vitelliani e occupò Roma: talché Muziano, [234] mandato da Vespasiano, trovò per la virtù d'Antonio acquistato il tutto e vinta ogni difficultà. Il premio che Antonio ne riportò fu che Muziano gli tolse subito la ubbidienza dello esercito, e a poco a poco lo ridusse in Roma sanza alcuna autorità: talché Antonio ne andò a trovare Vespasiano, quale era ancora in Asia, dal quale fu in modo ricevuto che in breve tempo, ridotto in nessuno grado, quasi disperato morì. E di questi esempli ne sono piene le istorie. Ne' nostri tempi, ciascuno che al presente vive sa con quanta industria e virtù Consalvo Ferrante, [235] militando nel regno di Napoli contro a' Franciosi per Ferrando re di Ragona, [236] conquistassi e vincessi quel regno, e come per premio di vittoria ne riportò che Ferrando si partì da Ragona, e, venuto a Napoli, in prima gli levò la ubbidienza delle genti d'armi, dipoi gli tolse le fortezze;

231 *porre modo*: porre limite.

232 L'imperatore Tito Flavio Vespasiano per la verità si trovava in Egitto (69 d.C.).

233 L'imperatore romano sconfitto da Vespasiano a Cremona e ucciso a furor di popolo nel 69 d.C.

234 Generale di Vespasiano.

235 Gonzalo Fernandez de Cordoba (1453-1515).

236 Ferdinando re di Aragona.

ed appresso lo menò seco in Spagna, dove poco tempo poi inonorato morì.

È tanto dunque naturale questo sospetto ne' principi, che non se ne possono difendere, ed è impossibile ch'egli usino gratitudine a quelli che con vittoria hanno fatto sotto le insegne loro grandi acquisti. E da quello che non si difende un principe, non è miracolo né cosa degna di maggior memoria se uno popolo non se ne difende. Perché avendo una città che vive libera duoi fini, l'uno lo acquistare, l'altro il mantenersi libera, conviene che nell'una cosa e nell'altra per troppo amore erri. Quanto agli errori nello acquistare, se ne dirà nel luogo suo. Quanto agli errori per mantenersi libera, sono intra gli altri questi, di offendere quegli cittadini che la doverrebbe premiare, avere sospetto di quegli in cui la si doverrebbe confidare. E benché questi modi in una republica venuta alla corruzione sieno cagione di gran mali, e che molte volte piuttosto la viene alla tirannide, come intervenne a Roma di Cesare, che per forza si tolse quello [237] che la ingratitudine gli negava, nondimeno in una republica non corrotta sono cagione di gran beni, e fanno che la ne vive libera più, mantenendosi per paura di punizione gli uomini migliori e meno ambiziosi. Vero è che intra tutti i popoli che mai ebbero imperio, per le cagioni di sopra discorse, Roma fu la meno ingrata. Perché della sua ingratitudine si può dire che non ci sia altro esemplo che quello di Scipione' perché Coriolano e Cammillo furono fatti esuli per ingiuria che l'uno e l'altro avea fatto alla plebe. Ma all'uno non fu perdonato, per aversi sempre riserbato contro al popolo l'animo nimico; l'altro non solamente fu richiamato, ma per tutti i tempi della sua vita adorato come principe. Ma la ingratitudine usata a Scipione nacque da uno sospetto che i cittadini cominciorono avere di lui che degli altri non si era avuto, il quale nacque dalla grandezza del nimico che Scipione aveva vinto, dalla riputazione che gli aveva data la vittoria di sì lunga e pericolosa guerra, dalla celerità di essa, dai favori che la gioventù, la prudenza e le altre sue memorabili virtudi gli acquistavano. Le quali cose furono

---

237 *si tolse quello* : si appropriò di quello...

tante che, non che altro, i magistrati di Roma temevano della sua autorità. La quale cosa dispiaceva agli uomini savi, come cosa inusitata in Roma. E parve tanto straordinario il vivere suo, che Catone Prisco,[238] riputato santo, fu il primo a fargli contro, e a dire che una città non si poteva chiamare libera dove era uno cittadino che fusse temuto dai magistrati. Talché se il popolo di Roma seguì in questo caso la opinione di Catone, merita quella scusa che di sopra ho detto meritare quegli populi e quegli principi che per sospetto sono ingrati. Conchiudendo adunque questo discorso, dico che usandosi questo vizio della ingratitudine o per avarizia o per sospetto, si vedrà come i popoli non mai per l'avarizia la usarono, e per sospetto assai manco che i principi, avendo meno cagione di sospettare, come di sotto si dirà.

XXX · QUALI MODI DEBBE USARE UNO PRINCIPE O UNA REPUBLICA PER FUGGIRE QUESTO VIZIO DELLA INGRATITUDINE, E QUALI QUEL CAPITANO O QUEL CITTADINO PER NON ESSERE OPPRESSO DA QUELLA

Uno principe per fuggire questa necessità di avere a vivere con sospetto o essere ingrato, debbe personalmente andare nelle espedizioni, come facevono nel principio quegli imperadori romani, come fa ne' tempi nostri il Turco, e come hanno fatto e fanno quegli che sono virtuosi. Perché vincendo, la gloria e lo acquisto è tutto loro; e quando ei non vi sono, sendo la gloria d'altrui, non par loro potere usare quello acquisto se non spengano in altrui quella gloria che loro non hanno saputo guadagnarsi, e diventono ingrati ed ingiusti; e sanza dubbio è maggiore la loro perdita che il guadagno. Ma quando o per negligenza o per poca prudenza e' si rimangono a casa oziosi, e mandano uno capitano, io non ho che precetto dare loro, altro che quello che per loro medesimi si sanno. Ma dico bene a quel capitano, giudicando io che non possa fuggire i morsi della ingratitudine, che facci una delle due cose: o su-

238 Catone il Censore (234-148 a.C.).

bito dopo la vittoria lasci lo esercito e rimettasi nelle mani del suo principe guardandosi da ogni atto insolente o ambizioso, acciocché quello, spogliato d'ogni sospetto, abbia cagione o di premiarlo o di non lo offendere; o quando questo non gli paia di fare, prenda animosamente la parte contraria, e tenga tutti quelli modi per li quali creda che quello acquisto sia suo proprio e non del principe suo, faccendosi benivoli i soldati ed i sudditi, e facci nuove amicizie co' vicini, occupi con li suoi uomini le fortezze, corrompa i principi del suo esercito, e di quelli che non può corrompere si assicuri, e per questi modi cerchi di punire il suo signore di quella ingratitudine che esso gli userebbe. Altre vie non ci sono; ma, come di sopra si disse,[239] gli uomini non sanno essere né al tutto tristi né al tutto buoni. E sempre interviene che, subito dopo la vittoria, lasciare lo esercito non vogliono, portarsi modestamente non possono, usare termini violenti e che abbiano in sé l'onorevole[240] non sanno. Talché stando ambigui, intra quella loro dimora ed ambiguità sono oppressi.

Quanto a una republica, volendo fuggire questo vizio dello ingrato, non si può dare il medesimo rimedio che al principe: cioè che vadia[241] e non mandi nelle espedizioni sue, sendo necessitata a mandare uno suo cittadino. Conviene pertanto che per rimedio io le dia, che la tenga i medesimi modi che tenne la Republica romana, a essere meno ingrata che l'altre; il che nacque dai modi del suo governo. Perché adoperandosi tutta la città e gli nobili e gli ignobili nella guerra, surgeva sempre in Roma in ogni età tanti uomini virtuosi ed ornati di varie vittorie che il popolo non aveva cagione di dubitare d'alcuno di loro, sendo assai e guardando l'uno l'altro. E in tanto si mantenevano interi, e respettivi di non dare ombra di alcuna ambizione, né cagione al popolo come ambiziosi d'offendergli, che venendo alla dittatura, quello maggiore gloria ne riportava che più tosto la diponeva. E così non potendo simili modi generare sospetto, non generavano ingratitudine. In modo che una republica che non voglia avere cagione d'essere ingrata si

239 Nel cap. XXVII di questo libro.
240 *abbiano in sé l'onorevole*: siano degni di rispetto.
241 *vadia*: vada.

debbe governare come Roma; e uno cittadino che voglia fuggire quelli suoi morsi, debbe osservare i termini osservati da' cittadini romani.

XXXI · CHE I CAPITANI ROMANI PER ERRORE COMMESSO NON FURONO MAI ISTRAORDINARIAMENTE PUNITI; NÉ FURONO MAI ANCORA PUNITI QUANDO PER LA IGNORANZA LORO, O TRISTI PARTITI PRESI DA LORO, NE FUSSE SEGUITI DANNI ALLA REPUBLICA

I Romani non solamente, come di sopra avemo discorso, furono manco ingrati che l'altre republiche, ma ancora furono più pii e più respettivi nella punizione de' loro capitani degli eserciti che alcuna altra. Perché se il loro errore fusse stato per malizia, e' lo gastigavano umanamente: se gli era per ignoranza, non che lo punissono, e' lo premiavano ed onoravano. Questo modo del procedere era bene considerato da loro: perché e' giudicavano che fusse di tanta importanza a quelli che governavano gli eserciti loro, lo avere l'animo libero ed espedito e sanza altri estrinseci rispetti nel pigliare i partiti, che non volevono aggiugnere a una cosa, per se stessa difficile e pericolosa, nuove difficultà e pericoli, pensando che aggiugnendoveli, nessuno potessi essere che operassi mai virtuosamente. Verbigrazia, e' mandavano uno esercito in Grecia contro a Filippo di Macedonia, o in Italia contro a Annibale o contro a quelli popoli che vinsono prima. Era questo capitano che era preposto a tale espedizione angustiato da tutte quelle cure che si arrecavano dietro quelle faccende, le quali sono gravi e importantissime. Ora se a tali cure si fussi aggiunto più esempli de' Romani, ch'egli avessono crucifissi o altrimenti morti quelli che avessono perdute le giornate, egli era impossibile che quello capitano intra tanti sospetti potessi deliberare strenuamente. Però giudicando essi che a questi tali fusse assai pena la ignominia dello avere perduto, non li vollono con altra maggiore pena sbigottire.[242]

Uno esemplo ci è quanto allo errore commesso non per

---

242 *sbigottire*: sgomentare, angosciare.

ignoranza. Erano Sergio e Virginio [243] a campo Veio, ciascuno preposto a una parte dello esercito, de' quali Sergio era all'incontro donde potevono venire i Toscani, e Virginio dall'altra parte. Occorse che sendo assaltato Sergio da' Falisci e da altri popoli sopportò di essere rotto e fugato prima che [244] mandare per aiuto a Virginio. E dall'altra parte Virginio aspettando che si umiliasse, volle più tosto vedere il disonore della patria sua e la rovina di quello esercito che soccorrerlo. Caso veramente malvagio e degno d'essere notato e da fare non buona coniettura della Republica romana, se l'uno e l'altro non fussono stati gastigati. Vero è che dove un'altra republica gli averebbe puniti di pena capitale, quella gli punì in denari. Il che nacque, non perché i peccati loro non meritassono maggiore punizione, ma perché gli Romani vollono in questo caso, per le ragioni già dette, mantenere gli antichi costumi loro. E quanto agli errori per ignoranza, non ci è il più bello esemplo che quello di Varrone, [245] per la temerità del quale sendo rotti i Romani a Canne da Annibale, dove quella Republica portò pericolo della sua libertà, nondimeno, perché vi fu ignoranza e non malizia, non solamente non lo gastigarono ma lo onorarono, e gli andò incontro nella tornata sua in Roma tutto l'ordine senatorio; e non lo potendo ringraziare della zuffa, lo ringraziarono ch'egli era tornato in Roma e non si era disperato delle cose romane. Quando Papirio Cursore voleva fare morire Fabio, [246] per avere contro al suo comandamento combattuto co' Sanniti, intra le altre ragioni che dal padre di Fabio erano assegnate contro alla ostinazione del dittatore, era che il popolo romano in alcuna perdita de' suoi capitani non aveva fatto mai quello che Papirio nelle vittorie voleva fare.

243 M. Sergio Fidena e L. Virginio Tricosto Esquilino, entrambi tribuni militari.
244 *prima che*: piuttosto che.
245 Gaio Terenzio Varrone.
246 Quinto Fabio Massimo Rulliano, figlio di Marco Fabio Ambusto.

Ancora che ai Romani succedesse felicemente essere liberali al popolo sopravvenendo il pericolo, quando Porsenna venne a assaltare Roma per rimettere i Tarquinii (dove il Senato dubitando della plebe che non volesse più tosto accettare i re che sostenere la guerra, per assicurarsene la sgravò delle gabelle del sale e d'ogni gravezza,[247] dicendo come i poveri assai operavano in beneficio publico se ei nutrivono i loro figliuoli, e che per questo beneficio quel popolo si esponessi a sopportare ossidione, fame e guerra), non sia alcuno che, confidatosi in questo esemplo, differisca ne' tempi de' pericoli [248] a guadagnarsi il popolo, però che mai gli riuscirà quello che riuscì ai Romani. Perché l'universale giudicherà non avere quel bene da te, ma dagli avversari tuoi, e dovendo temere che, passata la necessità, tu ritolga loro quello che hai forzatamente loro dato, non arà teco obligo alcuno. E la cagione perché a' Romani tornò bene questo partito, fu perché lo stato era nuovo e non per ancora fermo, e aveva veduto quel popolo come innanzi si erano fatte leggi in beneficio suo, come quella dell'appellagione [249] alla plebe, in modo che ei potette persuadersi che quel bene gli era fatto, non era tanto causato dalla venuta dei nimici, quanto dalla disposizione del Senato in beneficarli; oltre a questo, la memoria dei re era fresca, dai quali erano stati in molti modi vilipesi e ingiuriati. E perché simili cagioni accaggiono rade volte, occorrerà ancora rade volte che simili rimedi giovino. Però debbe qualunque tiene stato, così republica come principe, considerare innanzi quali tempi gli possono venire addosso contrari, e di quali uomini ne' tempi avversi si può avere di bisogno, e dipoi vivere con loro in quello modo che giudica, sopravvegnente qualunque caso, essere necessitato vivere. E quello che altrimenti si governa, o principe o republica e massime un prin-

247 *gravezza*: imposta.
248 *differisca ne' tempi de' pericoli*: aspetti il momento del pericolo.
249 *dell'appellagione*: del diritto di appello ai comizi popolari per ricorrere contro le sentenze dei magistrati ritenute ingiuste.

cipe, e poi in sul fatto crede, quando il pericolo sopravviene, con i beneficii riguadagnarsi gli uomini, se ne inganna; perché non solamente non se ne assicura, ma accelera la sua rovina.

XXXIII · QUANDO UNO INCONVENIENTE È CRESCIUTO O IN UNO STATO O CONTRO A UNO STATO, È PIÙ SALUTIFERO PARTITO TEMPOREGGIARLO CHE URTARLO

Crescendo la Republica romana in riputazione, forze ed imperio, i vicini, i quali prima non avevano pensato quanto quella nuova republica potesse arrecare loro di danno, cominciarono, ma tardi, a conoscere lo errore loro, e volendo rimediare a quello che prima non aveano rimediato, congiurarono [250] bene quaranta populi contro a Roma; donde i Romani, intra gli altri rimedii soliti farsi da loro negli urgenti pericoli, si volsono a creare il Dittatore, cioè dare potestà a uno uomo che sanza alcuna consulta potesse diliberare, e sanza alcuna appellagione potesse esequire le sue diliberazioni; il quale rimedio come allora fu utile, e fu cagione che vincessero i soprastanti pericoli, così fu sempre utilissimo in tutti quegli accidenti che nello augumento dello imperio in qualunque tempo surgessono contro alla Republica.

Sopra il quale accidente è da discorrere prima, come, quando uno inconveniente che surga o in una republica o contro a una republica, causato da cagione intrinseca o estrinseca, è diventato tanto grande che e' cominci a fare paura a ciascuno, è molto più sicuro partito temporeggiarsi con quello che tentare di estinguerlo: perché quasi sempre coloro che tentano di ammorzarlo [251] fanno le sue forze maggiori, e fanno accelerare quel male che da quello si sospettava. E di questi simili accidenti ne nasce nella republica più spesso per cagione intrinseca che estrinseca: dove molte volte o e' si lascia pigliare ad uno cittadino più forze che non è ragionevole, o e' si comincia a corrompere una legge la quale è il nervo e la vita del vivere libero, e lasciasi trascorrere

250 *congiurarono*: si strinsero in alleanza, si coalizzarono.
251 *ammorzarlo*: smorzarlo, diminuirlo.

questo errore in tanto che gli è più dannoso partito il volere rimediare che lasciarlo seguire. E tanto è più difficile il conoscere questi inconvenienti quando e' nascono, quanto e' pare più naturale agli uomini favorire sempre i principii delle cose. E tali favori possono [252] più che in alcuna altra cosa nelle opere che paiano che abbiano in sé qualche virtù e siano operate da' giovani; perché se in una republica si vede surgere uno giovane nobile, quale abbia in sé virtù istraordinaria, tutti gli occhi de' cittadini si comincino a voltare verso lui e concorrere sanza alcuno rispetto a onorarlo : in modo che se in quello è punto d'ambizione, accozzati i favori che gli dà la natura e questo accidente, viene subito in luogo che quando i cittadini si avveggono dello errore loro, hanno pochi rimedi ad ovviarvi e volendo quegli tanti ch'egli hanno, operarli, non fanno altro che accelerare la potenza sua.

Di questo se ne potrebbe addurre assai esempli, ma io ne voglio solamente dare uno della città nostra. Cosimo de' Medici, dal quale la casa de' Medici in la nostra città ebbe il principio della sua grandezza, venne in tanta riputazione col favore che gli dette la sua prudenza e la ignoranza degli altri cittadini, che ei cominciò a fare paura allo stato, in modo che gli altri cittadini giudicavano l'offenderlo pericoloso, ed il lasciarlo stare così, pericolosissimo. Ma vivendo in quei tempi Niccolò da Uzzano,[253] il quale nelle cose civili era tenuto uomo espertissimo, ed avendo fatto il primo errore di non conoscere i pericoli che dalla riputazione di Cosimo potevano nascere, mentre che visse non permesse mai che si facesse il secondo, cioè che si tentasse di volerlo spegnere, giudicando tale tentazione essere al tutto la rovina dello stato loro; come si vide in fatto che fu dopo la sua morte : perché non osservando quegli cittadini che rimasono questo suo consiglio, si feciono forti contro a Cosimo, e lo cacciarono da Firenze. Donde ne nacque che la sua parte, per questa ingiuria risentitasi, poco dipoi lo richiamò e lo fece principe della republica; a il quale grado sanza quella manifesta opposizione non sarebbe mai potuto salire.

252 *possono* : hanno efficacia.
253 Dignitario fiorentino.

Questo medesimo intervenne a Roma con Cesare, ché, favorita da Pompeio [254] e dagli altri quella sua virtù, si convertì poco dipoi quel favore in paura, di che fa testimone Cicerone, dicendo che Pompeio aveva tardi cominciato a temere Cesare. La quale paura fece che pensarono ai rimedi, e gli rimedi che fecero accelerarono la ruina della loro republica.

Dico adunque che, poi che gli è difficile conoscere questi mali quando ci surgano, causata questa difficultà da uno inganno che ti fanno le cose in principio, è più savio partito il temporeggiarle, poi che le si conoscono, che l'oppugnarle: perché temporeggiandole, o per loro medesime si spengono o almeno il male si differisce in più lungo tempo. E in tutte le cose debbono aprire gli occhi i principi, che disegnano cancellarle o alle forze ed impeto loro opporsi, di non dare loro in cambio di detrimento augumento, e credendo sospingere una cosa tirarsela dietro, ovvero suffocare una pianta a annaffiarla; ma si debbano considerare bene le forze del malore, e quando ti vedi sufficiente a sanare quello, metterviti sanza rispetto, altrimenti lasciarlo stare né in alcun modo tentarlo. Perché interverrebbe, come di sopra si discorre, come intervenne a' vicini di Roma; ai quali poiché Roma era cresciuta in tanta potenza, era più salutifero con gli modi della pace cercare di placarla e ritenerla addietro, che coi modi della guerra farle pensare ai nuovi ordini e alle nuove difese. Perché quella loro congiura non fece altro che farli più uniti,[255] più gagliardi, e pensare a modi nuovi mediante i quali in più breve tempo ampliarono la potenza loro. Intra i quali fu la creazione del Dittatore, per lo quale nuovo ordine non solamente superarono i soprastanti pericoli, ma fu cagione di ovviare a infiniti mali ne' quali sanza quello rimedio quella republica sarebbe incorsa.

254 Gneo Pompeo Magno (106-48 a.C.).
255 sott. i Romani.

E' sono stati dannati da alcuno scrittore quelli Romani che trovarono in quella città il modo di creare il Dittatore, come cosa che fosse cagione col tempo della tirannide di Roma; allegando come il primo tiranno che fosse in quella città la comandò sotto questo titolo dittatorio, dicendo che se non vi fusse stato questo, Cesare non arebbe potuto sotto alcuno titolo publico adonestare [256] la sua tirannide. La quale cosa non fu bene, da colui che tiene questa opinione, esaminata, e fu fuori d'ogni ragione creduta. Perché e' non fú il nome né il grado del Dittatore che facesse serva Roma, ma fu l'autorità presa dai cittadini per la lunghezza dello imperio; e se in Roma fusse mancato il nome dittatorio ne arebbono preso un altro, perché e' sono le forze che facilmente si acquistano i nomi, non i nomi le forze. E si vede che 'l Dittatore, mentre fu dato [257] secondo gli ordini publici e non per autorità propria, fece sempre bene alla città : perché e' nuocono alle republiche i magistrati che si fanno e l'autoritadi che si danno per vie istraordinarie, non quelle che vengono per vie ordinarie, come si vede che seguì in Roma in tanto processo di tempo, che mai alcuno Dittatore fece se non bene alla republica.

Di che ce ne sono ragioni evidentissime. Prima, perché a volere che un cittadino possa offendere e pigliarsi autorità istraordinaria, conviene ch'egli abbia molte qualità le quali in una republica non corrotta non può mai avere : perché gli bisogna essere ricchissimo ed avere assai aderenti e partigiani, i quali non può avere dove le leggi si osservano; e quando pure ve gli avessi, simili uomini sono in modo formidabili che i suffragi liberi non concorrano in quelli. Oltra di questo, il Dittatore era fatto a tempo [258] e non in perpetuo, e per ovviare solamente a quella cagione mediante la

256 *adonestare* : far apparire onesta.
257 *mentre fu dato* : fino a che la carica fu conferita.
258 Per sei mesi.

quale era creato;[259] e la sua autorità si estendeva in potere diliberare per sé stesso circa i rimedi di quello urgente pericolo, e fare ogni cosa sanza consulta, e punire ciascuno sanza appellagione; ma non poteva fare cosa che fussi in diminuzione[260] dello stato, come sarebbe stato tòrre autorità al Senato o al Popolo, disfare gli ordini vecchi della città e farne de' nuovi. In modo che, raccozzato il breve tempo della sua dittatura e le autorità limitate che egli aveva, ed il popolo romano non corrotto, era impossibile ch'egli uscisse de' termini suoi e nocessi alla città, e per esperienza si vede che sempre mai giovò.

E veramente intra gli altri ordini romani questo è uno che merita essere considerato e numerato intra quegli che furono cagione della grandezza di tanto imperio: perché sanza uno simile ordine le cittadi con difficultà usciranno degli accidenti istraordinari. Perché gli ordini consueti nelle republiche hanno il moto tardo, non potendo alcuno consiglio né alcuno magistrato per se stesso operare ogni cosa, ma avendo in molte cose bisogno l'uno dell'altro; e perché nel raccozzare insieme questi voleri va tempo, sono i rimedi loro pericolosissimi quando egli hanno a rimediare a una cosa che non aspetti tempo. E però le republiche debbano intra loro ordini avere uno simile modo. E la Republica viniziana, la quale intra le moderne republiche è eccellente, ha riservato autorità a pochi cittadini che ne' bisogni urgenti, sanza maggiore consulta, tutti d'accordo possino deliberare.[261] Perché quando in una republica manca uno simile modo, è necessario, o servando gli ordini rovinare, o per non rovinare rompergli. E in una republica non vorrebbe[262] mai accadere cosa che con modi straordinari si avesse a governare. Perché, ancora che il modo straordinario per allora facesse bene, nondimeno lo esemplo fa male: perché si mette una usanza di rompere gli ordini per bene, che poi sotto quel colore si rompono per male. Talché mai fia per-

259 Ovvero l'elezione era limitata nel tempo necessario per assolvere alle funzioni per le quali il dittatore era stato nominato.
260 *in diminuzione*: a svantaggio.
261 M. si riferisce al Consiglio dei Dieci, magistratura veneziana creata nel 1310.
262 *vorrebbe*: dovrebbe.

fetta una republica se con le leggi sue non ha provisto a tutto, e ad ogni accidente posto il rimedio e dato il modo a governarlo. E però conchiudendo dico che quelle republiche le quali negli urgenti pericoli non hanno rifugio o al Dittatore o a simili autoritadi, sempre ne' gravi accidenti rovineranno.

È da notare in questo nuovo ordine il modo dello eleggerlo, quanto dai Romani fu saviamente provisto. Perché sendo la creazione del Dittatore con qualche vergogna dei Consoli, avendo di capi della città a divenire sotto una ubbidienza come gli altri, e presupponendo che di questo avessi a nascere isdegno fra' cittadini, vollono che l'autorità dello eleggerlo fosse nei Consoli : pensando che quando l'accidente venisse che Roma avesse bisogno di questa regia potestà, ei lo avessono a fare volentieri, e facendolo loro, che dolesse loro meno. Perché le ferite ed ogni altro male che l'uomo si fa da sé spontaneamente e per elezione, dolgano di gran lunga meno che quelle che ti sono fatte da altrui. Ancora che poi negli ultimi tempi i Romani usassono, in cambio del Dittatore, di dare tale autorità al Console, con queste parole : « Videat Consul, ne Respublica quid detrimenti capiat. »[263] E per tornare alla materia nostra conchiudo, come i vicini di Roma, cercando opprimergli, gli fecero ordinare non solamente a potersi difendere ma a potere con più forza, più consiglio e più autorità, offendere loro.

XXXV · LA CAGIONE PERCHÉ LA CREAZIONE IN ROMA DEL DECEMVIRATO FU NOCIVA ALLA LIBERTÀ DI QUELLA REPUBLICA, NON OSTANTE CHE FUSSE CREATO PER SUFFRAGI PUBLICI E LIBERI

E' pare contrario a quel che di sopra è discorso (che quella autorità che si occupa con violenza, non quella ch'è data con gli suffragi nuoce alle republiche) la elezione dei dieci cittadini creati dal Popolo romano per fare le leggi in

263 « Si preoccupi il console affinché lo Stato non debba soffrire alcun danno. » Questa era la formula del decreto senatoriale con cui si attribuivano ai consoli poteri eccezionali.

Roma,[264] i quali ne diventarono con il tempo tiranni, e sanza alcuno rispetto occuparono la libertà di quella. Dove si debbe considerare i modi del dare l'autorità e il tempo per che la si dà. E quando e' si dia autorità libera col tempo lungo, chiamando il tempo lungo uno anno o più, sempre fia pericolosa, e farà gli effetti o buoni o rei secondo che fiano rei o buoni coloro a chi la sarà data. E se si considerrà l'autorità che ebbero i Dieci e quella che avevano i Dittatori, si vedrà sanza comparazione quella de' Dieci maggiore. Perché creato il Dittatore rimanevano i Tribuni, i Consoli, il Senato con la loro autorità, né il Dittatore la poteva tòrre loro; e s'egli avessi potuto privare uno del Consolato, uno del Senato, ei non poteva annullare l'ordine senatorio e fare nuove leggi. In modo che il Senato, i Consoli, i Tribuni, restando con l'autorità loro, venivano a essere come sua guardia a farlo non uscire dalla via diritta. Ma nella creazione de' Dieci occorse tutto il contrario, perché gli annullorono i Consoli e i Tribuni, dettero loro autorità di fare legge ed ogni altra cosa come il Popolo romano. Talché trovandosi soli, sanza Consoli, sanza Tribuni, sanza appellagione al Popolo, e per questo non venendo ad avere chi gli osservasse, ei poterono il secondo anno, mossi dall'ambizione di Appio,[265] diventare insolenti. E per questo si debbe notare che quando e' si è detto che una autorità data da' suffragi liberi non offese mai alcuna republica, si presuppone che un popolo non si conduca mai a darla se non con le debite circunstanze e ne' debiti tempi; ma quando, o per essere ingannato o per qualche altra cagione che lo accecasse, e' si conducesse a darla imprudentemente e nel modo che il Popolo romano la dette a' Dieci, gl'interverrà sempre come a quello. Questo si prova facilmente, considerando quali cagioni mantenessero i Dittatori buoni e quali facessero i Dieci cattivi; e considerando ancora come hanno fatto quelle republiche che sono state tenute bene ordinate nel dare l'autorità per lungo tempo, come davano gli

264 I dieci membri (decemviri) della commissione a cui fu affidato il compito di redigere un codice scritto che costituisse il fondamento giuridico di Roma : essi compilarono le famose Dodici Tavole (v sec. a.C.).
265 Appio Claudio il Decemviro.

Spartani agli loro Re, e come danno i Viniziani ai loro Duci; [266] perché si vedrà all'uno ed all'altro modo di costoro essere poste guardie che facevano che ei non potevano usare male quella autorità. Né giova in questo caso che la materia non sia corrotta; perché una autorità assoluta in brevissimo tempo corrompe la materia e si fa amici e partigiani. Né gli nuoce o essere povero o non avere parenti, perché le ricchezze ed ogni altro favore subito gli corre dietro, come particularmente nella creazione de' detti Dieci discorrereno.[267]

XXXVI · NON DEBBANO I CITTADINI CHE HANNO AVUTI I MAGGIORI ONORI SDEGNARSI DE' MINORI

Avevano i Romani fatto Marco Fabio e G. Manilio [268] consoli, e vinta una gloriosissima giornata contro a' Veienti e gli Etruschi, nella quale fu morto Quinto Fabio [269] fratello del consolo, quale lo anno davanti era stato consolo. Dove si debbe considerare quanto gli ordini di quella città erano atti a farla grande, e quanto le altre republiche si discostono da' modi suoi s'ingannano. Perché ancora che i Romani fussono amatori grandi della gloria, nondimeno non stimavano cosa disonorevole ubbidire ora a chi altra volta essi avevano comandato, e trovarsi a servire in quello esercito del quale erano stati principi. Il quale costume è contrario alla opinione, ordini e modi de' cittadini de' tempi nostri; ed in Vinegia è ancora questo errore, che uno cittadino, avendo avuto uno grado grande, si vergogni di accettarne uno minore, e la città gli consenta che se ne possa discostare. La quale cosa, quando fusse onorevole per il privato, è al tutto inutile per il publico. Perché più speranza debbe avere una republica, e più confidare in uno cittadino che da uno grado grande scenda a governare uno minore, che in quello che da uno minore salga a governarne uno maggiore. Perché a costui non può ragionevolmente credere, se

266 *Duci*: dogi.
267 Nel cap. xl del Libro primo.
268 Marco Fabio Vibulano e Cneo Manlio.
269 Quinto Fabio Vibulano.

non gli vede uomini intorno i quali siano di tanta riverenza o di tanta virtù che la novità [270] di colui possa essere con il consiglio ed autorità loro moderata. E quando in Roma fusse stata la consuetudine quale è a Vinegia e nell'altre republiche e regni moderni, che chi era stato una volta Consolo non volesse mai più andare negli eserciti se non Consolo, ne sarebbono nate infinite cose in disfavore del vivere libero, e per gli errori che arebbon fatti gli uomini nuovi, e per l'ambizione che loro arebbono potuta usare meglio, non avendo uomini intorno nel conspetto de' quali ei temessono errare, e così sarebbero venuti a essere più sciolti,[271] il che sarebbe tornato tutto in detrimento publico.

XXXVII · QUALI SCANDOLI PARTORÌ IN ROMA LA LEGGE AGRARIA E COME FARE UNA LEGGE IN UNA REPUBLICA CHE RIGUARDI ASSAI INDIETRO [272] E SIA CONTRO A UNA CONSUETUDINE ANTICA DELLA CITTÀ, È SCANDOLOSISSIMO

Egli è sentenzia degli antichi scrittori come gli uomini sogliono affliggersi nel male e stuccarsi [273] nel bene, e come dall'una e dall'altra di queste due passioni nascano i medesimi effetti. Perché qualunque volta è tolto agli uomini il combattere per necessità, combattono per ambizione; la quale è tanto potente ne' petti umani che mai, a qualunque grado si salgano, gli abbandona. La cagione è, perché la natura ha creato gli uomini in modo che possono desiderare ogni cosa e non possono conseguire ogni cosa: talché essendo sempre maggiore il desiderio che la potenza dello acquistare, ne risulta la mala contentezza di quello che si possiede, e la poca sodisfazione d'esso. Da questo nasce il variare della fortuna loro, perché disiderando gli uomini, parte di avere più, parte temendo di non perdere lo acquistato, si viene alle inimicizie ed alla guerra, dalla quale nasce la rovina di quella provincia e la esaltazione di quell'altra. Questo discorso ho fatto, perché

270 *novità* : inesperienza.
271 *più sciolti* : troppo liberi.
272 *che riguardi assai indietro* : retroattiva.
273 *stuccarsi* : stancarsi, annoiarsi.

alla Plebe romana non bastò assicurarsi de' nobili per la creazione de' Tribuni, al quale desiderio fu costretta per necessità; ché lei, subito ottenuto quello, cominciò a combattere per ambizione, e volere con la Nobiltà dividere gli onori e le sustanze, come cosa stimata più dagli uomini. Da questo nacque il morbo che partorì la contenzione della legge agraria,[274] che infine fu causa della distruzione della Republica. E perché le republiche bene ordinate hanno a tenere ricco il publico [275] e gli loro cittadini poveri, convenne che fusse [276] nella città di Roma difetto in questa legge, la quale o non fusse fatta nel principio in modo che non la si avesse ogni dì a ritrattare, o che si differisse tanto in farla che fusse scandoloso il riguardarsi indietro, o sendo ordinata bene da prima, era stata poi dall'uso corrotta. Talché in qualunque modo si fusse, mai non si parlò di questa legge in Roma che quella città non andasse sottosopra.

Aveva questa legge due capi principali: per l'uno si disponeva che non si potesse possedere per alcuno cittadino più che tanti iugeri di terra; per l'altro che i campi di che si privavano i nimici si dividessono intra il popolo romano. Veniva pertanto a fare di dua sorte offese ai nobili: perché quegli che possedevano più beni non permetteva [277] la legge (quali erano la maggiore parte de' nobili) ne avevano a essere privi; e dividendosi intra la plebe i beni de' nimici, si toglieva a quegli la via dello arricchire. Sicché venendo a essere queste offese contro a uomini potenti e che pareva loro contrastandola difendere il publico [278] qualunque volta, come è detto, si ricordava, andava sottosopra tutta quella città, e i nobili con pazienza ed industria la temporeggiavano, o con trarre fuora uno esercito, o che a quel Tribuno che la preponeva si opponesse un altro Tribuno, o talvolta cederne parte, ovvero mandare una colonia in quel luogo che si avesse a distribuire: come in-

274 *la contenzione della legge agraria*: la disputa sulla legge agraria.

275 *il publico*: l'erario statale.

276 *convenne che fusse*: bisogna credere che vi fosse.

277 *non permetteva*: di quanto non permettesse.

278 *il publico*: l'interesse pubblico.

tervenne del contado di Anzio, per il quale surgendo questa disputa della legge, si mandò in quel luogo una colonia tratta di Roma, alla quale si consegnasse detto contado. Dove Tito Livio usa un termine notabile, dicendo che con difficultà si trovò in Roma chi desse il nome per ire in detta colonia; tanto era quella plebe più pronta a voler desiderare le cose in Roma che a possederle in Anzio. Andò questo omore di questa legge così travagliandosi un tempo, tanto che [279] gli Romani cominciarono a condurre le loro armi nelle estreme parti di Italia o fuori di Italia, dopo al quale tempo parve che la cessassi.[280] Il che nacque, perché i campi che possedevano i nimici di Roma essendo discosti agli occhi della Plebe, ed in luogo dove non gli era facile il cultivargli, veniva a essere meno desiderosa di quegli; e ancora i Romani erano meno punitori de' loro nimici in simil modo, e quando pure spogliavano alcuna terra del suo contado, vi distribuivano colonie. Tanto che per tali cagioni questa legge stette come addormentata infino ai Gracchi,[281] da' quali essendo poi svegliata, rovinò al tutto la libertà romana : perché la trovò raddoppiata la potenza de' suoi avversari, e si accese per questo tanto odio intra la Plebe ed il Senato che si venne nelle armi ed al sangue, fuori d'ogni modo e costume civile. Talché non potendo i publici magistrati rimediarvi, né sperando più alcuna delle fazioni in quegli, si ricorse ai rimedi privati, e ciascuna delle parti pensò di farsi uno capo che la difendesse. Pervenne in questo scandolo e disordine la plebe, e volse la sua riputazione a Mario, tanto che la [282] lo fece quattro volte consule, ed in tanto continovò con pochi intervalli il suo consolato, che si potette per se stesso far consulo tre altre volte. Contro alla quale peste non avendo la Nobilità alcuno rimedio, si volse a favorire Silla; e fatto quello capo della parte sua, vennero alle guerre civili, e dopo molto sangue e variare di fortuna ri-

---

279 *tanto che* : fino a quando.

280 Si riferisce alla disputa sulla legge agraria.

281 Tiberio Gracco, tribuno della plebe lottò invano per una legge agraria capace di limitare lo strapotere dei latifondisti e per una più equa distribuzione della terra (133 a.C.); il fratello minore Caio (123 a.C.) riprese, con egual sfortuna, la stessa battaglia.

282 *la* : la plebe.

mase superiore la Nobiltà. Risuscitarono poi questi omori a tempo di Cesare e di Pompeio, perché fattosi Cesare capo della parte di Mario, e Pompeio di quella di Silla, venendo alle mani rimase superiore Cesare: il quale fu primo tiranno in Roma, talché mai fu poi libera quella città.

Tale adunque principio e fine ebbe la legge agraria. E benché noi mostrassimo altrove [283] come le inimicizie di Roma intra il Senato e la Plebe mantenessero libera Roma, per nascerne, da quelle, leggi in favore della libertà, e per questo paia disforme a tale conclusione il fine di questa legge agraria, dico come per questo io non mi rimuovo da tale opinione: perché gli è tanta l'ambizione de' grandi, che se per varie vie ed in vari modi ella non è in una città sbattuta,[284] tosto riduce quella città alla rovina sua. In modo che se la contenzione della legge agraria penò trecento anni a fare Roma serva, si sarebbe condotta per avventura molto più tosto in servitù, quando la plebe, e con questa legge e con altri suoi appetiti, non avesse sempre frenato l'ambizione de' nobili. Vedesi per questo ancora, quanto gli uomini stimano più la roba [285] che gli onori. Perché la Nobiltà romana sempre negli onori cedé sanza scandoli straordinari alla plebe; ma come si venne alla roba, fu tanta la ostinazione sua nel difenderla, che la plebe ricorse per isfogare l'appetito suo a quegli straordinari che di sopra si discorrono. Del quale disordine furono motori i Gracchi, de' quali si debbe laudare più la intenzione che la prudenzia. Perché a volere levar via uno disordine cresciuto in una republica, e per questo fare una legge che riguardi assai indietro, è partito male considerato: e come di sopra largamente si discorse, non si fa altro che accelerare quel male a che quel disordine ti conduce; ma temporeggiandolo, o il male viene più tardo, o per sé medesimo, col tempo, avanti che venga al fine suo, si spegne.

283 Nel cap. IV del presente libro.
284 *sbattuta*: battuta, stroncata.
285 *roba*: beni materiali.

Essendo in Roma una gravissima pestilenza, e parendo per questo agli Volsci ed agli Equi che fusse venuto il tempo di potere oppressare Roma, fatto questi due popoli uno grossissimo esercito, assaltarono i Latini e gli Ernici; [287] e guastando il loro paese, furono costretti i Latini e gli Ernici farlo intendere a Roma e pregare che fussero difesi da' Romani: ai quali sendo i Romani gravati dal morbo, risposero che pigliassero partito di difendersi da loro medesimi e con le loro armi, perché essi non gli potevano difendere. Dove si conosce la generosità e prudenza di quel Senato, e come sempre in ogni fortuna volle essere quello che fusse principe delle diliberazioni che avessero a pigliare i suoi; né si vergognò mai diliberare una cosa che fusse contraria al suo modo di vivere o ad altre diliberazioni fatte da lui, quando la necessità gliene comandava.

Questo dico, perché altre volte il medesimo Senato aveva vietato ai detti popoli l'armarsi e difendersi: talché a uno Senato meno prudente di questo sarebbe paruto cadere del grado suo a concedere loro tale difensione. Ma quello sempre giudicò le cose come si debbano giudicare, e sempre prese il meno reo partito per migliore: perché male gli sapeva non potere difendere i suoi sudditi, male gli sapeva che si armassero sanza loro, per le ragioni dette e per molte altre che s'intendano; nondimeno, conoscendo che si sarebbono armati per necessità a ogni modo, avendo il nimico addosso, prese la parte onorevole, e volle che quello che gli aveano a fare lo facessero con licenza sua: acciocché avendo disubbidito per necessità, non si avvezzassero a disubbidire per elezione. [288] E benché questo paia partito che da ciascuna republica dovesse essere preso, nientedimeno le republiche deboli e male consigliate non gli sanno pigliare, né si sanno onorare di simili necessità. Aveva il duca Valentino presa Faenza, e fatto calare

286 *da elezione*: da libera scelta.
287 Nel 463 a.C.
288 *per elezione*: a loro arbitrio.

Bologna agli accordi suoi:[289] dipoi volendo tornarsene a Roma per la Toscana, mandò in Firenze uno suo uomo a domandare il passo per sé e per lo esercito suo. Consultossi in Firenze come si avesse a governare questa cosa, né fu mai consigliato per alcuno di concedergliene. In che non si seguì il modo romano: perché sendo il Duca armatissimo, ed i Fiorentini in modo disarmati che non gli potevan vietare il passare, era molto più onore loro che paresse che passasse con volontà di quegli che a forza; perché dove vi fu al tutto il loro vituperio, sarebbe stato in parte minore quando l'avessero governata altrimenti. Ma la più cattiva parte che abbiano le republiche deboli è essere irresolute; in modo che tutti i partiti che le piglino, gli pigliono per forza, e se vien loro fatto alcun bene, lo fanno forzate e non per prudenza loro.

Io voglio dare di questo due altri esempli, occorsi ne' tempi nostri nello stato della nostra città.

Nel 1500, ripreso che il re Luigi XII di Francia ebbe Milano, desideroso di rendervi[290] Pisa per avere cinquanta mila ducati che gli erano stati promessi da' Fiorentini dopo tale restituzione, mandò gli suoi eserciti verso Pisa, capitanati da monsignore di Beumonte,[291] benché francese, nondimanco uomo in cui i Fiorentini assai confidavano. Condussesi questo esercito e questo capitano intra Cascina e Pisa per andare a combattere le mura, dove dimorando alcuno giorno per ordinarsi alla espugnazione, vennono oratori Pisani a Beumonte, e gli offerirono di dare la città allo esercito francese con questi patti, che sotto la fede del re promettesse non la mettere in mano de' Fiorentini prima che dopo quattro mesi. Il quale partito fu da' Fiorentini al tutto rifiutato, in modo che si seguì nello andarvi a campo e partirsene con vergogna. Né fu rifiutato il partito per altra cagione che per diffidare della fede del re, come quegli che per debolezza di consiglio si erano per forza messi nelle mani sue e dall'altra parte non se ne fidavano: né vedevano quanto era meglio che il re potesse rendere loro Pisa sendovi dentro, e non la rendendo scoprire l'animo suo, che non la avendo

289 Nel 1501.
290 *rendervi*: assoggettare.
291 Beaumont.

poterla loro promettere, e loro essere forzati comperare quelle promesse. Talché molto più utilmente arebbono fatto a acconsentire che Beumonte l'avessi sotto qualunque promessa presa : come se ne vide la esperienza dipoi nel 1502, che essendosi ribellato Arezzo, venne ai soccorsi de' Fiorentini mandato da il re di Francia monsignor Imbalt [292] con gente francese; il quale giunto propinquo ad Arezzo, dopo poco tempo cominciò a praticare accordo con gli Aretini, i quali sotto certa fede volevon dare la terra a similitudine de' Pisani. Fu rifiutato in Firenze tale partito; il che veggendo monsignor Imbalt, e parendogli come i Fiorentini se ne intendessero poco, cominciò a tenere le pratiche dello accordo da sé, sanza partecipazione de' Commessari : tanto che ei lo conchiuse a suo modo, e sotto quello con le sue genti se n'entrò in Arezzo faccendo intendere ai Fiorentini come e' gli erano matti e non s'intendevano delle cose del mondo : ché se volevano Arezzo lo facessero intendere a il re, il quale lo poteva dare loro molto meglio avendo la sua gente in quella città che fuori. Non si restava in Firenze di lacerare e biasimare detto Imbalt, né si restò mai, infino a tanto che si conobbe che se Beumonte fusse stato simile a Imbalt, si sarebbe avuto Pisa come Arezzo.

E così, per tornare a proposito, le republiche inresolute non piglíono mai partiti buoni se non per forza, perché la debolezza loro non le lascia mai deliberare dove è alcuno dubbio; e se quel dubbio non è cancellato da una violenza che lo sospinga, stanno sempre mai sospese.

XXXIX · IN DIVERSI POPOLI SI VEGGANO SPESSO I MEDESIMI ACCIDENTI

E' si conosce facilmente per chi considera le cose presenti e le antiche, come in tutte le città ed in tutti i popoli sono quegli medesimi desideri e quelli medesimi omori, e come vi furono sempre. In modo che gli è facil cosa a chi esamina con diligenza le cose passate, prevedere in ogni republica le future e farvi quegli rimedi che dagli antichi so-

292 Imbault.

no stati usati, o non ne trovando degli usati, pensare de'
nuovi per la similitudine degli accidenti. Ma perché queste considerazioni sono neglette o non intese da chi legge,
o se le sono intese non sono conosciute da chi governa, ne
seguita che sempre sono i medesimi scandoli in ogni
tempo.

Avendo la città di Firenze, dopo il 94,[293] perso parte dello
imperio suo, come Pisa ed altre terre, fu necessitata a fare
guerra a coloro che le occupavano; e perché chi le occupava era potente, ne seguiva che si spendeva assai nella
guerra sanza alcun frutto: dallo spendere assai ne risul-
tava assai gravezze, dalla gravezze infinite querele[294] del
popolo; e perché questa guerra era amministrata da uno
magistrato[295] di dieci cittadini che si chiamavano i Dieci
della guerra, l'universale cominciò a recarselo in dispetto,
come quello che fusse cagione e della guerra e delle spese
d'essa, e cominciò a persuadersi che tolto via detto magistrato fusse tolto via la guerra, tanto che avendosi a rifare,
non se gli fecero gli scambi, e lasciatòsi spirare, si mandarono le azioni sue alla Signoria.[296] La quale diliberazione fu
tanto perniziosa che non solamente non levò la guerra,
come lo universale si persuadeva, ma tolto via quegli uomini che con prudenza l'amministravano, ne seguì tanto disordine che, oltre a Pisa, si perdé Arezzo e molti altri luoghi:[297] in modo che ravvedutosi il popolo dello errore suo,
e come la cagione del male era la febbre e non il medico,
rifece il magistrato de' Dieci. Questo medesimo omore si
levò in Roma contro il nome de' Consoli, perché veggendo
quello popolo nascere l'una guerra dall'altra e non poter
mai riposarsi, dove e' dovevano pensare che la nascessi
dall'ambizione de' vicini che gli volevano opprimere, pensavano nascessi dall'ambizione de' nobili, che non potendo dentro in Roma gastigare la plebe difesa dalla potestà
tribunizia, la volevon condurre fuora di Roma sotto i

293 Dopo il 1494, anno della discesa di Carlo VIII in Italia.
294 *querele*: proteste.
295 *uno magistrato*: una magistratura.
296 I fiorentini, dunque, si opposero al rinnovamento dei Dieci, i cui compiti furono affidati alla Signoria.
297 Nel 1502.

Consoli per oppressarla dove la non aveva aiuto alcuno. E pensarono per questo che fusse necessario o levar via i Consoli o regolare in modo la loro potestà che e' non avessono autorità sopra il popolo né fuori né in casa. Il primo che tentò questa legge fu uno Terentillo tribuno, il quale proponeva che si dovessero creare cinque uomini che dovessero considerare la potenza de' Consoli e limitarla. Il che alterò assai la Nobiltà, parendogli che la maestà dello imperio fusse al tutto declinata, talché alla Nobiltà non restasse più alcun grado in quella Republica. Fu nondimeno tanta l'ostinazione de' Tribuni che 'l nome consolare si spense; e furono in fine contenti, dopo qualche altro ordine, più tosto creare i Tribuni con potestà consolare che Consoli; tanto avevano più in odio il nome che l'autorità loro. E così seguitarono lungo tempo, infine che conosciuto l'errore loro, come i Fiorentini tornarono a' Dieci, così loro ricreorono i Consoli.

XL · LA CREAZIONE DEL DECEMVIRATO IN ROMA, E QUELLO CHE IN ESSA È DA NOTARE; DOVE SI CONSIDERA INTRA MOLTE ALTRE COSE COME SI PUÒ O SALVARE PER SIMILE ACCIDENTE O OPPRESSARE UNA REPUBLICA

Volendo discorrere particularmente sopra gli accidenti che nacquero in Roma per la creazione del Decemvirato, non mi pare soperchio narrare prima tutto quello che seguì per simile creazione, e dipoi disputare quelle parti che sono in esse azioni notabili; le quali sono molte e di grande considerazione, così per coloro che vogliono mantenere una republica libera come per quelli che disegnassono sottometterla. Perché in tale discorso si vedrà molti errori fatti dal Senato e dalla plebe in disfavore della libertà, e molti errori fatti da Appio, capo del Decemvirato, in disfavore di quella tirannide che egli si aveva presupposto stabilire in Roma. Dopo molte disputazioni e contenzioni seguite intra il Popolo e la Nobiltà per fermare nuove leggi in Roma, per le quali si stabilisse più la libertà di quello stato, mandarono d'accordo Spurio Postumio [298]

298 Decemviro.

con duoi altri cittadini a Atene, per gli esempli di quelle leggi che Solone dette a quella città, acciocché sopra quelle potessono fondare le leggi romane. Andati e tornati costoro, si venne alla creazione degli uomini che avessero ad esaminare e fermare dette leggi; e crearono dieci cittadini per uno anno, intra i quali fu creato Appio Claudio, uomo sagace ed inquieto. E perché e' potessono sanza alcun rispetto creare tali leggi, si levarono di Roma tutti gli altri magistrati ed in particulare i Tribuni ed i Consoli, e levossi lo appello al Popolo, in modo che tale magistrato veniva a essere al tutto principe di Roma. Appresso ad Appio si ridusse tutta l'autorità degli altri suoi compagni per i favori che gli faceva la plebe, perché egli s'era fatto in modo popolare con le dimostrazioni, che pareva maraviglia ch'egli avesse preso sì presto una nuova natura e uno nuovo ingegno, essendo stato tenuto innanzi a questo tempo uno crudele perseguitatore della plebe.

Governaronsi questi Dieci assai civilmente, non tenendo più che dodici littori, i quali andavano davanti a quello che era infra loro preposto. E benché gli avessono l'autorità assoluta, nondimeno avendosi a punire uno cittadino romano per omicida lo citorno nel cospetto del popolo, e da quello lo fecero giudicare. Scrissero le loro leggi in dieci tavole, ed avanti che le confermassero le messono in publico acciocché ciascuno le potesse leggere e disputarle; acciocché si conoscesse se vi era alcun difetto, per poterle innanzi alla confermazione loro emendare. Fece in su questo Appio nascere un romore per Roma, che se a queste dieci tavole se ne aggiugnesse due altre, si darebbe a quelle la loro perfezione; talché questa opinione dette occasione al popolo di rifare i Dieci per un altro anno : a che il popolo s'accordò volentieri, sì perché i Consoli non si rifacessono, sì perché e' pareva loro potere stare sanza Tribuni, sendo loro giudici delle cause, come disopra si disse. Preso dunque partito di rifarli, tutta la Nobilità si mosse a cercare questi onori, ed intra i primi era Appio; ed usava tanta umanità verso la plebe nel domandarlo, che la cominciò a essere sospetta a' suoi compagni : « Credebant enim haud gratuitam in tanta superbia comitatem

fore ».²⁹⁹ E dubitando di opporsegli apertamente, deliberarono farlo con arte: e benché e' fusse minore di tempo di
tutti,³⁰⁰ dettono a lui autorità di preporre i futuri Dieci al
popolo, credendo ch'egli osservasse i termini degli altri di
non preporre se medesimo, sendo cosa inusitata e ignominiosa in Roma: « Ille vero impedimentum pro occasione arripuit »,³⁰¹ e nominò sé intra i primi, con maraviglia e dispiacere di tutti i nobili; nominò dipoi nove altri
a suo proposito. La quale nuova creazione fatta per uno
altro anno cominciò a mostrare al Popolo ed alla Nobilità
lo errore suo. Perché subito « Appius finem fecit ferendæ
alienæ personæ »;³⁰² e cominciò a mostrare la innata sua superbia, ed in pochi dì riempié de' suoi costumi i suoi
compagni. E, per isbigottire il popolo ed il Senato, in cambio di dodici littori ne feciono cento venti.

Stette la paura equale qualche giorno; ma cominciarono poi a intrattenere il Senato e batter la plebe; e se alcuno battuto dall'uno appellava all'altro, era peggio trattato
nell'appellagione che nella prima sentenzia. In modo che
la plebe, conosciuto lo errore suo, cominciò piena di afflizione a riguardare in viso i nobili, « et inde libertatis cap-
tare auram, unde servitutem timendo, in eum statum rempublicam adduxerunt ».³⁰³ E alla Nobilità era grata questa
loro afflizione: « Ut ipsi, tædio præsentium, Consules de-
siderarent ».³⁰⁴ Vennono i dì che terminavano l'anno: le due
tavole delle leggi erano fatte ma non publicate. Da questo i Dieci presono occasione di continovare nel magistrato, e cominciarono a tenere con violenza lo stato, e
farsi satelliti della gioventù nobile, alla quale davono i beni
di quegli che loro condennavano: « Quibus donis iuventus

299 « Infatti essi pensavano che non fosse senza interesse tale
cortesia dopo tanta superbia » (Livio, III, 35, 6).
300 *minore di tempo di tutti*: il più giovane di tutti.
301 « Egli invece profittò di tale impedimento come di un'occasione propizia » (Livio, III, 35, 9).
302 « Appio smise di fingersi di un'altra natura » (Livio, III,
36).
303 « e quindi a ricercare un alito di libertà proprio da coloro
da cui aveva temuto di essere ridotta in servitù, a tal punto da
condurre la Repubblica in quello stato » (Livio, III, 37, 1).
304 « Affinché essi, nel fastidio delle cose presenti, desideras-
sero i Consoli » (Livio, III, 37).

corrumpebatur, et malebat licentiam suam quam omnium libertatem ».[305] Nacque in questo tempo che i Sabini ed i Volsci mossero guerra a' Romani, in su la quale paura cominciarono i Dieci a vedere la debolezza dello stato loro; perché sanza il Senato non potevono ordinare la guerra, e ragunando il Senato pareva loro perdere lo stato. Pure, necessitati, presono questo ultimo partito; e ragunati i senatori insieme, molti de' senatori parlarono contro alla superbia de' Dieci, e in particulare Valerio ed Orazio; [306] e l'autorità loro si sarebbe al tutto spenta, se non che il Senato, per invidia della plebe, non volle mostrare l'autorità sua, pensando che se i Dieci deponevano il magistrato voluntari, che potesse essere che i Tribuni della plebe non si rifacessero. Deliberossi dunque la guerra; uscissi fuori con dua eserciti guidati da parte di detti Dieci. Appio rimase a governare la città: donde nacque che s'innamorò di Virginia, e che volendola tòrre per forza, il padre Virginio per liberarla l'ammazzò; donde seguirono i tumulti di Roma e degli eserciti, i quali riduttisi insieme con il rimanente della plebe romana, se ne andarono nel Monte Sacro, dove stettero tanto che i Dieci deposero il magistrato e che furono creati i Tribuni ed i Consoli, e ridotta Roma nella forma della sua antica libertà.

Notasi adunque per questo testo, in prima essere nato in Roma questo inconveniente di creare questa tirannide, per quelle medesime cagioni che nascano la maggior parte delle tirannidi nelle città, e questo è da troppo desiderio del popolo d'essere libero, e da troppo desiderio de' nobili di comandare. E quando e' non convengano a fare una legge in favore della libertà, ma gettasi qualcuna delle parti a favorire uno, allora è che subito la tirannide surge. Convennono il popolo ed i nobili di Roma a creare i Dieci, e crearli con tanta autorità, per il desiderio che ciascuna delle parti aveva, l'una di spegnere il nome consolare, l'altra il tribunizio. Creati che furono, parendo alla plebe che Appio fusse diventato popolare e battessi la Nobilità, si volse il popolo a favorirlo. E quando uno po-

305 « La gioventù era corrotta con queste donazioni, e preferiva il proprio previlegio alla libertà di tutti » (Livio, III, 37, 8).
306 Lucio Valerio Potito ed Orazio Barbato.

polo si conduce a fare questo errore, di dare riputazione a uno perché batta quelli che egli ha in odio, e che quello uno sia savio,[307] sempre interverrà ch'e' diventerà tiranno di quella città. Perché egli attenderà insieme col favore del popolo a spegnere la Nobilità, e non si volterà mai alla oppressione del popolo, se non quando e' l'arà spenta, nel quale tempo conosciutosi il popolo essere servo, non abbi dove rifuggire. Questo modo hanno tenuto tutti coloro che hanno fondato tirannide in le republiche, e se questo modo avesse tenuto Appio, quella sua tirannide arebbe presa più vita, e non sarebbe mancata sì presto. Ma e' fece tutto il contrario, né si potette governare più imprudentemente: che per tenere la tirannide e' si fece inimico di coloro che gliele avevano data e che gliene potevano mantenere, ed inimico di quelli che non erano concorsi a dargliene, e che non gliene arebbono potuta mantenere; e perdessi coloro che gli erano amici, e cercò di avere amici quegli che non gli potevano essere amici. Perché ancora che i nobili desiderino tiranneggiare, quella parte della Nobilità che si trova fuori della tirannide è sempre inimica al tiranno: né quello se la può guadagnare mai tutta, per l'ambizione grande e grande avarizia che è in lei, non potendo il tiranno avere né tante ricchezze né tanti onori che a tutta satisfaccia. E così Appio lasciando il popolo ed accostandosi a' nobili fece uno errore evidentissimo, e per le ragioni dette di sopra e perché, a volere con violenza tenere una cosa, bisogna che sia più potente chi sforza che chi è sforzato.

Donde nasce che quegli tiranni che hanno amico l'universale ed inimici i grandi, sono più sicuri, per essere la loro violenza sostenuta da maggiori forze che quella di coloro che hanno per inimico il popolo e amica la Nobilità. Perché con quello favore bastono a conservarsi le forze intrinseche, come bastarono a Nabide tiranno di Sparta, quando tutta Grecia e il Popolo romano lo assaltò: il quale assicuratosi di pochi nobili, avendo amico il Popolo, con quello si difese, il che non arebbe potuto fare avendolo inimico. In quello altro grado, per avere pochi amici

307 *savio*: abile.

dentro, non bastono le forze intrinseche, ma gli conviene cercare di fuora. Ed hanno a essere di tre sorte: l'una satelliti forestieri che ti guardino la persona; l'altra armare il contado che faccia quello ufficio che arebbe a fare la plebe; la terza accostarsi con vicini potenti che ti difendino. Chi tiene questi modi e gli osserva bene, ancora ch'egli avesse per inimico il popolo, potrebbe in qualche modo salvarsi. Ma Appio non poteva fare questo di guadagnarsi il contado, sendo una medesima cosa il contado e Roma, e quel che poteva fare, non seppe; talmente che rovinò ne' primi principii suoi. Fecero il Senato ed il Popolo in questa creazione del Decemvirato errori grandissimi: perché avvenga che di sopra si dica [308] in quel discorso che si fa del Dittatore, che quegli magistrati che si fanno da per loro, non quelli che fa il popolo, sono nocivi alla libertà, nondimeno il popolo debbe, quando egli ordina i magistrati, fargli in modo che gli abbino a avere qualche rispetto a diventare scelerati. E dove e' si debbe preporre loro guardia per mantenergli buoni, i Romani la levarono, faccendolo solo magistrato in Roma ed annullando tutti gli altri, per la eccessiva voglia (come di sopra dicemo) che il Senato aveva di spegnere i Tribuni, e la plebe di spegnere i Consoli: la quale gli accecò in modo che concorsono in tale disordine. Perché gli uomini, come diceva il re Ferrando, spesso fanno come certi minori uccelli di rapina, ne' quali è tanto desiderio di conseguire la loro preda, a che la natura gl'incita, che non sentono uno altro maggiore uccello che sia loro sopra per ammazzarli. Conoscesi adunque per questo discorso, come nel principio proposi, lo errore del popolo romano volendo salvare la libertà e gli errori di Appio volendo occupare la tirannide.

---

308 *perché avvenga che di sopra si dica*: sebbene precedentemente si sia affermato (nel cap. XXXIV del presente libro).

Oltre agli altri termini male usati da Appio per mantenere la tirannide, non fu di poco momento saltare troppo presto da una qualità a un'altra. Perché l'astuzia sua nello ingannare la plebe simulando d'essere uomo popolare, fu bene usata: furono ancora bene usati i termini che tenne perché i Dieci si avessono a rifare: fu ancora bene usata quella audacia di creare se stesso contro alla opinione della Nobilità; fu bene usato creare compagni a suo proposito; ma non fu già bene usato, come egli ebbe fatto questo, secondo che di sopra dico, mutare in uno subito natura, e di amico mostrarsi inimico alla plebe, di umano superbo, di facile difficile, e farlo tanto presto che sanza scusa niuna ogni uomo avesse a conoscere la fallacia dello animo suo. Perché chi è paruto buono un tempo e vuole a suo proposito diventar cattivo, lo debbe fare per i debiti mezzi, ed in modo condurvisi con le occasioni, che innanzi che la diversa natura ti tolga de' favori vecchi, la te ne abbia dati tanti de' nuovi che tu non venga a diminuire la tua autorità; altrimenti, trovandoti scoperto e sanza amici, rovini.

Notasi ancora in questa materia del Decemvirato, quanto facilmente gli uomini si corrompono e fannosi diventare di contraria natura, quantunque buoni e bene ammaestrati: [309] considerando quanto quella gioventù che Appio si aveva eletta intorno, cominciò a essere amica della tirannide per uno poco di utilità che gliene conseguiva; e come Quinto Fabio, uno del numero de' secondi Dieci, sendo uomo ottimo, accecato da uno poco d'ambizione, e persuaso dalla malignità di Appio, mutò i suoi buoni co-

309 *ammaestrati*: educati.

stumi in pessimi, e diventò simile a lui. Il che esaminato bene, farà tanto più pronti i latori di leggi delle republiche o de' regni a frenare gli appetiti umani, e tòrre loro ogni speranza di potere impune [310] errare.

XLIII · QUELLI CHE COMBATTONO PER LA GLORIA PROPRIA SONO BUONI E FEDELI SOLDATI

Considerasi ancora, per il soprascritto trattato, quanta differenzia è da uno esercito contento e che combatte per la gloria sua, a quello che è male disposto e che combatte per l'ambizione d'altrui. Perché dove gli eserciti romani solevano sempre essere vittoriosi sotto i Consoli, sotto i Decemviri sempre perderono. Da questo esemplo si può conoscere parte delle cagioni della inutilità de' soldati mercenari, i quali non hanno altra cagione che gli tenga fermi che un poco di stipendio che tu dài loro. La qual cagione non è né può essere bastante a fargli fedeli, né tanto tuoi amici che voglino morire per te. Perché in quegli eserciti che [311] non è un'affezione verso di quello per chi e' combattono che gli faccia diventare suoi partigiani, non mai vi potrà essere tanta virtù che basti a resistere a uno nimico un poco virtuoso. E perché questo amore non può nascere né questa gara da altro che da' sudditi tuoi, è necessario a volere tenere uno stato, a volere mantenere una republica o uno regno, armarsi de' sudditi suoi, come si vede che hanno fatto tutti quelli che con gli eserciti hanno fatto grandi profitti. Avevano gli eserciti romani sotto i Dieci quella medesima virtù, ma perché in loro non era quella medesima disposizione, non facevono gli usitati loro effetti. Ma come prima [312] il magistrato de' Dieci fu spento, e che loro come liberi cominciorono a militare, ritornò in loro il medesimo animo, e per consequente le loro imprese avevono il loro fine felice, secondo l'antica consuetudine loro.

310 *impune* : impunemente.
311 *che* : dove, nei quali.
312 *come prima* : allorché.

Era la plebe romana per lo accidente di Virginia ridotta armata nel Monte Sacro. Mandò il Senato suoi ambasciadori a dimandare con quale autorità gli [313] avevano abbandonati i loro capitani e ridottisi nel Monte. E tanto era stimata l'autorità del Senato che, non avendo la plebe intra loro capi, niuno si ardiva a rispondere. E Tito Livio dice [314] che e' non mancava loro materia a rispondere, ma mancava loro chi facesse la risposta. La qual cosa dimostra appunto la inutilità d'una moltitudine sanza capo. Il quale disordine fu conosciuto da Virginio, e per suo ordine si creò venti Tribuni militari che fossero loro capi a rispondere e convenire col Senato. Ed avendo chiesto che si mandasse loro Valerio ed Orazio, a' quali loro direbbono la voglia loro, non vi vollono andare se prima i Dieci non deponevano il magistrato; e arrivati sopra il monte dove era la plebe, fu domandato loro da quella che volevano che si creassero i Tribuni della Plebe, e che si avesse a appellare al Popolo da ogni magistrato, e che si dessono loro tutti i Dieci, ché gli volevono ardere vivi. Laudarono Valerio ed Orazio le prime loro domande, biasimarono l'ultima come impia, dicendo: « Crudelitatem damnatis, in crudelitatem ruitis »; [315] e consigliarongli che dovessero lasciare il fare menzione de' Dieci, e ch'egli attendessero a ripigliare l'autorità e potestà loro, dipoi non mancherebbe loro modo a sodisfarsi. Dove apertamente si conosce quanta stultizia e poca prudenza è domandare una cosa e dire prima: Io voglio fare il tale male con essa. Perché non si debbe mostrare l'animo suo, ma vuolsi cercare di ottenere quel suo desiderio in ogni modo. Perché e' basta a domandare a uno l'arme sanza dire, io ti voglio ammazzare con essa: potendo, poi che tu hai l'arme in mano, satisfare allo appetito tuo.

313 *gli*: essi, i plebei.
314 Cfr. Livio, III, 50, 16.
315 « Voi condannate la crudeltà e poi vi abbandonate ad essa » (Livio, III, 53, 7).

Seguìto lo accordo e ridotta Roma in l'antica sua forma, Virginio citò Appio innanzi al Popolo a difendere la
sua causa. Quello comparse accompagnato da molti nobili. Virginio comandò che fusse messo in prigione. Cominciò Appio a gridare ed appellare al Popolo: Virginio
diceva che non era degno di avere quella appellagione che
egli aveva distrutta ed avere per difensore quel Popolo
che egli aveva offeso. Appio replicava come e' non avevano a violare quella appellagione che gli aveva con tanto
desiderio ordinata. Pertanto egli fu incarcerato, ed avanti
al dì del giudizio ammazzò se stesso. E benché la scelerata
vita di Appio meritasse ogni supplicio, nondimeno fu cosa
poco civile violare le leggi, e tanto più quella che era
fatta allora. Perché io non credo che sia cosa di più cattivo esemplo in una republica che fare una legge e non la
osservare, e tanto più quanto la non è osservata da chi
l'ha fatta. Essendo Firenze dopo al 94 stata riordinata nello stato suo con lo aiuto di frate Girolamo Savonerola, gli
scritti del quale mostrono la dottrina, la prudenza e la virtù dello animo suo, ed avendo intra le altre costituzioni
per assicurare i cittadini fatto fare una legge che si potesse appellare al Popolo dalle sentenzie che per casi di
stato [316] gli Otto e la Signoria dessono (la quale legge persuase più tempo,[317] e con difficultà grandissima ottenne), occorse che poco dopo la confirmazione d'essa furono condannati a morte dalla Signoria per conto di stato cinque cittadini, e volendo quegli appellare non furono lasciati, e
non fu osservata la legge. Il che tolse più riputazione a
quel frate che alcuno altro accidente: perché se quella appellagione era utile, e' doveva farla osservare; se la non
era utile, non doveva farla vivere. E tanto più fu notato questo accidente, quanto che il frate in tante predicazioni che fe-

316 *per casi di stato*: per i delitti contro lo Stato.
317 *persuase più tempo*: propugnò a lungo (sott. il Savonarola).

ce poi che fu rotta questa legge, non mai o dannò chi l'aveva come cosa che gli tornava a proposito, e scusare non la poteva. Il che avendo scoperto l'animo suo ambizioso e partigiano, gli tolse riputazione, e dettegli assai carico.[318]

Offende ancora uno stato assai rinfrescare ogni dì nell'animo de' tuoi cittadini nuovi umori, per nuove ingiurie che a questo e quello si facciano, come intervenne a Roma dopo il Decemvirato. Perché tutti i Dieci ed altri cittadini in diversi tempi furono accusati e condannati, in modo che gli era uno spavento grandissimo in tutta la Nobilità, giudicando che e' non si avesse mai a porre fine a simili condennagioni fino a tanto che tutta la Nobilità non fusse distrutta. Ed arebbe generato in quella città grande inconveniente se da Marco Duellio [319] tribuno non vi fosse stato proveduto: il quale fece uno editto, che per uno anno non fusse lecito a alcuno citare o accusare alcuno cittadino romano; il che rassicurò tutta la Nobilità. Dove si vede quanto sia dannoso a una republica o a un principe tenere con le continove pene ed offese sospesi e paurosi gli animi de' sudditi. E sanza dubbio non si può tenere il più pernizioso ordine; perché gli uomini che comincino a dubitare di avere a capitare male, in ogni modo si assicurano ne' pericoli e diventono più audaci e meno respettivi a tentare cose nuove. Però è necessario o non offendere mai alcuno o fare le offese a un tratto, e dipoi rassicurare gli uomini e dare loro cagione di quietare e fermare l'animo.

XLVI · GLI UOMINI SALGONO DA UN'AMBIZIONE A UN'ALTRA; E PRIMA SI CERCA NON ESSERE OFFESO, DIPOI SI OFFENDE ALTRUI

Avendo il Popolo romano recuperata la libertà, e ritornato nel suo pristino grado ed in tanto maggiore quanto si erano fatte di molte leggi nuove in confirmazione della sua potenza, pareva ragionevole che Roma qualche volta quietassi. Nondimeno per esperienza si vide il contrario,

318 *dettegli assai carico*: lo rese odiosissimo.
319 Marco Duilio, tribuno della plebe.

perché ogni dì vi surgeva nuovi tumulti e nuove discordie. E perché Tito Livio prudentissimamente rende la ragione donde questo nasceva, non mi pare se non a proposito referire appunto le sue parole, dove dice che sempre o il Popolo o la Nobilità insuperbiva quando l'altro si umiliava; e stando la plebe quieta intra i termini suoi, cominciarono i giovani nobili a ingiuriarla ed i Tribuni vi potevon fare pochi rimedi, perché loro anche erano violati. La Nobilità, dall'altra parte, ancora che gli paresse che la sua gioventù fusse troppo feroce, nonpertanto aveva a caro che avendosi a trapassare il modo, lo trapassassono i suoi e non la plebe. E così il disiderio di difendere la libertà faceva che ciascuno tanto si prevaleva ch'egli oppressava l'altro. E l'ordine di questi accidenti è,[320] che mentre che gli uomini cercono di non temere, cominciono a fare temere altrui, e quella ingiuria che gli scacciano da loro, la pongono sopra un altro come se fusse necessario offendere o essere offeso. Vedesi per questo in quale modo fra gli altri le republiche si risolvono,[321] ed in che modo gli uomini salgono da un'ambizione a un'altra, e come quella sentenza sallustiana, posta in bocca di Cesare, è verissima: « Quod omnia mala exempla bonis initiis orta sunt ».[322] Cercono, come di sopra è detto, quegli cittadini che ambiziosamente vivono in una republica la prima cosa di non potere essere offesi, non solamente dai privati ma etiam da' magistrati: cercono, per poter fare questo, amicizie, e quelle acquistano per vie in apparenza oneste, o con sovvenire di danari o con difenderli da' potenti; e perché questo pare virtuoso, inganna facilmente ciascuno, e per questo non vi si pone rimedi: in tanto che lui sanza ostaculo perseverando, diventa di qualità che i privati cittadini ne hanno paura ed i magistrati gli hanno rispetto. E quando egli è salito a questo grado, e non si sia prima ovviato alla sua grandezza, viene a essere in termine che[323] volerlo

320 *E l'ordine di questi accidenti è*: il modo e il motivo per cui succedono tali eventi è...

321 *si risolvono*: si distruggono.

322 « poiché tutti i cattivi esempi sono scaturiti da sani principi » (Sallustio, *Bellum Catilinarium*, LI).

323 *viene a essere in termine che*: si viene a trovare in una posizione per cui...

urtare è pericolosissimo, per le ragioni che io dissi di sopra, del pericolo ch'è nello urtare un inconveniente che abbia di già fatto assai augumento in una città : tanto che la cosa si riduce in termine, che bisogna o cercare di spegnerlo con pericolo d'una subita rovina, o, lasciandolo fare, entrare in una servitù manifesta, se morte o qualche accidente non te ne libera. Perché venuto a' soprascritti termini, che i cittadini e magistrati abbino paura a offendere lui e gli stessi amici suoi, non dura molta fatica a fare che giudichino ed offendino a suo modo. Donde una republica intra gli ordini suoi debbe avere questo, di vegghiare [324] che i suoi cittadini sotto ombra di bene non possino fare male, e ch'egli abbino quella riputazione che giovi e non nuoca alla libertà, come nel suo luogo da noi sarà disputato.

XLVII · GLI UOMINI COME CHE S'INGANNINO NE' GENERALI, NE' PARTICULARI NON S'INGANNONO

Essendosi il Popolo romano, come di sopra si disse, recato a noia il nome consolare,[325] e volendo che potessono essere fatti Consoli uomini plebei, o che fusse diminuita la loro autorità, la Nobilità per non maculare l'autorità consolare né con l'una né con l'altra cosa, prese una via di mezzo, e fu contenta che si creassi quattro Tribuni con potestà consolare, i quali potessono essere così plebei come nobili. Fu contenta a questo la plebe, parendole spegnere il Consolato ed avere in questo sommo grado la parte sua. Nacquene di questo uno caso notabile, che venendosi alla creazione di questi Tribuni, e potendosi creare tutti plebei, furono dal Popolo romano creati tutti nobili. Onde Tito Livio dice queste parole : « Quorum comitiorum eventus docuit, alios animos in contentione libertatis et honoris, alios secundum deposita certamina in incorrupto iudicio esse ».[326]

324 *vegghiare* : stare in guardia, vegliare.

325 *recato a noia il nome consolare* : stancatosi dell'istituto consolare.

326 « L'esito di quelle elezioni indicò che gli animi nella lotta per la libertà e l'onore, sono ben diversi da quando, sopite le controversie, si giunge ad un sincero pronunciamento » (Livio, iv, 6, 11).

Ed esaminando donde possa procedere questo, credo proceda che gli uomini nelle cose generali s'ingannono assai, nelle particulari non tanto. Pareva generalmente alla Plebe romana di meritare il Consolato per avere più parte in la città, per portare più pericolo nelle guerre, per essere quella che con le braccia sue manteneva Roma libera e la faceva potente. E parendogli, come è detto, questo suo desiderio ragionevole, volse ottenere questa autorità in ogni modo. Ma come la ebbe a fare giudicio degli uomini suoi particularmente, conobbe la debolezza di quegli, e giudicò che nessuno di loro meritasse quello che tutta insieme gli pareva meritare. Talché, vergognatasi di loro, ricorse a quegli che lo meritavano. Della quale diliberazione maravigliandosi meritamente Tito Livio, dice queste parole: « Hanc modestiam æquitatemque et altitudinem animi, ubi nunc in uno inveneris, quæ tunc populi universi fuit? »[327]

In confirmazione di questo se ne può addurre un altro notabile esemplo seguito in Capova dapoi che Annibale ebbe rotti i Romani a Canne; per la quale rotta sendo tutta sollevata Italia, Capova ancora stava per tumultuare per l'odio che era intra 'l popolo ed il Senato: e trovandosi in quel tempo nel supremo magistrato Pacuvio Calano,[328] e conoscendo il pericolo che portava quella città di tumultuare, disegnò con suo grado riconciliare la Plebe con la Nobilità, e fatto questo pensiero fece ragunare il Senato e narrò loro l'odio che il popolo aveva contro di loro, ed i pericoli che portavano di essere ammazzati da quello, e data la città a Annibale sendo le cose de' Romani afflitte: dipoi soggiunse che se volevano lasciare governare questa cosa a lui farebbe in modo che si unirebbono insieme, ma gli voleva serrare dentro al palagio e col fare potestà al popolo di potergli gastigare salvargli. Cederono a questa sua opinione i Senatori, e quello chiamò il popolo a concione,[329] avendo rinchiuso in palagio il Senato, e disse co-

---

327 « Questa modestia ed equità ed elevatezza d'animo che fu allora di tutto un popolo, dove la ritroveresti ora in un sol uomo? » (Livio, IV, 6, 12).

328 Pacuvio Calavio Campano, nobile della città di Capua.

329 *a concione*: in assemblea.

m'egli era venuto il tempo che potevano domare la superbia della Nobilità e vendicarsi delle ingiurie ricevute da quella, avendogli rinchiusi tutti sotto la sua custodia; ma perché credeva che loro non volessono che la loro città rimanessi sanza governo era necessario, volendo ammazzare i Senatori vecchi, crearne de' nuovi. E pertanto aveva messo tutti i nomi de' Senatori in una borsa e comincerebbe a trargli in loro presenza, e gli farebbe i tratti di mano in mano morire, come prima loro avessono trovato il successore. E cominciato a trarne uno, fu al nome di quello levato uno romore grandissimo, chiamandolo uomo superbo, crudele ed arrogante: e chiedendo Pacuvio che facessono lo scambio, si racchetò tutta la concione; e dopo alquanto spazio fu nominato uno della plebe, al nome del quale chi cominciò a fischiare, chi a ridere, chi a dirne male in uno modo e chi in uno altro: e così seguitando di mano in mano, tutti quelli che furono nominati, gli giudicavano indegni del grado senatorio. Di modo che Pacuvio, presa sopra questo occasione, disse: « Poiché voi giudicate che questa città stia male sanza il Senato, e a fare gli scambi a' Senatori vecchi non vi accordate, io penso che sia bene che voi vi riconciliate insieme: perché questa paura in la quale i Senatori sono stati, gli arà fatti in modo raumiliare che [330] quella umanità che voi cercavi altrove, troverrete in loro ». Ed accordatisi a questo, ne seguì la unione di questo ordine: e quello inganno in che egli erano si scoperse, come e' furno costretti a venire a' particulari. Ingannonsi, oltra di questo, i popoli generalmente nel giudicare le cose e gli accidenti di esse, le quali, dipoi si conoscono particularmente, mancano di tale inganno.

Dopo il 1494, sendo stati i principi della città [331] cacciati da Firenze, e non vi essendo alcuno governo ordinato ma più tosto una certa licenza ambiziosa, e andando le cose publiche di male in peggio, molti popolari, veggendo la rovina della città e non ne intendendo altra cagione, ne accusavano la ambizione di qualche potente che nutrisse i disordini per potere fare uno stato a suo proposito e tòr-

330 *gli arà fatti in modo raumiliare che*: avrà fatto perdere loro la superbia per cui...
331 I Medici.

re la libertà; e stavano questi tali per le logge e per le piazze dicendo male di molti cittadini e minacciandogli che se mai si trovassino de' Signori, scoprirebbero questo loro inganno e gli gastigarebbono. Occorreva spesso che di simili ne ascendeva al supremo magistrato, e come egli era salito in quel luogo e che ci vedeva le cose più da presso, conosceva i disordini donde nascevano ed i pericoli che soprastavano e la difficultà del rimediarvi. E veduto come i tempi e non gli uomini causavano il disordine, diventava subito d'un altro animo e d'un'altra fatta: perché la cognizione delle cose particulari gli toglieva via quello inganno che nel considerarle generalmente si aveva presupposto. Dimodoché quelli che lo avevano prima, quando era privato, sentito parlare, e vedutolo poi nel supremo magistrato stare quieto, credevono che nascessi, non per più vera cognizione delle cose, ma perché fusse stato aggirato e corrotto dai grandi. Ed accadendo questo a molti uomini e molte volte, ne nacque tra loro uno proverbio che diceva: costoro hanno uno animo in piazza ed uno in palazzo.

Considerando dunque tutto quello si è discorso, si vede come e' si può fare tosto aprire gli occhi a' popoli, trovando modo, veggendo che uno generale gl'inganna, ch'egli abbino a discendere a' particulari, come fece Pacuvio in Capova ed il Senato in Roma. Credo ancora che si possa conchiudere che mai un uomo prudente non debba fuggire il giudicio populare nelle cose particulari, circa le distribuzioni de' gradi e delle dignità: perché solo in questo il popolo non s'inganna; e se s'inganna qualche volta, fia sì rado che s'inganneranno più volte i pochi uomini che avessono a fare simili distribuzioni. Né mi pare superfluo mostrare nel seguente capitolo l'ordine che teneva il Senato per ingannare il popolo nelle distribuzioni sue.

XLVIII · CHI VUOLE CHE UNO MAGISTRATO NON SIA DATO A UNO VILE, O A UNO CATTIVO, LO FACCI DOMANDARE O A UNO TROPPO VILE E TROPPO CATTIVO O A UNO TROPPO NOBILE E TROPPO BUONO

Quando il Senato dubitava che i Tribuni con potestà consolare non fussero fatti d'uomini plebei, teneva uno de' due modi: o egli faceva domandare ai più riputati uomini di Roma, o veramente per i debiti mezzi corrompeva qualche plebeio vile ed ignobilissimo che, mescolati con i plebei che di migliore qualità per l'ordinario lo domandavano, anche loro lo dimandassero. Questo ultimo modo faceva che la plebe si vergognava a darlo, quel primo faceva che la si vergognava a tòrlo. Il che tutto torna a proposito del precedente discorso, dove si mostra che il popolo, se s'inganna de' generali, de' particulari non s'inganna.

XLIX · SE QUELLE CITTADI CHE HANNO AVUTO IL PRINCIPIO LIBERO, COME ROMA, HANNO DIFFICULTÀ A TROVARE LEGGE CHE LE MANTENGHINO; QUELLE CHE LO HANNO IMMEDIATE SERVO,[332] NE HANNO QUASI UNA IMPOSSIBILITÀ

Quanto sia difficile nello ordinare una republica provedere a tutte quelle leggi che la mantengano libera, lo dimostra assai bene il processo della Republica romana, dove, non ostante che fussono ordinate di molte leggi, da Romolo prima, dipoi da Numa, da Tullo Ostilio e Servio ed ultimamente dai dieci cittadini creati a simile opera, nondimeno sempre nel maneggiare[333] quella città si scoprivono nuove necessità, ed era necessario creare nuovi ordini: come intervenne quando crearono i Censori,[334] i quali furono uno di quegli provvedimenti che aiutarono tenere Roma libera quel tempo che la visse in libertà. Perché diventati arbitri de' costumi di Roma, furono cagione potissima[335] che i Romani differissono più a corrompersi. Feciono bene nel principio della creazione di tale magistrato uno errore, creando quello per cinque anni; ma dipoi non molto tempo, fu corretto dalla prudenza di Mamerco[336] ditta-

332 *immediate servo*: quelle schiave sin dall'inizio.
333 *maneggiare*: governare.
334 Nel 443 a.C.; i Censori controllavano la moralità della vita pubblica, l'andamento dei commerci, sceglievano i senatori ed eseguivano il censimento dei cittadini; essi venivano eletti ogni cinque anni.
335 *potissima*: preminente, principale.
336 Tiberio Emilio Mamerco, dittatore nel 433 a.C.

tore, il quale per nuova legge ridusse detto magistrato a diciotto mesi; il che i Censori che vegghiavano [337] ebbero tanto per male che privarono Mamerco del Senato, la quale cosa e dalla Plebe e dai Padri fu assai biasimata : e perché la istoria non mostra che Mamerco se ne potessi difendere, conviene o che lo istorico sia difettivo [338] o gli ordini di Roma in questa parte non buoni. Perché e' non è bene che una republica sia in modo ordinata che uno cittadino per promulgare una legge conforme al vivere libero ne possa essere sanza alcuno rimedio offeso. Ma tornando al principio di questo discorso, dico che si debbe, per la creazione di questo nuovo magistrato, considerare che, se quelle città che hanno avuto il principio loro libero, e che per se medesimo si è retto, come Roma, hanno difficultà grande a trovare leggi buone per mantenerle libere, non è maraviglia che quelle città che hanno avuto il principio loro immediate servo, abbino, non che difficultà, ma impossibilità a ordinarsi mai in modo che le possino vivere civilmente e quietamente : come si vede che è intervenuto alla città di Firenze, la quale per avere avuto il principio suo sottoposto allo imperio romano, ed essendo vivuta [339] sempre sotto il governo d'altrui, stette un tempo abietta, e sanza pensare a se medesima; dipoi, venuta la occasione di respirare, cominciò a fare i suoi ordini, i quali sendo mescolati con gli antichi, che erano cattivi, non poterono essere buoni; e così è ita maneggiandosi per dugento anni, che si ha di vera memoria,[340] sanza avere mai avuto stato per il quale la possa veramente essere chiamata republica. E queste difficultà che sono state in lei, sono state sempre in tutte quelle città che hanno avuto i principii simili a lei. E benché molte volte per suffragi publici e liberi si sia data ampla autorità a pochi cittadini di potere riformarla, nonpertanto non mai l'hanno ordinata a comune utilità, ma sempre a proposito della parte loro; il che ha fatto non ordine, ma maggiore disordine in quella città. E per

337 *vegghiavano* : vigilavano intorno ai propri attributi di potere.
338 *difettivo* : carente.
339 *vivuta* : vissuta.
340 *di vera memoria* : documentata.

venire a qualche esemplo particulare, dico come intra le altre cose che si hanno a considerare da uno ordinatore d'una republica, è esaminare nelle mani di quali uomini ci ponga l'autorità del sangue [341] contro de' suoi cittadini. Questo era bene ordinato in Roma, perché e' si poteva appellare al Popolo ordinariamente; e se pure fosse occorso cosa importante, dove il differire la esecuzione mediante l'appellagione fusse pericoloso, avevano il refugio del Dittatore il quale eseguiva immediate, al quale rimedio non refuggivano [342] mai se non per necessità. Ma Firenze e le altre città nate nel modo di lei, sendo serve, avevano questa autorità collocata in uno forestiero, il quale mandato dal principe faceva tale ufficio. Quando dipoi vennono in libertà, mantennono questa autorità in uno forestiero, il quale chiamavano Capitano. Il che per potere essere facilmente corrotto da' cittadini potenti, era cosa perniziosissima. Ma dipoi mutandosi per la mutazione degli stati questo ordine, crearono otto cittadini [343] che facessino l'ufficio di quel Capitano, el quale ordine di cattivo diventò pessimo per le ragioni che altre volte sono dette, che i pochi furono sempre ministri de' pochi e de' più potenti. Da che si è guardata la città di Vinegia, la quale ha dieci cittadini che sanza appello possono punire ogni cittadino. E perché e' non basterebbono a punire i potenti, ancora che ne avessino autorità, vi hanno constituito la Quarantia, e di più hanno voluto che il Consiglio de' Pregai, che è il Consiglio maggiore, possa gastigargli. [344] In modo che non vi mancando l'accusatore, non vi manca il giudice a tenere gli uomini potenti a freno. Non è adunque maraviglia veggendo come in Roma, ordinata da se medesima e da tanti uomini prudenti, surgevano ogni dì nuove cagioni per le quali si aveva a fare nuovi ordini in favore del vivere libero, se

341 *del sangue*: di condannare a morte.
342 *non refuggivano*: non ricorrevano.
343 Gli Otto di guardia e di balìa.
344 A Venezia per l'amministrazione della giustizia, oltre ai Dieci, vi era una magistratura composta di quaranta membri del Maggior Consiglio (*Quarantia*); inoltre, in casi eccezionali, vi si potevano affiancare i Pregadi, ovvero un'assemblea di membri anziani convocata dal doge.

nell'altre città, che hanno più disordinato principio, vi surgano tante difficultà, che le non si possino riordinarsi mai.

Erano consoli in Roma Tito Quinzio Cincinnato e Gneo Giulio Mento,[345] i quali sendo disuniti avevono ferme tutte le azioni di quella republica. Il che veggendo il Senato gli confortava a creare il Dittatore, per fare quello che per le discordie loro non potevon fare. Ma i Consoli discordando in ogni altra cosa, solo in questo erano d'accordo di non volere creare il Dittatore. Tanto che il Senato non avendo altro rimedio ricorse allo aiuto de' Tribuni, i quali con l'autorità del Senato sforzarono i Consoli a ubbidire. Dove si ha a notare in prima la utilità del Tribunato: il quale non era solo utile a frenare l'ambizione che i potenti usavano contro alla Plebe ma quella ancora ch'egli usavano infra loro. L'altra che mai si debbe ordinare in una città che i pochi possino tenere alcuna diliberazione di quelle che ordinariamente sono necessarie a mantere la republica. Verbigrazia, se tu dai una autorità a uno consiglio di fare una distribuzione di onori e d'utile, o ad uno magistrato di amministrare una faccenda, conviene o imporgli una necessità perché ei l'abbia a fare in ogni modo, o ordinare, quando non la voglia fare egli, che la possa e debba fare uno altro; altrimenti questo ordine sarebbe difettivo e pericoloso: come si vedeva che era in Roma, se alla ostinazione di quegli Consoli non si poteva opporre l'autorità de' Tribuni. Nella Republica viniziana il Consiglio grande[346] distribuisce gli onori e gli utili. Occorreva alle volte che l'universalità[347] per isdegno o per qualche falsa persuasione non creava i successori a' magistrati della città ed a quelli che fuori amministravano lo imperio loro. Il che era disordine grandissimo, perché in un tratto e le terre suddite e

345 Nel 431 a.C.
346 Il Maggior Consiglio.
347 *l'universalità*: l'assemblea generale.

la città propria mancavano de' suoi legittimi giudici, né si poteva ottenere cosa alcuna se quella universalità di quel Consiglio o non si soddisfaceva o non si sgannava.[348] Ed avrebbe ridotta questo inconveniente quella città a mal termine, se dagli cittadini prudenti non vi si fusse proveduto; i quali, presa occasione conveniente, fecero una legge che tutti i magistrati che sono o fussero dentro e fuori della città, mai vacassero se non quando fussono fatti gli scambi e i successori loro. E così si tolse la commodità a quel Consiglio di potere con pericolo della republica fermare le azioni publiche.

LI · UNA REPUBLICA O UNO PRINCIPE DEBBE MOSTRARE DI FARE PER LIBERALITÀ QUELLO A CHE LA NECESSITÀ LO COSTRINGE

Gli uomini prudenti si fanno grado [349] delle cose sempre e in ogni loro azione, ancora che la necessità gli constringesse a farle in ogni modo. Questa prudenza fu usata bene dal Senato romano quando ei diliberò che si desse il soldo del publico agli uomini che militavano, essendo consueti militare del loro proprio.[350] Ma veggendo il Senato come in quel modo non si poteva fare lungamente guerra, e per questo non potendo né assediare terre né condurre gli eserciti discosto, e giudicando essere necessario potere fare l'uno e l'altro, deliberò che si dessono detti stipendi; ma lo feciono in modo che si fecero grado di quello a che la necessità gli constringeva; e fu tanto accetto alla plebe questo presente che Roma andò sottosopra per l'allegrezza, parendole uno beneficio grande, quale mai speravono di avere, e quale mai per loro medesimi arebbono cerco. E benché i Tribuni s'ingegnassero di cancellare questo grado, mostrando come ella era cosa che aggravava, non alleggeriva la plebe, sendo necessario porre i tributi per pagare questo soldo, nientedimeno non potevano fare tanto che la

348 *sgannava*: disingannava.
349 *si fanno grado*: si fanno un merito.
350 Nel 405 a.C. il Senato decise di mantenere coloro che prestavano il servizio militare a spese dello Stato.

plebe non lo avesse accetto; il che fu ancora augumentato dal Senato per il modo che distribuivano i tributi: perché i più gravi e i maggiori furono quelli ch'ei posano [351] alla Nobilità, e gli primi che furono pagati.

LII · A REPRIMERE LA INSOLENZIA D'UNO CHE SURGA IN UNA REPUBLICA POTENTE, NON VI È PIÙ SICURO E MENO SCANDOLOSO MODO CHE PREOCCUPARLI QUELLE VIE PER LE QUALI VIENE A QUELLA POTENZA

Vedesi per il soprascritto discorso quanto credito acquistasse la Nobilità con la plebe, per le dimostrazioni lette in beneficio suo, sì del soldo ordinato, sì ancora del modo del porre i tributi. Nel quale ordine se la Nobilità si fosse mantenuta, si sarebbe levato via ogni tumulto in quella città, e sarebbesi tolto ai Tribuni quel credito che gli avevano con la plebe e per consequente quella autorità. E veramente non si può in una republica, e massime in quelle che sono corrotte, con miglior modo, meno scandoloso e più facile, opporsi all'ambizione di alcuno cittadino, che preoccupandogli quelle vie [352] per le quali si vede che esso cammina per arrivare al grado che disegna. Il quale modo se fusse stato usato contro a Cosimo de' Medici, [353] sarebbe stato miglior partito assai per gli suoi avversari che cacciarlo da Firenze; perché se quegli cittadini che gareggiavano seco avessero preso [354] lo stile suo di favorire il popolo, gli venivano sanza tumulto e sanza violenze a trarre di mano quelle armi di che egli si valeva più. Piero Soderini si aveva fatto riputazione nella città di Firenze con questo solo di favorire l'universale, il che nello universale gli dava riputazione come amatore della libertà della città. E veramente a quegli cittadini che portavano invidia alla grandezza sua era molto più facile, ed era cosa molto più onesta, meno pericolosa, e meno dannosa per la republica, preoccupargli quelle vie con le quali si faceva grande,

351 *posano*: imposero.
352 *preoccupandogli quelle vie*: precedendolo in quelle vie.
353 Quando fu cacciato da Firenze nel 1433.
354 *seco avessero preso*: avessero fatto proprio.

che volere contrapporsegli acciocché con la rovina sua rovinassi tutto il restante della republica: perché se gli avessero levato di mano quelle armi con le quali si faceva gagliardo (il che potevono fare facilmente), arebbono potuto in tutti i consigli e in tutte le diliberazioni pubbliche opporsegli sanza sospetto e sanza rispetto alcuno. E se alcuno replicasse che, se i cittadini che odiavano Piero feciono errore a non gli preoccupare le vie con le quali ei si guadagnava riputazione nel popolo, Piero ancora venne a fare errore a non preoccupare quelle vie per le quali quelli suoi avversari lo facevono temere, di che Piero merita scusa sì perché gli era difficile il farlo, sì perché le non erano oneste a lui: imperocché le vie con le quali era offeso erano il favorire i Medici, con li quali favori essi lo battevano, ed alla fine lo rovinarono. Non poteva pertanto Piero onestamente pigliare questa parte, per non potere distruggere con buona fama quella libertà alla quale egli era stato preposto guardia: dipoi non potendo questi favori farsi segreti e a un tratto, erano per Piero pericolosissimi; perché comunque ei si fusse scoperto amico ai Medici, sarebbe diventato sospetto ed odioso al popolo; donde ai nimici suoi nasceva molto più commodità di opprimerlo che non avevano prima. Debbono pertanto gli uomini in ogni partito considerare i difetti ed i pericoli di quello, e non gli prendere quando vi sia più del pericoloso che dell'utile, nonostante che ne fussi stata data sentenzia conforme alla diliberazione loro. Perché faccendo altrimenti, in questo caso interverrebbe a quelli come intervenne a Tullio,[355] il quale volendo tòrre i favori a Marc'Antonio gliene accrebbe: perché sendo Marc'Antonio stato giudicato inimico del Senato, ed avendo quello grande esercito insieme adunato, in buona parte de' soldati che avevano seguitato la parte di Cesare, Tullio per tòrgli questi soldati confortò il Senato a dare riputazione ad Ottaviano, e mandarlo con Irzio e Pansa consoli contro a Marc'Antonio, allegando che subito che i soldati che seguivano Marc'Antonio sentissero il nome di Ottaviano nipote di Cesare, e che si faceva chiamare Cesare, lascereb-

355 Marco Tullio Cicerone.

bono quello e si accosterebbono a costui; e così, restato Marc'Antonio ignudo di favori, sarebbe facile lo opprimerlo. La quale cosa riuscì tutta al contrario: perché Marc'Antonio si guadagnò Ottaviano, e lasciato Tullio e il Senato, si accostò a lui. La quale cosa fu al tutto la distruzione della parte degli Ottimati. Il che era facile a conietturare: né si doveva credere quel che si persuase Tullio, ma tener sempre conto di quel nome [356] che con tanta gloria aveva spenti i nimici suoi ed acquistatosi il principato in Roma; né si doveva credere mai potere o da suoi eredi o da suoi fautori avere cosa che fosse conforme al nome libero.[357]

LIII · IL POPOLO MOLTE VOLTE DISIDERA LA ROVINA SUA INGANNATO DA UNA FALSA SPEZIE DI BENI; E COME LE GRANDI SPERANZE E GAGLIARDE PROMESSE FACILMENTE LO MUOVONO

Espugnata che fu la città de' Veienti, entrò nel popolo romano un'opinione che fosse cosa utile per la città di Roma che la metà de' Romani andasse ad abitare a Veio, argomentando che per essere quella città ricca di contado, piena di edifici, e propinqua a Roma, si poteva arricchire la metà de' cittadini romani e non turbare per la propinquità del sito nessuna azione civile. La quale cosa parve al Senato ed a' più savi Romani tanto inutile e tanto dannosa, che liberamente dicevano essere più tosto per patire la morte che consentire a una tale diliberazione. In modo che, venendo questa cosa in disputa, si accese tanto la plebe contro al Senato che si sarebbe venuto alle armi ed al sangue, se il Senato non si fusse fatto scudo di alcuni vecchi ed estimati cittadini, la riverenza de' quali frenò la plebe che la non procedé più avanti con la sua insolenzia. Qui si hanno a notare due cose. La prima che il popolo molte volte ingannato da una falsa immagine di bene disidera la rovina sua; e se non gli è fatto capace come quello sia male e quale sia il bene, da alcuno in chi essa abbia fede, si porta in le republiche infiniti pericoli e

356 Il nome di Cesare.
357 *al nome libero*: alla libertà repubblicana.

danni. E quando la sorte fa che il popolo non abbi fede in alcuno, come qualche volta occorre, sendo stato ingannato per lo addietro o dalle cose o dagli uomini, si viene alla rovina di necessità. E Dante dice a questo proposito nel discorso suo che fa De Monarchia, che il popolo molte volte grida: « Viva la sua morte! e Muoia la sua vita! »[358] Da questa incredulità nasce, che qualche volta in le republiche i buoni partiti non si pigliono, come di sopra si disse de' Viniziani, quando assaltati da tanti inimici, non poterono prendere partito di guadagnarsene alcuno con la restituzione delle cose tolte ad altri (per le quali era mosso loro la guerra e fatta la congiura de' principi loro contro),[359] avanti che la rovina venisse. Pertanto considerando quello che è facile o quello che è difficile persuadere a uno popolo, si può fare questa distinzione: o quel che tu hai a persuadere rappresenta in prima fronte guadagno, o perdita; o veramente ci pare partito animoso, o vile; e quando nelle cose che si mettono innanzi al popolo si vede guadagno, ancora che vi sia nascosto sotto perdita, e quando e' pare animoso, ancora che vi sia nascosto sotto la rovina della republica, sempre sarà facile persuaderlo alla moltitudine: e così fia sempre difficile persuadere quegli partiti dove apparisse o viltà o perdita, ancora che vi fusse nascosto sotto salute e guadagno. Questo che io ho detto si conferma con infiniti esempli romani e forestieri, moderni ed antichi. Perché da questo nacque la malvagia opinione che surse in Roma di Fabio Massimo, il quale non poteva persuadere al popolo romano che fusse utile a quella Republica procedere lentamente in quella guerra, e sostenere sanza azzuffarsi l'impeto d'Annibale,[360] perché quel popolo giudicava questo partito vile e non vi vedeva dentro quella utilità vi era, né Fabio aveva ragioni bastanti a dimostrarla loro; e tanto sono i popoli accecati in queste opinioni gagliarde, che benché il Popolo romano avesse fatto quello errore di dare autorità al Maestro de' cava-

358 In realtà il passo di Dante si trova nel Convivio (I, II, 54).
359 Ovvero la Lega di Cambrai.
360 Questa tattica valse a Fabio Massimo il soprannome di Temporeggiatore.

gli di Fabio [361] di potersi azzuffare, ancora che Fabio non volesse, e che per tale autorità il campo romano fusse per essere rotto se Fabio con la sua prudenza non vi rimediava, non gli bastò questa isperienza, che fece dipoi consule Varrone, non per altri suoi meriti che per avere per tutte le piazze e tutti i luoghi publici di Roma promesso di rompere Annibale, qualunque volta gliene fusse data autorità. Di che ne nacque la zuffa e la rotta di Canne, e presso che la rovina di Roma.

Io voglio addurre a questo proposito ancora uno altro esemplo romano. Era stato Annibale in Italia otto o dieci anni: aveva ripieno di occisione de' Romani tutta questa provincia, quando venne in Senato Marco Centenio Penula, uomo vilissimo (nondimanco aveva avuto qualche grado nella milizia), ed offersesi, che se gli davano autorità di potere fare esercito d'uomini volontari in qualunque luogo volesse in Italia, ei darebbe loro in brevissimo tempo preso o morto Annibale. Al Senato parve la domanda di costui temeraria; nondimeno ei pensando che s'ella se gli negasse, e nel popolo si fusse dipoi saputa la sua chiesta, [362] che non ne nascesse qualche tumulto, invidia e mal grado contro all'ordine senatorio, gliene concessono, volendo più tosto mettere a pericolo tutti coloro che lo seguitassono che fare surgere nuovi sdegni nel popolo: sappiendo quanto simile partito fusse per essere accetto, e quanto fusse difficile il dissuaderlo. Andò adunque costui con una moltitudine inordinata ed incomposta a trovare Annibale, e non gli fu prima giunto all'incontro, che fu con tutti quegli che lo seguitarono rotto e morto.

In Grecia nella città di Atene non potette mai Nicia, [363] uomo gravissimo e prudentissimo, persuadere a quel popolo che non fusse bene andare a assaltare Sicilia; talché presa quella diliberazione contro alla voglia de' savi, ne seguì al tutto la rovina di Atene. Scipione quando fu fatto consolo, e che desiderava la provincia di Africa promettendo al tutto la rovina di Cartagine, a che non si accordando il Senato per la sentenzia di Fabio Massimo, mi-

361 Marco Minucio.
362 *la sua chiesta*: la sua richiesta.
363 Generale e uomo politico ateniese (v sec. a.C.).

nacciò di proporla nel Popolo, come quello che conosceva benissimo quanto simili diliberazioni piaccino a' popoli.

Potrebbesi a questo proposito dare esempli della nostra città, come fu quando messere Ercole Bentivogli, governatore delle genti fiorentine, insieme con Antonio Giacomini,[364] poiché ebbono rotto Bartolommeo d'Alviano [365] a San Vincenti,[366] andarono a campo a Pisa; la quale impresa fu diliberata dal popolo in su le promesse gagliarde di messere Ercole, ancora che molti savi cittadini la biasimassero: nondimeno non vi ebbono rimedio, spinti da quella universale volontà, la quale era fondata in su le promesse gagliarde del governatore. Dico adunque come e' non è la più facile via a fare rovinare una republica dove il popolo abbia autorità, che metterla in imprese gagliarde; perché dove il popolo sia di alcuno momento,[367] sempre fiano accettate, né vi arà, chi sarà d'altra opinione, alcuno rimedio. Ma se di questo nasce la rovina della città, ne nasce ancora, e più spesso, la rovina particulare de' cittadini che sono preposti a simili imprese: perché avendosi il popolo presupposto la vittoria, come ei viene la perdita, non ne accusa né la fortuna né la impotenzia di chi ha governato ma la malvagità e ignoranza sua, e quello il più delle volte o ammazza o imprigiona o confina, come intervenne a infiniti capitani Cartaginesi ed a molti Ateniesi. Né giova loro alcuna vittoria che per lo addietro avessero avuta, perché tutto la presente perdita cancella: come intervenne ad Antonio Giacomini nostro, il quale non avendo espugnata Pisa come il popolo si aveva presupposto ed egli promesso, venne in tanta disgrazia popolare che non ostante infinite sue buone opere passate, visse più per umanità di coloro che ne avevano autorità che per alcuna altra cagione che nel popolo lo difendesse.

364 Commissario fiorentino.
365 Celebre condottiero e capitano di ventura.
366 Il combattimento avvenne nel 1505 presso la Torre di San Vincenzo a Campiglia.
367 *sia di alcuno momento*: abbia un qualche peso.

Il secondo notabile sopra il testo nel superiore capitolo allegato è che veruna cosa è tanto atta a frenare una moltitudine concitata, quanto è la riverenzia di qualche uomo grave e di autorità che se le faccia incontro; né sanza cagione dice Virgilio:

Tum pietate gravem ac meritis si forte virum quem conspexere, silent, arrectisque auribus adstant.[368]

Pertanto quello che è preposto a uno esercito o quello che si trova in una città, dove nascesse tumulto debba rappresentarsi in su quello con maggiore grazia e più onorevolmente che può, mettendosi intorno le insegne di quello grado che tiene per farsi più riverendo. Era pochi anni sono Firenze divisa in due fazioni, Fratesca ed Arrabbiata,[369] che così si chiamavano, e venendo all'armi ed essendo superati i Frateschi, intra i quali era Pagolantonio Soderini[370] assai in quegli tempi riputato cittadino, ed andandogli in quelli tumulti il popolo armato a casa per saccheggiarla, messere Francesco suo fratello, allora vescovo di Volterra ed oggi cardinale, si trovava a sorte[371] in casa; il quale subito sentito il romore e veduta la turba, messosi i più onorevoli panni indosso, e di sopra il roccetto episcopale, si fece incontro a quegli armati e con la presenzia e con le parole gli fermò; la quale cosa fu per tutta la città per molti giorni notata e celebrata. Conchiudo adunque come e' non è il più fermo né il più necessario rimedio a frenare una moltitudine concitata, che la presenzia d'uno uomo che per presenzia paia e sia riverendo. Vedesi adun-

368 « Ma se per avventura sono in cospetto di un uomo insigne per pietà e per meriti, ammutoliscono e stanno con le orecchie tese » (Virgilio, *Eneide*, I, vv. 151-152).
369 Piagnoni o Frateschi erano chiamati i partigiani di Girolamo Savonarola, mentre gli Arrabbiati erano coloro che propugnavano una restaurazione oligarchica antisavonaroliana ed insieme antimedicea.
370 Paoloantonio, fratello di Piero Soderini.
371 *a sorte*: per caso.

que, per tornare al preallegato testo, con quanta ostinazione la plebe romana accettava quel partito d'andare a Veio, perché lo giudicava utile, né vi conosceva sotto il danno vi era, e come, nascendone assai tumuli, ne sarebbe nati scandoli, se il Senato con uomini gravi e pieni di riverenzia non avesse frenato il loro furore.

LV · QUANTO FACILMENTE SI CONDUCHINO LE COSE IN QUELLA CITTÀ DOVE LA MOLTITUDINE NON È CORROTTA; E CHE DOVE È EQUALITÀ NON SI PUÒ FARE PRINCIPATO, E DOVE LA NON È NON SI PUÒ FARE REPUBLICA

Ancora che di sopra si sia discorso assai quello è da temere o sperare delle cittadi corrotte, nondimeno non mi pare fuori di proposito considerare una diliberazione del Senato, circa il voto che Cammillo aveva fatto di dare la decima parte a Apolline [372] della preda de' Veienti: la quale preda sendo venuta nelle mani della Plebe romana, né se ne potendo altrimenti rivedere conto, fece il Senato uno editto, che ciascuno dovessi rappresentare in publico,[373] la decima parte di quello ch'egli aveva predato. E benché tale diliberazione non avesse luogo, avendo dipoi il Senato preso altro modo, e per altra via sodisfatto a Apolline in sodisfazione della plebe, nondimeno si vede per tale diliberazione quanto quel Senato confidava nella bontà di quella [374] e come ei giudicava che nessuno fusse per non rappresentare appunto tutto quello che per tale editto gli era comandato. E dall'altra parte si vede come la plebe non pensò di fraudare in alcuna parte lo editto con il dare meno che non doveva, ma di liberarsi da quello con il mostrarne aperte indegnazioni. Questo esemplo con molti altri che di sopra si sono addotti, mostrano quanta bontà e quanta religione fusse in quel popolo, e quanto bene fusse da sperare di lui. E veramente dove non è questa bontà non si può sperare nulla di bene, come non si può sperare nelle provincie che in questi tempi si veggono corrot-

372 Il dio Apollo.
373 *rappresentare in publico*: versare all'erario.
374 *nella bontà di quella*: nell'onestà della plebe.

te, come è la Italia sopra tutte l'altre, ed ancora la Francia e la Spagna di tale corrozione ritengono parte. E se in quelle provincie non si vede tanti disordini quanti nascono in Italia ogni dì, diriva non tanto dalla bontà de' popoli, la quale in buona parte è mancata, quanto dallo avere uno re che gli mantiene uniti, non solamente per la virtù sua, ma per l'ordine di quegli regni che ancora non sono guasti. Vedesi bene nella provincia della Magna questa bontà e questa religione ancora in quelli popoli essere grande, la quale fa che molte republiche vi vivono libere, ed in modo osservono le loro leggi che nessuno di fuori né di dentro ardisce occuparle. E che e' sia vero che in loro regni buona parte di quella antica bontà, io ne voglio dare uno esemplo simile a questo detto di sopra del Senato e della plebe romana. Usono quelle republiche, quando gli occorre loro bisogno di avere a spendere alcuna quantità di danari per conto publico, che quelli magistrati o consigli che ne hanno autorità ponghino a tutti gli abitanti della città uno per cento o due di quello che ciascuno ha di valsente.[375] E fatta tale diliberazione secondo l'ordine della terra, si rappresenta ciascuno [376] dinanzi agli riscotitori di tale imposta, e preso prima il giuramento di pagare la conveniente somma, getta in una cassa a ciò diputata [377] quello che secondo la conscienza sua gli pare dovere pagare: del quale pagamento non è testimone alcuno se non quello che paga. Donde si può conietturare quanta bontà e quanta religione sia ancora in quegli uomini. E debbesi stimare che ciascuno paghi la vera somma, perché quando la non si pagasse, non gitterebbe quella imposizione quella quantità che loro disegnassero secondo le antiche che fossino usitate riscuotersi; e non gittando si conoscerebbe la fraude, e conoscendo si arebbe preso altro modo che questo. La quale bontà è tanto più da ammirare in questi tempi quanto ella è più rada, anzi si vede essere rimasa solo in quella provincia.

Il che nasce da dua cose: l'una non avere avute con-

---

375 *valsente*: reddito.
376 *si rappresenta ciascuno*: ognuno si presenta.
377 *diputata*: destinata.

versazioni [378] grandi con i vicini, perché né quelli sono iti a casa loro né essi sono iti a casa altrui, perché sono stati contenti di quelli beni, vivere di quelli cibi, vestire di quelle lane che dà il paese, d'onde è stata tolta via la cagione d'ogni conversazione ed il principio di ogni corruttela; perché non hanno possuto pigliare i costumi né franciosi né spagnuoli né italiani, le quali nazioni tutte insieme sono la corruttela del mondo. L'altra cagione è che quelle republiche dove si è mantenuto il vivere politico ed incorrotto, non sopportono che alcuno loro cittadino né sia né viva a uso di gentiluomo, anzi mantengono intra loro una pari equalità, ed a quelli signori e gentiluomini che sono in quella provincia sono inimicissimi, e se per caso alcuni pervengono loro nelle mani, come principii di corruttele e cagione d'ogni scandolo, gli ammazzono. E per chiarire questo nome di gentiluomini quale e' sia, dico che gentiluomini sono chiamati quelli che oziosi vivono delle rendite delle loro possessioni abbondantemente, sanza avere cura alcuna o di coltivazione o di altra necessaria fatica a vivere. Questi tali sono perniziosi in ogni republica ed in ogni provincia; ma più perniziosi sono quelli che oltre alle predette fortune comandano a castella, ed hanno sudditi che ubbidiscono a loro. Di queste due spezie di uomini ne sono pieni il regno di Napoli, Terra di Roma, la Romagna e la Lombardia. Di qui nasce che in quelle provincie non è mai surta alcuna republica né alcuno vivere politico; perché tali generazioni di uomini sono al tutto inimici d'ogni civiltà. Ed a volere in provincie fatte in simil modo introdurre una republica non sarebbe possibile. Ma a volerle riordinare, se alcuno ne fusse arbitro, non arebbe altra via che farvi uno regno: la cagione è questa, che dove è tanto la materia corrotta che le leggi non bastano a frenarla, vi bisogna ordinare insieme con quelle maggior forza, la quale è una mano regia [379] che con la potenza assoluta ed eccessiva ponga freno alla eccessiva ambizione e corruttela de' potenti. Verificasi questa ragione con lo esemplo di Toscana, dove si vede in poco spazio di terreno state lungamente tre republiche, Firenze, Siena e Lucca;

378 *conversazioni*: relazioni, rapporti.
379 *una mano regia*: il potere di un re.

e le altre città di quella provincia essere in modo serve, che con lo animo e con l'ordine si vede, o che le mantengono o che le vorrebbono mantenere la loro libertà. Tutto è nato per non essere in quella provincia alcun signore di castella, e nessuno o pochissimi gentiluomini; ma esservi tanta equalità che facilmente da 'uno uomo prudente, e che delle antiche civilità avesse cognizione, vi s'introdurrebbe uno vivere civile. Ma lo infortunio suo è stato tanto grande che infino a questi tempi non si è abattuta a alcuno uomo che lo abbia possuto o saputo fare.

Trassi adunque di questo discorso questa conclusione: che colui che vuole fare dove sono assai gentiluomini una republica, non la può fare se prima non gli spegne tutti; e che colui che dove è assai equalità vuole fare uno regno o uno principato, non lo potrà mai fare se non trae di quella equalità molti d'animo ambizioso ed inquieto, e quelli fa gentiluomini in fatto e non in nome, donando loro castella e possessioni e dando loro favore di sustanze e di uomini, acciocché, posto in mezzo di loro, mediante quegli mantenga la sua potenza ed essi mediante quello la loro ambizione, e gli altri siano costretti a sopportare quel giogo che la forza, e non altro mai, può fare sopportare loro. Ed essendo per questa via proporzione da chi sforza a chi è sforzato, stanno fermi gli uomini ciascuno negli ordini loro. E perché il fare d'una provincia atta a essere regno una republica, e d'una atta a essere republica farne uno regno, è materia da uno uomo che per cervello e per autorità sia raro, sono stati molti che lo hanno voluto fare e pochi che lo abbino saputo condurre. Perché la grandezza della cosa, parte sbigottisce gli uomini, parte in modo gl'impedisce che ne' principii primi mancano.[380]

Credo che a questa mia opinione, che dove sono gentiluomini non si possa ordinare republica, parrà contraria la esperienza della Republica viniziana, nella quale non possono avere alcuno grado se non coloro che sono gentiluomini. A che si risponde, come questo esempio non ci fa alcuna oppugnazione, perché i gentiluomini in quella republica sono più in nome che in fatto: perché loro non han-

380 *ne' principii primi mancano*: falliscono sin dal principio.

no grandi entrate di possessioni, sendo le loro ricchezze grandi fondate in sulla mercanzia e cose mobili. E di più nessuno di loro tiene castella o ha alcuna iurisdizione sopra gli uomini; ma quel nome di gentiluomo in loro è nome di degnità e di riputazione, sanza essere fondato sopra alcuna di quelle cose che fa che nell'altre città si chiamano i gentiluomini. E come le altre republiche hanno tutte le loro divisioni sotto vari nomi, così Vinegia si divide in gentiluomini e popolari; e vogliono che quegli abbino ovvero possino avere tutti gli onori, quelli altri ne siano al tutto esclusi. Il che non fa disordine in quella terra, per le ragioni altre volte dette. Constituisca adunque una republica colui dove è o è fatta una grande equalità, ed all'incontro ordini un principato dove è grande inequalità; altrimenti farà cosa sanza proporzione e poco durabile.

LVI · INNANZI CHE SEGUINO I GRANDI ACCIDENTI IN UNA CITTÀ O IN UNA PROVINCIA, VENGONO SEGNI CHE GLI PRONOSTICONO O UOMINI CHE GLI PREDÌCANO

Donde ei si nasca io non so, ma ei si vede per gli antichi e per gli moderni esempli che mai non venne alcuno grave accidente in una città o in una provincia che non sia stato, o da indovini o da rivelazioni o da prodigi o da altri segni celesti, predetto. E per non mi discostare da casa [381] nel provare questo, sa ciascuno quanto da frate Girolama Savonerola fusse predetta innanzi la venuta del re Carlo VIII di Francia in Italia, e come, oltre a di questo, per tutta Toscana si disse essere sentite in aria e vedute genti d'armi sopra Arezzo che si azzuffavano insieme. Sa ciascuno, oltre a questo, come avanti la morte di Lorenzo de' Medici vecchio [382] fu percosso il duomo nella sua più alta parte con una saetta celeste, con rovina grandissima di quello edificio. Sa ciascuno ancora come poco innanzi che Piero Soderini, quale era stato fatto gonfalonieri a vita dal popolo fiorentino, fosse cacciato e privo del suo grado, fu

381 *per non mi discostare da casa*: per restare a Firenze.
382 Lorenzo il Magnifico (1449-1492).

il palazzo [383] medesimamente da uno fulgure percosso. Potrebbonsi oltre a di questo addurre più esempli, i quali per fuggire il tedio lascierò. Narrerò solo quello che Tito Livio dice innanzi alla venuta de' Franciosi a Roma,[384] cioè come uno Marco Cedicio plebeio riferì al Senato avere udito di mezza notte, passando per la Via Nuova, una voce maggiore che umana, la quale lo ammuniva che riferissi a' magistrati come e Franciosi venivano a Roma. La cagione di questo, credo sia da essere discorsa e interpretata da uomo che abbi notizia delle cose naturali e soprannaturali, il che non abbiamo noi. Pure potrebbe essere, che sendo questo aere, come vuole alcuno filosofo, pieno di intelligenze, le quali per naturali virtù preveggendo le cose future ed avendo compassione agli uomini, acciò si possino preparare alle difese gli avvertiscono con simili segni. Pure, comunque e' si sia, si vede così essere la verità, e che sempre dopo tali accidenti sopravvengono cose istraordinarie e nuove alle provincie.

LVII · LA PLEBE INSIEME È GAGLIARDA, DI PER SÉ È DEBOLE

Erano molti Romani, sendo seguita per la passata dei Franciosi la rovina della loro patria, andati ad abitare a Veio, contro la constituzione ed ordine del Senato, il quale per rimediare a questo disordine comandò per i suoi editti publici che ciascuno infra certo tempo e sotto certe pene tornasse a abitare Roma. De' quali editti, da prima per coloro contro a chi e' venivano si fu fatto beffe; dipoi, quando si appressò il tempo dello ubbidire, tutti ubbidirono. E Tito Livio dice queste parole: « Ex ferocibus universis singuli metu suo obedientes fuere ».[385] E veramente non si può mostrare meglio la natura d'una moltitudine in questa parte, che si dimostri in questo testo. Perché la moltitudine è audace nel parlare molte volte contro alle diliberazioni del loro principe; dipoi come ci veggono la

383 Palazzo Vecchio.
384 Cfr. Livio, v, 32.
385 « Da bellicosi quando erano uniti, divennero, una volta isolati, paurosi ed obbedienti » (Livio, vi, 4, 5).

pena in viso, non si fidando l'uno dell'altro, corrono ad ubbidire. Talché si vede certo che di quel che si dica uno popolo circa la buona o mala disposizione sua, si debba tenere non gran conto, quando tu sia ordinato in modo da poterlo mantenere s'egli è bene disposto: s'egli è male disposto, da potere provedere che non ti offenda. Questo si intende per quelle male disposizioni che hanno i popoli, nate da qualunque altra cagione che o per avere perduta la libertà o il loro principe, stato amato da loro e che ancora sia vivo: imperocché le male disposizioni che nascono da queste cagioni sono sopra ogni cosa formidabili, e che hanno bisogno di grandi rimedi a frenarle; l'altre sue indisposizioni fiano facili quando e' non abbia capi a chi rifuggire.[386] Perché non ci è cosa dall'un canto più formidabile che una moltitudine sciolta e sanza capo, e dall'altra parte non è cosa più debole: perché quantunque ella abbia l'armi in mano, fia facile ridurla, purché tu abbi ridotto da poter fuggire il primo èmpito;[387] perché quando gli animi sono un poco raffreddi,[388] e che ciascuno vede di aversi a tornare a casa sua, cominciano a dubitare di loro medesimi e pensare alla salute loro o con fuggirsi o con l'accordarsi. Però una moltitudine così concitata, volendo fuggire questi pericoli, ha subito a fare infra se medesima uno capo che la corregga, tenghila unita e pensi alla sua difesa: come fece la plebe romana quando dopo la morte di Virginia si partì da Roma, e per salvarsi feciono infra loro venti Tribuni; e non faccendo questo, interviene loro sempre quel che dice Tito Livio nelle soprascritte parole: che tutti insieme sono gagliardi, e quando ciascuno poi comincia a pensare al proprio pericolo, diventa vile e debole.

LVIII · LA MOLTITUDINE È PIÙ SAVIA E PIÙ COSTANTE CHE UNO PRINCIPE

Nessuna cosa essere più vana e più incostante che la moltitudine, così Tito Livio nostro, come tutti gli altri

386 *a chi rifuggire*: a cui ricorrere.
387 *èmpito*: impeto.
388 *sono un poco raffreddi*: si sono un po' calmati.

istorici, affermano. Perché spesso occorre, nel narrare le azioni degli uomini, vedere la moltitudine avere condannato alcuno a morte, e quel medesimo dipoi pianto e sommamente desiderato: come si vede aver fatto il popolo romano di Manlio Capitolino, il quale avendo condannato a morte, sommamente dipoi desiderava quello. E le parole dello autore sono queste: « Populum brevi, posteaquam ab eo periculum nullum erat, desiderium eius tenuit ».[389] Ed altrove, quando mostra gli accidenti che nacquono in Siracusa dopo la morte di Girolamo nipote di Ierone, dice: « Hæc natura moltitudinis est: aut humiliter servit, aut supérbe dominatur ».[390] Io non so se io mi prenderò una provincia dura e piena di tanta difficultà che mi convenga o abbandonarla con vergogna o seguirla con carico,[391] volendo difendere una cosa,[392] la quale, come ho detto, da tutti gli scrittori è accusata. Ma comunque si sia, io non giudico né giudicherò mai essere difetto difendere alcuna opinione con le ragioni, sanza volervi usare o l'autorità o la forza. Dico adunque come di quello difetto di che accusano gli scrittori la moltitudine, se ne possono accusare tutti gli uomini particularmente, e massime i principi: perché ciascuno che non sia regolato dalle leggi farebbe quelli medesimi errori che la moltitudine sciolta. E questo si può conoscere facilmente, perché ei sono e sono stati assai principi; e de' buoni e de' savi ne sono stati pochi: io dico de' principi che hanno potuto rompere quel freno che gli può correggere; intra i quali non sono quegli re che nascevano in Egitto, quando in quella antichissima antichità si governava quella provincia con le leggi, né quegli che nascevano in Sparta, né quegli che a' nostri tempi nascano in Francia, il quale regno è moderato più dalle leggi che alcuno altro regno di che ne' nostri tempi si abbia notizia. E questi re che nascono sotto tali constituzioni non sono da mettere in quel numero, donde si

389 « Insomma il popolo, dopo che non veniva più alcun pericolo da parte di Manlio, incominciò a rimpiangerlo » (Livio, VI, 20, 15).

390 « Tale è la natura della moltitudine: o è serva umile oppure è superba dominatrice » (Livio, XXIV, 25, 8).

391 *con carico*: con fatica.

392 *una cosa*: una causa.

abbia a considerare la natura di ciascuno uomo per sé, e vedere s'egli è simile alla moltitudine. Perché a rincontro si debbe porre una moltitudine medesimamente regolata dalle leggi come sono loro, e si troverrà in lei essere quella medesima bontà che noi vediamo essere in quelli, e vedrassi quella né superbamente dominare né umilmente servire, come era il popolo romano, il quale, mentre durò la Republica incorrotta, non servì mai umilmente, né mai dominò superbamente; anzi con li suoi ordini e magistrati tenne il suo grado onorevolmente. E quando era necessario commuoversi [393] contro a uno potente, lo faceva, come si vide in Manlio, ne' Dieci [394] ed in altri che cercorono opprimerla; e quando era necessario ubbidire a' Dittatori ed a' Consoli per la salute publica, lo faceva. E se il popolo romano desiderava Manlio Capitolino morto, non è maraviglia; perché ei desiderava le sue virtù, le quali erano state tali che la memoria di esse recava compassione a ciascuno, ed arebbono avuto forza di fare quel medesimo effetto in un principe: perché la è sentenzia di tutti gli scrittori, come la virtù si lauda e si ammira ancora negli inimici suoi; e se Manlio infra tanto desiderio fusse risuscitato, il popolo di Roma arebbe dato di lui il medesimo giudizio come ei fece, tratto che lo ebbe di prigione, che poco dipoi lo condannò a morte; nonostante che si vegga de' principi tenuti savi i quali hanno fatto morire qualche persona, e poi sommamente desideratola, come Alessandro, Clito [395] ed altri suoi amici, ed Erode, Marianne.[396] Ma quello che lo istorico nostro dice della natura della moltitudine, non dice di quella che è regolata dalle leggi, come era la romana, ma della sciolta, come era la siragusana: la quale fece quegli errori che fanno gli uomini infuriati e sciolti, come fece Alessandro Magno ed Erode ne' casi detti. Però non è più da incolpare la natura della moltitudine che de' principi, perché tutti egualmente errano quando tutti san-

393 *commuoversi*: ribellarsi.
394 Contro Manlio Capitolino e contro i Decemviri.
395 Alessandro Magno in un impeto d'ira fece uccidere l'amico Clito.
396 La moglie del re di Giudea fu messa a morte perché sospettata di voler avvelenare il marito: una volta eseguita la sentenza Erode fu assalito da atroci rimorsi di coscienza.

za rispetto possono errare. Di che, oltre a quel che ho detto, ci sono assai esempli ed intra gl'imperadori romani ed intra gli altri tiranni e principi, dove si vede tanta inconstanzia e tanta variazione di vita, quanta mai non si trovasse in alcuna moltitudine.

Conchiudo adunque contro alla commune opinione, la quale dice come i popoli, quando sono principi,[397] sono vari, mutabili ed ingrati, affermando che in loro non sono altrimenti questi peccati che siano ne' principi particulari. Ed accusando alcuno i popoli ed i principi insieme, potrebbe dire il vero; ma traendone i principi, s'inganna: perché un popolo che comandi e sia bene ordinato, sarà stabile, prudente e grato non altrimenti che un principe, o meglio che un principe eziandio stimato savio; e dall'altra parte, un principe sciolto dalle leggi sarà ingrato, vario ed imprudente più che uno popolo. E che la variazione del procedere loro nasce non dalla natura diversa, perché in tutti è a un modo, e se vi è vantaggio di bene è nel popolo; ma dallo avere più o meno rispetto alle leggi dentro alle quali l'uno e l'altro vive. E chi considererà il popolo romano lo vedrà essere stato per quattrocento anni inimico del nome regio, e amatore della gloria e del bene commune della sua patria: e vedrà tanti esempli usati da lui, che testimoniano l'una cosa e l'altra. E se alcuno mi allegasse la ingratitudine ch'egli usò contra a Scipione, rispondo quello che di sopra lungamente si discorse in questa materia,[398] dove si mostrò i popoli essere meno ingrati de' principi. Ma quanto alla prudenzia ed alla stabilità dico come un popolo è più prudente, più stabile, e di migliore giudizio che un principe. E non sanza cagione si assomiglia la voce d'un popolo a quella di Dio: perché si vede una opinione universale fare effetti maravigliosi ne' pronostichi suoi, talché pare che per occulta virtù ei prevegga il suo male ed il suo bene. Quanto al giudicare le cose, si vede radissime volte, quando egli ode duo concionanti [399] che tendino in diverse parti, quando ci sono di equale virtù, che non pigli la opinione migliore, e che non sia capace di quella verità

397 *quando sono principi*: quando hanno il potere.
398 Nei capp. xxix e xxx di questo libro.
399 *duo concionanti*: due oratori.

che egli ode. E se nelle cose gagliarde o che paiano utili, come di sopra si dice, egli erra, molte volte erra ancora un principe nelle sue proprie passioni, le quali sono molte più che quelle de' popoli. Vedesi ancora nelle sue elezioni ai magistrati fare di lunga migliore elezione che un principe, né mai si persuaderà a un popolo che sia bene tirare alle degnità uno uomo infame e di corrotti costumi, il che facilmente e per mille vie si persuade a un principe; vedesi uno popolo cominciare ad avere in orrore una cosa, e molti secoli stare in quella opinione; il che non si vede in un principe. E dell'una e dell'altra di queste due cose voglio mi basti per testimone il popolo romano, il quale in tante centinaia d'anni, in tante elezioni di Consoli e di Tribuni, non fece quattro elezioni di che quello si avesse a pentire. Ed ebbe, come ho detto, tanto in odio il nome regio che nessuno obligo [400] di alcuno suo cittadino, che tentasse quel nome, poté fargli fuggire le debite pene. Vedesi, oltra di questo, le città dove i popoli sono principi, fare in brevissimo tempo augumenti eccessivi, e molto maggiori che quelle che sempre sono state sotto uno principe; come fece Roma dopo la cacciata de' re, ed Atene dapoi che la si liberò da Pisistrato. Il che non può nascere da altro, se non che sono migliori governi quegli de' popoli che quegli de' principi. Né voglio che si opponga a questa mia opinione tutto quello che lo istorico nostro ne dice nel preallegato testo, ed in qualunque altro; perché se si discorreranno tutti i disordini de' popoli, tutti i disordini de' principi, tutte le glorie de' popoli e tutte quelle de' principi, si vedrà il popolo di bontà e di gloria essere di lunga superiore. E se i principi sono superiori a' popoli nello ordinare leggi, formare vite civili, ordinare statuti ed ordini nuovi, i popoli sono tanto superiori nel mantenere le cose ordinate, ch'egli aggiungono sanza dubbio alla gloria di coloro che l'ordinano.

Ed insomma, per conchiudere questa materia, dico: come hanno durato assai gli stati de' principi, hanno durato assai gli stati delle republiche, e l'uno e l'altro ha avuto

400 *nessuno obligo*: nessun merito, anche tale da sentirsi obbligati nei confronti di chi lo aveva guadagnato.

bisogno d'essere regolato dalle leggi: perché un principe che può fare ciò ch'ei vuole è pazzo, un popolo che può fare· ciò che vuole non è savio. Se adunque si ragionerà d'un principe obligato alle leggi e d'un popolo incatenato da quelle, si vedrà più virtù nel popolo che nel principe: se si ragionerà dell'uno e dell'altro sciolto, si vedrà meno errori nel popolo che nel principe, e quelli minori, ed aranno maggiori rimedi. Però che a un popolo licenzioso e tumultuario gli può da un uomo buono essere parlato, e facilmente può essere ridotto nella via buona; a un principe cattivo non è alcuno che possa parlare né vi è altro rimedio che il ferro.[401] Da che si può fare coniettura della importanza della malattia dell'uno e dell'altro: ché se a curare la malattia del popolo bastan le parole, ed a quella del principe bisogna il ferro, non sarà mai alcuno che non giudichi che dove bisogna maggior cura siano maggiori errori. Quando un popolo è bene sciolto, non si temano le pazzie che quello fa, né si ha paura del male presente ma di quel che ne può nascere, potendo nascere infra tanta confusione uno tiranno. Ma ne' principi cattivi interviene il contrario, che si teme il male presente e nel futuro si spera, persuadendosi gli uomini che la sua cattiva vita possa fare surgere una libertà. Sicché vedete la differenza dell'uno e dell'altro, la quale è quanto dalle cose che sono a quelle che hanno a essere. Le crudeltà della moltitudine sono contro a chi ei temano che occupi il bene commune; quelle d'un principe sono contro a chi ei temano che occupi il bene proprio. Ma la opinione contro ai popoli nasce perché de' popoli ciascuno dice male sanza paura e liberamente ancora mentre che regnano; de' principi si parla sempre con mille paure e mille rispetti. Né mi pare fuor di proposito, poi che questa materia mi vi tira, disputare nel seguente capitolo di quali confederazioni altri si possa[402] più fidare, o di quelle fatte con una republica o di quelle fatte con uno principe.

401 *il ferro*: la violenza.
402 *altri si possa*: ci si possa.

Perché ciascuno dì occorre che [403] l'uno principe con l'altro, o l'una republica con l'altra fanno lega ed amicizia insieme, ed ancora similmente si contrae confederazione ed accordo intra una republica ed uno principe, mi pare da esaminare qual fede è più stabile e di quale si debba tenere più conto, o di quella d'una republica o di quella d'uno principe. Io esaminando tutto, credo che in molti casi ei sieno simili, ed in alcuni vi sia qualche disformità. Credo pertanto che gli accordi fatti per forza non ti saranno né da uno principe né da una republica osservati : credo che quando la paura dello stato venga, l'uno e l'altro per non lo perdere ti romperà la fede e ti userà ingratitudine. Demetrio,[404] quel che fu chiamato espugnatore delle cittadi, aveva fatto agli Ateniesi infiniti beneficii : occorse dipoi che sendo rotto da' suoi inimici, e rifuggendosi in Atene come in città amica ed a lui obligata, non fu ricevuto da quella; il che gli dolse assai più che non aveva fatto la perdita delle genti e dello esercito suo. Pompeio, rotto che fu da Cesare in Tessaglia,[405] si rifuggì in Egitto a Tolomeo, il quale era per lo adietro da lui stato rimesso nel regno, e fu da lui morto. Le quali cose si vede che ebbero le medesime cagioni; nondimeno fu più umanità usata e meno ingiuria dalla republica che dal principe. Dove è pertanto la paura, si troverrà in fatto la medesima fede. E se si troverrà o una republica o uno principe che per osservarti la fede aspetti di rovinare,[406] può nascere questo ancora da simili cagioni. E quanto al principe, può molto bene occorrere che egli sia amico d'uno principe potente, che se bene non ha occasione allora di difenderlo, ei può sperare che col tempo ei lo restituisca nel principato suo; o vera-

403 *Perché ciascuno dì occorre che* : poiché ogni giorno accade...

404 Demetrio 1 di Macedonia (337-283 a.C.), detto il Poliorcete (*espugnatore delle cittadi*).

405 A Farsalo nel 48 a.C.

406 *aspetti di rovinare* : debba attendersi di andare in rovina.

mente [407] che, avendolo seguito come partigiano, ei non creda trovare né fede né accordi con il nimico di quello. Di questa sorte sono stati quegli principi del reame di Napoli che hanno seguite le parti franciose.[408] E quanto alle republiche, fu di questa sorte Sagunto in Ispagna, che aspettò la rovina [409] per seguire le parti romane, e di questa Firenze per seguire nel 1512 le parti franciose.[410] E credo, computato ogni cosa, che in questi casi, dove è il pericolo urgente, si troverrà qualche stabilità più nelle republiche che ne' principi; perché sebbene le republiche avessero quel medesimo animo e quella medesima voglia che uno principe, lo avere il moto loro tardo farà che le perranno sempre più [411] a risolversi che il principe, e per questo perranno più a rompere la fede di lui. Romponsi le confederazioni per lo utile. In questo le republiche sono di lunga più osservanti degli accordi che i principi. E potrebbesi addurre esempli dove uno minimo utile ha fatto rompere la fede a uno principe, e dove una grande utilità non ha fatto rompere la fede a una republica; come fu quello partito che propose Temistocle [412] agli Ateniesi, a' quali nella concione disse che aveva un consiglio da fare alla loro patria grande utilità, ma non lo poteva dire per non lo scoprire, perché scoprendolo si toglieva la occasione del farlo. Onde il popolo di Atene elesse Aristide [413] al quale si comunicasse la cosa e secondo dipoi che paresse a lui se ne diliberasse; al quale Temistocle mostrò come l'armata di tutta Grecia, ancora che la stesse sotto la fede loro, era in lato che facilmente si poteva guadagnare o distruggere, il che faceva gli Ateniesi al tutto arbitri di quella provin-

407 *o veramente*: oppure.
408 Infatti i baroni filofrancesi ripudiarono la casa di Aragona.
409 Sagunto fu distrutta da Annibale nel 219 a.C.
410 A seguito della battaglia di Ravenna in cui vennero sconfitti i francesi, i Medici poterono più facilmente rientrare a Firenze ed abbattere la repubblica.
411 *le perranno sempre più*: impiegheranno sempre più tempo.
412 Il difensore della libertà dei greci contro i persiani (v sec. a.C.).
413 Capo del partito conservatore ad Atene ed oppositore di Temistocle.

cia. Donde Aristide riferì al popolo il partito di Temistocle essere utilissimo ma disonestissimo; per la quale cosa il popolo al tutto lo ricusò. Il che non arebbe fatto Filippo Macedone e gli altri principi, che più utile hanno cerco e più guadagnato con il rompere la fede che con alcuno altro modo. Quanto a rompere i patti per qualche cagione di inosservanzia, di questo io non parlo, come di cosa ordinaria, ma parlo di quelli che si rompono per cagioni istraordinarie; dove io credo, per le cose dette, che il popolo facci minori errori che il principe, e per questo si possa fidar più di lui che del principe.

LX · COME IL CONSOLATO E QUALUNQUE ALTRO MAGISTRATO IN ROMA SI DAVA SANZA RISPETTO DI ETÀ

Ei si vede per l'ordine della istoria come la Republica romana, poiché il Consolato venne nella Plebe, concesse quello ai suoi cittadini sanza rispetto di età e di sangue, ancora che il rispetto della età mai non fusse in Roma, ma sempre si andò a trovare la virtù o in giovane o in vecchio che la fusse. Il che si vede per il testimone [414] di Valerio Corvino, che fu fatto Consolo in ventitré anni : e Valerio detto, parlando ai suoi soldati, disse come il Consolato era « proemium virtutis, non sanguinis ».[415] La quale cosa se fu bene considerata o no, sarebbe da disputare assai. E quanto al sangue, fu concesso questo per necessità : e quella necessità che fu in Roma sarebbe in ogni città che volesse fare gli effetti che fece Roma, come altra volta si è detto; perché e' non si può dare agli uomini disagio sanza premio, né si può tòrre loro la speranza di conseguire il premio sanza pericolo. E però a buona ora convenne che la Plebe avessi speranza di avere il Consolato, e di questa speranza si nutrì un pezzo sanza averlo. Dipoi non bastò la speranza, che e' convenne che si venisse allo effetto. Ma la città che non adopera la sua plebe a alcuna cosa gloriosa, la può trattare a suo modo, come altrove si disputò; [416]

414 *per il testimone* : attraverso la testimonianza.
415 « premio della virtù, non della stirpe » (Livio, VII, 32).
416 Nel cap. VI del presente libro.

ma quella che vuol fare quel che fe' Roma, non ha a fare questa distinzione. E dato che così sia, quella del tempo non ha replica, anzi è necessaria, perché nello eleggere uno giovane in un grado che abbi bisogno d'una prudenza di vecchio, conviene, avendovelo a eleggere la moltitudine, che a quel grado lo facci pervenire qualche sua notabilissima azione. E quando uno giovane è di tanta virtù che si sia fatto in qualche cosa notabile conoscere, sarebbe cosa dannosissima che la città non se ne potessi valere allora, e che l'avesse a aspettare che fosse invecchiato con lui quel vigore dell'animo e quella prontezza della quale in quella età la patria sua si poteva valere; come si valse Roma di Valerio Corvino, di Scipione, di Pompeio, e di molti altri che trionfarono giovanissimi.

LIBRO SECONDO

PROEMIO

Laudano sempre gli uomini, ma non sempre ragionevolmente, gli antichi tempi, e gli presenti accusano: ed in modo sono delle cose passate partigiani che non solamente celebrano quelle etadi che da loro sono state per la memoria che ne hanno lasciata gli scrittori conosciute, ma quelle ancora che sendo già vecchi si ricordano nella loro giovanezza avere vedute. E quando questa loro opinione sia falsa, come il più delle volte è, mi persuado varie essere le cagioni che a questo inganno gli conducono. E la prima credo sia, che delle cose antiche non s'intenda al tutto la verità, e che di quelle il più delle volte si nasconda quelle cose che recherebbono a quelli tempi infamia, e quelle altre che possano partorire loro gloria si rendino magnifiche ed amplissime. Perché il più degli scrittori in modo alla fortuna de' vincitori ubbidiscano che, per fare le loro vittorie gloriose, non solamente accrescano quello che da loro è virtuosamente operato, ma ancora le azioni de' nimici in modo illustrano, che qualunque nasce dipoi in qualunque delle due provincie, o nella vittoriosa o nella vinta, ha cagione di maravigliarsi di quegli uomini e di quelli tempi ed è forzato sommamente laudarli ed amarli. Oltra di questo, odiando gli uomini le cose o per timore o per invidia, vengono ad essere spente due potentissime cagioni dell'odio nelle cose passate, non ti potendo quelle offendere e non ti dando cagione d'invidiarle. Ma al contrario interviene di quelle cose che si maneggiano e veggono, le quali per la intera cognizione di esse non ti essendo in alcuna parte nascoste, e conoscendo in quelle insieme con il bene molte altre cose che ti dispiacciono, sei forzato giudicarle alle antiche molto inferiori, ancora che [417] in verità le presenti molto più di quelle di gloria e di fama meritassoro : ragionando non delle cose pertinenti alle arti, le quali hanno tanta chiarezza in sé che i tempi possono tòrre o dare loro poco più gloria che per loro medesime si meritino, ma parlando di quelle pertinenti alla vita e costumi degli uomini, delle quali non se ne veggono sì chiari testimoni.[418]

Replico pertanto essere vera quella consuetudine del laudare e biasimare soprascritta, ma non essere già sempre vero che si erri nel farlo. Perché qualche volta è necessario che giudichino la verità, perché essendo le cose umane sempre in moto, o le salgono o le scendano. E vedesi una città o una provincia essere ordinata al vivere politico da qualche uomo eccellente, ed un tempo, per la virtù di quello ordinatore, andare sempre in augumento verso il meglio. Chi nasce allora in tale stato, ed ei laudi più gli antichi tempi che i moderni, s'inganna : ed è causato il suo inganno da quelle cose che di sopra si sono dette. Ma coloro che nascono dipoi in quella città o provincia, che gli è venuto il tempo che la scende verso la parte più ria,[419] allora non s'ingannano. E pensando io come queste cose procedino, giudico il mondo sempre essere stato ad uno medesimo modo, ed in quello essere stato tanto di buono quanto di cattivo ; ma variare questo cattivo e questo buono di provincia in provincia, come si vede per quello si ha notizia di quegli regni antichi, che variavano dall'uno all'altro per la variazione de' costumi, ma il mondo restava quel medesimo : solo vi era questa differenza, che dove quello aveva prima allogata la sua virtù in Assiria, la collocò in Media, dipoi in Persia, tanto che la ne venne in Italia e a Roma. E se dopo lo Imperio romano non è seguìto Imperio che sia durato né dove il mondo abbia ritenuta la sua virtù insieme, si vede nondimeno essere sparsa in di molte nazioni dove si viveva virtuosamente ; come era il regno de' Franchi, il regno de' Turchi, quel del Soldano, ed

417 *ancora che* : anche se.
418 *non se ne veggono sì chiari testimoni* : non si hanno altrettanto chiare testimonianze.
419 *la parte più ria* : un'epoca oscura.

oggi i popoli della Magna, e prima quella setta Saracina [420] che fece tante gran cose ed occupò tanto mondo, poiché la distrusse lo Imperio romano orientale. In tutte queste provincie adunque, poiché i Romani rovinorono, ed in tutte queste sètte è stata quella virtù, ed è ancora in alcuna parte di esse, che si disidera e che con vera laude si lauda. E chi nasce in quelle e lauda i tempi passati più che i presenti, si potrebbe ingannare; ma chi nasce in Italia ed in Grecia e non sia diventato o in Italia oltramontano o in Grecia Turco,[421] ha ragione di biasimare i tempi suoi e laudare gli altri: perché in quelli vi sono assai cose che gli fanno maravigliosi, in questi non è cosa alcuna che gli ricomperi [422] da ogni estrema miseria, infamia e vituperio, dove non è osservanza di religione, non di leggi, non di milizia, ma sono maculati d'ogni ragione bruttura.[423] E tanto sono questi vizi più detestabili, quanto ei sono più in coloro che seggono pro tribunali,[424] comandano a ciascuno, e vogliono essere adorati.

Ma tornando al ragionamento nostro, dico che se il giudicio degli uomini è corrotto in giudicare quale sia migliore o il secolo presente o l'antico, in quelle cose dove per l'antichità e' non ne ha possuto avere perfetta cognizione come egli ha de' suoi tempi, non doverebbe corrompersi ne' vecchi nel giudicare i tempi della gioventù e vecchiezza loro, avendo quelli e questi equalmente conosciuti e visti. La quale cosa sarebbe vera se gli uomini per tutti i tempi della lor vita fossero di quel medesimo giudizio ed avessono quegli medesimi appetiti. Ma variando quegli, ancora che i tempi non variino, non possono parere agli uomini quelli medesimi, avendo altri appetiti, altri diletti, altre considerazioni nella vecchiezza che nella gioventù. Perché mancando gli uomini, quando gl'invecchiano, di forze e crescendo di giudizio e di prudenza, è necessario che quelle cose che in gioventù parevano loro sopportabili e buone,

420 I turchi.
421 Chi, cioè, non sia passato dalla parte dei conquistatori stranieri.
422 *ricomperi*: riscatti.
423 *maculati d'ogni ragione bruttura*: macchiati di ogni genere di brutture.
424 Ossia i magistrati.

rieschino poi invecchiando insopportabili e cattive, e dove quegli ne doverrebbono accusare il giudizio loro, ne accusano i tempi. Sendo, oltra di questo, gli appetiti umani insaziabili, perché avendo dalla natura di potere e volere desiderare ogni cosa, e dalla fortuna di potere conseguitarne poche, ne risulta continuamente una mala contentezza nelle menti umane, ed uno fastidio delle cose che si posseggono: il che fa biasimare i presenti tempi, laudare i passati e desiderare i futuri, ancora che a fare questo non fussono mossi da alcuna ragionevole cagione.

Non so adunque se io meriterò d'essere numerato tra quelli che si ingannano, se in questi mia discorsi io lauderò troppo i tempi degli antichi Romani e biasimerò i nostri. E veramente se la virtù che allora regnava ed il vizio che ora regna non fussino più chiari che il sole, andrei col parlare più rattenuto,[425] dubitando non incorrere in questo inganno di che io accuso alcuni. Ma essendo la cosa sì manifesta che ciascuno la vede, sarò animoso in dire manifestamente quello che io intenderò di quelli e di questi tempi, acciocché gli animi de' giovani che questi mia scritti leggeranno possino fuggire questi e prepararsi ad imitar quegli, qualunque volta la fortuna ne dessi loro occasione. Perché gli è offizio di uomo buono, quel bene che per la malignità de' tempi e della fortuna tu non hai potuto operare, insegnarlo ad altri, acciocché sendone molti capaci, alcuno di quelli più amato dal Cielo possa operarlo. Ed avendo ne' discorsi del superior libro parlato delle diliberazioni fatte da' Romani pertinenti al di dentro della città, in questo parleremo di quelle che il Popolo romano fece pertinenti allo augumento dello imperio suo.[426]

I · QUALE FU PIÙ CAGIONE DELLO IMPERIO CHE ACQUISTARONO I ROMANI, O LA VIRTÙ O LA FORTUNA

Molti hanno avuta opinione, ed in tra' quali Plutarco, gravissimo scrittore, che 'l Popolo romano nello acquistare

425 *più rattenuto*: più cauto.
426 *allo augumento dello imperio suo*: nell'espansione del suo dominio.

lo imperio fusse più favorito dalla fortuna che dalla virtù. Ed intra le altre ragioni che ne adduce dice che per confessione di quel popolo si dimostra quello avere riconosciute dalla fortuna tutte le sue vittorie, avendo quello edificati più templi alla Fortuna che ad alcuno altro iddio. E pare che a questa opinione si accosti Livio, perché rade volte è che facci parlare ad alcuno Romano, dove ei racconti della virtù, che non vi aggiunga la fortuna. La qual cosa io non voglio confessare [427] in alcuno modo, né credo ancora si possa sostenere. Perché se non si è trovata mai republica che abbi fatti i profitti che Roma, è nato che non si è trovato mai republica che sia stata ordinata a potere acquistare come Roma. Perché la virtù degli eserciti gli fecero acquistare lo imperio: e l'ordine del procedere ed il modo suo proprio e trovato dal suo primo latore delle leggi, gli fece mantenere lo acquistato, come di sotto largamente in più discorsi si narrerà. Dicono costoro che non avere mai accozzate due potentissime guerre in uno medesimo tempo fu fortuna e non virtù del Popolo romano; perché e' non ebbero guerra con i Latini se non quando egli ebbero non tanto battuti i Sanniti, quanto che la guerra fu fatta da' Romani in defensione di quelli; non combatterono con i Toscani se prima non ebbero soggiogati i Latini ed enervati con le spesse rotte quasi in tutto i Sanniti: [428] ché se dua di queste potenze intere si fossero, quando erano fresche, accozzate insieme, sanza dubbio si può facilmente conietturare che ne sarebbe seguita la rovina della romana Republica. Ma comunque questa cosa nascesse, mai non intervenne che eglino avessino due potentissime guerre in uno medesimo tempo, anzi parve sempre che o nel nascere dell'una l'altra si spegnesse o nello spegnersi dell'una l'altra nascesse. Il che si può facilmente vedere per l'ordine delle guerre fatte da loro: perché lasciando stare quelle che fecero prima che Roma fosse presa dai Franciosi, [429] si vede che mentre che combatterno con gli Equi

427 *confessare* : riconoscere, ammettere.
428 *enervati... i Sanniti* : dopo aver notevolmente fiaccato i Sanniti, infliggendo loro numerose sconfitte.
429 Prima dell'invasione dei Galli e del sacco di Roma (396 a.C.).

è con i Volsci, ma mentre che questi popoli furono potenti non scesero contro di loro altre genti. Domi [430] costoro, nacque la guerra contro a' Sanniti, e benché innanzi che finisse tale guerra i popoli latini si ribellassero da' Romani, nondimeno quando tale ribellione seguì, i Sanniti erano in lega con Roma, e con il loro esercito aiutarono i Romani domare la insolenzia latina. I quali domi, risurse la guerra di Sannio. Battute per molte rotte date a' Sanniti le loro forze, nacque la guerra de' Toscani, la quale composta, si rilevarono di nuovo i Sanniti per la passata di Pirro in Italia. Il quale come fu ributtato e rimandato in Grecia, appiccarono la prima guerra con i Cartaginesi; né prima fu tale guerra finita che tutti i Franciosi e di là e di qua dall'Alpi, congiurarono contro ai Romani, tanto che intra Popolonia e Pisa dove è oggi la torre a San Vincenti, furono con massima strage superati. Finita questa guerra, per spazio di venti anni ebbero guerre di non molta importanza, perché non combatterono con altri che con Liguri, e con quel rimanente de' Franciosi che era in Lombardia. E così stettero tanto che nacque la seconda guerra cartaginese, la quale per sedici anni tenne occupata Italia. Finita questa con massima gloria, nacque la guerra macedonica, la quale finita, venne quella d'Antioco e d'Asia. Dopo la quale vittoria non restò in tutto il mondo né principe né republica che di per sé o tutti insieme si potessero opporre alle forze romane. [431]

Ma innanzi a quella ultima vittoria, chi considererà bene l'ordine di queste guerre ed il modo del procedere loro, vi vedrà dentro mescolate con la fortuna una virtù e prudenza grandissima. Talché chi esaminassi la cagione di tale fortuna, la ritroverebbe facilmente; perché gli è cosa certissima che come uno principe e uno popolo viene in tanta riputazione che ciascuno principe e popolo vicino abbia di per sé paura ad assaltarlo e ne tema, sempre interverrà che ciascuno d'essi mai lo assalterà se non necessitato: in modo che e' sarà quasi come nella elezione di

430 *Domi*: domati.
431 Sono qui succintamente passati in rassegna dal M. i principali avvenimenti bellici dalla metà del IV secolo al 189 a.C. circa.

quel potente fare guerra con quale di quei sua vicini gli parrà, e gli altri con la sua industria quietare. E quali, parte rispetto alla potenza sua, parte ingannati da que' modi ch'egli terrà per adormentargli, si quietano facilmente : quegli altri potenti che sono discosto, e che hanno commerzio seco, curano la cosa come cosa longinqua [432] e che non appartenga a loro. Nel quale errore stanno tanto che questo incendio venga loro presso : il quale venuto non hanno rimedio a spegnerlo se non con le forze proprie, le quali dipoi non bastono, sendo colui diventato potentissimo. Io voglio lasciare andare come i Sanniti stettero a vedere vincere dal Popolo romano i Volsci e gli Equi; e per non essere troppo prolisso, mi farò da' Cartaginesi, i quali erano di gran potenza e di grande estimazione, quando i Romani combattevano co' Sanniti e con i Toscani, perché di già tenevano tutta l'Africa, tenevano la Sardigna e la Sicilia, avevano dominio in parte della Spagna. La quale potenza loro, insieme con lo essere discosto ne' confini dal Popolo romano, fece che non pensarono mai di assaltare quello, né di soccorrere i Sanniti ed i Toscani; anzi fecero come si fa nelle cose che crescano più tosto in loro favore collegandosi con quegli e cercando l'amicizia loro. Né si avviddono prima dello errore fatto che i Romani, domi tutti i popoli mezzi infra loro ed i Cartaginesi,[433] cominciarono a combattere insieme dello imperio di Sicilia e di Spagna. Intervenne questo medesimo a' Franciosi che a' Cartaginesi, e così a Filippo re de' Macedoni e a Antioco, e ciascuno di loro credea, mentre che il Popolo romano era occupato con l'altro, che quello altro lo superasse, ed essere a tempo o con pace o con guerra difendersi da lui. In modo che io credo che la fortuna che ebbero in questa parte i Romani, l'arebbono tutti quegli principi che procedessono come i Romani, e fossero della medesima virtù che loro.

Sarebbeci da mostrare a questo proposito il modo tenuto dal Popolo romano nello entrare nelle provincie d'altrui, se nel nostro trattato de' Principati non ne avessimo parla-

432 *longinqua* : lontana.
433 I popoli che si frapponevano tra i Romani ed i Cartaginesi.

to a lungo, perché in quello questa materia è diffusamente disputata.[434] Dirò solo questo lievemente, come sempre s'ingegnarono avere nelle provincie nuove qualche amico che fussi scala o porta a salirvi o entrarvi o mezzo a tenerla, come si vede che per il mezzo de' Capuani entrarono in Sannio, de' Camertini in Toscana, de' Mamertini in Sicilia, de' Saguntini in Spagna, di Massinissa [435] in Africa, degli Etoli in Grecia, di Eumene [436] ed altri principi in Asia, de' Massiliensi [437] e delli Edui in Francia. E così non mancorono mai di simili appoggi, per potere facilitare le imprese loro, e nello acquistare le provincie e nel tenerle. Il che quegli popoli che osserveranno, vedranno avere meno bisogno della fortuna che quelli che ne saranno non buoni osservatori. E perché ciascuno possa meglio conoscere quanto possa più la virtù che la fortuna loro ad acquistare quello imperio, noi discorreremo nel seguente capitolo di che qualità furono quelli popoli con e quali egli ebbero a combattere, e quanto erano ostinati a difendere la loro libertà.

II · CON QUALI POPOLI I ROMANI EBBERO A COMBATTERE, E COME OSTINATAMENTE QUEGLI DIFENDEVONO LA LORO LIBERTÀ

Nessuna cosa fe' più faticoso a' Romani superare i popoli d'intorno e parte delle provincie discosto, quanto lo amore che in quelli tempi molti popoli avevano alla libertà, la quale tanto ostinatamente difendevano che mai se non da una eccessiva virtù sarebbono stati soggiogati. Perché per molti esempli si conosce a quali pericoli si mettessono per mantenere o ricuperare quella, quali vendette ei facessono contro a coloro che l'avessero loro occupata. Conoscesi ancora nella lezione delle istorie, quali danni i popoli e le città ricevino per la servitù. E dove in questi tempi ci è solo una provincia, la quale si possa dire che abbi in sé città libere,[438] ne' tempi antichi in tutte le provincie erano

434 Nel *Principe*.
435 Il re di Numidia.
436 Eumene II, il re di Pergamo.
437 I marsigliesi.
438 *una provincia... libere*: la Germania.

assai popoli liberissimi. Vedesi come in quelli tempi de'
quali noi parliamo al presente, in Italia, dall'Alpi che dividono ora la Toscana da Lombardia, infino alla punta d'Italia, erano tutti popoli liberi, come erano i Toscani, i Romani, i Sanniti, e molti altri popoli che in quel resto d'Italia
abitavano. Né si ragiona mai che vi fusse alcuno re fuora
di quegli che regnorono in Roma, e Porsenna re di Toscana, la stirpe del quale come si estinguesse non ne parla
la istoria. Ma si vede bene come in quelli tempi che i Romani andarono a campo a Veio, la Toscana era libera :
e tanto si godeva della sua libertà, e tanto odiava il nome
del principe, che avendo fatto i Veienti per loro difensione
uno re in Veio, e domandando aiuto a' Toscani contro a'
Romani, quegli, dopo molte consulte fatte, deliberarono
di non dare aiuto a' Veienti infino a tanto che vivessono
sotto il re, giudicando non essere bene difendere la patria
di coloro che l'avevano di già sottomessa a altrui. E facil
cosa è conoscere donde nasca ne' popoli questa affezione
del vivere libero : perché si vede per esperienza le cittadi
non avere mai ampliato né di dominio né di ricchezza se
non mentre sono state in libertà. E veramente maravigliosa cosa è a considerare a quanta grandezza venne Atene
per spazio di cento anni, poiché la si liberò dalla tirannide
di Pisistrato. Ma sopra tutto maravigliosissima è a considerare a quanta grandezza venne Roma poiché la si liberò da' suoi Re. La ragione è facile a intendere, perché
non il bene particulare ma il bene comune è quello che
fa grandi le città. E sanza dubbio questo bene comune non
è osservato se non nelle republiche, perché tutto quello
che fa' a proposito suo si esequisce; e quantunque e' torni
in danno di questo o di quello privato, e' sono tanti quegli
per chi detto bene fa, che lo possono tirare innanzi contro
alla disposizione di quegli pochi che ne fussono oppressi.
Al contrario interviene quando vi è uno principe, dove il
più delle volte quello che fa per lui offende la città, e
quello che fa per la città offende lui. Dimodoché subito che
nasce una tirannide sopra uno vivere libero, il manco male [439] che ne resulti a quelle città è non andare più innanzi, né

439 *il manco male* : il minor male.

crescere più in potenza o in ricchezze; ma il più delle volte anzi sempre interviene loro che le tornano indietro. E se la sorte facesse che vi surgesse uno tiranno virtuoso, il quale per animo e per virtù d'arme ampliasse il dominio suo, non ne risulterebbe alcuna utilità a quella republica; ma a lui proprio: perché e' non può onorare nessuno di quegli cittadini che siano valenti e buoni che egli tiranneggia, non volendo avere ad avere sospetto di loro. Non può ancora le città che esso acquista sottometterle o farle tributarie a quella città di che egli è tiranno, perché il farla potente non fa per lui, ma per lui fa tenere lo stato disgiunto, e che ciascuna terra e ciascuna provincia riconosca lui. Talché de' suoi acquisti solo egli ne profitta e non la sua patria. E chi volessi confermare questa opinione con infinite altre ragioni, legga Senofonte nel suo trattato che fa *De tyrannide*. Non è maraviglia adunque che gli antichi popoli con tanto odio perseguitassono i tiranni ed amassino il vivere libero, e che il nome della libertà fusse tanto stimato da loro: come intervenne quando Girolamo,[440] nipote di Ierone Siracusano, fu morto in Siracusa, che venendo le novelle della sua morte in nel suo esercito che non era molto lontano da Siracusa, cominciò prima a tumultuare e pigliare l'armi contro agli ucciditori di quello; ma, come ei sentì che in Siracusa si gridava libertà, allettato da quel nome si quietò tutto, pose giù l'ira contro a' tirannidi, e pensò come in quella città si potessi ordinare uno vivere libero. Non è maraviglia ancora che i popoli faccino vendette istraordinarie contro a quegli che gli hanno occupata la libertà. Di che ci sono stati assai esempli, de' quali ne intendo referire solo uno seguito in Corcira[441] città di Grecia ne' tempi della guerra peloponnesiaca: dove sendo divisa quella provincia in due parti, delle quali l'una seguitava gli Ateniesi l'altra gli Spartani, ne nasceva che di molte città, che erano infra loro divise, l'una parte seguiva l'amicizia di Sparta, l'altra di Atene; ed essendo occorso che nella detta città prevalessino i nobili e togliessono la libertà al popolo, i popolari per mezzo degli Ateniesi ripre-

440 Geronimo, il re di Siracusa.
441 Corfù.

sero le forze, e posto le mani addosso a tutta la Nobilità, gli rinchiusero in una prigione capace di tutti loro; donde gli traevano a otto o dieci per volta, sotto titolo di mandargli in esilio in diverse parti, e quegli con molti crudeli esempli facevano morire. Di che sendosi quelli che restavano accorti, deliberarono in quanto era a loro possibile fuggire quella morte ignominiosa, ed armatisi di quello potevano, combattendo con quelli che vi volevano entrare, la entrata della prigione difendevano, di modo che il popolo a questo romore fatto uno concorso, scoperse la parte superiore di quel luogo, e quegli con quelle rovine suffocò. Seguirono ancora in detta provincia molti altri simili casi orrendi e notabili: talché si vede essere vero che con maggiore impeto si vendica una libertà che ti è suta tolta che quella che ti è voluta tòrre.

Pensando adunque donde possa nascere che in quegli tempi antichi i popoli fussero più amatori della libertà che in questi, credo nasca da quella medesima cagione che fa ora gli uomini manco forti, la quale credo sia la diversità della educazione nostra dall'antica, fondata nella diversità della religione nostra dalla antica. Perché avendoci la nostra religione mostro la verità e la vera via, ci fa stimare meno l'onore del mondo: onde i Gentili stimandolo assai, ed avendo posto in quello il sommo bene, erano nelle azioni loro più feroci. Il che si può considerare da molte loro constituzioni,[442] cominciandosi dalla magnificenza de' sacrifizi loro alla umiltà de' nostri, dove è qualche pompa più delicata che magnifica, ma nessuna azione feroce o gagliarda. Qui non mancava la pompa né la magnificenza delle cerimonie, ma vi si aggiugneva l'azione del sacrificio pieno di sangue e di ferocità, ammazzandovisi moltitudine d'animali: il quale aspetto,[443] sendo terribile, rendeva gli uomini simili a lui. La religione antica, oltre a di questo, non beatificava se non uomini pieni di mondana gloria, come erano capitani di eserciti e principi di republiche. La nostra religione ha glorificato più gli uomini umili e contemplativi che gli attivi. Ha dipoi posto il sommo bene nella

442 *constituzioni*: istituzioni.
443 *aspetto*: spettacolo.

umiltà, abiezione, e nel dispregio delle cose umane: quell'altra lo poneva nella grandezza dello animo, nella fortezza del corpo ed in tutte le altre cose atte a fare gli uomini fortissimi. (E se la religione nostra richiede che tu abbi in te fortezza, vuole che tu sia atto a patire più che a fare una cosa forte. Questo modo di vivere adunque pare che abbi renduto il mondo debole, e datolo in preda agli uomini scelerati, i quali sicuramente lo possono maneggiare, veggendo come l'università [444] degli uomini per andare in Paradiso pensa più a sopportare le sue battiture che a vendicarle. E benché paia che si sia effeminato il mondo e disarmato il Cielo, nasce più sanza dubbio dalla viltà degli uomini, che hanno interpretato la nostra religione secondo l'ozio e non secondo la virtù.) Perché se considerassono come la ci permette la esaltazione e la difesa della patria, vedrebbono come la vuole che noi l'amiamo ed onoriamo, e prepariamoci a essere tali che noi la possiamo difendere. Fanno adunque queste educazioni e sì false interpretazioni, che nel mondo non si vede tante republiche quante si vedeva anticamente, né per consequente si vede ne' popoli tanto amore alla libertà quanto allora. Ancora che io creda più tosto essere cagione di questo, che lo Imperio romano con le sue arme a sua grandezza spense tutte le republiche e tutti e viveri civili. E benché poi tale Imperio si sia risoluto,[445] non si sono potute le città ancora rimettere insieme né riordinare alla vita civile, se non in pochissimi luoghi di quello Imperio. Pure comunque si fusse, i Romani in ogni minima parte del mondo trovarono una congiura di republiche armatissime ed ostinatissime alla difesa della libertà loro. Il che mostra che il Popolo romano sanza una rara ed estrema virtù mai non le arebbe potute superare.

E per darne esemplo di qualche membro, voglio mi basti lo esemplo de' Sanniti, i quali pare cosa mirabile, e Tito Livio lo confessa, che fussero sì potenti, e l'arme loro sì valide che potessono infino al tempo di Papirio Cursore consolo, figliuolo del primo Papirio, resistere a' Romani (che fu uno spazio di quarantasei anni), dopo tante rotte,

444 *l'università*: la maggioranza.
445 *risoluto*: disgregato.

rovine di terre, e tante strage ricevute nel paese loro. Massime, veduto ora quel paese dove erano tante cittadi e tanti uomini, essere quasi che disabitato: ed allora vi era tanto ordine e tanta forza che gli era insuperabile, se da una virtù romana non fosse stato assaltato. E facil cosa è considerare donde nasceva quello ordine e donde proceda questo disordine: perché tutto viene dal vivere libero allora, ed ora dal vivere servo. Perché tutte le terre e le provincie che vivono libere in ogni parte, come di sopra dissi, fanno profitti grandissimi. Perché quivi si vede maggiori popoli, per essere e connubii più liberi, più desiderabili dagli uomini; perché ciascuno procrea volontieri quegli figliuoli che crede potere nutrire, non dubitando che il patrimonio gli sia tolto, e ch'ei si conosce non solamente che nascono liberi e non schiavi, ma ch'ei possono mediante la virtù loro diventare principi.[446] Veggonvisi le ricchezze multiplicare in maggiore numero, e quelle che vengono dalla cultura e quelle che vengono dalle arti. Perché ciascuno volontieri multiplica in quella cosa e cerca di acquistare quei beni che crede acquistati potersi godere. Onde ne nasce che gli uomini a gara pensono a' privati e publici commodi, e l'uno e l'altro viene maravigliosamente a crescere. Il contrario di tutte queste cose segue in quegli paesi che vivono servi: e tanto più scemono dal consueto bene, quanto più è dura la servitù. E di tutte le servitù dure quella è durissima che ti sottomette a una republica: l'una perché la è più durabile e manco si può sperare d'uscirne, l'altra perché il fine della republica è enervare ed indebolire, per accrescere il corpo suo, tutti gli altri corpi: il che non fa uno principe che ti sottometta, quando quel principe non sia qualche principe barbaro, destruttore de' paesi e dissipatore di tutte le civiltà degli uomini, come sono i principi orientali. Ma s'egli ha in sé ordini umani ed ordinari, il più delle volte ama le città sue suggette equalmente, ed a loro lascia l'arti tutte e quasi tutti gli ordini antichi, talché se le non possono crescere come libere, elle non rovinano anche come schiave: intendendosi della servitù in quale vengono le città servendo a un forestiero, perché di quelle d'uno loro cittadino ne parlai di sopra. Chi considererà adunque tutto quello che si è detto, non si maraviglierà della potenza che i Sanniti avevano sendo liberi, e della debolezza in che e' vennono poi servendo. E Tito Livio ne fa fede in più luoghi, e massime nella guerra di Annibale, dove e' mostra che sendo i Sanniti oppressi da una legione di uomini [447] che era in Nola, mandarono oratori ad Annibale a pregarlo che gli soccorressi: i quali nel parlare loro dissono che avevano per cento anni combattuto con i Romani con i propri loro soldati e propri loro capitani, e molte volte avevano sostenuto dua eserciti consolari e dua consoli; e che allora a tanta bassezza erano venuti che non si potevano a pena difendere da una piccola legione romana che era in Nola.

III · ROMA DIVENNE GRANDE CITTÀ ROVINANDO LE CITTÀ CIRCUNVICINE E RICEVENDO I FORESTIERI FACILMENTE A' SUOI ONORI

« Crescit interea Roma Albæ ruinis ».[448] Quegli che disegnono che una città faccia grande imperio, si debbono con ogni industria ingegnare di farla piena di abitatori; perché sanza questa abbondanza di uomini, mai non riuscirà di fare grande una città. Questo si fa in due modi, per amore e per forza. Per amore tenendo le vie aperte e sicure a' forestieri che disegnassono venire ad abitare in quella, acciocché ciascuno vi abiti volentieri: per forza, disfacendo le città vicine, e mandando gli abitatori di quelle ad abitare nella tua città. Il che fu in tanto osservato da Roma che nel tempo del sesto re [449] in Roma abitavano ottantamila uomini da portare arme. Perché i Romani vollono fare ad uso del buono cultivatore, il quale perché una pianta ingrossi e possa produrre e maturare i frutti suoi, gli taglia i primi rami che la mette, acciocché rimasa quella virtù nel piede di quella pianta possano col tempo

447 *di uomini* : di Romani.
448 « Nel frattempo Roma cresce sulle rovine di Alba » (Livio, I, 30, 1).
449 Di Servio Tullio.

nascervi più verdi e più fruttiferi. E che questo modo tenuto per ampliare e fare imperio fusse necessario e buono, lo dimostra lo esemplo di Sparta e di Atene, le quali essendo due republiche armatissime, ed ordinate di ottime leggi, nondimeno non si condussono alla grandezza dello Imperio romano: e Roma pareva più tumultuaria e non tanto bene ordinata quanto quelle. Di che non se ne può addurre altra cagione che la preallegata, perché Roma per avere ingrossato per quelle due vie il corpo della sua città, potette di già mettere in arme dugentottantamila uomini, e Sparta ed Atene non passorono mai ventimila per ciascuna. Il che nacque non da essere il sito di Roma più benigno che quello di coloro, ma solamente da diverso modo di procedere. Perché Licurgo, fondatore della republica spartana, considerando nessuna cosa potere più facilmente risolvere le sue leggi che la commistione di nuovi abitatori, fece ogni cosa perché i forestieri non avessono a conversarvi:[450] ed oltre a non gli ricevere ne' matrimoni, alla civiltà [451] ed alle altre conversazioni che fanno convenire gli uomini insieme, ordinò che in quella sua republica si spendesse monete di cuoio, per tòr via a ciascuno il disiderio di venirvi per portarvi mercanzie o portarvi alcuna arte; di qualità che quella città non potette mai ingrossare di abitatori. E perché tutte le azioni nostre imitano la natura, non è possibile né naturale che uno pedale [452] sottile sostenga uno ramo grosso. Però una republica piccola non può occupare città né regni che sieno più validi né più grossi di lei; e se pure gli occupa, gl'interviene come a quello albero che avesse più grosso il ramo che il piede, che sostenendolo con fatica, ogni piccol vento lo fiacca, come si vide che intervenne a Sparta: la quale avendo occupate tutte le città di Grecia, non prima se gli ribellò Tebe che tutte le altre città se gli ribellarono, e rimase il pedale solo sanza rami. Il che non potette intervenire a Roma, avendo il piè sì grosso che qualunque ramo poteva facilmente sostenere. Questo modo adunque di procedere, insieme con gli altri che di sotto si diranno, fece Roma grande e potentis-

450 *conversarvi*: avere relazioni.
451 *alla civiltà*: ai diritti civili.
452 *uno pedale*: un fusto dell'albero.

sima· Il che dimostra Tito Livio in due parole, quando disse: « Crescit interea Roma Albæ ruinis ».

IV · LE REPUBLICHE HANNO TENUTI TRE MODI CIRCA LO AMPLIARE

Chi ha osservato le antiche istorie trova come le republiche hanno tenuti tre modi circa lo ampliare. L'uno è stato quello che osservarono i Toscani antichi, di essere una lega di più republiche insieme, dove non sia alcuna che avanzi l'altra né di autorità né di grado: e nello acquistare farsi l'altre città compagne, in simil modo come in questo tempo fanno i Svizzeri e come ne' tempi antichi fecero in Grecia gli Achei e gli Etoli. E perché i Romani feciono assai guerra co' Toscani, per mostrare meglio le qualità di questo primo modo, mi distenderò in dare notizia di loro particularmente. In Italia innanzi allo Imperio romano, furono i Toscani per mare e per terra potentissimi: e benché delle cose loro non ce ne sia particulare istoria, pure c'è qualche poco di memoria e qualche segno della grandezza loro; e si sa come e' mandarono una colonia in su 'l mare di sopra,[453] la quale chiamarono Adria, che fu sì nobile che la dette nome a quel mare che ancora i Latini chiamono Adriatico. Intendesi ancora come le loro armi furono ubbidite dal Tevere per infino a piè delle Alpi che ora cingono il grosso di Italia [454] non ostante che dugento anni innanzi che i Romani crescessono in molte forze, detti Toscani perderono lo imperio di quel paese che oggi si chiama la Lombardia, la quale provincia fu occupata da' Franciosi, i quali mossi o da necessità o dalla dolcezza dei frutti e massime del vino, vennono in Italia sotto Belloveso loro duca; e rotti e cacciati i provinciali si posono in quello luogo dove edificarono di molte cittadi, e quella provincia chiamarono Gallia dal nome che tenevano allora, la quale tennono fino che da' Romani fussero domi. Vivevono adunque i Toscani con quella equalità, e procedevano nello am-

453 'l mare di sopra: il Mare Superiore, cioè l'Adriatico.
454 il grosso di Italia: l'Italia settentrionale.

pliare in quel primo modo che di sopra si dice ; e furono
dodici città, tra le quali era Chiusi, Veio, Arezzo, Fiesole,
Volterra e simili, i quali per via di lega governavano lo
imperio loro; né poterono uscire d'Italia con gli acquisti,
e di quella ancora rimase intatta gran parte per le cagioni che di sotto si diranno. L'altro modo è farsi compagni,
non tanto però che non ti rimanga il grado del comandare, la sedia dello Imperio ed il titolo delle imprese : il
quale modo fu osservato da' Romani. Il terzo modo è farsi
immediate sudditi [455] e non compagni, come fecero gli Spartani e gli Ateniesi. De' quali tre modi questo ultimo è al
tutto inutile, come si vide ch'ei fu nelle soprascritte due
republiche, le quali non rovinarono per altro se non per
avere acquistato quel dominio che le non potevano tenere.
Perché pigliare cura di avere a governare città con violenza, massime quelle che fussono consuete a vivere libere, è
una cosa difficile e faticosa. E se tu non sei armato, e grosso d'armi, non le puoi né comandare né reggere. Ed a volere essere così fatto, è necessario farsi compagni che ti aiutino, e ingrossare le tue città di popolo. E perché queste
due città non fecioro né l'uno né l'altro, il modo del procedere loro fu inutile. E perché Roma, la quale è nello esempio
del secondo modo, fece l'uno e l'altro, però salse [456] a tanta
eccessiva potenza. E perché la è stata sola a vivere così, è
stata ancora sola a diventare tanto potente; perché avendosi lei fatti di molti compagni per tutta Italia, i quali in
di molte cose con equali leggi vivevano seco, e dall'altro
canto, come di sopra è detto, sendosi riserbata sempre la
sedia dello Imperio ed il titolo del comandare, questi suoi
compagni venivano, che non se ne avvedevano, con le fatiche e con il sangue loro a soggiogar se stessi. Perché come
ei cominciorono a uscire con gli eserciti di Italia, e ridurre
i regni in provincie, e farsi suggetti coloro che per essere
consueti a vivere sotto i re non si curavano di essere suggetti, ed avendo governatori romani ed essendo stati vinti
da eserciti con il titolo romano, non riconoscevano per superiore altro che Roma. Di modo che quegli compagni di

455 *farsi immediate sudditi* : ridurli subito in servitù.
456 *salse* : si elevò.

Roma che erano in Italia, si trovarono in un tratto cinti da' sudditi romani ed oppressi da una grossissima [457] città come era Roma; e quando ei s'avviddono dello inganno sotto il quale erano vissuti, non furono a tempo a rimediarvi: tanta autorità aveva presa Roma con le provincie esterne, e tanta forza si trovava in seno, avendo la sua città grossissima ed armatissima. E benché quelli suoi compagni, per vendicarsi delle ingiurie, le congiurassero contro, furono in poco tempo perditori della guerra, peggiorando le loro condizioni, perché di compagni diventarono ancora loro sudditi. Questo modo di procedere, come è detto, è stato solo osservato da' Romani, né può tenere altro modo una republica che voglia ampliare; perché la esperienza non ce ne ha mostro nessuno più certo o più vero.

Il modo preallegato delle leghe, come viverono i Toscani, gli Achei e gli Etoli, e come oggi vivono i Svizzeri, è dopo quello de' Romani il migliore modo: perché non si potendo con quello ampliare assai, ne seguita due beni: l'uno che facilmente non ti tiri guerra a dosso, l'altro che quel tanto che tu pigli lo tieni facilmente. La cagione del non potere ampliare è lo essere una republica disgiunta e posta in varie sedie,[458] il che fa che difficilmente possono consultare e diliberare. Fa ancora che non sono desiderosi di dominare, perché, essendo molte comunità a participare di quel dominio, non stimano tanto tale acquisto quanto fa una republica sola che spera di goderselo tutto. Governonsi, oltra di questo, per concilio, e conviene che sieno più tardi ad ogni diliberazione che quelli che abitono dentro a uno medesimo cerchio. Vedesi ancora per sperienza che simile modo di procedere ha un termine fisso,[459] il quale non ci è esemplo che mostri che si sia trapassato; e questo è di aggiugnere a dodici o quattordici comunità, dipoi non cercare di andare più avanti: perché sendo giunti a grado che pare loro potersi difendere da ciascuno, non cercono maggiore dominio, sì perché la necessità non gli stringe di avere più potenza, sì per non conoscere utile negli acquisti, per le cagioni dette di sopra; perché gli arebbono

457 *grossissima*: fortissima.
458 *in varie sedie*: con vari centri di potere.
459 *termine fisso*: limite invalicabile.

a fare una delle due cose, o a seguitare di farsi compagni, e questa moltitudine farebbe confusione, o egli arebbono a farsi sudditi. E perché e' veggono in questo difficultà, e non molto utile nel tenergli, non lo stimano. Pertanto, quando e' sono venuti a tanto numero che paia loro vivere sicuri, si voltano a due cose : l'una a ricevere raccomandati e pigliare protezioni, e per questi mezzi trarre da ogni parte danari, i quali facilmente infra loro si possono distribuire; l'altra è militare per altrui, e pigliar soldo da questo e da quel principe che per sue imprese gli solda,[460] come si vede che fanno oggi i Svizzeri, e come si legge che facevano i preallegati. Di che n'è testimonio Tito Livio,[461] dove dice che venendo a parlamento Filippo re di Macedonia con Tito Quinzio Flaminio, e ragionando d'accordo alla presenza d'uno pretore degli Etoli, e venendo a parole detto pretore con Filippo, gli fu da quello rimproverato la avarizia e la infidelità, dicendo che gli Etoli non si vergognavano militare con uno e poi mandare loro uomini ancora a servigio del nimico, talché molte volte intra due contrari eserciti si vedevano le insegne di Etolia. Conoscesi pertanto come questo modo di procedere per leghe è stato sempre simile, ed ha fatto simili effetti. Vedesi ancora che quel modo di fare sudditi è stato sempre debole, ed avere fatto piccoli profitti; e quando pure egli hanno passato il modo, essere rovinati tosto. E se questo modo di fare sudditi è inutile nelle republiche armate, in quelle che sono disarmate è inutilissimo, come sono state ne' nostri tempi le republiche d'Italia. Conoscesi pertanto essere vero modo quello che tennono i Romani, il quale è tanto più mirabile quanto e' non ce n'era innanzi a Roma esemplo, e dopo Roma non è stato alcuno che gli abbi imitati. E quanto alle leghe, si trovano solo i Svizzeri e la lega di Svevia che gli imita. E, come nel fine di questa materia si dirà, tanti ordini osservati da Roma, così pertinenti alle cose di dentro come a quelle di fuora, non sono ne' presenti nostri tempi non solamente imitati, ma non se n'è tenuto alcuno conto, giudicandoli alcuni non veri, alcuni impossibili, alcu-

460 *gli solda* : li remunera.
461 Cfr. Livio, XXXII, 32-34.

ni non a proposito ed inutili. Tanto che standoci con questa ignoranzia, siamo preda di qualunque ha voluto correre questa provincia. E quando la imitazione de' Romani paresse difficile, non doverrebbe parere così quella degli antichi Toscani, massime a' presenti Toscani. Perché se quelli non poterono, per le cagioni dette, fare uno Imperio simile a quel di Roma, poterono acquistare in Italia quella potenza che quel modo del procedere concesse loro. Il che fu per un gran tempo sicuro, con somma gloria d'imperio e d'arme, e massime laude di costumi e di religione. La quale potenza e gloria fu prima diminuita da' Franciosi, dipoi spenta da' Romani, e fu tanto spenta che, ancora che duemila anni fa la potenza de' Toscani fusse grande, al presente non ce n'è quasi memoria. La quale cosa mi ha fatto pensare donde nasca questa oblivione [462] delle cose, come nel seguente capitolo si discorrerà.

V · CHE LA VARIAZIONE DELLE SÈTTE E DELLE LINGUE, INSIEME CON L'ACCIDENTE DE' DILUVII O DELLA PESTE SPEGNE LE MEMORIE DELLE COSE

A quegli filosofi che hanno voluto che il mondo sia stato eterno, credo che si potesse replicare che se tanta antichità fusse vera e' sarebbe ragionevole che ci fussi memoria di più che cinquemila anni, quando e' non si vedesse come queste memorie de' tempi per diverse cagioni si spengano: delle quali, parte vengono dagli uomini, parte dal cielo. Quelle che vengono dagli uomini sono le variazioni delle sètte e delle lingue. Perché quando e' surge una setta nuova, cioè una religione nuova, il primo studio suo è, per darsi riputazione, estinguere la vecchia; e quando gli occorre che gli ordinatori della nuova setta siano di lingua diversa, la spengono facilmente. La quale cosa si conosce considerando e modi che ha tenuti la setta Cristiana contro alla Gentile, la quale ha cancellati tutti gli ordini, tutte le cerimonie di quella, e spenta ogni memoria di quella antica teologia. Vero è che non gli è riuscito spegnere in

462 *oblivione* : dimenticanza.

tutto la notizia delle cose fatte dagli uomini eccellenti di quella; il che è nato per avere quella mantenuta la lingua latina, il che feciono forzatamente avendo a scrivere questa legge nuova con essa. Perché se l'avessono potuta scrivere con nuova lingua, considerato le altre persecuzioni gli feciono, non ci sarebbe ricordo alcuno delle cose passate. E chi legge i modi tenuti da San Gregorio [463] e dagli altri capi della religione cristiana, vedrà con quanta ostinazione e' perseguitarono tutte le memorie antiche, ardendo le opere de' poeti e degli istorici, ruinando le imagini e guastando ogni altra cosa che rendesse alcun segno della antichità. Talché se a questa persecuzione egli avessono aggiunto una nuova lingua, si sarebbe veduto in brevissimo tempo ogni cosa dimenticare. È da credere pertanto che quello che ha voluto fare la setta Cristiana contro alla setta Gentile, la Gentile abbia fatta contro a quella che era innanzi a lei. E perché queste sètte in cinque o in seimila anni variano due o tre volte, si perde la memoria delle cose fatte innanzi a quel tempo. E se pure ne resta alcun segno, si considera come cosa favolosa, e non è prestato loro fede; come interviene alla istoria di Diodoro Siculo che benché e' renda ragione di quaranta o cinquantamila anni, nondimeno è ripudiato, come io credo che sia, cosa mendace.[464]

Quanto alle cause che vengono dal cielo, sono quelle che spengono la umana generazione e riducano a pochi gli abitatori di parte del mondo. E questo viene o per peste o per fame, o per una inondazione d'acque, e la più importante è questa ultima: sì perché la è più universale, sì perché quegli che si salvono sono uomini tutti montanari e rozzi, i quali non avendo notizia di alcuna antichità, non la possono lasciare a' posteri. E se infra loro si salvasse alcuno che ne avessi notizia, per farsi riputazione e nome la nasconde e la perverte a suo modo: talché ne resta solo a' successori quanto ei ne ha voluto scrivere, e non altro. E che queste inondazioni, peste e fami venghino, non credo sia da dubitarne, sì perché ne sono piene tutte

463 Gregorio Magno papa (590-604).
464 Si riferisce alla *Biblioteca Storica* di Diodoro Siculo, ovvero ad una sorta di storia universale dell'umanità di cui sono rimasti solo alcuni libri.

le istorie, sì perché si vede questo effetto della oblivione delle cose, sì perché e' pare ragionevole ch'e' sia; perché la natura, come ne' corpi semplici quando e' vi è ragunato assai materia superflua, muove per se medesima molte volte e fa una purgazione la quale è salute di quel corpo, così interviene in questo corpo misto della umana generazione, che quando tutte le provincie sono ripiene di abitatori, in modo che non possono vivervi né possono andare altrove per essere occupati e ripieni tutti i luoghi, e quando la astuzia e la malignità umana è venuta dove la può venire, conviene di necessità che il mondo si purghi per uno de' tre modi: acciocché gli uomini, sendo divenuti pochi e battuti,[465] vivano più comodamente e diventino migliori. Era dunque, come di sopra è detto, già la Toscana potente, piena di religione e di virtù, aveva i suoi costumi e la sua lingua patria, il che tutto è suto spento dalla potenza romana. Talché, come si è detto, di lei ne rimane solo la memoria del nome.

VI · COME I ROMANI PROCEDEVANO NEL FARE LA GUERRA

Avendo discorso come i Romani procedevano nello ampliare, discorreremo ora come e' procedevano nel fare la guerra; ed in ogni loro azione si vedrà con quanta prudenzia ei deviarono dal modo universale degli altri, per facilitarsi la via a venire a una suprema grandezza. La intenzione di chi fa guerra per elezione o vero per ambizione, è acquistare e mantenere lo acquistato, e procedere in modo con essa che l'arricchisca e non impoverisca il paese e la patria sua. È necessario dunque, e nello acquistare e nel mantenere, pensare di non spendere, anzi fare ogni cosa con utilità del publico suo. Chi vuol fare tutte queste cose, conviene che tenga lo stile e modo romano, il quale fu in prima di fare le guerre, come dicano i Franciosi, corte e grosse:[466] perché[467] venendo in campagna con eserciti grossi, tutte le guerre che gli ebbono con i Latini,

465 *battuti*: umiliati, sconvolti.
466 *corte e grosse*: brevi ed intense.
467 *perché*: per cui.

Sannniti e Toscani, le espedirono in brevissimo tempo. E se si noteranno tutte quelle che feciono dal principio di Roma infino alla ossidione de' Veienti, tutte si vedranno espedite, quale in sei, quale in dieci, quale in venti dì. Perché l'uso loro era questo: subito che era scoperta la guerra, egli uscivano fuora con gli eserciti allo incontro del nimico e subito facevano la giornata. La quale vinta, i nimici, perché non fosse guasto loro il contado affatto, venivano alle condizioni, ed i Romani gli condannavano in terreni:[468] i quali terreni gli convertivano in privati commodi o gli consegnavano ad una colonia, la quale posta in su le frontiere di coloro, veniva ad essere guardia de' confini romani con utile di essi coloni che avevano quegli campi, e con utile del publico di Roma che sanza spesa teneva quella guardia. Né poteva questo modo essere più sicuro o più forte o più utile. Perché mentre che i nimici non erano in su i campi,[469] quella guardia bastava: come e' fossono usciti fuori grossi per opprimere quella colonia, ancora i Romani uscivano fuori grossi e venivano a giornata con quegli, e fatta e vinta la giornata, imponendo loro più grave condizione si tornavano in casa. Così venivano ad acquistare di mano in mano riputazione sopra di loro, e forze in se medesimi. E questo modo vennono tenendo infino che mutarono modo di procedere in guerra: il che fu dopo la ossidione de' Veienti, dove per potere far guerra lungamente, gli [470] ordinarono di pagare i soldati, che prima per non essere necessario essendo le guerre brevi, non gli pagavano.[471] E benché i Romani dessino il soldo, e che per virtù di questo ci potessono fare le guerre più lunghe, e per farle più discosto la necessità gli tenesse più in su' campi, nondimeno non variarono mai dal primo ordine di finirle presto, secondo il luogo ed il tempo: né variarono mai dal mandare le colonie. Perché nel primo ordine gli tenne, circa il fare le guerre brevi, oltre a il loro naturale uso, l'ambizione de' Consoli, i quali avendo a stare uno anno, e di quello anno

468 *gli condannavano in terreni*: li castigavano pretendendo dei terreni.
469 *in su i campi*: sui campi di battaglia.
470 *gli*: i Romani.
471 V. *Discorsi*, I, 51.

sei mesi alle stanze,[472] volevano finire la guerra per trionfare. Nel mandare le colonie, gli tenne l'utile e la commodità grande che ne resultava. Variarono bene alquanto circa le prede, delle quali non erano così liberali come erano stati prima; sì perché e' non pareva loro tanto necessario, avendo i soldati lo stipendio, sì perché essendo le prede maggiori, disegnavano d'ingrassare di quelle in modo il publico che non fussono constretti a fare le imprese con tributi della città. Il quale ordine in poco tempo fece il loro erario ricchissimo. Questi dua modi adunque, e circa il distribuire la preda e circa il mandare le colonie, feciono che Roma arricchiva della guerra, dove gli altri principi e republiche non savie ne impoveriscono. E si ridusse la cosa in termine che a uno Consolo non pareva potere trionfare se non portava col suo trionfo assai oro ed argento, e d'ogni altra sorte preda nello erario. Così i Romani con i soprascritti termini, e con il finire le guerre presto, sendo valenti con lunghezza straccare i nimici e con le rotte e con le scorrerie, e con accordi a loro vantaggi, diventarono sempre più ricchi e più potenti.

VII · QUANTO TERRENO I ROMANI DAVANO PER COLONO

Quanto terreno i Romani distribuissono per colono, credo sia difficile trovarne la verità. Perché io credo ne dessino più o manco, secondo i luoghi dove e' mandavano le colonie. Giudicasi che ad ogni modo ed in ogni luogo la distribuzione fussi parca. Prima per potere mandare più uomini, sendo quelli diputati per guardia di quel paese; dipoi perché vivendo loro poveri a casa, non era ragionevole che volessono che i loro uomini abbondassino troppo fuora. E Tito Livio dice come, preso Veio, e' vi mandarono una colonia e distribuirono a ciascuno tre iugeri e sette once di terra; che sono, al modo nostro...[473] Perché oltre alle cose soprascritte e' giudicavano che non lo assai terreno, ma il bene cultivato bastasse. È necessario bene, che tutta la colonia abbi campi publici dove ciascuno possa

472 *stanze*: alloggiamenti invernali.
473 Lacuna del M.

pascere il suo bestiame, e selve dove prendere del legname per ardere; sanza le quali cose non può una colonia ordinarsi.

VIII · LA CAGIONE PERCHÉ I POPOLI SI PARTONO DA' LUOGHI
PATRII ED INONDANO IL PAESE ALTRUI

Poiché di sopra si è ragionato del modo nel procedere nella guerra osservato da' Romani, e come i Toscani furono assaltati da' Franciosi, non mi pare alieno dalla materia discorrere come le si fanno di dua generazioni guerre. L'una è fatta per ambizione de' principi o delle republiche che cercano di progagare lo imperio, come furono le guerre che fece Alessandro Magno e quelle che fecero i Romani, e quelle che fanno ciascuno dì l'una potenza con l'altra. Le quali guerre sono pericolose, ma non cacciano al tutto gli abitatori d'una provincia, perché e' basta al vincitore solo la ubbidienza de' popoli, e il più delle volte gli lascia vivere con le loro leggi, e sempre con le loro case e ne' loro beni. L'altra generazione di guerra è quando uno popolo intero con tutte le sue famiglie si lieva d'uno luogo, necessitato o dalla fame o dalla guerra, e va a cercare nuova sede e nuova provincia, non per comandarla come quegli di sopra, ma per possederla tutta particularmente, e cacciarne o ammazzare gli abitatori antichi di quella. Questa guerra è crudelissima e paventosissima. E di queste guerre ragiona Sallustio nel fine dell'Iugurtino, quando dice che vinto Iugurta, si sentì il moto de' Franciosi che venivano in Italia,[474] dove ei dice che il Popolo romano con tutte le altre genti combatté solamente per chi dovesse comandare, ma con i Franciosi combatté sempre per la salute di ciascuno. Perché a un principe o a una republica che assalta una provincia, basta spegnere solo coloro che comandono, ma a queste populazioni conviene spegnere ciascuno, perché vogliono vivere di quello che altri viveva. I Romani ebbero tre di queste guerre pericolosissime.

474 Non furono i Galli bensì i Germani, cfr. Sallustio, *Bellum Jugurthinum*, 114.

La prima fu quella quando Roma fu presa, la quale fu occupata da quei Franciosi che avevano tolto, come di sopra si disse, la Lombardia a' Toscani e fattone loro sedia; della quale Tito Livio ne allega due cagioni: la prima, come di sopra si disse, che furono allettati dalla dolcezza delle frutte e del vino d'Italia, delle quali mancavano in Francia; la seconda, che essendo quel regno francioso multiplicato in tanto di uomini che non vi si potevono più nutrire, giudicarono i principi di quelli luoghi che e' fusse necessario che una parte di loro andasse a cercare nuova terra, e fatta tale deliberazione elessono per capitani di quegli che si avevano a partire, Belloveso e Sicoveso, duoi re de' Franciosi, de' quali Belloveso venne in Italia e Sicoveso passò in Ispagna. Dalla passata del quale Belloveso nacque la occupazione di Lombardia, e di quindi la guerra che prima i Franciosi fecero a Roma. Dopo questa, fu quella che fecero dopo la prima guerra Cartaginese, quando intra Piombino e Pisa ammazzarono più che dugentomila Franciosi. La terza fu quando i Tedeschi e' Cimbri vennero in Italia, i quali avendo vinti più eserciti romani, furono vinti da Mario. Vinsero adunque i Romani queste tre guerre pericolosissime. Né era necessario minore virtù a vincerle: perché si vide poi, come la virtù romana mancò e che quelle armi perderono il loro antico valore, fu quello imperio destrutto da simili popoli, i quali furono Gotti,[475] Vandali e simili, che occuparono tutto lo Imperio occidentale.

Escono tali popoli de' paesi loro, come di sopra si disse, cacciati dalla necessità, e la necessità nasce o dalla fame o da una guerra ed oppressione che ne' paesi propri è loro fatta: talché e' sono constretti cercare nuove terre. E questi tali, o e' sono gran numero, ed allora con violenza entrano ne' paesi d'altrui, ammazzano gli abitatori, posseggono i loro beni, fanno uno nuovo regno, mutano il nome della provincia, come fece Moisè, e quelli popoli che occuparono lo Imperio romano. Perché questi nomi nuovi che sono nella Italia e nelle altre provincie, non nascono da altro che da essere state nomate così da nuovi occupatori,

475 Goti.

come è la Lombardia che si chiamava Gallia Cisalpina: la Francia si chiamava Gallia Transalpina, ed ora è nominata da' Franchi che così si chiamavono quelli popoli che la occuparono; la Schiavonia si chiamava Illiria, l'Ungheria Pannonia, l'Inghilterra Britannia, e molte altre provincie che hanno mutato nome, le quali sarebbe tedioso raccontare. Moisè ancora chiamò Giudea quella parte di Soria [476] occupata da lui. E perché io ho detto di sopra che qualche volta tali popoli sono cacciati dalla propria sede per guerra, donde sono constretti cercare nuove terre, ne voglio addurre lo esemplo de' Maurusii,[477] popoli anticamente in Soria, i quali sentendo venire i popoli ebraici, e giudicando non potere loro resistere, pensarono essere meglio salvare loro medesimi e lasciare il paese proprio, che, per volere salvare quello, perdere ancora loro; e levatisi con loro famiglie se ne andàrono in Africa, dove posero la loro sedia, cacciando via quelli abitatori che in quegli luoghi trovarono. E così quegli che non avevano potuto difendere il loro paese, potettono occupare quello d'altrui. E Procopio,[478] che scrive la guerra che fece Belisario coi Vandali occupatori della Africa, riferisce avere letto lettere scritte in certe colonne ne' luoghi dove questi Maurusii abitavano, le quali dicevano: « Nos Maurusii, qui fugimus a facie Iesu latronis filii Navæ »,[479] dove apparisce la cagione della partita loro di Soria. Sono pertanto questi popoli formidolosissimi,[480] sendo cacciati da una ultima necessità, e se e' non riscontrano buone armi, non mai saranno sostenuti. Ma quando quegli che sono constretti abbandonare la loro patria non sono molti, non sono sì pericolosi come quelli popoli di chi si è ragionato: perché non possono usare tanta violenza, ma conviene loro con arte occupare qualche luogo, e occupatolo mantenervisi per via d'amici e di confederati; come si vede che fece Enea, Didone, i Massi-

476 Siria.
477 Gli abitanti della Mauritania.
478 Procopio di Cesarea, il celebre storiografo e consigliere di Belisario.
479 « Noi Maurisii, che fuggimmo di fronte al ladrone Giosuè » (Procopio, *De Bello Vandalico*, II, 10).
480 *formidolosissimi*: temibilissimi.

liesi [481] e simili, i quali tutti, per consentimento de' vicini, dov'e' posono poterono mantenervisi. Escono i popoli grossi, e sono usciti quasi tutti, dei paesi di Scizia : [482] luoghi freddi e poveri, dove per essere assai uomini ed il paese di qualità da non gli potere nutrire, sono forzati uscirne, avendo molte cose che gli cacciono e nessuna che gli ritenga. E se da cinquecento anni in qua non è occorso che alcuni di questi popoli abbiano inondato alcuno paese, è nato per più cagioni. La prima, la grande evacuazione che fece quel paese nella declinazione dello Imperio, donde uscirono più di trenta popoli. La seconda è che la Magna e l'Ungheria donde ancora uscivano di queste genti hanno ora il loro paese bonificato in modo che vi possono vivere agiatamente, talché non sono necessitati di mutare luogo. Dall'altra parte, sendo loro uomini bellicosissimi, sono come uno bastione a tenere che gli Sciti, i quali con loro confinano, non presumano di potere vincergli o passarli. E spesse volte occorrono movimenti grandissimi de' Tartari, che sono dipoi dagli Ungheri e da quelli di Polonia sostenuti, e spesso si gloriano che se non fussono l'armi loro la Italia e la Chiesa arebbe molte volte sentito il peso degli eserciti tartari. E questo voglio basti quanto ai prefati popoli.[483]

IX · QUALI CAGIONI COMUNEMENTE FACCINO NASCERE LE GUERRE INTRA I POTENTI

La cagione che fece nascere guerra intra i Romani ed i Sanniti, che erano stati in lega gran tempo, è una cagione comune che nasce infra tutti i principati potenti. La quale cagione o la viene a caso o la è fatta nascere da colui che disidera muovere la guerra. Quella che nacque intra i Romani ed i Sanniti fu a caso : perché la intenzione de' Sanniti non fu movendo guerra a' Sidicini [484] e dipoi ai Cam-

481 Infatti Enea fondò Lavinio, Didone la città di Cartagine e i Focesi Marsiglia.
482 Per Scizia s'intende qui l'Europa centro-orientale da cui provennero le ondate delle invasioni barbariche.
483 Ai popoli sopra menzionati.
484 Popolazione della Campania.

pani muoverla ai Romani. Ma sendo i Campani oppressati, e ricorrendo a Roma fuora della opinione de' Romani e de' Sanniti, furono forzati, dandosi i Campani ai Romani, come cosa loro defendergli, e pigliare quella guerra che a loro parve non potere con loro onore fuggire. Perché e' pareva bene ai Romani ragionevole non potere difendere i Campani come amici contro a' Sanniti amici; ma pareva ben loro vergogna non gli difendere come sudditi ovvero raccomandati, giudicando, quando e' non avessino presa tale difesa, tòrre la via a tutti quegli che disegnassino venire sotto la potestà loro. Perché avendo Roma per fine lo imperio e la gloria e non la quiete, non poteva ricusare questa impresa. Questa medesima cagione dette principio alla guerra contro ai Cartaginesi, per la defensione che i Romani presono de' Messinesi in Sicilia, la quale fu ancora a caso. Ma non fu già a caso dipoi la seconda guerra che nacque infra loro: perché Annibale, capitano cartaginese, assaltò i Saguntini amici de' Romani in Ispagna, non per offendere quelli, ma per muovere l'armi romane ed avere occasione di combatterli e passare in Italia. Questo modo nello appiccare nuove guerre è stato sempre consueto intra i potenti, e che si hanno e della fede e d'altro qualche rispetto. Perché se io voglio fare guerra con uno principe, e infra noi siano fermi capitoli per un gran tempo osservati, con altra giustificazione e con altro colore assalterò io uno suo amico che lui proprio: sappiendo massime che nello assaltare lo amico o ei si risentirà, ed io arò lo intento mio di farli guerra, o non si risentendo, si scoprirà la debolezza o la infedelità sua di non difendere uno suo raccomandato. E l'una e l'altra di queste due cose è per tòrli riputazione e per fare più facili i disegni miei. Debbesi notare adunque, e per la dedizione de' Campani circa al muovere guerra, quanto di sopra si è detto, e di più quale rimedio abbia una città che non si possa per se stessa difendere e vogliasi difendere in ogni modo da quello che l'assalta: il quale è darsi liberamente a quello che tu disegni che ti difenda, come feciono i Capovani [485] a' Romani e i Fiorentini a il re Ruberto di Napoli,[486] il quale, non gli vo-

485 Capuani.
486 Roberto d'Angiò (1309-1343).

lendo difendere come amici, gli difese poi come sudditi contro alle forze di Castruccio da Lucca [487] che gli opprimeva.

X · I DANARI NON SONO IL NERVO DELLA GUERRA, SECONDO CHE È LA COMUNE OPINIONE

Perché ciascuno può cominciare una guerra a sua posta [488] ma non finirla, debbe uno principe, avanti che prenda una impresa, misurare le forze sue e secondo quelle governarsi. Ma debbe avere tanta prudenza che delle sue forze ei non s'inganni; ed ogni volta s'ingannerà quando le misuri [489] o dai danari o dal sito o dalla benivolenza degli uomini, mancando dall'altra parte d'armi proprie. Perché le cose predette ti accrescono bene le forze, ma ben non te le danno, e per se medesime sono nulla, e non giovono alcuna cosa sanza l'armi fedeli. Perché i danari assai non ti bastano sanza quelle; non ti giova la fortezza del paese; e la fede e benivolenza degli uomini non dura, perché questi non ti possono essere fedeli, non gli potendo difendere. Ogni monte, ogni lago, ogni luogo inaccessibile diventa piano dove i forti difensori mancano. I danari ancora non solo non ti difendono, ma ti fanno predare più presto. Né può essere più falsa quella comune opinione che dice che i danari sono il nervo della guerra. La quale sentenzia è detta da Quinto Curzio [490] nella guerra che fu intra Antipatro Macedone e il re spartano; [491] dove narra che per difetto di danari il re di Sparta fu necessitato azzuffarsi e fu rotto: ché se ei differiva la zuffa pochi giorni, veniva la nuova in Grecia della morte di Alessandro, donde ei sarebbe rimaso vincitore sanza combattere. Ma mancandogli i denari, e dubitando che lo esercito suo per difetto di quegli non lo abbandonasse, fu constretto tentare la fortuna della zuffa. Talché Quinto Curzio per questa cagione afferma i danari

487 Castruccio Castracani, signore di Lucca.
488 *a sua posta*: a suo piacimento, quando lo desidera.
489 *misuri*: valuti.
490 Da Quinto Curzio Rufo nel *De rebus gestis Alexandri Magni.*
491 Agide.

essere il nervo della guerra. La quale sentenza è allegata ogni giorno, e da' principi non tanto prudenti che basti, seguitata. Perché fondatisi sopra quella, credono che basti loro a difendersi avere tesoro assai, e non pensano che se il tesoro bastasse a vincere, che Dario arebbe vinto Alessandro, i Greci arebbono vinto i Romani, ne' nostri tempi il duca Carlo [492] arebbe vinti i Svizzeri, e pochi giorni sono il Papa ed i Fiorentini insieme non arebbono avuta difficultà in vincere Francesco Maria [493] nipote di papa Iulio II nella guerra di Urbino. Ma tutti i soprannominati furono vinti da coloro che non il danaio ma i buoni soldati stimano essere il nervo della guerra. Intra le altre cose che Creso re de' Lidii mostrò a Solone ateniese, fu uno tesoro innumerabile: e domandando quel che gli pareva della potenza sua, gli rispose Solone che per quello e' non lo giudicava più potente, perché la guerra si faceva con il ferro e non con l'oro, e che poteva venire uno che avessi più ferro di lui e torgliene. Oltre a di questo, quando dopo la morte di Alessandro Magno una moltitudine di Franciosi passò in Grecia e poi in Asia, e mandando i Franciosi oratori a il re di Macedonia [494] per trattare certo accordo, quel re per mostrare la potenza sua e per sbigottirli mostrò loro oro ed ariento [495] assai: donde quelli Franciosi, che di già avevano come ferma la pace, la ruppono, tanto desiderio in loro crebbe di tòrgli quell'oro. E così fu quel re spogliato per quella cosa che egli aveva per sua difesa accumulata. I Viniziani pochi anni sono, avendo ancora lo erario loro pieno di tesoro, perderno tutto lo stato,[496] sanza potere essere difesi da quello.

Dico pertanto non l'oro, come grida la comune opinione, essere il nervo della guerra, ma i buoni soldati, perché l'oro non è sufficiente a trovare i buoni soldati, ma i buoni soldati sono bene sufficienti a trovare l'oro. Ai Romani, s'egli avessono voluto fare la guerra più con i danari che con il ferro, non sarebbe bastato avere tutto il tesoro del mondo,

492 Carlo il Temerario, duca di Borgogna (1433-1477).
493 Francesco Maria della Rovere, duca di Urbino (1508-1538).
494 Tolomeo Cerauno (III sec. a.C.).
495 *ariento*: argento.
496 Con la sconfitta di Vailate (o Agnadello).

considerato le grandi imprese che feciono e le difficoltà che vi ebbono dentro. Ma faccendo le loro guerre con il ferro non patirono mai carestia dell'oro, perché da quegli che gli temevano era portato loro infino ne' campi. E se quel re spartano per carestia di danari ebbe a tentare la fortuna della zuffa, intervenne a lui quello, per conto de' danari, che molte volte è intervenuto per altre cagioni : perché si è veduto che mancando a uno esercito le vettovaglie, ed essendo necessitati o a morire di fame o azzuffarsi, si piglia il partito sempre di azzuffarsi per essere più onorevole e dove la fortuna ti può in qualche modo favorire. Ancora è intervenuto molte volte che veggendo uno capitano al suo esercito inimico venire soccorso, gli conviene azzuffarsi con quello e tentare la fortuna della zuffa, o aspettando ch'egli ingrossi avere a combattere in ogni modo con mille suoi disavvantaggi. Ancora si è visto (come intervenne a Asdrubale, quando nella Marca fu assaltato da Claudio Nerone insieme con l'altro console romano) [497] che un capitano necessitato o a fuggirsi o a combattere, come sempre elegge il combattere : parendogli in questo partito, ancora che dubbiosissimo, potere vincere, ed in quello altro avere a perdere in ogni modo. Sono adunque molte necessitadi che fanno a un capitano fuor della sua intenzione pigliare partito di azzuffarsi; intra le quali qualche volta può essere la carestia de' danari : né per questo si debbono i danari giudicare essere il nervo della guerra, più che le altre cose che inducano gli uomini a simile necessità. Non è adunque, replicandolo di nuovo, l'oro il nervo della guerra, ma i buoni soldati. Son bene necessari i danari in secondo luogo, ma è una necessità che i soldati buoni per sé medesimi la vincono; perché è impossibile che ai buoni soldati manchino i danari, come che i danari per loro medesimi trovino i buoni soldati. Mostra questo che noi diciamo essere vero ogni istoria in mille luoghi. Non ostante che Pericle [498] consigliasse gli Ateniesi a fare guerra con tutto il Peloponneso, mostrando ch'e' potevano vincere quella guerra con la industria e con la forza del danaio, e benché in tale

497 Livio Salinatore.
498 Il capo del partito democratico in Atene (v sec. a.C.).

guerra gli Ateniesi prosperassino qualche volta, in ultimo la perderono, e valsono più il consiglio e li buoni soldati di Sparta che la industria ed il danaio di Atene. Ma Tito Livio è di questa opinione più vero testimone che alcuno altro, dove discorrendo [499] se Alessandro Magno fussi venuto in Italia, s'egli avesse vinto i Romani, mostra essere tre cose necessarie nella guerra, assai soldati e buoni, capitani prudenti e buona fortuna: dove esaminando quali o i Romani o Alessandro prevalessero in queste cose, fa dipoi la sua conclusione sanza ricordare mai i danari. Doverono i Capovani quando furono richiesti da' Sidicini che prendessono l'armi per loro contro ai Sanniti, misurare la potenza loro dai danari e non da' soldati, perché preso ch'egli ebbero partito di aiutargli, dopo due rotte furono constretti farsi tributari de' Romani, se si vollono salvare.

XI · NON È PARTITO PRUDENTE FARE AMICIZIA CON UNO PRINCIPE CHE ABBIA PIÙ OPINIONE CHE FORZE [500]

Volendo Tito Livio mostrare lo errore de' Sidicini a fidarsi dello aiuto de' Campani, e lo errore de' Campani a credere poterglì difendere, non lo potrebbe dire con più vive parole, dicendo « Campani magis nomen in auxilium Sidicinorum, quam vires ad præsidium attulerunt ».[501] Dove si debbe notare che le leghe che si fanno coi principi che non abbino o commodità di aiutarti per la distanza del sito, o forze da farlo per suo disordine o altra sua cagione, arrecono più fama che aiuto a coloro che se ne fidano: come intervenne ne' di nostri a' Fiorentini, quando nel 1479 il Papa ed il re di Napoli [502] gli assaltarono, ché essendo amici del re di Francia, trassono di quella amicizia « magis nomen, quam præsidium »; come interverrebbe ancora a quel principe che confidatosi di Massimiliano imperadore,[503]

499 Cfr. Livio, IX, 17-19.
500 *più opinione che forze*: più fama che forze reali.
501 « I Campani portarono in aiuto dei Sidicini più il nome che forze a loro protezione » (Livio, III, 29, 5).
502 Sisto IV e Ferrante d'Aragona.
503 Massimiliano I (1493-1519).

facesse qualche impresa, perché questa è una di quelle amicizie che arrecherebbe a chi la facesse « magis nomen, quam præsidium », come si dice in questo testo che arrecò quella de' Capovani a' Sidicini. Errarono adunque in questa parte i Capovani, per parere loro avere più forze che non avevano. E così fa la poca prudenzia degli uomini qualche volta, che non sappiendo né potendo difendere se medesimi, vogliono prendere impresa di difendere altrui; come fecero ancora i Tarentini, i quali, sendo gli eserciti romani allo incontro dello esercito Sannite, mandarono ambasciadori al Console romano a fargli intendere come ei volevano pace intra quegli due popoli, e come erano per fare guerra contro a quello che dalla pace si discostasse. Talché il Console, ridendosi di questa proposta, alla presenza di detti ambasciadori fece sonare a battaglia ed al suo esercito comandò che andasse a trovare il nimico, mostrando ai Tarentini con la opera e non con le parole di che risposta essi erano degni. Ed avendo nel presente capitolo ragionato de' partiti che pigliono i principi, al contrario, per la difesa d'altrui, voglio nel seguente parlare di quegli che si pigliano per la difesa propria.

XII · S'EGLI È MEGLIO, TEMENDO DI ESSERE ASSALTATO, INFERIRE [504] O ASPETTARE LA GUERRA

Io ho sentito da uomini assai pratichi nelle cose della guerra qualche volta disputare se sono dua principi quasi di equali forze, o quello più gagliardo abbi bandito la guerra contro a quell'altro, quale sia migliore partito per l'altro, o aspettare il nimico dentro a' confini suoi o andarlo a trovare in casa ed assaltare lui. E ne ho sentito addurre ragioni da ogni parte. E chi difende lo andare assaltare altrui, ne allega il consiglio che Creso dette a Ciro [505] quando, arrivato in su' confini de' Massageti [506] per fare loro guerra, la loro regina Tamiri gli mandò a dire che eleggessi quale de' due partiti volesse, o entrare nel regno suo dove ella

504 *inferire* : attaccare.
505 Il fondatore dell'impero persiano (558-528).
506 Popolazione iranica.

lo aspetterebbe, o volesse che ella venisse a trovare lui. E venuta la cosa in discettazione,[507] Creso contro alla opinione degli altri disse che si andasse a trovare lei, allegando che s'egli la vincesse discosto a il suo regno che non le torrebbe il regno, perché ella arebbe tempo a rifarsi, ma se la vincesse dentro ai suoi confini, potrebbe seguirla in su la fuga, e non le dando spazio a rifarsi, torle lo stato. Allegane ancora il consiglio che dette Annibale ad Antioco,[508] quando quel re disegnava fare guerra ai Romani, dove ei mostra come i Romani non si potevano vincere se non in Italia, perché quivi altrui si poteva valere delle armi e delle ricchezze e degli amici loro; ma chi gli combatteva fuora d'Italia e lasciava loro la Italia libera, lasciava loro quella fonte che mai le manca vita a somministrare forze dove bisogna; e conchiuse che ai Romani si poteva prima tòrre Roma che lo imperio, e prima la Italia che le altre provincie. Allega ancora Agatocle, che non potendo sostenere la guerra di casa assaltò i Cartaginesi che gliene facevano, e gli ridusse a domandare pace. Allega Scipione che per levare la guerra di Italia assaltò la Africa.

Chi parla al contrario, dice che chi vuole fare capitare male uno inimico lo discosti da casa. Allegano gli Ateniesi che mentre che fecion la guerra commoda alla casa loro restarono superiori, e come si discostarono ed andarono con gli eserciti in Sicilia, perderono la libertà. Allega le favole poetiche dove si mostra che Anteo re di Libia, assaltato da Ercole Egizio, fu insuperabile mentre che lo aspettò dentro a' confini del suo regno, ma come ei se ne discostò per astuzia di Ercole, perdè lo stato e la vita. Onde è dato luogo alla favola che Anteo, sendo in terra, ripigliava le forze da sua madre che era la Terra, e che Ercole, avvedutosi di questo, lo levò in alto e discostollo dalla terra. Allegane ancora i giudicii moderni. Ciascuno sa come Ferrando re di Napoli [509] fu ne' suoi tempi tenuto uno savissimo principe; e venendo la fama due anni davanti la sua morte, come il re di Francia Carlo VIII voleva venire ad assaltarlo, avendo fatte assai preparazioni ammalò, e venendo a morte, in-

507 *discettazione*: discussione.
508 Antioco III, il re di Siria (223-187 a.C.).
509 Ferdinando I d'Aragona.

tra gli altri ricordi che lasciò a Alfonso suo figliuolo, fu ch'egli aspettasse il nimico dentro a il regno, e per cosa del mondo non traesse forze fuora dello stato suo, ma lo aspettasse dentro a' suoi confini tutto intero, il che non fu osservato da quello; ma mandato uno esercito in Romagna, sanza combattere perdé quello e lo stato.

Le ragioni, che oltre alle cose dette, da ogni parte si adducono, sono: che chi assalta viene con maggiore animo che chi aspetta, il che fa più confidente lo esercito; toglie, oltre a di questo, molte commodità al nimico di potersi valere delle sue cose, non si potendo valere di que' sudditi che siano saccheggiati; e per avere il nimico in casa è constretto il signore avere più rispetto a trarne da loro danari ed affaticargli, sicché ei viene a seccare quella fonte, come disse Annibale, che fa che colui può sostenere la guerra. Oltra di questo, i suoi soldati per trovarsi nel paese d'altrui sono più necessitati a combattere, e quella necessità fa virtù, come più volte abbiamo detto. Dall'altra parte si dice come aspettando il nimico si aspetta con assai vantaggio, perché sanza disagio alcuno tu puoi dare a quello molti disagi di vettovaglie e d'ogni altra cosa che abbia bisogno uno esercito: puoi meglio impedirgli i disegni suoi, per la notizia [510] del paese che tu hai più di lui; puoi con più forze incontrarlo, per poterle facilmente tutte unire, ma non potere già tutte discostarle da casa; puoi sendo rotto rifarti facilmente, sì perché del tuo esercito se ne salverà assai per avere i rifugi propinqui, sì perché il supplimento non ha a venire discosto: tanto che tu vieni ad arristiare [511] tutte le forze e non tutta la fortuna, e discostandoti arrischi tutta la fortuna e non tutte le forze. Ed alcuni sono stati che per indebolire meglio il suo nimico lo lasciono entrare parecchie giornate in su il paese loro, e pigliare assai terre, acciò che lasciando i presidii in tutte, indebolisca il suo esercito, e possinlo dipoi combattere più facilmente.

Ma per dire ora io quello che io ne intendo, io credo che si abbia a fare questa distinzione: o io ho il mio pae-

510 *per la notizia*: per la conoscenza.
511 *arristiare*: arrischiare.

se armato, come i Romani o come hanno i Svizzeri; o io l'ho disarmato, come avevano i Cartaginesi o come lo hanno il re di Francia e gli Italiani. In questo caso si debbe tenere il nimico discosto a casa: perché sendo la tua virtù nel danaio e non negli uomini, qualunque volta ti è impedita la via di quello, tu sei spacciato, né cosa veruna te lo impedisce quanto la guerra di casa. In esempli ci sono i Cartaginesi, i quali, mentre che ebbono la casa loro libera, potettono con le rendite fare guerra con i Romani, e quando l'avevano assaltata non potevano resistere ad Agatocle. I Fiorentini non avevano rimedio alcuno con Castruccio signore di Lucca, perché ei faceva loro la guerra in casa, tanto che gli ebbero a darsi per essere difesi al re Ruberto di Napoli. Ma morto Castruccio, quelli medesimi Fiorentini ebbono animo di assaltare il duca di Milano in casa, ed operare di torgli il regno: tanta virtù mostrarono nelle guerre longinque e tanta viltà nelle propinque! [512] Ma quando i regni sono armati come era armata Roma e come sono i Svizzeri, sono più difficili a vincere quanto più ti appressi loro. Perché questi corpi possono unire più forze e resistere a uno impeto, che non possono ad assaltare altrui. Né si muove in questo caso l'autorità d'Annibale, perché la passione e l'utile suo gli faceva così dire a Antioco. Perché se i Romani avessono avute in tanto spazio di tempo quelle tre rotte in Francia ch'egli ebbero in Italia da Annibale, sanza dubbio erano spacciati: perché non si sarebbono valuti de' residui degli eserciti come si valsono in Italia, non arebbono avuto a rifarsi quelle commodità, né potevono con quelle forze resistere al nimico che poterono. Non si truova per assaltare uno provincia che loro mandassino mai fuora eserciti che passassino cinquantamila persone, ma per difendere la casa ne misero in arme contro ai Franciosi, dopo la prima guerra punica, diciotto centinaia di migliaia. Né arebbono potuto poi rompere quegli in Lombardia, come gli ruppono in Toscana; perché contro a tanto numero di nimici non arebbono potuto condurre tante forze sì discosto, né combattergli con quella commodità. I Cimbri ruppono uno esercito romano nella Magna, né vi

512 *propinque*: vicine ai confini.

ebbono i Romani rimedio. Ma come gli arrivarono in Italia, e che ei poterono mettere tutte le loro forze insieme, gli spacciarono.[513] I Svizzeri è facile vincergli fuori di casa, dove ei non possono mandare più che un trenta o quarantamila uomini; ma vincergli in casa, dove ei ne possono raccozzare centomila, è difficilissimo. Conchiuggo [514] adunque di nuovo che quel principe che ha i suoi popoli armati ed ordinati alla guerra, aspetti sempre in casa una guerra potente e pericolosa, e non la vadia a rincontrare. Ma quello che ha i suoi sudditi disarmati ed il paese inusitato alla guerra, se le discosti sempre da casa il più che può. E così l'uno e l'altro, ciascuno nel suo grado, si difenderà meglio.

XIII · CHE SI VIENE DI BASSA A GRAN FORTUNA PIÙ CON LA FRAUDE CHE CON LA FORZA

Io stimo essere cosa verissima che rado o non mai intervenga che gli uomini di piccola fortuna venghino a gradi grandi sanza la forza e sanza la fraude, pure che quel grado al quale altri è pervenuto non li sia o donato o lasciato per eredità. Né credo si truovi mai che la forza sola basti, ma si troverrà bene che la fraude sola basterà: come chiaro vedrà colui che leggerà la vita di Filippo di Macedonia, quella di Agatocle siciliano e di molti altri simili, che d'infima ovvero di bassa fortuna sono pervenuti o a regno o a imperii grandissimi. Mostra Senofonte nella sua vita di Ciro [515] questa necessità dello ingannare, considerato che la prima ispedizione che fa fare a Ciro contro al re di Armenia è piena di fraude, e come con inganno e non con forza gli fa occupare il suo regno. E non conchiude altro per tale azione, se non che a un principe che voglia fare gran cose, è necessario imparare a ingannare. Fagli ingannare, oltra di questo, Ciassare re

513 I Cimbri furono sconfitti nel 101 a.C. ai campi Raudii (Vercelli) da Mario.
514 *Conchiuggo*: concludo.
515 Cfr. Senofonte, *Ciropedia*, II, 4, 32.

de' Medi suo zio materno, in più modi, sanza la quale fraude mostra che Ciro non poteva pervenire a quella grandezza che venne. Né credo che si truovi mai alcuno costituito in bassa fortuna, pervenuto a grande imperio solo con la forza aperta ed ingenuamente, ma sì bene solo con la fraude, come fece Giovan Galeazzo[516] per tòrre lo stato e lo imperio di Lombardia a messer Bernabò suo zio. E quel che sono necessitati fare i principi ne' principii degli augumenti loro, sono ancora necessitate a fare le republiche, infino che le siano diventate potenti e che basti la forza sola. E perché Roma tenne in ogni parte, o per sorte o per elezione, tutti i modi necessari a venire a grandezza, non mancò ancora di questo. Né poté usare nel principio il maggiore inganno, che pigliare il modo discorso di sopra da noi, di farsi compagni: perché sotto questo nome se gli fece servi, come furono i Latini ed altri popoli a lo intorno. Perché prima si valse dell'armi loro in domare i popoli convicini e pigliare la riputazione dello stato. Dipoi domatogli, venne in tanto augumento che la poteva battere ciascuno. Ed i Latini non si avvidono mai di essere al tutto servi, se non poi che vidono dare due rotte ai Sanniti,[517] e costrettigli ad accordo. La quale vittoria, come ella accrebbe gran riputazione ai Romani co' principi longinqui, che mediante quella sentirono il nome romano e non l'armi, così generò invidia e sospetto in quelli che vedevano e sentivano l'armi, intra i quali furono i Latini. E tanto poté questa invidia e questo timore che non solo i Latini ma le colonie che essi avevano in Lazio, insieme con i Campani stati poco innanzi difesi, congiurarono contro a il nome romano. E mossono questa guerra i Latini nel modo che si dice di sopra che si muovono la maggior parte delle guerre, assaltando non i Romani ma difendendo i Sidicini contro ai Sanniti a' quali i Sanniti facevano guerra con licenza de' Romani. E che sia vero che i Latini si movessono per avere conosciuto questo inganno, lo dimostra Tito Livio nella bocca di Annio Setino pretore latino, il quale nel concilio loro disse

516 Gian Galeazzo Visconti.
517 Nel 343 a.C.

queste parole : « Nam si etiam nunc sub umbra fœderis æqui servitutem pati possumus, etc. »[518] Vedesi pertanto i Romani ne' primi augumenti loro non essere mancati etiam della fraude, la quale fu sempre necessaria a usare a coloro che di piccoli principii vogliono a sublimi gradi salire; la quale è meno vituperabile quanto è più coperta, come fu questa de' Romani.

XIV · INGANNONSI MOLTE VOLTE GLI UOMINI, CREDENDO CON LA UMILITÀ VINCERE LA SUPERBIA

Vedesi molte volte come l'umiltà non solamente non giova ma nuoce, massimamente usandola con gli uomini insolenti, che o per invidia o per altra cagione hanno concetto odio teco. Di che ne fa fede lo istorico nostro in questa cagione di guerra tra i Romani e i Latini. Perché dolendosi i Sanniti con i Romani che i Latini gli avevano assaltati, i Romani non vollono proibire ai Latini tale guerra, disiderando non gli irritare; il che non solamente non gli irritò, ma gli fece diventare più animosi contro a loro, e si scopersono più presto inimici. Di che ne fanno fede le parole usate dal prefato Annio pretore latino nel medesimo concilio, dov'e' dice : « Tentastis patientiam negando militem : quis dubitat exarsisse eos? Pertulerunt tamen hunc dolorem. Exercitus nos parare adversus Samnites fœderatos suos audierunt, nec moverunt se ab urbe. Unde haec illis tanta modestia, nisi conscientia virium, et nostrarum et suarum? »[519] Conoscesi pertanto chiarissimo per questo testo, quanto la pazienza de' Romani accrebbe l'arroganza de' Latini. E però mai un principe debbe volere mancare del grado suo e non debbe mai lasciare alcuna cosa d'accordo, volendola lasciare onorevolmente, se non quan-

[518] « Infatti se ancora possiamo tollerare la schiavitù, sotto la parvenza di un'alleanza giusta... » (Livio, VIII, 4, 2).

[519] « Avete sperimentato la loro pazienza negando loro i soldati : chi può dubitare che essi si siano irritati? Eppure hanno tollerato pazientemente questa amarezza. Hanno saputo che prepariamo un esercito contro i Sanniti loro alleati, eppure non si sono mossi dalla città. Da dove proviene tanta modestia, se non dalla coscienza delle nostre e loro forze? » (Livio, VIII, 4, 7-10).

do e' la può o ei si crede che la possa tenere; perché gli è meglio quasi sempre, sendosi condotta la cosa in termine che tu non la possa lasciare nel modo detto, lasciarsela tòrre con le forze che con la paura delle forze: perché se tu la lasci con la paura, lo fai per levarti la guerra, ed il più delle volte non te la lievi, perché colui a chi tu arai con una viltà scoperta concesso quella, non istarà saldo ma ti vorrà tòrre delle altre cose e si accenderà più contro a di te stimandoti meno, e dall'altra parte in tuo favore troverrai i difensori più freddi, parendo loro che tu sia o debole o vile. Ma se tu subito, scoperta la voglia dello avversario, prepari le forze, ancora che le siano inferiori a lui, quello ti comincerà a stimare: stimanti più gli altri principi allo intorno, e a tale viene voglia di aiutarti, sendo in su l'armi, che abbandonandoti,[520] non ti aiuterebbe mai. Questo s'intende quando tu abbia uno inimico; ma quando ne avessi più, rendere delle cose che tu possedessi a alcuno di loro per riguadagnarselo, ancora che fussi di già scoperta la guerra, e per ismembrarlo dagli altri confederati tuoi nimici, fia sempre partito prudente.

XV · GLI STATI DEBOLI SEMPRE FIANO AMBIGUI NEL RISOLVERSI, E SEMPRE LE DILIBERAZIONI LENTE SONO NOCIVE

In questa medesima materia, ed in questi medesimi principii di guerra intra i Latini ed i Romani, si può notare come in ogni consulta è bene venire allo individuo[521] di quello che si ha a diliberare, e non stare sempre in ambiguo né in su lo incerto della cosa. Il che si vede manifesto nella consulta che feciono i Latini quando ei pensavano alienarsi dai Romani. Perché avendo i Romani presentito questo cattivo umore che ne' popoli latini era entrato, per certificarsi della cosa e per vedere s'e' potevano sanza mettere mano alle armi riguadagnarsi quegli popoli, fecero loro intendere come e' mandassono a Ro-

520 *che abbandonandoti*: se invece ti lasci andare e non ti riarmi.

521 *allo individuo*: alla sostanza del particolare.

ma otto cittadini, perché avevano a consultare con loro. I Latini, inteso questo, ed avendo coscienza di molte cose fatte contro alla voglia de' Romani, feciono concilio per ordinare chi dovesse ire a Roma, e darli commissione di quello ch'egli avesse a dire. E stando nel concilio in questa disputa Annio loro pretore disse queste parole: « Ad summam rerum nostrarum pertinere arbitror, ut cogitetis magis quid agendum nobis, quam quid loquendum sit. Facile erit explicatis consiliis, accommodare rebus verba ».[522] Sono sanza dubbio queste parole verissime, e debbono essere da ogni principe e da ogni republica gustate; perché nella ambiguità e nella incertitudine di quello che altri voglia fare, non si sanno accomodare le parole; ma fermo una volta l'animo, e diliberato quello sia da esequire, è facil cosa trovarvi le parole. Io ho notato questa parte più volontieri, quanto io ho molte volte conosciuta tale ambiguità aver nociuto alle publiche azioni, con danno e con vergogna della republica nostra. E sempre mai avverrà che ne' partiti dubbi, e dove bisogna animo a diliberargli, sarà questa ambiguità quando abbiano a essere consigliati e diliberati da uomini deboli.

Non sono meno nocive ancora le diliberazioni lente e tarde che le ambigue, massime quelle che si hanno a diliberare in favore di alcuno amico, perché con la lentezza loro non si aiuta persona, e nuocesi a se medesimo. Queste diliberazioni così fatte procedono o da debolezza di animo e di forze, o da malignità di coloro che hanno a diliberare: i quali, mossi dalla passione propria di volere rovinare lo stato o adempiere qualche altro loro disiderio, non lasciano seguire la diliberazione, ma la impediscono e la attraversono. Perché i buoni cittadini, ancora che vegghino una foga popolare voltarsi alla parte perniziosa, mai impediranno il diliberare, massime di quelle cose che non aspettano tempo. Morto che fu Girolamo, tiranno in Siracusa, essendo la guerra grande intra i Cartaginesi ed i Romani, vennono i Siracusani in disputa se dovevano segui-

522 « Ritengo che sia soprattutto importante rispetto ai nostri affari, che voi riflettiate piuttosto su ciò che si debba fare che su quello che si debba dire. Sarà facile, una volta chiariti i proponimenti, accomodare le parole ai fatti » (Livio, VIII, 4, 1).

re l'amicizia romana o la cartaginese. E tanto era lo ardore delle parti che la cosa stava ambigua, né se ne prendeva alcuno partito, insino a tanto che Apollonide, uno de' primi in Siracusa, con una sua orazione piena di prudenza mostrò come e' non era da biasimare chi teneva la opinione di aderirsi ai Romani, né quelli che volevano seguire la parte cartaginese; ma era bene da detestare quella ambiguità e tardità di pigliare il partito, perché vedeva al tutto in tale ambiguità la rovina della republica: ma preso che si fussi il partito, qualunque si fusse, si poteva sperare qualche bene. Né potrebbe mostrare più Tito Livio, che si faccia [523] in questa parte, il danno che si tira dietro lo stare sospeso. Dimostralo ancora in questo caso de' Latini, poiché essendo i Lavinii ricerchi da loro d'aiuto contro ai Romani, differirono tanto a diliberarlo che quando eglino erano usciti appunto fuora della porta con le genti per dare loro soccorso, venne la nuova i Latini essere rotti. Donde Milionio loro pretore disse: « Questo poco della via [524] ci costerà assai col Popolo romano ».[525] Perché se si diliberavano prima o di aiutare o di non aiutare i Latini, non li aiutando ei non irritavano i Romani, aiutandogli, essendo lo aiuto in tempo, potevano con la aggiunta delle loro forze fargli vincere; ma differendo venivano a perdere in ogni modo, come intervenne loro. E se i Fiorentini avessono notato questo testo, non arebbono avuto co' Franciosi né tanti danni né tante noie quante ebbono nella passata che il re Luigi di Francia XII, fece in Italia contro a Lodovico [526] duca di Milano. Perché trattando il re tale passata, ricercò i Fiorentini d'accordo,[527] e gli oratori che erano appresso al re accordarono con lui che si stessino neutrali, e che il re venendo in Italia gli avesse a mantenere nello stato e ricevere in protezione, e dette tempo un mese alla città a ratificarlo. Fu differita tale ratificazione da chi per poca prudenza favoriva le

523 *più... che si faccia*: più chiaramente di quello che faccia.
524 *Questo poco della via*: questo breve tratto di strada che abbiamo percorso.
525 Cfr. Livio, VIII, 11, 4.
526 Ludovico il Moro.
527 *ricercò i Fiorentini d'accordo*: chiese di venire ad un accordo con i Fiorentini.

cose di Lodovico, intanto che il re già sendo in su la vittoria, e volendo poi i Fiorentini ratificare, non fu la ratificazione accettata, come quello che conobbe i Fiorentini essere venuti forzati e non voluntari nella amicizia sua. Il che costò alla città di Firenze assai danari, e fu per perdere lo stato, come poi altra volta per simile causa le intervenne. E tanto più fu dannabile quel partito, perché non si servì ancora a il duca Lodovico: il quale se avesse vinto, arebbe mostri molti più segni d'inimicizia contro ai Fiorentini che non fece il re. E benché del male che nasce alle republiche di questa debolezza se ne sia di sopra in uno altro capitolo discorso, nondimeno avendone di nuovo occasione per uno nuovo accidente, ho voluto replicare, parendomi massime materia che debba essere dalle republiche simili alla nostra notata.

XVI · QUANTO I SOLDATI DE' NOSTRI TEMPI SI DISFORMINO DAGLI ANTICHI ORDINI

La più importante giornata che fu mai fatta in alcuna guerra con alcuna nazione dal Popolo romano, fu questa che ei fece con i popoli latini nel consolato di Torquato e di Decio.[528] Perché ogni ragione vuole che così come i Latini per averla perduta diventarono servi, così sarebbero stati servi i Romani quando non l'avessino vinta. E di questa opinione è Tito Livio, perché in ogni parte fa gli eserciti pari, di ordine, di virtù, d'ostinazione e di numero: solo vi fa differenza che i capi dello esercito romano furono più virtuosi che quelli dello esercito latino. Vedesi ancora come nel maneggio di questa giornata nacquono due accidenti non prima nati e che dipoi hanno radi esempli: che di due Consoli, per tenere fermi gli animi de' soldati ed ubbidienti a' comandamenti loro e diliberati al combattere, l'uno ammazzò se stesso e l'altro il figliuolo. La parità che Tito Livio dice essere in questi eserciti era che, per avere militato gran tempo insieme, erano pari di lin-

528 Tito Manlio Torquato e Decio Mure durante la guerra contro i Campano-Latini (340 a.C.).

284

gua, d'ordine e d'armi, perché nello ordinare la zuffa tenevano uno modo medesimo, e gli ordini e i capi degli ordini avevano i medesimi nomi. Era dunque necessario, sendo di pari forze e di pari virtù, che nascesse qualche cosa istraordinaria che fermasse e facesse più ostinati gli animi dell'uno che dell'altro; nella quale ostinazione consiste, come altre volte si è detto, la vittoria: perché mentre che la dura ne' petti di quelli che combattono, mai non danno volta [529] gli eserciti. E perché la durasse più ne' petti de' Romani che de' Latini, parte la sorte, parte la virtù de' Consoli fece nascere che Torquato ebbe a ammazzare il figliuolo e Decio se stesso. Mostra Tito Livio, nel mostrare questa parità di forze, tutto l'ordine che tenevono i Romani nelli eserciti e nelle zuffe. Il quale esplicando egli largamente, non replicherò altrimenti; ma solo discorrerò quello che io vi giudico notabile, e quello che, per essere negletto da tutti i capitani di questi tempi, ha fatto negli eserciti e nelle zuffe di molti disordini. Dico adunque che per il testo di Livio si raccoglie come lo esercito romano aveva tre divisioni principali, le quali toscanamente si possono chiamare tre stiere, e nominavano la prima astati, la seconda principi, la terza triari, e ciascuna di queste aveva i suoi cavagli. Nello ordinare una zuffa, ei mettevano gli astati innanzi; nel secondo luogo per ritto, dietro alle spalle di quelli, ponevano i principi; nel terzo, pure nel medesimo filo, collocavano i triari. I cavagli di tutti questi ordini gli ponevano a destra ed a sinistra di queste tre battaglie; [530] le stiere de' quali cavagli, dalla forma loro e dal luogo, si chiamavano « alae »[531] perché parevano come due alie di quel corpo. Ordinavono la prima stiera, degli astati, che era nella fronte, serrata in modo insieme che la potesse spignere e sostenere il nimico. La seconda stiera, de' principi, perché non era la prima a combattere, ma bene le conveniva soccorrere alla prima quando fussi battuta o urtata, non la facevano stretta, ma mantenevano i suoi ordini radi, e di qualità che la potessi ricevere in sé

---

529 *danno volta*: volgono in fuga.
530 *battaglie*: battaglioni.
531 *alae*: ali.

sanza disordinarsi la prima, qualunque volta spinta dal nimico fusse necessitata ritirarsi. La terza stiera, de' triari, aveva ancora gli ordini più radi che la seconda, per potere ricevere in sé bisognando le due prime stiere de' principi e degli astati. Collocate dunque queste stiere in questa forma, appiccavano la zuffa, e se gli astati erano sforzati o vinti, si ritiravano nella radità degli ordini de' principi, e tutti uniti insieme, fatto di due stiere uno corpo, rappiccavano la zuffa; se questi ancora erano ributtati, sforzati si ritiravano tutti nella radità degli ordini de' triari, e tutt'a tre le stiere diventavano uno corpo rinnovavano la zuffa, dove essendo superati, per non avere più da rifarsi, perdevono la giornata. E perché ogni volta che questa ultima stiera de' triari si adoprava lo esercito era in pericolo, ne nacque quel proverbio: « Res redacta est ad triarios »[532] che a uso toscano vuole dire: « Noi abbiamo messa l'ultima posta ». I capitani de' nostri tempi, come egli hanno abbandonati tutti gli altri ordini, e della antica disciplina non ne osservano parte alcuna, così hanno abbandonata questa parte, la quale non è di poca importanza: perché chi si ordina di potersi rifare nelle giornate tre volte, ha ad avere tre volte inimica la fortuna a volere perdere, ed ha ad avere per iscontro una virtù che sia atta tre volte a vincerlo. Ma chi non sta se non in sul primo urto, come stanno oggi tutti gli eserciti cristiani, può facilmente perdere, perché ogni disordine, ogni mezzana virtù gli può tòrre la vittoria. Quello che fa agli eserciti nostri mancare di potersi rifare tre volte, è lo avere perduto il modo di ricevere l'una schiera nell'altra. Il che nasce perché al presente s'ordinano le giornate con uno di questi due disordini. O ei mettono le loro schiere a spalle l'una dell'altra e fanno la loro battaglia larga per traverso e sottile per diritto, il che la fa più debole per avere poco dal petto alle stiene;[533] e quando pure per farla più forte ei riducano le schiere per il verso de' Romani, se la prima fronte è rotta, non avendo ordine di essere ricevuta dalla seconda, s'ingarbugliano insieme tutte e rompono se medesime: per-

---

532 « La cosa è ridotta ai triari » (Livio, VIII, 8, 11).
533 Ossia non ha molta profondità di schieramento.

ché se quella dinanzi è spinta, ella urta la seconda; se la
seconda si vuol fare innanzi, ella è impedita dalla prima;
donde che urtando la prima la seconda, e la seconda la
terza, ne nasce tanta confusione che spesso un minimo accidente rovina uno esercito. Gli eserciti spagnuoli e franciosi nella zuffa di Ravenna,[534] dove morì monsignor de
Fois [535] capitano delle genti di Francia (la quale fu secondo
i nostri tempi assai bene combattuta giornata), s'ordinarono
con l'uno de' soprascritti modi, cioè che l'uno e l'altro
esercito venne con tutte le sue genti ordinate a spalle; in
modo che non venivano avere né l'uno né l'altro se non
una fronte, ed erano assai più per il traverso che per il
diritto. E questo avviene loro sempre dove egli hanno la
campagna grande come gli avevano a Ravenna: perché
conoscendo il disordine che fanno nel ritirarsi, mettendosi per un filo, lo fuggono quando ei possono col fare la
fronte larga, come è detto; ma quando il paese gli ristri-
gne, si stanno nel disordine soprascritto sanza pensare al
rimedio. Con questo medesimo disordine cavalcano per il
paese inimico, o se ei predano o se fanno altro maneggio
di guerra. Ed a Santo Regolo in quel di Pisa ed altrove,
dove i Fiorentini furono rotti da' Pisani [536] ne' tempi della
guerra che fu tra i Fiorentini e quella città per la sua
ribellione dopo la passata di Carlo re di Francia in Italia,
non nacque tale rovina d'altronde che dalla cavalleria
amica: la quale sendo davanti e ributtata da' nimici per-
cosse nella fanteria fiorentina e quella ruppe, donde tutto
il restante delle genti dierono volta; e messer Ciriaco dal
Borgo, capo antico delle fanterie fiorentine, ha affermato
alla presenza mia molte volte non essere mai stato rotto
se non dalla cavalleria degli amici. I Svizzeri che sono i
maestri delle moderne guerre, quando ei militano con i
Franciosi, sopra tutte le cose hanno cura di mettersi in lato
che la cavalleria amica, se fusse ributtata, non gli urti. E
benché queste cose paiano facili ad intendere, e facilissime
a farsi, nondimeno non si è trovato ancora alcuno de' nostri contemporanei capitani che gli antichi ordini imiti e

534 Nel 1512.
535 Gastone de Foix.
536 Il 21 maggio 1498.

i moderni corregga. E benché gli abbino ancora loro tripartito lo esercito chiamando l'una parte antiguardo, l'altra battaglia e l'altra retroguardo, non se ne servono ad altro che a comandarli nelli alloggiamenti; ma nello adoperargli, rade volte è, come di sopra è detto, che a tutti questi corpi non faccino correre una medesima fortuna.

E perché molti per scusarne la ignoranza loro allegano che la violenza delle artiglierie non patisce [537] che in questi tempi si usino molti ordini degli antichi, voglio disputare nel seguente capitolo questa materia, e vo' esaminare se le artiglierie impediscano che non si possa usare l'antica virtù.

XVII · QUANTO SI DEBBINO STIMARE DAGLI ESERCITI NE' PRESENTI TEMPI LE ARTIGLIERIE; E SE QUELLA OPINIONE CHE SE NE HA IN UNIVERSALE È VERA

Considerando io, oltre alle cose soprascritte, quante zuffe campali (chiamate ne' nostri tempi con vocabolo francioso giornate, e dagli Italiani fatti d'arme) furono fatte da' Romani in diversi tempi, mi è venuto in considerazione la opinione universale di molti che vuole che se in quegli tempi fussono state le artiglierie, non sarebbe stato lecito ai Romani, né sì facile, pigliare le provincie, farsi tributari i popoli, come ei fecero, né arebbono in alcuno modo fatto sì gagliardi acquisti. Dicono ancora che mediante questi instrumenti de' fuochi, gli uomini non possono usare né mostrare la virtù loro come ei potevano anticamente. E soggiungano una terza cosa: che si viene con più difficultà alle giornate che non si veniva allora, né vi si può tenere dentro quegli ordini di quegli tempi, talché la guerra si ridurrà col tempo in su le artiglierie. E giudicando non fuora di proposito disputare se tali opinioni sono vere, e quanto le artiglierie abbino accresciuto o diminuito di forze agli eserciti, e se le tolgano o danno occasione ai buoni capitani di operare virtuosamente, comincerò a parlare quanto alla prima loro opinione: che

537 *non patisce*: non tollera, non consente.

gli eserciti antichi romani non arebbano fatto gli acquisti che feciono se artiglierie fussono state. Sopra che rispondendo, dico come e' si fa guerra o per difendersi o per offendere. Donde si ha prima a esaminare a quale di questi due modi di guerra le faccino più utile o più danno. E benché sia che dire da ogni parte, nondimeno io credo che sanza comparazione faccino più danno a chi si difende che a chi offende. La ragione che io ne dico è che quel che si difende o egli è dentro a una terra, o egli è in sui campi dentro a uno steccato. S'egli è dentro a una terra, o questa terra è piccola come sono la maggior parte delle fortezze, o la è grande : nel primo caso, chi si difende è al tutto perduto, perché l'impeto delle artiglierie è tale che non truova muro ancoraché grossissimo che in pochi giorni ei non abbatta; e se chi è dentro non ha buoni spazi da ritirarsi, e con fossi e con ripari, si perde; né può sostenere l'impeto del nimico che volessi dipoi entrare per la rottura del muro, né a questo gli giova artiglieria che avessi. Perché questa è una massima, che dove gli uomini in frotta e con impeto possono andare, le artiglierie non gli sostengono : però i furori oltramontani nella difesa delle terre non sono sostenuti; son bene sostenuti gli assalti italiani, i quali non in frotta ma spicciolati si conducano alle battaglie, le quali loro per nome molto proprio chiamano scaramucce, e questi che vanno con questo disordine e questa freddezza a una rottura d'un muro dove siano artiglierie, vanno a una manifesta morte, e contro a loro artiglierie vagliano; ma quegli che in frotta condensati, e che l'uno spinge l'altro, vengono a una rottura, se non sono sostenuti [538] o da fossi o da ripari, entrono in ogni luogo, e le artiglierie non gli tengono, e se ne muore qualcuno non possono essere tanti che gl'impedischino la vittoria.

Questo essere vero si è conosciuto in molte espugnazioni fatte dagli oltramontani in Italia e massime in quella di Brescia, perché sendosi quella terra ribellata da' Franciosi,[539] e tenendosi ancora per il re di Francia la fortezza,

538 *se non sono sostenuti* : se non sono ostacolati.
539 Si riferisce alla ribellione di Brescia nel 1512.

avevano i Viniziani, per sostenere l'impeto che da quella potesse venire nella terra, munita tutta la strada d'artiglierie che dalla fortezza alla città scendeva, e postene a fronte e ne' fianchi ed in ogni altro luogo opportuno. Delle quali monsignor di Fois non fece alcun conto; anzi quello con il suo squadrone disceso a piede, passando per il mezzo di quelle, occupò la città, né per quelle si sentì ch'egli avesse ricevuto alcuno memorabile danno. Talché chi si difende in una terra piccola, come è detto, e truovisi le mura in terra, e non abbia spazio da ritirarsi con i ripari e con fossi, ed abbiasi a fidare in su le artiglierie, si perde subito. Se tu difendi una terra grande, e che tu abbia commodità di ritirarti, sono nondimanco sanza comparazione più utili le artiglierie a chi è di fuori che a chi è dentro. Prima, perché a volere che una artiglieria nuoca a quegli che sono di fuora, tu se' necessitato levarti con essa dal piano della terra; perché stando in sul piano, ogni poco d'argine e di riparo che il nimico faccia, rimane sicuro, e tu non gli puoi nuocere: tanto che avendoti a alzare e tirarti in sul corridoio delle mura o in qualunque modo levarti da terra, tu ti tiri dietro due difficultà: la prima che tu non puoi condurvi artiglierie della grossezza e della potenza che può trarre colui di fuora, non si potendo ne' piccoli spazi maneggiare le cose grandi; l'altra è quando bene tu ve le potessi condurre, tu non puoi fare quegli ripari fedeli e sicuri per salvare detta artiglieria che possono fare quegli di fuori, essendo in sul terreno ed avendo quelle commodità e quello spazio che loro medesimi vogliono. Talmenteché gli è impossibile a chi difende una terra tenere le artiglierie ne' luoghi alti, quando quegli che sono di fuori abbino assai artiglierie e potenti; e se egli hanno a venire con essa ne' luoghi bassi, ella diventa in buona parte inutile, come è detto. Talché la difesa della città si ha a ridurre a difenderla con le braccia, come anticamente si faceva, e con l'artiglieria minuta: di che, se si trae un poco di utilità rispetto a questa artiglieria minuta, se ne cava incommodità che contrappesa alla commodità dell'artiglieria: perché rispetto a quella si riducano le mura delle terre, basse e quasi sotterrate ne' fossi; talché come si viene alla battaglia di mano, o per essere battute le mura o per essere ripieni i fossi, ha chi è dentro molti più disavvantaggi che non aveva allora. E però, come di sopra si disse, giovano questi instrumenti molto più a chi campeggia le terre che a chi è campeggiato. Quanto alla terza cosa, di ridursi in un campo dentro a uno steccato per non fare giornata se non a tua comodità o vantaggio, dico che in questa parte tu non hai più rimedio ordinariamente a difenderti di non combattere che si avessono gli antichi; e qualche volta per conto delle artiglierie hai maggiore disavvantaggio. Perché se il nimico ti giugne addosso ed abbia un poco di vantaggio del paese come può facilmente intervenire, e truovisi più alto di te, o che nello arrivare suo tu non abbia ancora fatti i tuoi argini e copertoti bene con quegli, subito e sanza che tu abbia alcun rimedio ti disalloggia, e sei forzato uscire delle fortezze tue e venire alla zuffa. Il che intervenne agli Spagnuoli nella giornata di Ravenna, i quali essendosi muniti tra 'l fiume del Ronco ed uno argine, per non lo avere tirato tanto alto che bastasse e per avere i Franciosi un poco il vantaggio del terreno, furono costretti dalle artiglierie uscire delle fortezze loro e venire alla zuffa. Ma dato, come il più delle volte debbe essere, che il luogo che tu avessi preso con il campo fosse più eminente che gli altri all'incontro, e che gli argini fussono buoni e sicuri, talché mediante il sito e l'altre tue preparazioni il nimico non ardisse d'assaltarti, si verrà in questo caso a quegli modi che anticamente si veniva quando uno era con il suo esercito in lato da non potere essere offeso: i quali sono, correre il paese, pigliare o campeggiare le terre tue amiche, impedirti le vettovaglie; tanto che tu sarai forzato da qualche necessità a disalloggiare e venire a giornata, dove le artiglierie, come di sotto si dirà, non operano molto. Considerato adunque di quali ragioni guerre feciono i Romani; e veggendo come ei feciono quasi tutte le loro guerre per offendere altrui e non per difendere loro, si vedrà, quando sieno vere le cose dette di sopra, come quelli arebbono avuto più vantaggio, e più presto arebbono fatto i loro acquisti, se le fossono state in quelli tempi.

Quanto alla seconda cosa, che gli uomini non possono mostrare la virtù loro, come ei potevano anticamente, me-

diante l'artiglieria: [540] dico ch'egli è vero che, dove gli uomini spicciolati si hanno a mostrare, che ei portano più pericoli che allora, quando avessono a scalare una terra o
fare simili assalti, dove gli uomini non ristretti insieme ma
di per sé l'uno dall'altro avessono a comparire. È vero
ancora che gli capitani e capi degli eserciti stanno sotto-
posti più a il pericolo della morte che allora, potendo essere aggiunti con le artiglierie in ogni luogo; né giova loro
lo essere nelle ultime squadre e muniti di uomini fortissimi. Nondimeno si vede che l'uno e l'altro di questi dua
pericoli fanno rade volte danni istraordinari: perché le
terre munite bene non si scalano, né si va con assalti deboli ad assaltarle, ma a volerle espugnare si riduce la cosa
a una ossidione, come anticamente si faceva. Ed in quelle
che pure per assalto si espugnano, non sono molto maggiori i pericoli che allora; perché non mancavano anche
in quel tempo, a chi difendeva le terre, cose da trarre,[541] le
quali se non erano così furiose, facevano, quanto allo ammazzare gli uomini, il simile effetto. Quanto alla morte
de' capitani e condottieri, ce ne sono in ventiquattro anni,
che sono state le guerre ne' prossimi tempi in Italia, meno
esempli che non era in dieci anni di tempo appresso agli
antichi. Perché, dal conte Lodovico della Mirandola che
morì a Ferrara quando i Viniziani pochi anni sono assaltarono quello stato,[542] ed il Duca di Nemours,[543] che morì alla
Cirignola, in fuori, non è occorso che d'artiglierie ne sia
morto alcuno: perché monsignore di Fois a Ravenna morì
di ferro e non di fuoco. Tanto che se gli uomini non dimostrano particularmente la loro virtù, nasce non dalle
artiglierie, ma dai cattivi ordini e dalla debolezza degli
eserciti, i quali mancando di virtù nel tutto, non la possono mostrare nella parte.

Quanto alla terza cosa detta da costoro, che non si possa venire alle mani e che la guerra si condurrà tutta in
su l'artiglierie: dico questa opinione essere al tutto falsa,
e così fia sempre tenuto da coloro che secondo l'antica virtù

540 *mediante l'artiglieria*: a causa dell'artiglieria.
541 *cose da trarre*: macchine per lanciare proiettili.
542 Nel 1509.
543 Louis d'Armagnac, il duca di Nemours.

vorranno adoperare gli eserciti loro. Perché chi vuole fare uno esercito buono, gli conviene con esercizi, o fitti [544] o veri, assuefare gli uomini sua ad accostarsi al nimico, e venire con lui al menare della spada ed a pigliarsi per il petto, e si debbe fondare più in su le fanterie che in su' cavagli, per le ragioni che di sotto si diranno. E quando si fondi in su i fanti ed in su i modi predetti, diventono al tutto le artiglierie inutili, perché con più facilità le fanterie, nello accostarsi al nimico possono fuggire il colpo delle artiglierie, che non potevano anticamente fuggire l'impeto degli elefanti, de' carri falcati, e d'altri riscontri inusitati [545] che le fanterie romane riscontrarono, contro ai quali sempre trovarono il rimedio; e tanto più facilmente lo arebbono trovato contro a queste quanto egli è più breve il tempo nel quale le artiglierie ti possano nuocere, che non era quello nel quale potevano nuocere gli elefanti ed i carri. Perché quegli nel mezzo della zuffa ti disordinavano, queste solo innanzi alla zuffa t'impediscano; il quale impedimento facilmente le fanterie fuggono, o con andare coperte dalla natura del sito o con abbassarsi in su la terra quando le tirano. Il che anche per isperienza si è visto non essere necessario, massime per difendersi dalle artiglierie grosse, le quali non si possono in modo bilanciare, o che se le vanno alto le non ti trovino o che se le vanno basse le non ti arrivino.

Venuti poi gli eserciti alle mani, questo è chiaro più che la luce, che né le grosse né le piccole ti possono offendere: perché se quello che ha l'artiglierie è davanti, diventa tuo prigione; s'egli è dietro, egli offende prima l'amico che te; a spalle ancora non ti può ferire in modo che tu non lo possa ire a trovare, e ne viene a seguitare lo effetto detto. Né questo ha molta disputa, perché se ne è visto l'esemplo de' Svizzeri, i quali a Novara nel 1513 sanza artiglierie e sanza cavagli andarono a trovare lo esercito francioso munito d'artiglierie dentro alle fortezze sue, e lo roppono sanza avere alcuno impedimento da quelle. E la ragione è, oltre alle cose dette di sopra, che l'artiglieria

544 *fitti*: finti, simulati.
545 *riscontri inusitati*: ostacoli fuori del comune, sconosciuti.

ha bisogno di essere guardata, a volere che la operi, o da mura o da fossi o da argini; e come le mancherà una di queste guardie, ella è prigione o la diventa inutile, come le interviene quando la si ha a difendere con gli uomini, il che le interviene nelle giornate e zuffe campali : per fianco le non si possono adoperare se non in quel modo che adoperavano agli antichi gli instrumenti da trarre, che gli mettevano fuori delle squadre perché ei combattessono fuori degli ordini; ed ogni volta che o da cavalleria o da altri erano spinti, il rifugio loro era dietro alle legioni. Chi altrimenti ne fa conto, non la intende bene, e fidasi sopra una cosa che facilmente lo può ingannare. E se il Turco mediante l'artiglieria contro al Sofì ed il Soldano ha avuto vittoria,[546] è nato non per altra virtù di quella che per lo spavento che lo inusitato romore messe nella cavalleria loro.

Conchiuggo pertanto, venendo al fine di questo discorso, l'artiglieria essere utile in uno esercito quando vi sia mescolata l'antica virtù, ma sanza quella contro a uno esercito virtuoso è inutilissima.

XVIII · COME PER L'AUTORITÀ DE' ROMANI E PER LO ESEMPLO DELLA ANTICA MILIZIA SI DEBBA STIMARE PIÙ LE FANTERIE CHE I CAVAGLI

È si può per molte ragioni e per molti esempli dimostrare chiaramente quanto i Romani in tutte le militari azioni estimassono più la milizia a piede che a cavallo, e sopra quella fondassino tutti i disegni delle forze loro, come si vede per molti esempli, ed infra gli altri, quando si azzuffarono con i Latini appresso al lago Regillo,[547] dove, già essendo inclinato lo esercito romano per soccorrere ai suoi, fecero discendere degli uomini a cavallo a piede, e per quella via rinnovata la zuffa, ebbono la vittoria. Dove si vede manifestamente i Romani avere più confidato in

546 Selim 1 (il Turco), infatti, sconfisse lo scià di Persia (Sofì) nel 1514 ed il Sultano d'Egitto (Soldano) nel 1517.
547 Nel 496 a.C.

loro sendo a piede che mantenendoli a cavallo. Questo medesimo termine usarono in molte altre zuffe, e sempre lo trovarono ottimo rimedio alli loro pericoli.

Né si opponga a questo la opinione d'Annibale, il quale veggendo in la giornata di Canne che i Consoli avevano fatto discendere a piè i loro cavalieri, facendosi beffe di simile partito disse: « Quam mallem vinctos mihi traderent equites! »[548] cioè, io arei più caro che me gli dessino legati. La quale opinione ancoraché la sia stata in bocca d'un uomo eccellentissimo, nondimanco se si ha ad ire dietro alla autorità si debbe più credere a una Republica romana, e a tanti capitani eccellentissimi che furono in quella, che a uno solo Annibale; ancoraché sanza le autorità ce ne sia ragioni manifeste. Perché l'uomo a piede può andare in di molti luoghi dove non può andare il cavallo: puossi insegnarli servare l'ordine, e, turbato che fussi, come e' lo abbia a riassumere; a' cavagli è difficile fare servare l'ordine, ed impossibile, turbati che sono, riordinargli. Oltre a questo si truova, come negli uomini, de' cavagli che hanno poco animo e di quegli che ne hanno assai: e molte volte interviene che un cavallo animoso è cavalcato da un uomo vile, e uno cavallo vile da uno animoso; ed in qualunque modo che segua questa disparità, ne nasce inutilità e disordine. Possono le fanterie ordinate facilmente rompere i cavagli, e difficilmente essere rotte da quegli. La quale opinione è corroborata, oltre a molti esempli antichi e moderni, dalla autorità di coloro che danno delle cose civili regola, dove ei mostrano come in prima le guerre si cominciarono a fare con cavagli, perché non era ancora l'ordine delle fanterie, ma come queste si ordinarono, si conobbe subito quanto loro erano più utili che quelli. Non è per questo però che i cavagli non siano necessari negli eserciti, e per fare scoperte,[549] per iscorrere e predare i paesi, per seguitar i nimici quando ei sono in fuga, e per essere ancora in parte una opposizione ai cavagli degli avversari; ma il fondamento e il nervo dello esercito, e quello che si debbe più stimare, debbano essere le fanterie.

548 Cfr. Livio, XXII, 49, 3.
549 *fare scoperte*: compiere perlustrazioni.

Ed infra i peccati de' principi italiani, che hanno fatto Italia serva de' forestieri, non ci è il maggiore che avere tenuto poco conto di questo ordine, ed avere volto tutta la sua cura alla milizia a cavallo. Il quale disordine è nato per la malignità de' capi, e per la ignoranza di coloro che tenevano stato. Perché essendosi ridotta la milizia italiana da venticinque anni indietro in uomini che non avevano stato ma erano come capitani di ventura, pensarono subito come potessero mantenersi la riputazione stando armati loro e disarmati i principi. E perché uno numero grosso di fanti non poteva loro essere continovamente pagato, e non avendo sudditi da potere valersene, ed uno piccol numero non dava loro riputazione, si volsono a tenere cavagli, perché dugento o trecento cavagli che erano pagati ad uno condottiere lo mantenevano riputato, ed il pagamento non era tale che dagli uomini che tenevono stato non potesse essere adempiuto. E perché questo seguisse più facilmente, e per mantenersi più in riputazione, levarono tutta l'affezione e la riputazione da' fanti, e ridussonla in quelli loro cavagli: e in tanto crebbono in questo disordine che in qualunque grossissimo esercito era una minima parte di fanteria. La quale usanza fece in modo debole, insieme con molti altri disordini che si mescolarono con quella, questa milizia italiana, che questa provincia è stata facilmente calpesta da tutti gli oltremontani. Mostrasi più apertamente questo errore, di stimare più i cavagli che le fanterie, per uno altro esemplo romano. Erano i Romani a campo a Sora;[550] ed essendo uscito fuori della terra una turma di cavagli per assaltare il campo, se gli fece allo incontro il Maestro de' cavagli romani[551] con la sua cavalleria, e datosi di petto, la sorte dette che nel primo scontro i capi dell'uno e dell'altro esercito morirono: e restati gli altri sanza governo e durando nondimeno la zuffa, i Romani per superare più facilmente il nimico scesono a piede e costrinsono i cavalieri inimici, se si vollono difendere, a fare il simile, e con tutto questo i Romani ne riportarono la vittoria. Non può essere questo· esemplo

550 In verità non a Sora ma a Saticola.
551 Quinto Aulio Cerretano.

maggiore in dimostrare quanto sia più virtù nelle fanterie che ne' cavagli : perché se nelle altre fazioni i Consoli facevano discendere i cavalieri romani, era per soccorrere alle fanterie che pativano e che avevano bisogno di aiuto; ma in questo luogo e' discesono, non per soccorrere alle fanterie né per combattere con uomini a piè de' nimici, ma combattendo a cavallo co' cavagli, giudicarono, non potendo superargli a cavallo, potere, scendendo, più facilmente vincergli. Io voglio adunque conchiudere che una fanteria ordinata non possa sanza grandissima difficultà essere superata se non da un'altra fanteria. Crasso e Marc'Antonio romani corsono per il dominio de' Parti molte giornate con pochissimi cavagli ed assai fanteria, ed allo incontro avevano innumerabili cavagli de' Parti. Crasso vi rimase con parte dello esercito morto. Marc'Antonio virtuosamente si salvò. Nondimanco in queste afflizioni romane si vide quanto le fanterie prevalevano ai cavagli, perché essendo in uno paese largo, dove i monti sono radi, i fiumi radissimi, le marine longinque, e discosto da ogni commodità, nondimanco Marc'Antonio, al giudicio de' Parti medesimi, virtuosissimamente si salvò, né mai ebbeno ardire tutta la cavalleria partica tentare gli ordini dello esercito suo. Se Crasso vi rimase, chi leggerà bene le sue azioni vedrà come e' vi fu piuttosto ingannato che sforzato,[552] né mai, in tutti i suoi disordini, i Parti ardirono d'urtarlo, anzi sempre andando costeggiandolo [553] impedendogli le vettovaglie, e promettendogli e non gli osservando, lo condussono a una estrema miseria.

Io crederei avere a durare più fatica in persuadere quanto la virtù delle fanterie è più potente che quella de' cavagli, se non ci fossono assai moderni esempli che ne rendano testimonianza pienissima. E' si è veduto novemila Svizzeri a Novara, da noi di sopra allegata, andare a affrontare diecimila cavagli ed altrettanti fanti, e vincergli, perché i cavagli non gli potevano offendere; i fanti, per essere gente in buona parte guascona e male ordinata, la stimavano poco. Videsi dipoi ventiseimila Svizzeri andare a tro-

552 *sforzato* : sopraffatto.
553 *costeggiandolo* : fiancheggiandolo.

vare sopra a Milano Francesco re di Francia,[554] che aveva
seco ventimila cavagli, quarantamila fanti e cento carra
d'artiglierie; e se non vinsono la giornata come a Novara,
ei la combatterono dua giorni virtuosamente e dipoi, rotti
ch'ei furono, la metà di loro si salvarono. Presunse Marco
Regolo Attilio,[555] non solo con la fanteria sua sostenere i cavagli ma gli elefanti; e se il disegno non gli riuscì, non
fu però che la virtù della sua fanteria non fosse tanta ch'e'
non confidasse tanto in lei che credesse superare quella
difficoltà. Replico pertanto, che a volere superare i fanti
ordinati, è necessario opporre loro fanti meglio ordinati di
quegli, altrimenti si va a una perdita manifesta. Ne' tempi di Filippo Visconti duca di Milano scesono in Lombardia circa sedicimila Svizzeri, donde quel Duca avendo
per suo capitano allora il Carmignuola, lo mandò con circa
mille cavagli e pochi fanti all'incontro loro.[555 bis] Costui non
sappiendo l'ordine del combattere loro, ne andò a incontrarli
con i suoi cavagli, presumendo poterli subito rompere. Ma
trovatigli immobili, avendo perduti molti de' suoi uomini,
si ritirò; ed essendo valentissimo uomo, e sappiendo negli
accidenti nuovi pigliare nuovi partiti, rifattosi di gente,
gli andò a trovare, e venuto loro all'incontro fece smon-
tare a piè tutte le sue genti d'armi, e fatto testa di quelle
alle sue fanterie, andò ad investire i Svizzeri. I quali non
ebbono alcuno rimedio; perché sendo le genti d'armi del
Carmignuola a piè e bene armate, poterono facilmente entrare intra gli ordini de' Svizzeri sanza patire alcuna lesio-
ne, ed entrati tra quegli poterono facilmente offenderli:
talché di tutto il numero di quegli ne rimase quella parte
viva che per umanità del Carmignuola fu conservata.

Io credo che molti conoschino questa differenza di virtù,
che è intra l'uno e l'altro di questi ordini; ma è tanta la
infelicità di questi tempi, che né gli esempli antichi né i
moderni né la confessione dello errore è sufficiente a fare
che i moderni principi si ravvegghino, e pensino che, a

554 Si riferisce alla battaglia di Marignano (1515) in cui l'esercito francese fu condotto alla vittoria da Francesco I.
555 Il famoso console che guidò la spedizione in Africa e che
preferì il supplizio alla capitolazione.
555 bis Nel luglio 1422.

volere rendere riputazione alla milizia d' una provincia o d'uno stato, sia necessario risuscitare questi ordini, tenergli appresso, dare loro riputazione, dare loro vita, acciocché a lui e vita e riputazione rendino. E come ei deviano da questi modi, così deviano dagli altri modi detti di sopra: onde ne nasce che gli acquisti sono a danno, non a grandezza d'uno stato, come di sotto si dirà.

XIX · CHE GLI ACQUISTI NELLE REPUBLICHE NON BENE ORDINATE E CHE SECONDO LA ROMANA VIRTÙ NON PROCEDANO, SONO A RUINA, NON AD ESALTAZIONE DI ESSE

Queste contrarie opinioni alla verità, fondate in su i mali esempli che da questi nostri corrotti secoli sono stati introdotti, fanno che gli uomini non pensono a deviare dai consueti modi. Quando si sarebbe potuto persuadere a uno Italiano da trenta anni in dietro che diecimila fanti potessono assaltare in un piano diecimila cavagli ed altrettanti fanti, e con quelli non solamente combattere ma vincergli, come si vide per lo esemplo da noi più volte allegato a Novara? E benché le istorie ne siano piene, tamen non ci arebbero prestato fede; e se ci avessero prestato fede, arebbero detto che in questi tempi s'arma meglio, e che una squadra di uomini d'arme [556] sarebbe atta ad urtare uno scoglio non che una fanteria: e così con queste false scuse corrompevano il giudizio loro. Né arebbero considerato che Lucullo [557] con pochi fanti ruppe centocinquanta mila cavagli di Tigrane, e che fra quelli cavalieri era una sorte di cavalleria simile al tutto agli uomini d'arme nostri: e così questa fallacia è stata scoperta dallo esemplo delle genti oltramontane. E come e' si vede per quello essere vero quanto alla fanteria quello che nelle istorie si narra, così doverrebbero credere essere veri e utili tutti gli altri ordini antichi. E quando questo fusse creduto, le republiche ed i principi errerebbero meno, sariano più forti a opporsi a uno impeto che venisse loro addosso, non sperereb-

556 *di uomini d'arme*: di cavalieri con l'armatura.
557 Lucio Licinio Lucullo, il vincitore di Mitridate re del Ponto e di Tigrane re dell'Armenia (I sec. a.C.).

bero nella fuga, e quegli che avessono nelle mani uno vivere civile lo saperebbono meglio indirizzare, o per la via dello ampliare o per la via del mantenere, e crederebbono che lo accrescere la città sua di abitatori, farsi compagni e non sudditi, mandare colonie a guardare i paesi acquistati, fare capitale delle prede, domare il nimico con le scorrerie e con le giornate e non con le ossidioni, tenere ricco il publico, povero il privato, mantenere con sommo studio gli esercizi militari, fusse la vera via a fare grande una republica e ad acquistare imperio. E quando questo modo dello ampliare non gli piacessi, penserebbe che gli acquisti per ogni altra via sono la rovina delle republiche, e porrebbe freno a ogni ambizione regolando bene la sua città dentro con le leggi e co' costumi, proibendole lo acquistare, e solo pensando a difendersi, e le difese tenere ordinate bene, come fanno le republiche della Magna, le quali in questi modi vivano e sono vivute libere un tempo.

Nondimeno, come altra volta dissi quando discorsi la differenza che era da [558] ordinarsi per acquistare e ordinarsi per mantenere, è impossibile che ad una republica riesca lo stare quieta e godersi la sua libertà e gli pochi confini:[559] perché se lei non molesterà altrui, sarà molestata ella; e dallo essere molestata le nascerà la voglia e la necessità dello acquistare; e quando non avessi il nimico fuora, lo troverrebbe in casa, come pare necessario intervenga a tutte le gran cittadi. E se le republiche della Magna possono vivere loro in quel modo, ed hanno potuto durare un tempo, nasce da certe condizioni che sono in quel paese le quali non sono altrove, sanza le quali non potrebbero tenere simile modo di vivere.

Era quella parte della Magna di che io parlo sottoposta allo Imperio romano come la Francia e la Spagna: ma venuto dipoi in declinazione, e ridottosi il titolo di tale Imperio in quella provincia, cominciarono quelle città più potenti, secondo la viltà o necessità degl'imperadori, a farsi libere, ricomperandosi dallo Imperio con riservargli un piccol censo annuario; tanto che a poco a poco tutte quelle

558 *che era da*: che vi era tra.
559 *e gli pochi confini*: i modesti possedimenti.

città che erano immediate dello imperadore, e non erano suggette d'alcuno principe, si sono in simil modo ricomperate. Occorse in questi medesimi tempi che queste città si ricomperavano, che certe comunità sottoposte al duca di Austria si ribellarono da lui, tra le quali fu Filiborg e i Svizzeri [560] e simili; le quali prosperando nel principio pigliarono a poco a poco tanto augumento che, non che e' siano tornati sotto il giogo di Austria, sono in timore a tutti i loro vicini; e questi sono quegli che si chiamano i Svizzeri. È adunque questa provincia [561] compartita in Svizzeri, republiche che chiamano terre franche, principi ed imperadore. E la cagione che intra tante diversità di vivere non vi nascano o se le vi nascano non vi durano molto le guerre, è quel segno dello imperadore, il quale, avvenga che non abbi forze, nondimeno ha infra loro tanta riputazione ch'egli è un loro conciliatore, e con l'autorità sua interponendosi come mezzano spegne subito ogni scandolo. E le maggiori e le più lunghe guerre vi siano state, sono quelle che sono seguìte intra i Svizzeri ed il duca d'Austria; e benché da molti anni in qua lo imperadore ed il duca d'Austria sia una medesima cosa, non pertanto non ha mai possuto superare l'audacia de' Svizzeri, dove non è stato mai modo d'accordo se non per forza. Né il resto della Magna gli ha pòrti molti aiuti, sì perché le comunità non sanno offendere chi vuole vivere libero come loro, sì perché quelli principi, parte non possono per essere poveri, parte non vogliono per avere invidia alla potenza sua. Possono vivere adunque quelle comunità contente del piccolo loro dominio, per non avere cagione, rispetto all'autorità imperiale, di disiderarlo maggiore : possono vivere unite dentro alle mura loro, per avere il nimico propinquo e che piglierebbe le occasioni di occuparle qualunque volta le discordassono. [562] Ché se quella provincia fusse condizionata altrimenti, converrebbe loro cercare di ampliare e rompere quella loro quiete. E perché altrove non sono tali condizioni, non si può prendere questo modo di vivere : e

560 Friburgo e la Lega dei Cantoni svizzeri.
561 La Germania.
562 *le discordassono* : avessero delle discordie al loro interno.

bisogna o ampliare per via di leghe o ampliare come i Romani. E chi si governa altrimenti, cerca non la sua vita ma la sua morte e rovina: perché in mille modi e per molte cagioni gli acquisti sono dannosi; perché gli sta molto bene,[563] insieme acquistare imperio e non forze, e chi acquista imperio e non forze insieme, conviene che rovini. Non può acquistare forze chi impoverisce nelle guerre, ancora che sia vittorioso, ché ei mette più che non trae degli acquisti: come hanno fatto i Viniziani ed i Fiorentini, i quali sono stati molto più deboli quando l'uno aveva la Lombardia e l'altro la Toscana, che non erano quando l'uno era contento del mare e l'altro di sei miglia di confini. Perché tutto è nato da avere voluto acquistare e non avere saputo pigliare il modo; e tanto più meritano biasimo quanto eglino hanno meno scusa, avendo veduto il modo hanno tenuto i Romani ed avendo potuto seguitare il loro esemplo, quando i Romani sanza alcuno esemplo, per la prudenza loro, da loro medesimi lo seppono trovare. Fanno, oltra di questo, gli acquisti qualche volta non mediocre danno ad ogni bene ordinata republica, quando e' si acquista una città o una provincia piena di delizie, dove si può pigliare di quegli costumi per la conversazione che si ha con quegli; come intervenne a Roma prima nello acquisto di Capova, e dipoi a Annibale. E se Capova fusse stata più longinqua dalla città [564] che lo errore de' soldati non avesse avuto il rimedio propinquo, o che Roma fusse stata in alcuna parte corrotta, era sanza dubbio quello acquisto la rovina della romana republica. E Tito Livio fa fede di questo con queste parole: « Iam tunc minime salubris militari disciplinæ Capua, instrumentum omnium voluptatum, delinitos militum animos avertit a memoria patriæ ».[565] E veramente simili città o provincie si vendicano contro al vincitore sanza zuffa e sanza sangue, perché riempiendogli de' suoi tristi costumi, gli espongono a essere vinti da qualunque gli assalti. E Iuvenale non potrebbe meglio nel-

563 *gli sta molto bene*: è semplice.
564 Dall'Urbe, da Roma.
565 « Capua, già allora mal disposta alla disciplina militare, strumento di ogni voluttà, allontanò gli animi infiacchiti dei soldati dal ricordo della patria » (Livio, VII, 38, 5).

le sue Satire avere considerata questa parte dicendo che
ne' petti romani, per gli acquisti delle terre peregrine, erano entrati i costumi peregrini, ed in cambio di parsimonia
e d'altre eccellentissime virtù, « gula et luxuria incubuit,
victumque ulciscitur orbem ».[566] Se adunque lo acquistare
fu per essere pernizioso a' Romani ne' tempi che quegli
con tanta prudenzia e tanta virtù procedevono, che sarà
adunque a quegli che discosto dai modi loro procedono?
e che, oltre agli altri errori che fanno, di che se n'è di
sopra discorso assai, si vagliano de' soldati o mercenari
o ausiliari? Donde ne risulta loro spesso quelli danni di che
nel seguente capitolo si farà menzione.

XX · QUALE PERICOLO PORTI QUEL PRINCIPE O QUELLA REPU-
BLICA CHE SI VALE DELLA MILIZIA AUSILIARE O MERCENARIA

Se io non avessi lungamente trattato in altra mia opera [567]
quanto sia inutile la milizia mercenaria ed ausiliare e quanto utile la propria, io mi stenderei in questo discorso assai
più che non farò; ma avendone altrove parlato a lungo
sarò in questa parte brieve. Né mi è paruto in tutto da
passarla, avendo trovato in Tito Livio, quanto a' soldati
ausiliari, sì largo esemplo: perché i soldati ausiliari sono
quegli che un principe o una republica manda capitanati
e pagati da lei in tuo aiuto. E venendo al testo di Livio,
dico che avendo i Romani in due diversi luoghi rotti due
eserciti de' Sanniti con gli eserciti loro, i quali avevano
mandati al soccorso de' Capovani, e per questo liberi [568] i
Capovani da quella guerra che i Sanniti facevano loro;
e volendo ritornare verso Roma, ed a ciò che i Capovani
spogliati di presidio non diventassono di nuovo preda de'
Sanniti, lasciarono due legioni nel paese di Capova che
gli difendesse. Le quali legioni, marcendo nell'ozio, cominciarono a dilettarsi in quello: tanto che dimenticata la
patria e la reverenza del Senato, pensarono di prender l'ar-

566 « La gola e la lussuria si diffusero e vendicarono così i
vinti » (Giovenale, VI, 291-292).
567 Nel *Principe*, cap. XII.
568 *liberi*: avevano liberato.

mi ed insignorirsi di quel paese che loro con la loro virtù avevano difeso, parendo loro che gli abitatori non fussono degni di possedere quegli beni che non sapevano difendere. La qual cosa presentita, fu da' Romani oppressa e corretta: come, dove noi parleremo delle congiure, largamente si mosterrà.[569] Dico pertanto di nuovo, come di tutte l'altre qualità de' soldati gli ausiliari sono i più dannosi. Perché in essi quel principe o quella republica che gli adopera in suo aiuto non ha autorità alcuna, ma vi ha solo l'autorità colui che gli manda. Perché gli soldati ausiliari sono quegli che ti sono mandati da uno principe, come ho detto, sotto suoi capitani, sotto sue insegne e pagati da lui, come fu questo esercito che i Romani mandarono a Capova. Questi tali soldati, vinto ch'eglino hanno, il più delle volte predano così colui che gli ha condotti[570] come colui contro a chi e' sono condotti; e lo fanno o per malignità del principe che gli manda o per ambizione loro. E benché la intenzione de' Romani non fusse di rompere l'accordo e le convenzioni che avevano fatto co' Capovani, non pertanto la facilità che pareva a quegli soldati di opprimergli fu tanta che gli potette persuadere a pensare di tòrre a' Capovani la terra e lo stato. Potrebbesi di questo dare assai esempli, ma voglio mi basti questo, e quello de' Regini:[571] a' quali fu tolto la vita e la terra da una legione che i Romani vi avevano messa in guardia.[572] Debbe dunque un principe o una republica pigliare prima ogni altro partito che ricorrere a condurre nello stato tuo per sua difesa genti ausiliarie, quando al tutto e' si abbia a fidare sopra quelle, perché ogni patto, ogni convenzione, ancora che dura, ch'egli arà col nimico, gli sarà più leggieri che tale partito. E se si leggeranno bene le cose passate e discorrerannosi le presenti, si troverrà per uno che ne abbia avuto buono fine infiniti esserne rimasi ingannati. Ed un principe o una republica ambiziosa non può avere la maggiore occasione di occupare una città o una provincia, che

569 *si mosterrà*: si dimostrerà, cfr. *Discorsi*, III, 6.
570 *che gli ha condotti*: che li ha presi in affitto, che li ha prezzolati.
571 Degli abitanti di Reggio Calabria.
572 Durante la seconda guerra punica.

essere richiesto che mandi gli eserciti suoi alla difesa di quella. Pertanto colui che è tanto ambizioso che non solamente per difendersi ma per offendere altrui chiama simili aiuti, cerca d'acquistare quello che non può tenere e che da quello che gliene acquista gli può facilmente essere tolto. Ma l'ambizione dell'uomo è tanto grande che per cavarsi una presente voglia non pensa al male che è in breve tempo per risultargliene. Né lo muovono gli antichi esempli, così in questo come nell'altre cose discorse; perché se e' fussono mossi da quegli, vedrebbero come quanto più si mostra liberalità con i vicini, e di essere più alieno da occupargli, tanto più si gettono in grembo, come di sotto per lo esemplo de' Capovani si dirà.

XXI · IL PRIMO PRETORE CH'E ROMANI MANDARONO IN ALCUNO LUOGO FU A CAPOVA, DOPO QUATTROCENTO ANNI CHE COMINCIARONO A FARE GUERRA

Quanto i Romani nel modo del procedere loro circa lo acquistare fossero differenti da quegli che ne' presenti tempi ampliano la giurisdizione loro, si è assai di sopra discorso, e come e' lasciavano quelle terre, che non disfacevano, vivere con le leggi loro, eziandio quelle che non come compagne ma come suggette si arrendevano loro, ed in esse non lasciavano alcun segno d'imperio per il Popolo romano, ma le obbligavano ad alcune condizioni, le quali osservando, le mantenevano nello stato e dignità loro. E conoscesi questi modi essere stati osservati infino che gli uscirono d'Italia, e che cominciarono a ridurre i regni e gli stati in provincie.

Di questo ne è chiarissimo esempio che il primo Pretore che fussi mandato da loro in alcun luogo fu a Capova, il quale vi mandarono non per loro ambizione ma perché e' ne furono ricerchi dai Capovani, i quali essendo intra loro discordia giudicarono essere necessario avere dentro nella città uno cittadino romano che gli riordinasse e riunisse. Da questo esempio gli Anziati, mossi e constretti dalla medesima necessità, domandarono ancora loro uno Prefetto. E Tito Livio dice in su questo accidente ed in su questo nuovo modo d'imperare : « Quod iam non solum arma, sed iura romana pollebant ».[573] Vedesi pertanto quanto questo modo facilitò lo augumento romano. Perché quelle città, massime che sono use a vivere libere, o consuete governarsi per sua provinciali,[574] con altra quiete stanno contente sotto uno dominio che non veggono, ancora ch'egli avesse in sé qualche gravezza, che sotto quello che veggendo ogni giorno, pare loro che ogni giorno sia rimproverata loro la servitù. Appresso ne seguita uno altro bene per il principe, che non avendo i suoi ministri in mano i giudicii ed i magistrati che civilmente o criminalmente rendono ragione in quelle cittadi, non può nascere mai sentenza con carico o infamia del principe; e vengono per questa via a mancare molte cagioni di calunnia e d'odio verso di quello. E che questo sia il vero, oltre agli antichi esempli che se ne potrebbono addurre, ce n'è uno esemplo fresco in Italia : perché, come ciascuno sa, sendo Genova stata più volte occupata da' Franciosi, sempre quel re, eccetto che ne' presenti tempi, vi ha mandato uno governatore francioso che in suo nome la governi. Al presente solo, non per elezione del re ma perché così ha ordinato la necessità, ha lasciato governarsi quella città per se medesima e da uno governatore genovese. E sanza dubbio chi ricercasse quali di questi due modi rechi più sicurtà al re dello imperio d'essa, e più contentezza a quegli popolari, sanza dubbio approverebbe questo ultimo modo. Oltre a di questo, gli uomini tanto più ti si gettono in grembo, quanto più tu pari alieno dallo occupargli, e tanto meno ti temano per conto della loro libertà, quanto più se' umano e dimestico con loro. Questa dimestichezza e liberalità fece i Capovani correre a chiedere il Pretore a' Romani : ché se a' Romani si fusse dimostro una minima voglia di mandarvelo, subito sariano ingelositi e si sarebbero discostati da loro. Ma che bisogna ire per gli esempli a Capova ed a Roma, avendone in Firenze ed in Toscana? Ciascuno sa quanto tempo è che la città di Pistoia venne volontaria-

573 « Poiché ormai non solo le armi, ma anche le leggi romane prevalevano » (Livio, IX, 20).
574 *per sua provinciali* : con i propri cittadini.

mente sotto lo imperio fiorentino.[575] Ciascuno ancora sa quanta inimicizia è stata intra i Fiorentini e Pisani, Lucchesi e Sanesi: e questa diversità di animo non è nata perché i Pistolesi non prezzino la loro libertà come gli altri e non si giudichino da quanto gli altri, ma per essersi i Fiorentini portati con loro sempre come frategli, e con gli altri come inimici. Questo ha fatto che i Pistolesi sono corsi volontari sotto lo imperio loro, gli altri hanno fatto e fanno ogni forza per non vi pervenire. E sanza dubbio se i Fiorentini o per vie di leghe o di aiuti avessero dimesticati e non insalvatichiti i suoi vicini, a questa ora sanza dubbio e' sarebbero signori di Toscana. Non è per questo che io giudichi che non si abbia adoperare l'armi e le forze, ma si debbono riservare in ultimo luogo, dove e quando gli altri modi non bastino.

XXII · QUANTO SIANO FALSE MOLTE VOLTE LE OPINIONI DEGLI UOMINI NEL GIUDICARE LE COSE GRANDI

Quanto siano false molte volte le opinioni degli uomini, lo hanno visto e veggono coloro che si truovono testimoni delle loro diliberazioni, le quali molte volte, se non sono diliberate da uomini eccellenti, sono contrarie ad ogni verità. E perché gli eccellenti uomini nelle republiche corrotte, nei tempi queti massime, e per invidia e per altre ambiziose cagioni sono inimicati, si va dietro a quello che o da uno comune inganno è giudicato bene, o da uomini che più presto vogliono i favori che il bene dello universale è messo innanzi. Il quale inganno dipoi si scuopre nei tempi avversi, e per necessità si rifugge a quegli che nei tempi quieti erano dimenticati, come nel suo luogo in questa parte appieno si discorrerà.[576] Nascono ancora certi accidenti dove facilmente sono ingannati gli uomini che non hanno grande isperienza delle cose, avendo in sé, quello accidente che nasce, molti verisimili atti a fare credere quello che gli uomini sopra tale caso si persuadono. Queste cose si sono dette per quello

575 Nel 1306.
576 Nei *Discorsi*, III, 16.

che Numicio pretore,[577] poiché i Latini furono rotti dai Romani, persuase loro, e per quello che pochi anni sono si credeva per molti, quando Francesco i re di Francia venne allo acquisto di Milano che era difeso da' Svizzeri. Dico pertanto che sendo morto Luigi xii, e succedendo nel regno di Francia Francesco d'Angolem,[578] e desiderando restituire al regno il ducato di Milano, stato pochi anni davanti occupato da' Svizzeri mediante i conforti di papa Iulio ii, desiderava avere aiuti in Italia che gli facilitassero la impresa, ed oltre a' Viniziani, che Luigi si aveva riguadagnati, tentava i Fiorentini e papa Leone x, parendogli la sua impresa più facile, qualunque volta si avesse riguadagnati costoro, per essere genti del re di Spagna in Lombardia, ed altre forze dello imperadore in Verona. Non cedé papa Leone alle voglie del re, ma fu persuaso da quegli che lo consigliavano (secondo si disse) si stesse neutrale, mostrandogli in questo partito consistere la vittoria certa, perché per la Chiesa non si faceva [579] avere potenti in Italia né il re né i Svizzeri, ma volendola ridurre nell'antica libertà era necessario liberarla dalla servitù dell'uno e dell'altro. E perché vincere l'uno e l'altro o di per sé o tutti a due insieme non era possibile, conveniva che superassino l'uno l'altro, e che la Chiesa con gli suoi amici urtasse quello poi che rimanesse vincitore. Ed era impossibile trovare migliore occasione che la presente, sendo l'uno e l'altro in su i campi ed avendo il Papa le sue forze a ordine da potere rappresentarsi [580] in su i confini di Lombardia, e propinquo a l'uno e l'altro esercito, sotto colore di volere guardare le cose sue,[581] e quivi stare tanto che venissono alla giornata, la quale ragionevolmente, sendo l'uno e l'altro esercito virtuoso, doverrebbe essere sanguinosa per tutte a due le parti, e lasciare in modo debilitato il vincitore, che fusse al Papa facile assaltarlo e romperlo: e così verrebbe

577 Lucio Numicio Circeiense, pretore dei Latini (iv sec. a.C.).
578 Francesco i d'Angoulême già menzionato nel cap. xviii del presente libro.
579 *per la Chiesa non si faceva*: non conveniva alla Chiesa.
580 *rappresentarsi*: presentarsi.
581 *sotto colore... le cose sue*: con la scusa di voler presidiare i propri territori.

con sua gloria a rimanere signore di Lombardia ed arbitro di tutta Italia. E quanto questa opinione fusse falsa si vide per lo evento della cosa: perché sendo dopo una lunga zuffa suti superati i Svizzeri,[582] non che le genti del papa e di Spagna presumessero assaltare i vincitori, ma si preparono alla fuga; la quale ancora non sarebbe loro giovata, se non fusse stato o la umanità o la freddezza del re, che non cercò la seconda vittoria, ma li bastò fare accordo con la Chiesa.

Ha questa opinione certe ragioni che discosto paiono vere, ma sono al tutto aliene dalla verità. Perché rade volte accade che il vincitore perda assai suoi soldati, perché de' vincitori ne muore nella zuffa non nella fuga; e nello ardore del combattere, quando gli uomini hanno volto il viso l'uno all'altro, ne cade pochi, massime perché la dura poco tempo il più delle volte; e quando pure durasse assai tempo e de' vincitori ne morisse assai, è tanta la riputazione che si tira dietro la vittoria, ed il terrore che la porta seco, che di lungi avanza il danno che per la morte de' suoi soldati avesse sopportato. Talché uno esercito il quale, in su la opinione che fusse debilitato, andasse a trovarlo, si troverrebbe ingannato; se già e' non fusse lo esercito tale che d'ogni tempo, e innanzi alla vittoria e poi, potesse combatterlo. In questo caso ei potrebbe, secondo la sua fortuna e virtù, vincere e perdere; ma quello che si fusse azzuffato prima, ed avesse vinto, arebbe più tosto vantaggio dall'altro. Il che si conosce certo per la isperienza de' Latini, e per la fallacia che Numizio pretore prese, e per il danno che ne riportarono quegli popoli che gli crederono: il quale, vinto che i Romani ebbero i Latini, gridava per tutto il paese di Lazio che allora era tempo assaltare i Romani debilitati per la zuffa avevano fatta con loro: e che solo appresso a' Romani era rimaso il nome della vittoria, ma tutti gli altri danni avevano sopportati, come se fussino stati vinti, e che ogni poco di forza che di nuovo gli assaltasse era per spacciargli. Donde quegli popoli che gli crederono fecero nuovo esercito, e subito furono rotti, e patirono quel danno che patiranno sempre coloro che terranno simile opinione.

582 A Marignano.

« Iam Latio is status erat rerum, ut neque pacem neque
bellum pati possent ».[583] Di tutti gli stati infelici è infelicis-
simo quello d'uno principe o d'una republica, che è ridotto in termine che non può ricevere la pace o sostenere la
guerra: a che si riducono quegli che sono dalle condizioni
della pace troppo offesi, e, dall'altro canto, volendo fare
guerra, conviene loro o gittarsi in preda di chi gli aiuti o
rimanere preda del nimico. Ed a tutti questi termini si
viene pe' cattivi consigli e cattivi partiti, da non avere mi-
surato bene le forze sue, come di sopra si disse. Perché
quella republica o quel principe che bene le misurasse, con
difficultà si condurrebbe nel termine si condussono i Latini; i quali, quando non dovevano accordar con i Romani,
accordarono, e, quando ei non dovevano rompere loro guerra, la ruppono, e così seppono fare in modo che la inimicizia ed amicizia de' Romani fu loro equalmente dannosa.
Erano dunque vinti i Latini ed al tutto afflitti, prima da
Manlio Torquato e dipoi da Cammillo; il quale avendogli
costretti a darsi e rimettersi nelle braccia de' Romani, ed
avendo messa la guardia per tutte le terre di Lazio e preso
da tutte gli statichi [584] tornato in Roma riferì al Senato come
tutto Lazio era nelle mani del Popolo romano. E perché
questo giudizio è notabile, e merita di essere osservato per
poterlo imitare quando simili occasioni sono date a' principi, io voglio addurre le parole di Livio poste in bocca
di Cammillo, le quali fanno fede e del modo che i Romani
tennono in ampliare e come ne' giudizii di stato sempre
fuggirono la via del mezzo e si volsono agli estremi.[585] Perché uno governo non è altro che tenere in modo i sudditi che non ti possano o debbano offendere. Questo si fa
o con assicurarsene in tutto, togliendo loro ogni via da

583 « Ormai nel Lazio lo stato delle cose era tale che essi non
potevano più sopportare né la pace né la guerra » (Livio, VIII,
13, 2).
584 *statichi*: ostaggi.
585 *agli estremi*: alle decisioni radicali.

nuocerti, o con beneficarli in modo che non sia ragionevole ch'eglino abbiano a desiderare di mutare fortuna. Il che tutto si comprende, e prima per la proposta di Cammillo, e poi per il giudizio dato dal Senato sopra quella. Le parole sue furono queste: « Dii immortales ita vos potentes huius consilii fecerunt, ut, sit Latium, an non sit, in vestra manu posuerint. Itaque pacem vobis, quod ad Latinos attinet, parare in perpetuum, vel sæviendo vel ignoscendo potestis. Vultis crudelius consulere in deditos victosque? licet delere omne Latium. Vultis exemplo majorum augere rem romanam, victos in civitatem accipiendo? materia crescendi per summam gloriam suppedita. Certe id firmissimum imperium est, quo obedientes gaudent. Illorum igitur animos, dum expectatione stupent, seu pœna; seu beneficio, præoccupari oportet ».[586] A questa proposta successe la diliberazione del Senato, la quale fu secondo le parole del Consolo: che recatosi innanzi terra per terra, tutti quegli ch'erano di momento,[587] o e' gli beneficarono o e' gli spensono, faccendo ai beneficati esenzioni, privilegi, donando loro la città,[588] e da ogni parte assicurandogli; di quegli altri sfasciarono le terre, mandoronvi colonie, ridussongli in Roma, dissiparongli talmente che con l'armi e con il consiglio non potevono più nuocere. Né usarono mai la via neutrale in quelli, come ho detto, di momento. Questo giudizio debbono i principi imitare: a questo dovevano accostarsi i Fiorentini quando nel 1502 si ribellò Arezzo

586 « Gli dei immortali vi hanno reso così potenti tanto da rimettere nelle vostre mani la decisione se il Lazio debba esistere o no. Poiché voi avete il potere, per ciò che concerne i Latini, di stipulare una pace perpetua sia castigando che concedendo il perdono. Volete prendere misure più crudeli contro chi si è già arreso ed è vinto? In questo caso è possibile distruggere tutto il Lazio. Volete, secondo l'esempio degli antenati, accrescere la potenza romana, accogliendo nella cittadinanza i vinti? Vi è l'opportunità di divenire più grandi con somma gloria. Certo è più solido quel governo a cui si obbedisce di buon grado. Dunque, è necessario sottomettere i loro animi o con la punizione o con il beneficio, finché essi sono ancora storditi dalla paura » (Livio, VIII, 13, 14-18).

587 *ch'erano di momento*: che erano in qualche modo di rilievo.

588 *donando loro la città*: accordando la cittadinanza romana.

e tutta la Val di Chiana; il che se avessono fatto, arebbono assicurato lo imperio loro, e fatto grandissima la città di Firenze, e datogli quegli campi che per vivere gli mancono. Ma loro usorono quella via del mezzo la quale è dannosissima nel giudicare gli uomini, e parte degli Aretini confinarono, parte ne condennarono, a tutti tolsono gli onori e gli loro antichi gradi nella città, e lasciarono la città intera. E se alcuno cittadino nelle diliberazioni consigliava che Arezzo si disfacesse, a quegli che pareva esser più savi dicevano come e' sarebbe poco onore della republica disfarla, perché e' parrebbe che Firenze mancasse di forze da tenerli. Le quali ragioni sono di quelle che paiono e non sono vere: perché con questa medesima ragione non si arebbe a ammazzare uno parricidia, uno scelerato e scandoloso, sendo vergogna di quel principe mostrar di non avere forze da potere frenare uno uomo solo. E non veggono questi tali che hanno simili opinioni, come gli uomini particularmente[589] ed una città tutta insieme, pecca tal volta contro a uno stato, che per esemplo agli altri, per sicurtà di sé, non ha altro rimedio uno principe che spegnerla. E l'onore consiste nel potere e sapere gastigarla, non nel potere con mille pericoli tenerla: perché quel principe che non gastiga chi erra, in modo che non possa più errare, è tenuto o ignorante o vile. Questo giudizio che i Romani dettero, quanto sia necessario si conferma ancora per la sentenza che dettero de' Privernati.[590] Dove si debbe per il testo di Livio notare due cose: l'una, quello che di sopra si dice, ch'e suddditi si debbono o benificare o spegnere; l'altra, quanto la generosità dell'animo, quanto il parlare il vero giovi, quando egli è detto nel conspetto di uomini prudenti. Era ragunato il Senato romano per giudicare de' Privernati, i quali sendosi ribellati erano dipoi per forza ritornati sotto la ubbidienza romana. Erano mandati dal popolo di Priverno molti cittadini per impetrare perdono dal Senato, ed essendo venuti al conspetto di quello, fu detto a uno di loro da- uno de' Senatori: « Quam pœnam meritos Privernates censeret ». Al quale

---

589 *particularmente*: individualmente.
590 Dei cittadini di Priverno, anch'essi ribelli.

il Privernate rispose: « Eam quam merentur qui se libertate dignos censent ». Al quale il Console replicò: « Quid
si pœnam remittimus vobis, qualem nos pacem vobiscum
habituros speremus? » A che quello rispose: « Si bonam
dederitis, et fidelem et perpetuam; si malam, haud diutur-
nam ». Donde la più savia parte del Senato, ancor che
molti se ne alterassono, disse: « Se audivisse vocem et liberi et viri, nec credi posse ullum populum, aut hominem
denique in ea conditione cuius eum pœniteat, diutius quam
necesse sit, mansurum. Ibi pacem esse fidam, ubi voluntarii
pacati sint, neque eo loco ubi servitutem esse velint, fidem
sperandam esse ». Ed in su queste parole diliberarono che
i Privernati fossero cittadini romani, e de' privilegi della
civiltà gli onorarono, dicendo: « Eos demum qui nihil præ-
terquam de libertate cogitant, dignos esse qui Romani
fiant ».[591] Tanto piacque agli animi generosi questa vera e
generosa risposta; perché ogni altra risposta sarebbe stata
bugiarda e vile. E coloro che credono degli uomini altrimenti, massime di quegli che sono usi o a essere o a parere
loro essere liberi, se ne ingannono, e sotto questo inganno
pigliano partiti non buoni per sé e da non satisfare a loro.
Di che nascano le spesse ribellioni e le rovine degli stati.
Ma per tornare al discorso nostro conchiudo, e per questo
e per quello giudizio dato de' Latini: quando si ha a giudicare cittadi potenti, e che sono use a vivere libere, conviene o spegnerle o carezzarle, altrimenti ogni giudizio è vano.
E debbesi fuggire al tutto la via del mezzo, la quale è
dannosa, come la fu ai Sanniti quando avevano rinchiusi
i Romani alle Forche Caudine, quando non vollero seguire

591 « Quale pena stimasse aver meritato i Privernati. » — « Quella che meritano coloro che si ritengono degni della libertà. » —
« Ma se non vi castighiamo, in quale pace possiamo sperare con
voi? » — « Se ce la concederete buona, sarà fedele e perpetua; se
cattiva, non sarà di lunga durata. » — « Che avevano ascoltato
la voce di un uomo libero e coraggioso; e non potevano credere
che nessun popolo né alcun uomo sarebbe rimasto più a lungo
nella condizione che egli lamentava. Esser quindi la pace sicura
dove volontariamente ci si fosse riappacificati, mentre non ci si
doveva attendere fedeltà dove volessero instaurare la schiavitù. »
— « Allora, coloro i quali a null'altro pensano che alla libertà,
sono degni di diventare Romani » (Livio, VIII, 21).

il parere di quel vecchio [592] che consigliò che i Romani si lasciassero andare onorati o che si ammazzassero tutti; ma pigliando una via di mezzo, disarmandogli e mettendogli sotto il giogo, gli lasciarono andare pieni d'ignominia e di sdegno. Talché poco dipoi conobbono con loro danno la sentenza di quel vecchio essere stata utile e la loro diliberazione dannosa, come nel suo luogo più a pieno si discorrerà.

XXIV · LE FORTEZZE GENERALMENTE SONO MOLTO PIÙ DANNOSE CHE UTILI

E' parrà forse a questi savi de' nostri tempi cosa non bene considerata che i Romani, nel volere assicurarsi de' popoli di Lazio e della città di Priverno, non pensassono di edificarvi qualche fortezza, la quale fusse uno freno a tenergli in fede; sendo massime un detto in Firenze, allegato da' nostri savi, che Pisa e l'altre simili città si debbono tenere con le fortezze. E veramente se i Romani fussono stati fatti come loro, egli arebbono pensato di edificarle; ma perché gli erano d'altra virtù, d'altro giudizio, d'altra potenza, e' non le edificarono. E mentre che Roma visse libera e che la seguì gli ordini suoi e le sue virtuose constituzioni, mai n'edificò per tenere o città o provincie, ma salvò bene alcuna delle edificate. Donde veduto il modo del procedere de' Romani in questa parte, e quello de' principi de' nostri tempi, mi pare da mettere in considerazione s'egli è bene edificare fortezze, o se le fanno danno o utile a quello che l'edifica. Debbesi adunque considerare come le fortezze si fanno o per difendersi dagl' inimici o per difendersi da' suggetti. Nel primo caso le non sono necessarie, nel secondo dannose. E cominciando a rendere ragione perché nel secondo caso le siano dannose, dico che quel principe o quella republica che ha paura de' sudditi suoi e della rebellione loro, prima conviene che tale paura nasca da odio che abbiano i suoi sudditi seco: l'odio da' mali suoi portamenti, i mali portamenti nascono o da

592 Erennio Ponzio.

potere credere tenergli con forza o da poca prudenza di chi gli governa; ed una delle cose che fa credere potergli forzare è l'avere loro addosso le fortezze; perché e mali trattamenti che sono cagione dell'odio nascono in buona parte per avere quel principe o quella republica le fortezze, le quali, quando sia vero questo, di gran lunga sono più nocive che utili. Perché in prima, come è detto, le ti fanno essere più audace e più violento ne' sudditi, dipoi non vi è quella sicurtà dentro che tu ti persuadi, perché tutte le forze, tutte le violenze che si usano per tenere uno popolo, sono nulla, eccetto che due: o che tu abbia sempre da mettere in campagna uno buono esercito, come avevano i Romani, o che gli dissipi, spenga, disordini e disgiunga in modo che non possano convenire a offenderti; perché se tu gl'impoverisci, « spoliatis arma supersunt »;[593] se tu gli disarmi, « furor arma ministrat ».[594] Se tu ammazzi i capi, e gli altri segui d'ingiurare, rinascono i capi come quelli della idra. Se tu fai le fortezze, le sono utili ne' tempi di pace, perché ti danno più animo a fare loro male; ma ne' tempi di guerra sono inutilissime, perché le sono assaltate dal nimico e da' sudditi, né è possibile che le faccino resistenza ed all'uno ed all'altro. E se mai furono disutili, sono ne' tempi nostri rispetto alle artiglierie, per il furore delle quali i luoghi piccoli, e dove altri non si possa ritirare con gli ripari, è impossibile difendere, come di sopra discorremo.

Io voglio questa materia disputarla più tritamente. O tu, principe, vuoi con queste fortezze tenere in freno il popolo della tua città, o tu, principe o republica, vuoi frenare una città occupata per guerra. Io mi voglio voltare al principe, e gli dico che tale fortezza per tenere in freno i suoi cittadini non può essere più inutile per le cagioni dette di sopra; perché la ti fa più pronto e men rispettivo a oppressargli, e quella oppressione gli fa sì disposti alla tua rovina e gli accende in modo che quella fortezza che ne è cagione non ti può poi difendere. Tanto che un principe savio e buono, per mantenersi buono, per non dare cagione né

593 « A coloro che sono spogliati di tutto, rimangono tuttavia le armi » (Giovenale, VIII, 124).
594 « Il furore procura le armi » (Virgilio, *Eneide*, I, v. 150).

ardire a' figliuoli di diventare tristi, mai non farà fortezza, acciocché quelli non in su le fortezze ma in su la benivolenza degli uomini si fondino. E se il conte Francesco Sforza diventato duca di Milano fu riputato savio e nondimeno fece in Milano una fortezza,[595] dico che in questo ei non fu savio, e lo effetto ha dimostro come tale fortezza fu a danno e non a sicurtà de' suoi eredi: perché giudicando mediante quella vivere sicuri e potere offendere i cittadini e sudditi loro, non perdonarono a alcuna generazione di violenza: talché diventati sopra modo odiosi, perderono quello stato come prima il nimico gli assaltò; né quella fortezza gli difese né fece loro nella guerra utile alcuno, e nella pace aveva fatto loro danno assai: perché se non avessono avuto quella, e se per poca prudenza avessono agramente maneggiati i loro cittadini, arebbono scoperto il pericolo più tosto e sarebbonsene ritirati, e arebbono poi potuto più animosamente resistere allo impeto francioso co' sudditi amici sanza fortezza, che con quelli inimici con la fortezza; le quali non ti giovano in alcuna parte: perché, o le si perdono per fraude di chi le guarda, o per violenza di chi le assalta, o per fame. E se tu vuoi che le ti giovino e ti aiutino ricuperare uno stato perduto dove ti sia rimasa solo la fortezza, ti conviene avere uno esercito con il quale tu possa assaltare colui che ti ha cacciato: e quando tu abbi questo esercito, tu riaresti lo stato in ogni modo, eziandio la fortezza non vi fusse; e tanto più facilmente, quanto gli uomini ti fossono più amici che non ti erano avendogli male trattati per l'orgoglio della fortezza. E per isperienza si è visto come questa fortezza di Milano né agli Sforzeschi né a' Franciosi, ne' tempi avversi dell'uno e dell'altro, non ha fatto a alcuno di loro utile alcuno; anzi a tutti ha arrecato danni e rovine assai, non avendo pensato mediante quella a più onesto modo di tenere quello stato. Guidulbaldo duca di Urbino, figliuolo di Federigo, che fu ne' suoi tempi tanto stimato capitano, sendo cacciato da Cesare Borgia, figliuolo di papa Alessandro vi, dello stato, come dipoi per uno accidente nato vi ritornò, fece rovinare tutte le fortezze che erano in quella

595 Il castello sforzesco.

provincia giudicandole dannose. Perché sendo quello amato dagli uomini, per rispetto di loro non le voleva; e per
conto de' nimici vedeva non le potere difendere, avendo
quelle bisogno d'uno esercito in campagna che le difendesse; talché si volse a rovinarle. Papa Iulio, cacciati i
Bentivogli di Bologna, fece in quella città una fortezza,[596] e
dipoi faceva assassinare quel popolo da uno suo governatore: talché quel popolo si ribellò, e subito perdé la fortezza, e così non gli giovò la fortezza e l'offese, intanto
che portandosi altrimenti gli arebbe giovato. Niccolò da
Castello, padre de' Vitelli, tornato nella sua patria donde
era esule, subito disfece due fortezze vi aveva edificate
papa Sisto IV, giudicando non la fortezza ma la benivolenza del popolo lo avesse a tenere in quello stato. Ma di
tutti gli altri esempli il più fresco ed il più notabile in ogni
parte, ed atto a mostrare la inutilità dello edificarle e l'utilità del disfarle, è quello di Genova seguìto ne' prossimi
tempi. Ciascuno sa come nel 1507 Genova si ribellò da
Luigi XII re di Francia, il quale venne personalmente e
con tutte le forze sue a riacquistarla, e ricuperata che la
ebbe, fece una fortezza fortissima di tutte le altre delle
quali al presente si avesse notizia: perché era per sito e
per ogni altra circunstanza inespugnabile, posta in su una
punta di colle che si estende nel mare, chiamato da' Ge-
novesi Codefà;[597] e per questo batteva tutto il porto e gran
parte della città di Genova. Occorse poi nel 1512 che sendo cacciate le genti franciose d'Italia, Genova nonostante
la fortezza si ribellò; e prese lo stato di quella Ottaviano
Fregoso,[598] il quale con ogni industria in termine di sedici
mesi per fame la espugnò. E ciascuno credeva, e da molti
n'era consigliato, che la conservasse per suo refugio in ogni
accidente; ma esso, come prudentissimo, conoscendo che non
le fortezze ma la volontà degli uomini mantenovono i principi in stato, la rovinò. E così sanza fondare lo stato suo
in su la fortezza ma in su la virtù e prudenza sua, lo ha
tenuto e tiene. E dove a variare lo stato di Genova solevano bastare mille fanti, gli avversari suoi lo hanno assal-

596 La fortezza di Porta Galliera.
597 La fortezza di Capo di Faro.
598 Doge di Genova.

tato con diecimila e non lo hanno potuto offendere. Vedesi adunque per questo come il disfare la fortezza non ha offeso Ottaviano ed il farla non difese il re. Perché quando ei potette venire in Italia con lo esercito, ei potette ricuperare Genova non vi avendo fortezza; ma quando ei non potette venire in Italia con lo esercito, ei non potette venire in Italia con lo esercito, ei non potette tenere Genova avendovi la fortezza. Fu adunque di spesa a il re il farla e vergognoso il perderla; a Ottaviano glorioso il riacquistarla ed utile il rovinarla.

Ma vegnamo alle republiche che fanno le fortezze non nella patria ma nelle terre che le acquistano. Ed a mostrare questa fallacia, quando e' non bastasse lo esempio detto di Francia e di Genova, voglio mi basti Firenze e Pisa, dove i Fiorentini fecero le fortezze per tenere quella città, e non conobbero che una città stata sempre inimica del nome fiorentino, vissuta libera, e che ha alla ribellione per rifugio la libertà, era necessario, volendola tenere, osservare il modo romano, o farsela compagna o disfarla: perché la virtù delle fortezze si vide nella venuta del re Carlo, al quale si dettono o per poca fede di chi le guardava o per timore di maggiore male; dove se le non fussono state, i Fiorentini non arebbero fondato il potere tenere Pisa sopra quelle, e quel re non arebbe potuto per quella via privare i Fiorentini di quella città: e i modi con gli quali si fusse mantenuta infino a quel tempo sarebbono stati per avventura sufficienti conservarla, e sanza dubbio non arebbero fatto più cattiva prova che le fortezze. Conchiudo adunque che per tenere la patria propria, la fortezza è dannosa; per tenere le terre che si acquistono, le fortezze sono inutili: e voglio mi basti l'autorità de' Romani, i quali nelle terre che volevano tenere con violenza, smuravano e non muravano. E chi contro a questa opinione mi allegasse negli antichi tempi Taranto,[599] e ne' moderni Brescia, i quali luoghi mediante le fortezze furono recuperati dalla ribellione de' sudditi, rispondo che alla ricuperazione di Taranto in capo di uno anno fu mandato Fabio Massimo con tutto lo esercito, il quale sarebbe stato atto a ricu-

599 Si riferisce al periodo della seconda guerra punica.

perarlo eziandio se non vi fusse stata la fortezza; e se Fabio usò quella via, quando la non vi fusse stata ne arebbe usata un'altra che arebbe fatto il medesimo effetto. Ed io non so di che utilità sia una fortezza che a renderti la terra abbia bisogno, per la ricuperazione d'essa, d'uno esercito consolare e d'uno Fabio Massimo per capitano. E che i Romani l'avessono ripresa in ogni modo, si vede per l'esemplo di Capova, dove non era fortezza, e per virtù dello esercito la riacquistarono. Ma vegnamo a Brescia.[600] Dico come rade volte occorre quello che occorse in quella rebellione: che la fortezza che rimane nelle forze tua, sendo ribellata la terra, abbi uno esercito grosso e propinquo come era quel de' Franciosi; perché sendo monsignor di Fois, capitano del re, con lo esercito a Bologna, intesa la perdita di Brescia, sanza differire ne andò a quella volta, ed in tre giorni arrivato a Brescia, per la fortezza riebbe la terra. Ebbe pertanto ancora la fortezza di Brescia, a volere che la giovasse, bisogno d'un monsignore di Fois e d'uno esercito francioso che in tre dì la soccorresse. Sì che lo esempio di questo allo incontro delli esempli contrari non basta: perché assai fortezze sono state nelle guerre de' nostri tempi prese e riprese con la medesima fortuna che si è ripresa e presa la campagna, non solamente in Lombardia ma in Romagna, nel regno di Napoli e per tutte le parti d'Italia. Ma quanto allo edificare fortezze per difendersi da' nimici di fuori, dico che le non sono necessarie a quelli popoli ed a quelli regni che hanno buoni eserciti, ed a quegli che non hanno buoni eserciti sono inutili: perché i buoni eserciti sanza le fortezze sono sofficienti a difendersi, le fortezze sanza i buoni eserciti non ti possono difendere. E questo si vede per isperienza di quegli che sono stati e ne' governi e nell'altre cose tenuti eccellenti, come si vede de' Romani e degli Spartani; ché se i Romani non edificavano fortezze, gli Spartani non solamente si astenevano da quelle, ma non permettevano di avere mura alle loro città: perché volevono che la virtù dell'uomo particulare,[601] non altro defensivo, gli difendesse. Dond'è

---

600 Nel 1512, cfr. cap. XVII di questo libro.
601 In questo caso, del cittadino.

che sendo domandato uno Spartano da uno Ateniese se le mura di Atene gli parevano belle, gli rispose: « Sì, s'elle fussono abitate da donne ». Quello principe adunque che abbi buoni eserciti, quando in sulle marine e alla fronte dello stato suo abbia qualche fortezza che possa qualche dì sostenere el nimico infino che sia a ordine, sarebbe cosa utile, qualche volta, ma non è necessaria. Ma quando il principe non ha buono esercito, avere le fortezze per il suo stato o alle frontiere gli sono o dannose o inutili: dannose, perché facilmente le perde, e perdute gli fanno guerra; o se pure le fussono sì forti che il nimico non le potessi occupare, sono lasciate indietro dallo esercito inimico, e vengono a essere di nessuno frutto: perché i buoni eserciti, quando non hanno gagliardissimo riscontro, entrano ne' paesi inimici sanza rispetto di città o di fortezze che si lascino indietro, come si vede nelle antiche istorie e come si vede fece Francesco Maria,[602] il quale ne' prossimi tempi per assaltare Urbino si lasciò indietro dieci città inimiche sanza alcuno rispetto. Quel principe adunque che può fare buono esercito, può fare sanza edificare fortezze; quello che non ha lo esercito buono non debbe edificarle. Debbe bene afforzare la città dove abita, tenerla munita e bene disposti i cittadini di quella, per potere sostenere tanto uno impeto inimico o che accordo o che aiuto esterno lo liberi. Tutti gli altri disegni sono di spesa ne' tempi di pace ed inutili ne' tempi di guerra. E così chi considererà tutto quello ho detto, conoscerà i Romani, come savi in ogni altro loro ordine, così furono prudenti in questo giudizio de' Latini e de' Privernati, dove, non pensando a fortezze, con più virtuosi modi e più savi se ne assicurarono.

XXV · CHE LO ASSALTARE UNA CITTÀ DISUNITA, PER OCCUPARLA MEDIANTE LA SUA DISUNIONE, È PARTITO CONTRARIO[603]

Era tanta disunione nella Republica romana intra la Plebe e la Nobilità, che i Veienti insieme con gli Etruschi,

602 Francesco Maria Della Rovere nel gennaio del 1517.
603 *è partito contrario*: cattiva risoluzione che dà effetti contrari alle aspettative.

mediante tale disunione pensarono potere estinguere il nome romano. Ed avendo fatto esercito e corso sopra i campi di Roma, mandò il Senato loro contro Gaio Manilio e Marco Fabio,[604] i quali avendo condotto il loro esercito propinquo allo esercito de' Veienti, non cessavano i Veienti e con assalti e con obbrobri offendere e vituperare il nome romano : e fu tanta la loro temerità ed insolenzia che i Romani di disuniti diventarono uniti, e venendo alla zuffa gli ruppono e vinsono. Vedesi pertanto quanto gli uomini s'ingannano, come di sopra discorremo, nel pigliare de' partiti, e come molte volte credono guadagnare una cosa e la perdono. Credettono i Veienti assaltando i Romani disuniti vincergli, e quello assalto fu cagione della unione di quegli e della rovina loro, perché la cagione della disunione delle republiche il più delle volte è l'ozio e la pace, la cagione della unione è la paura e la guerra. E però se i Veienti fussono stati savi eglino arebbero, quanto più disunita vedevon Roma, tanto più tenuta da loro la guerra discosto, e con l'arti della pace cerco di oppressargli. Il modo è cercare di diventare confidente di quella città che è disunita; ed infino che non vengono all'armi, come arbitro maneggiarsi intra le parti. Venendo alle armi, dare lenti favori alla parte più debole, sì per tenergli più in su la guerra e fargli consumare, sì perché le assai forze non gli facessero dubitare tutti che tu volessi opprimergli e diventare loro principe. E quando questa parte è governata bene, interverrà quasi sempre che l'arà quel fine che tu ti hai presupposto. La città di Pistoia, come in altro discorso ed a altro proposito dissi,[605] non venne sotto alla Republica di Firenze con altra arte che con questa : perché sendo quella divisa, e favorendo i Fiorentini ora l'una parte ora l'altra, sanza carico dell'una e dell'altra la condussono in termine che, stracca di quel suo vivere tumultuoso, venne spontaneamente a gittarsi in le braccia di Firenze.[606] La città di Siena non ha mai mutato stato col favore de' Fiorentini, se non quando i favori sono stati deboli e pochi. Perché

604 Gneo Manlio e Marco Fabio Vibulano consoli (v sec. a.C.).
605 Cfr. *Principe*, xx, e *Discorsi*, ii, 21.
606 Pistoia, dilaniata dalle lotte tra Bianchi e Neri, si arrese nel 1306.

quando e' sono stati assai e gagliardi, hanno fatto quella città unita alla difesa di quello stato che regge. Io voglio aggiugnere ai soprascritti uno altro esempio. Filippo Visconti duca di Milano [607] più volte mosse guerra a' Fiorentini fondatosi sopra le disunioni loro, e sempre ne rimase perdente. Talché gli ebbe a dire, dolendosi delle sue imprese, come le pazzie de' Fiorentini gli avevano fatto spendere inutilmente due milioni d'oro. Restarono adunque, come di sopra si disse, ingannati i Veienti e gli Toscani da questa opinione, e furono alfine in una giornata superati da' Romani. E così per lo avvenire ne resterà ingannato qualunque per simile via e per simile cagione crederrà oppressare uno popolo.

XXVI · IL VILIPENDIO E L'IMPROPERIO GENERA ODIO CONTRO A COLORO CHE L'USANO, SANZA ALCUNA LORO UTILITÀ

Io credo che sia una delle grandi prudenze che usono gli uomini, astenersi o dal minacciare o dallo ingiuriare alcuno con le parole, perché l'una cosa e l'altra non tolgono forze al nimico, ma l'una lo fa più cauto, l'altra gli fa avere maggiore odio contro di te e pensare con maggiore industria di offenderti. Vedesi questo per lo esemplo de' Veienti, de' quali nel capitolo superiore si è discorso, i quali alla ingiuria della guerra aggiunsono contro a' Romani l'obbrobrio delle parole: dal quale ogni capitano prudente debbe fare astenere i suoi soldati, perché le sono cose che infiammano ed accendono il nimico alla vendetta, ed in nessuna parte lo impediscono, come è detto, alla offesa, tanto che le sono tutte armi che vengono contro a te. Di che ne seguì già uno esempio notabile in Asia, dove Gabade,[608] capitano de' Persi, essendo stato a campo a Amida più tempo ed avendo deliberato, stracco dal tedio della ossidione, partirsi, levandosi già con il campo, quegli della terra venuti tutti in su le mura, insuperbiti della vittoria, non perdonarono a nessuna qualità d'ingiuria, vituperando, accusando e rimproverando la viltà e la poltrone-

607 Filippo Maria Visconti (1391-1447) tentò più volte di estendere il suo dominio a spese di Firenze.
608 Cobades.

ria del nimico. Da che Gabade irritato, mutò consiglio, e ritornato alla ossidione, tanta fu la indegnazione della ingiuria che in pochi giorni gli prese e saccheggiò. E questo medesimo intervenne a' Veienti, a' quali, come è detto, non bastando il fare guerra a' Romani, ancora con le parole gli vituperarono: ed andando infino in su lo steccato del campo a dire loro ingiuria, gl'irritarono molto più con le parole che con le armi; e quegli soldati che prima combattevano mal volentieri, costrinsero i Consoli a appiccare la zuffa; talché i Veienti portarono la pena, come gli antedetti, della contumacia loro.[609] Hanno dunque i buoni principi di eserciti ed i buoni governatori di republica a fare ogni opportuno rimedio che queste ingiurie e rimproveri non si usino o nella città o nello esercito suo, né infra loro né contro al nimico: perché usati contro al nimico ne riescono gl'inconvenienti soprascritti, infra loro farebbero peggio, non vi si riparando, come vi hanno sempre gli uomini prudenti riparato. Avendo le legioni romane, state lasciate a Capova, congiurato contro a' Capovani, come nel suo luogo si narrerà, ed essendone di questa congiura nata una sedizione, la quale fu poi da Valerio Corvino quietata, intra le altre constituzioni che nella convenzione si fece ordinarono pene gravissime a coloro che rimproverassero mai a alcuni di quegli soldati tale sedizione. Tiberio Gracco,[610] fatto nella guerra di Annibale capitano sopra certo numero di servi che i Romani per carestia d'uomini avevano armati, ordinò intra le prime cose pena capitale a qualunque rimproverasse la servitù ad alcuno di loro. Tanto fu stimato dai Romani, come di sopra si è detto, cosa dannosa il vilipendere gli uomini ed il rimproverare loro alcuna vergogna; perché non è cosa che accenda tanto gli animi loro né generi maggiore isdegno, o da vero o da beffe che si dica: « Nam facetiæ asperæ, quando nimium ex vero traxere, acrem sui memoriam relinquunt ».[611]

609 *della contumacia loro*: della loro arroganza.
610 Tiberio Sempronio Gracco, magister equitum (III sec. a.C.).
611 « Infatti le facezie mordaci quando si distaccano eccessivamente dal vero, lasciano una cruda memoria di sé » (Tacito, *Annales*, xv, 68).

Lo usare parole contro al nimico poco onorevoli nasce
il più delle volte da una insolenzia che ti dà o la vittoria
o la falsa speranza della vittoria; la quale falsa speranza
fa gli uomini non solamente errare nel dire ma ancora
nello operare. Perché questa speranza quando la entra ne'
petti degli uomini fa loro passare il segno e perdere il più
delle volte quella occasione dell'avere uno bene certo, sperando di avere un meglio incerto. E perché questo è un
termine che merita considerazione, ingannandocisi dentro
gli uomini molto spesso e con danno dello stato loro, e'
mi pare da dimostrarla particularmente con esempli antichi e moderni, non si potendo con le ragioni così distintamente dimostrare. Annibale, poi ch'egli ebbe rotto i Romani a Canne, mandò suoi oratori a Cartagine a signifi-
care la vittoria e chiedere sussidi. Disputossi in Senato di
quello che si avesse a fare. Consigliava Annone, uno vecchio e prudente cittadino cartaginese, che si usasse questa
vittoria saviamente in fare pace con i Romani, potendola
avere con condizioni oneste avendo vinto, e non si aspettasse di averla a fare dopo la perdita; perché la intenzione
de' Cartaginesi doveva essere mostrare a' Romani come e'
bastavano a combatterli, ed avendosene avuto vittoria non
si cercasse di perderla per la speranza d'una maggiore.
Non fu preso questo partito, ma fu bene poi dal Senato
cartaginese conosciuto savio quando la occasione fu perduta. Avendo Alessandro Magno già preso tutto l'Oriente,
la republica di Tiro, nobile in quelli tempi e potente per
avere la loro città in acqua come i Viniziani, veduta la
grandezza d'Alessandro gli mandarono oratori a dirli come
volevano essere suoi buoni servidori, e darli quella ubbidienza voleva, ma che non erano già per accettare né lui
né sue genti nella terra; donde sdegnato Alessandro che
una città gli volesse chiudere quelle porte che tutto il mondo gli aveva aperte, gli ributtò, e non accettate le condizioni loro vi andò a campo. Era la terra in acqua, e benissimo di vettovaglie e di altre munizioni necessarie alla

difesa munita : tanto che Alessandro dopo quattro mesi si avvide che una città gli toglieva quel tempo alla sua gloria che non gli avevano tolto molti altri acquisti, e diliberò di tentare lo accordo e concedere loro quello che per loro medesimi avevano domandato. Ma quegli di Tiro insuperbiti, non solamente non volsero accettare lo accordo ma ammazzarono chi venne a praticarlo. Di che Alessandro sdegnato, con tanta forza si mise alla ispugnazione che la prese e disfece, ed ammazzò e fece schiavi gli uomini.

Venne nel 1512 uno esercito spagnuolo in sul dominio fiorentino per rimettere i Medici in Firenze e taglieggiare la città, condotti da cittadini d'entro, i quali avevano dato loro speranza che subito fussono in sul dominio fiorentino piglierebbono l'armi in loro favore; ed essendo entrati nel piano e non si scoprendo alcuno, ed avendo carestia di vettovaglie, tentarono l'accordo : di che insuperbito il popolo di Firenze non lo accettò, donde ne nacque la perdita di Prato e la rovina di quello stato.

Non possono pertanto i principi che sono assaltati fare il maggiore errore, quando lo assalto è fatto da uomini di gran lunga più potenti di loro, che recusare ogni accordo, massime quando e' gli è offerto : perché non sarà mai offerto sì basso [612] che non vi sia dentro in qualche parte il bene essere di colui che lo accetta, e vi sarà parte della sua vittoria. Perché e' doveva bastare al popolo di Tiro che Alessandro accettasse quelle condizioni ch'egli aveva prima rifiutate, ed era assai vittoria la loro, quando con l'arme in mano avevano fatto condiscendere uno tanto uomo alla voglia loro. Doveva bastare ancora al popolo fiorentino, ché gli era assai vittoria, se lo esercito spagnuolo cedeva a qualcuna delle voglie di quello, e le sue non adempiva tutte; perché la intenzione di quello esercito era mutare lo stato in Firenze, levarlo dalla divozione di Francia e trarre da lui danari. Quando di tre cose e' ne avesse avute due, che son l'ultime, ed al popolo ne fusse restata una, che era la conservazione dello stato suo, ci aveva dentro ciascuno qualche onore e qualche satisfazione : né si doveva il popolo curare delle due cose, rimanendo vivo; né

612 sì basso : a così pessime condizioni.

doveva volere, quando bene egli avesse veduta maggiore vittoria e quasi certa, mettere quella in alcuna parte a discrezione della fortuna, andandone l'ultima posta sua,[613] la quale qualunque prudente mai arrischierà se non necessitato. Annibale partito d'Italia, dove era stato sedici anni glorioso, richiamato da' suoi Cartaginesi a soccorrere la patria, trovò rotto Asdrubale e Siface; trovò perduto il regno di Numidia e ristretta Cartagine intra i termini delle sue mura, alla quale non restava altro refugio che esso e lo esercito suo : conoscendo come quella era l'ultima posta della sua patria, non volle prima metterla a rischio ch'egli ebbe tentato ogni altro rimedio; e non si vergognò di domandare la pace, giudicando se alcuno rimedio aveva la sua patria, era in quella e non nella guerra : la quale sendogli poi negata, non volle mancare, dovendo perdere, di combattere, giudicando potere pur vincere, o perdendo perdere gloriosamente. E se Annibale, il quale era tanto virtuoso ed aveva il suo esercito intero, cercò prima la pace che la zuffa quando ei vidde che perdendo quella la sua patria diveniva serva, che debbe fare un altro di manco virtù e di manco isperienza di lui? Ma gli uomini fanno questo errore, che non sanno porre termini alle speranze loro, ed in su quelle fondandosi, sanza misurarsi altrimenti, rovinano.

XXVIII · QUANTO SIA PERICOLOSO A UNA REPUBLICA O A UNO PRINCIPE NON VENDICARE UNA INGIURIA FATTA CONTRO AL PUBLICO O CONTRO AL PRIVATO

Quello che facciano fare gli sdegni agli uomini, facilmente si conosce per quello che avvenne ai Romani quando ei mandarono i tre Fabii oratori a' Franciosi che erano venuti a assaltare la Toscana ed in particulare Chiusi. Perché avendo mandato il popolo di Chiusi per aiuto a Roma contro a' Franciosi, i Romani mandarono ambasciadori a' Franciosi, i quali in nome del Popolo romano signi-

---

613 *andandone l'ultima posta sua* : trattandosi dell'ultima sua risorsa.

ficassero loro che si astenessero di fare guerra a' Toscani;
i quali oratori sendo in su 'l luogo e più atti a fare che
a dire, venendo i Franciosi ed i Toscani alla zuffa, si
messero intra i primi a combattere contro a quelli: onde
ne nacque che, essendo conosciuti da loro, tutto lo sdegno avevano contro a' Toscani volsero contro a' Romani.
Il quale sdegno diventò maggiore, perché avendo i Franciosi per loro ambasciadori fatto querela con il Senato romano di tale ingiuria, e domandato che in soddisfazione
del danno fussino loro dati i soprascritti Fabii, non solamente non furono consegnati loro o in altro modo gastigati, ma venendo i comizi furono fatti Tribuni con potestà
consolare. Talché veggendo i Franciosi quelli onorati che
dovevano essere puniti, ripresono tutto essere e fatto in loro
dispregio e ignominia, ed accessi di sdegno e d'ira vennero a assaltare Roma e quella presono eccetto il Campidoglio. La quale rovina nacque ai Romani solo per la
inosservanza della giustizia, perché avendo peccato i loro
ambasciadori « contra ius gentium »[614] e dovendo esserne gastigati, furono onorati. Però è da considerare quanto ogni
republica ed ogni principe debbe tenere conto di fare simile ingiuria, non solamente contro a una universalità ma
ancora contro a uno particulare. Perché se uno uomo è
offeso grandemente o dal publico o dal privato, e non sia
vendicato secondo la soddisfazione sua: se e' vive in una
republica, cerca, ancora che con la rovina di quella, vendicarsi; se e' vive sotto un principe, ed abbi in sé alcuna
generosità, non si acquieta mai in fino che in qualunque
modo si vendichi contro a di colui, come che egli vi vedesse dentro il suo proprio male.

Per verificare questo non ci è il più bello né il più vero
esemplo che quello di Filippo di Macedonia padre d'Alessandro. Aveva costui in la sua corte Pausania, giovane bello e nobile, del quale era inamorato Attalo, uno de' primi
uomini che fusse presso a Filippo; ed avendolo più volte
ricerco che dovesse accontentargli,[615] e trovandolo alieno da
simili cose, diliberò di avere con inganno e per forza quel-

614 Contro il diritto delle genti.
615 *che dovesse accontentargli*: che dovesse acconsentirgli.

lo che per altro verso vedea di non potere avere. E fatto uno solenne convito nel quale Pausania e molti altri nobili baroni convennero, fece, poi che ciascuno fu pieno di vivande e di vino, prendere Pausania, e condottolo allo stretto non solamente per forza sfogò la sua libidine, ma ancora per maggiore ignominia lo fece da molti degli altri in simile modo vituperare. Della quale ingiuria Pausania si dolse più volte con Filippo, il quale avendolo tenuto un tempo in speranza di vendicarlo, non solamente non lo vendicò ma prepose Attalo al governo d'una provincia di Grecia. Donde che Pausania, vedendo il suo nimico onorato e non gastigato, volse tutto lo sdegno suo non contro a quello che gli aveva fatto ingiuria, ma contro a Filippo che non lo aveva vendicato: ed una mattina solenne in su le nozze della figliuola di Filippo, ch'egli aveva maritata a Alessandro di Epiro, andando Filippo al tempio a celebrarle in mezzo de' due Alessandri, genero e figliuolo, lo ammazzò. Il quale esempio è molto simile a quello de Romani, e notabile a qualunque governa: che mai non debba tanto poco stimare un uomo, che si creda aggiugnendo ingiuria sopra ingiuria, che colui che è ingiuriato non pensi di vendicarsi con ogni suo pericolo e particulare danno.

XXIX · LA FORTUNA ACCECA GLI ANIMI DEGLI UOMINI, QUANDO LA NON VUOLE CHE QUEGLI SI OPPONGHINO A' DISEGNI SUOI

Se e' si considererà bene come procedono le cose umane, si vedrà molte volte nascere cose e venire accidenti a' quali i cieli al tutto non hanno voluto che si provvegga. E quando questo che io dico intervenne a Roma, dove era tanta virtù, tanta religione e tanto ordine, non è maraviglia che gli intervenga molto più spesso in una città o in una provincia che manchi delle cose sopradette. E perché questo luogo è notabile assai a dimostrare la potenza del cielo sopra le cose umane, Tito Livio largamente e con parole efficacissime lo dimostra: [616] dicendo come volendo il cielo a qualche fine che i Romani conoscessono la potenza sua,

616 Cfr. Livio, v, 35-37; 48-55.

fece prima errare quegli Fabii che andarono oratori a'
Franciosi, e mediante l'opera loro gli concitò a fare guerra
a Roma; dipoi ordinò che per reprimere quella guerra
non si facesse in Roma alcuna cosa degna del Popolo romano, avendo prima ordinato che Cammillo, il quale poteva essere solo unico remedio a tanto male, fusse mandato
in esilio a Ardea; dipoi venendo i Franciosi verso Roma,
coloro che per rimediare allo impeto dei Volsci ed altri finitimi [617] loro inimici avevano creato molte volte uno Dittatore, venendo i Franciosi non lo crearono; ancora nel fare
l'elezione de' soldati, la feciero debole e sanza alcuna istraordinaria diligenza; e furono tanto pigri al pigliare le arme
che a fatica furono a tempo a scontrare i Franciosi sopra
il fiume di Allia, discosto a Roma dieci miglia. Quivi i
Tribuni posero il loro campo sanza alcuna consueta diligenza,[618] non prevedendo [619] il luogo prima e non si circun-
dando con fossa e con isteccato, non usando alcuno rimedio
umano e divino; e nello ordinare la zuffa fecero gli ordini
rari e deboli, in modo che né i soldati né i capitani fecero
cosa degna della romana disciplina. Combattessi poi sanza
alcuno sangue, perché ei fuggirono prima che fussono assaltati, e la maggiore parte se n'andò a Veio, l'altra si ritirò
a Roma, i quali sanza entrare altrimenti nelle case loro
se ne entrarono in Campidoglio; in modo che il Senato
sanza pensare di difendere Roma non chiuse, non che altro,
le porte, e parte se ne fuggì, parte con gli altri se ne entrarono in Campidoglio. Pure, nel difendere quello usarono
qualche ordine non tumultuario: perché ei non aggrava-
rono quello di gente inutile, messonvi tutti i frumenti che
poterono acciocché potessono sopportare l'ossidione; e della turba inutile de' vecchi, delle donne e de' fanciugli, la
maggior parte se ne fuggì nelle terre circunvicine, il rimanente restò in Roma in preda de' Franciosi. Talché chi
avesse letto le cose fatte da quel popolo tanti anni innanzi
e leggessi dipoi quelli tempi, non potrebbe a nessuno modo credere che fusse stato uno medesimo popolo. E detto

617 *finitimi*: confinanti.
618 Si comportarono cioè leggermente nella scelta dei soldati.
619 *prevedendo*: perlustrando.

che Tito Livio ha tutti e sopraddetti disordini, conchiude dicendo: «Adeo obœcat animos fortuna, cum vim suam ingruentem refringi non vult»:[620] né può più essere vera questa conclusione. Onde gli uomini che vivono ordinariamente nelle grandi avversità o prosperità meritano manco laude o manco biasimo. Perché il più delle volte si vedrà quelli a una rovina ed a una grandezza essere stati convinti da una commodità grande che gli hanno fatto i cieli, dandogli occasione o togliendogli di potere operare virtuosamente.

Fa bene la fortuna questo: che la elegge uno uomo, quando la voglia condurre cose grandi, che sia di tanto spirito e di tanta virtù che ei conosca quelle occasioni che la gli porge. Così medesimamente, quando la voglia condurre grandi rovine, ella vi prepone uomini che aiutino quella rovina. E se alcuno fusse che vi potesse ostare, o la lo ammazza o la lo priva di tutte le facultà da potere operare alcuno bene. Conoscesi questo benissimo per questo testo, come la fortuna per fare maggiore Roma e condurla a quella grandezza venne, giudicò fussi necessario batterla (come a lungo nel principio del seguente libro discorrereno),[621] ma non volle già in tutto rovinarla. E per questo si vede ch'ella fece esulare e non morire Cammillo, fece pigliare Roma e non il Campidoglio, ordinò che i Romani per riparare Roma non pensassono alcuna cosa buona, per difendere poi il Campidoglio non mancarono di alcuno buono ordine. Fece, perché Roma fusse presa, che la maggior parte de' soldati che furono rotti a Allia se ne andorono a Veio; e così per la difesa della città di Roma tagliò tutte le vie. E nell'ordinare questo preparò ogni cosa alla sua ricuperazione, avendo condotto uno esercito romano intero a Veio e Cammillo a Ardea, da potere fare grossa testa sotto uno capitano non maculato d'alcuna ignominia per la perdita, ed intero nella sua riputazione per la recuperazione della patria sua. Sarebbeci da addurre in confermazione delle cose dette qualche esempio moderno; ma per non gli giudi-

620 «A tal punto la Fortuna acceca gli animi, quando non vuole che la forza del suo corso sia interrotta» (Livio, v, 37, 1).
621 *discorrereno*: discorreremo.

care necessari potendo questo a qualunque satisfare, gli lascereno indietro. Affermo bene di nuovo questo essere verissimo, secondo che per tutte le istorie si vede, che gli uomini possono secondare la fortuna e non opporsegli, possono tessere gli orditi suoi e non rompergli. Debbono bene non si abbandonare mai; perché non sappiendo il fine suo, e andando quella per vie traverse ed incognite, hanno sempre a sperare e sperando non si abbandonare in qualunque fortuna ed in qualunque travaglio si truovino.

XXX · LE REPUBLICHE E GLI PRINCIPI VERAMENTE POTENTI NON COMPERONO L'AMICIZIE CON DANARI, MA CON LA VIRTÙ E CON LA RIPUTAZIONE DELLE FORZE

Erano i Romani assediati nel Campidoglio, e ancora ch'eglino aspettassono il soccorso da Veio e da Cammillo, sendo cacciati [622] dalla fame vennono a composizione con i Franciosi di ricomperarsi con certa quantità d'oro; e sopra tale convenzione pesandosi di già l'oro, sopravvenne Cammillo con lo esercito suo; il che fece, dice lo istorico, la fortuna « ut Romani auro redempti non viverent ».[623] La qual cosa non solamente è notabile in questa parte, ma etiam nel processo delle azioni [624] di questa Republica; dove si vede che mai acquistarono terre con danari, mai feciono pace con danari, ma sempre con la virtù dell'armi. Il che non credo sia mai intervenuto ad alcuna altra republica. Ed intra gli altri segni per gli quali si conosce la potenza d'uno stato forte, è vedere come egli vive con gli vicini suoi; e quando ei si governa in modo che i vicini per averlo amico sieno suoi pensionari, allora è certo segno che quello stato è potente. Ma quando detti vicini ancora che inferiori a lui traggono da quello danari, allora è segno grande della debolezza di quello.

Legghinsi tutte le istorie romane, e vedrete come i Massiliensi, gli Edui, i Rodiani, Ierone siracusano, Eumene e

622 *cacciati*: pressati.
623 « Affinché i Romani non dovessero vivere riscattati dall'oro » (Livio, v, 49, 1).
624 *nel processo delle azioni*: nello sviluppo degli eventi.

Massinissa regi, i quali tutti erano vicini ai confini dello imperio romano, per avere l'amicizia di quello concorrevono a spese ed a tributi ne' bisogni d'esso, non cercando da lui altro premio che lo essere difesi. Al contrario si vedrà negli stati deboli; e cominciandoci dal nostro di Firenze, ne' tempi passati, nella sua maggiore riputazione, non era signorotto in Romagna che non avessi da quello provvisione, e di più la dava a' Perugini, a' Castellani [625] e a tutti gli altri suoi vicini. Che se questa città fusse stata armata e gagliarda sarebbe tutto ito per il contrario: perché molti per avere la protezione di essa arebbono dato danari a lei e cerco non di vendere la loro amicizia ma di comperare la sua. Né sono in questa viltà vissuti solo i Fiorentini, ma i Viniziani ed il re di Francia, il quale con un tanto regno vive tributario di Svizzeri e del re d'Inghilterra. Il che tutto nasce dallo avere disarmati i popoli suoi, ed avere più tosto voluto quel re e gli altri prenominati godersi un presente utile di potere saccheggiare i popoli, e fuggire uno immaginato più tosto che vero pericolo, che fare cose che gli assicurino e faccino i loro stati felici in perpetuo. Il quale disordine se partorisce qualche tempo qualche quiete, è cagione col tempo di necessità, di danni e rovine irrimediabili. E sarebbe lungo raccontare quante volte i Fiorentini, Viniziani e questo regno [626] si sono ricomperati in su le guerre,[627] e quante volte ei si sono sottomessi a una ignominia a che i Romani una sola volta furono per sottomettersi. Sarebbe lungo raccontare quante terre i Fiorentini ed i Viniziani hanno comperate, di che si è veduto poi il disordine e come le cose che si acquistano con l'oro non si sanno difendere con il ferro. Osservarono i Romani questa generosità e questo modo di vivere mentre che ei vissono liberi; ma poi che gli entrarono sotto gl'imperadori e che gl'imperadori cominciarono a essere cattivi ed amare più l'ombra che il sole, cominciarono ancora essi a ricomperarsi ora dai Parti, ora dai Germani, ora da altri popoli convicini; il che fu principio della rovina di tanto imperio.

625 Agli abitanti di Città di Castello.
626 La Francia.
627 ... *in su le guerre*: abbiano risolto le guerre con il denaro elargito al nemico.

Procedono pertanto simili incovenienti dallo avere disarmati i tuoi popoli: di che ne risulta uno altro maggiore, che quanto il nimico più ti si appressa, tanto ti truova più debole. Perché chi vive ne' modi detti di sopra tratta male quelli sudditi che sono dentro allo imperio suo e bene quelli che sono in su i confini dello imperio suo, per avere uomini ben disposti a tenere il nimico discosto. Da questo nasce che per tenerlo più discosto ei dà provvisione a quelli signori e popoli che sono propinqui ai confini suoi. Donde nasce che questi stati così fatti fanno un poco di resistenza in sui confini, ma come il nimico gli ha passati ei non hanno rimedio alcuno. E non si avveggono come questo modo del loro procedere è contro a ogni buono ordine. Perché il cuore e le parti vitali d'uno corpo si hanno a tenere armate, e non le estremità d'esso, perché sanza quelle si vive e offeso questo si muore; e questi stati tengono il cuore disarmato e le mani e li piedi armati.

Quello che abbia fatto questo disordine a Firenze si è veduto e vedesi ogni dì, che come uno esercito passa i confini e che gli entra propinquo al cuore, non truova più alcuno rimedio. De' Viniziani si vide pochi anni sono la medesima pruova; e se la loro città non era fasciata dalle acque se ne sarebbe veduto il fine. Questa isperienza non si è veduta sì spesso in Francia, per essere quello sì gran regno ch'egli ha pochi inimici superiori. Nondimanco quando gli Inglesi nel 1513 assaltarono quel regno, tremò tutta quella provincia; ed il re medesimo e ciascuno altro giudicava che una rotta sola [628] gli potessi tòrre il regno e lo stato. Ai Romani interveniva il contrario: perché quanto più il nimico s'appressava a Roma, tanto più trovava potente quella città a resistergli. E si vide nella venuta d'Annibale in Italia, che dopo tre rotte, e dopo tante morti di capitani e di soldati ei poterono non solo sostenere il nimico ma vincere la guerra. Tutto nacque dallo avere bene armato il cuore, e delle estremità tenere meno conto. Perché il fondamento dello stato suo era il popolo di Roma, il nome latino, le altre terre compagne [629] in Italia e le loro colonie

628 La battaglia di Guinegatte.
629 Le città latine (*il nome latino*) e quelle alleate (*compagne*).

donde ei traevano tanti soldati che furono sufficienti con quegli a combattere e tenere il mondo. E che sia vero si vede per la domanda che fece Annone cartaginese a quelli oratori d'Annibale dopo la rotta di Canne, i quali avendo magnificato le cose fatte da Annibale, furono domandati da Annone se del popolo romano alcuno era venuto a domandare pace, e se del nome latino e delle colonie alcuna terra si era ribellata dai Romani; e negando quegli l'una e l'altra cosa, replicò Annone: « Questa guerra è ancora intera come prima. »[630]

Vedesi pertanto, e per questo discorso e per quello che più volte abbiamo altrove detto, quanta diversità sia dal modo del procedere delle republiche presenti a quello delle antiche. Vedesi ancora per questo ogni dì miracolose perdite e miracolosi acquisti. Perché dove gli uomini hanno poca virtù, la fortuna mostra assai la potenza sua: e perché la è varia, variano le republiche e gli stati spesso, e varieranno sempre infino che non surga qualcuno che sia della antichità tanto amatore che la regoli in modo che la non abbia cagione di mostrare, a ogni girare di sole, quanto ella puote.

XXXI · QUANTO SIA PERICOLOSO CREDERE AGLI SBANDITI [631]

E' non mi pare fuori di proposito ragionare intra questi altri discorsi, quanto sia cosa pericolosa credere a quelli che sono cacciati della patria sua, essendo cose che ciascuno dì si hanno a praticare da coloro che tengono stati; potendo massime dimostrare questo con uno memorabile esempio addotto da Tito Livio nelle sue istorie, ancora che sia fuora del presupposto suo.[632] Quando Alessandro Magno passò con lo esercito suo in Asia, Alessandro di Epiro,[633] cognato e zio di quello, venne con gente in Italia,[634] chiamato dagli sban-

630 Cfr. Livio, XXIII, 13, 2.
631 *sbanditi*: coloro che sono stati cacciati dalla patria, i fuorusciti.
632 *del presupposto suo*: dal principale argomento della sua storia.
633 Alessandro I il Molosso.
634 Nel 334 a.C.

diti Lucani, i quali gli dettono speranza che potrebbe mediante loro occupare tutta quella provincia. Donde che quello, sotto la fede e la speranza loro venuto in Italia, fu morto da quelli, sendo loro promessa la ritornata [635] nella patria dai loro cittadini se lo ammazzavano. Debbesi considerare pertanto quanto sia vana e la fede e le promesse di quelli che si truovano privi della loro patria. Perché, quanto alla fede, si ha a estimare che qualunque volta e' possano per altri mezzi che per gli tuoi rientrare nella patria loro, che lasceranno te e accosterannosi a altri, nonostante qualunque promesse ti avessono fatte. E quanto alle vane promesse e speranze, egli è tanta la voglia estrema che è in loro di ritornare in casa, che ei credono naturalmente molte cose che sono false, e molte a arte ne aggiungano: talché tra quello che ei credono, e quello che ei dicono di credere ti riempiono di speranza, talmente che fondandoti in su quella tu fai una spesa in vano, o tu fai una impresa dove tu rovini.

Io voglio per esemplo mi basti Alessandro predetto; e di più Temistocle ateniese, il quale essendo fatto ribello se ne fuggì in Asia a Dario, dove gli promisse tanto, quando ei volessi assaltare la Grecia, che Dario si volse alla impresa. Le quali promesse non gli potendo poi Temistocle osservare, o per vergogna o per tema di supplizio avvelenò se stesso. E se questo errore fu fatto da Temistocle, uomo eccellentissimo, si debbe stimare che tanto più vi errino coloro che per minore virtù si lasceranno più tirare dalla voglia e dalla passione loro. Debbe adunque uno principe andare adagio a pigliare imprese sopra la relazione d'uno confinato, perché il più delle volte se ne resta o con vergogna o con danno gravissimo. E perché ancora rade volte riesce il pigliare le terre di furto e per intelligenzia che altri avesse in quelle, non mi pare fuora di proposito discorrerne nel sequente capitolo, aggiugnendovi con quanti modi i Romani le acquistavano.

635 *la ritornata*: il ritorno.

Essendo i Romani tutti vòlti alla guerra, fecero sempremai quella con ogni vantaggio e quanto alla spesa e quanto a ogni altra cosa che in essa si ricerca. Da questo nacque che si guardarono da il pigliare le terre per ossidione: perché giudicavano questo modo di tanta spesa e di tanto scommodo che superassi di gran lunga la utilità che dello acquisto sì potessi trarre; e per questo pensarono che fosse meglio e più utile soggiogare le terre per ogni altro modo che assediandole, donde in tante guerre ed in tanti anni ci sono pochissimi esempli di ossidioni fatte da loro. I modi adunque con i quali gli acquistavano le città, erano o per espugnazione o per dedizione.[636] La espugnazione era o per forza e violenza aperta o per forza mescolata con fraude. La violenza aperta era o con assalto sanza percuotere le mura (il che loro chiamavano « aggredi urbem corona », perché con tutto lo esercito circundavono la città e da tutte le parti la combattevano), e molte volte riuscì loro che in uno assalto pigliarono una città, ancora che grossissima, come quando Scipione prese Cartagine Nuova in Ispagna; [637] o quando questo assalto non bastava, si dirizzavano a rompere le mura con arieti o con altre loro machine belliche. O ei facevano una cava,[638] e per quella entravano nella città (nel quale modo presono la città de' Veienti); o per essere equali a quegli che difendevano le mura, facevono torri di legname, o ei facevono argini di terra appoggiati alle mura di fuori, per venire all'altezza d'esse sopra quegli. Contro a questi assalti, chi difendeva la terra, nel primo caso, circa lo essere assaltato intorno intorno, portava più subito pericolo ed aveva più dubbi rimedi: perché bisognandogli in ogni luogo avere assai difensori, o quegli ch'egli aveva non erano tanti che potessero o sopperire per tutto o cambiarsi, o se potevano non erano tutti di equale animo a resistere, e da una parte che fusse inchinata la zuffa si perdevano tutti. Però occorse, come io ho detto, che molte volte questo modo ebbe felice successo. Ma quan-

636 *per dedizione*: per resa.
637 Nel 209 a.C.
638 *cava*: galleria.

do non riusciva al primo, non lo ritentavano molto, per essere modo pericoloso per lo esercito: perché distendendosi in tanto spazio, restava per tutto debile a potere resistere a una eruzione [639] che quelli di dentro avessono fatta, ed anche si disordinavano e straccavano i soldati; ma per una volta ed allo improvviso tentavano tale modo. Quanto alla rottura delle mura, si opponevano,[640] come ne' presenti tempi, con ripari. E per resistere alle cave facevano una contracava, e per quella si opponevano al nimico o con le armi o con altri ingegni: intra i quali era questo, che gli empievano dogli di penne nelle quali appiccavano il fuoco, ed accesigli mettevano nella cava, i quali con il fumo e con il puzzo impedivano la entrata a' nimici; e se con le torre gli assaltavano, s'ingegnavano con il fuoco rovinarle. E quanto agli argini di terra, rompevano il muro da basso dove lo argine s'appoggiava, tirando dentro la terra che quegli di fuori vi ammontavano; talché ponendosi di fuora la terra e levandosi di drento, veniva a non crescere l'argine. Questi modi di espugnare non si possono lungamente tentare, ma bisogna o levarsi da campo o cercare per altri modi vincere la guerra: come fe' Scipione quando entrato in Africa, avendo assaltato Utica e non gli riuscendo pigliarla, si levò da campo e cercò di rompere gli eserciti cartaginesi; ovvero volgersi alla ossidione, come fecero a Veio, Capova, Cartagine e Ierusalem e simili terre che per ossidione occuparono. Quanto allo acquistare le terre per violenza furtiva occorre come intervenne di Palepoli [641] che per trattato di quelli di dentro i Romani la occuparono: di questa sorte espugnazioni dai Romani e da altri ne sono state tentate molte, e poche ne sono riuscite. La ragione è che ogni minimo impedimento rompe il disegno, e gl'impedimenti vengano facilmente. Perché o la congiura si scuopre innanzi che si venga allo atto, e scuopresi non con molta difficultà, sì per la infedelità di coloro con chi la è communicata sì per la difficultà del praticarla, avendo a convenire con i nimici, e con chi non ti è lecito, se non

639 *a una eruzione*: a una sortita.
640 Sott. gli assediati.
641 L'antica Neapolis (Napoli).

sotto qualche colore, parlare; ma quando la congiura non si scoprisse nel maneggiarla, vi surgono poi nel metterla in atto mille difficultà. Perché o se tu vieni innanzi al tempo disegnato, o se tu vieni dopo, si guasta ogni cosa: se si lieva uno romore fortuito, come l'oche del Campidoglio, se si rompe un ordine consueto: ogni minimo errore, ogni minima fallacia che si piglia, rovina la impresa. Aggiungonsi a questo le tenebre della notte, le quali mettono più paura a chi travaglia in quelle cose pericolose. Ed essendo la maggiore parte degli uomini che si conducono a simili imprese, inesperti del sito del paese e de' luoghi dove ei sono menati, si confondono, inviliscono ed implicano per ogni minimo e fortuito accidente: ed ogni immagine falsa è per fargli mettere in volta. Né si trovò mai alcuno che fosse più felice in queste ispedizioni fraudolente e notturne che Arato Sicioneo,[642] il quale quanto valeva in queste tanto nelle diurne ed aperte fazioni era pusillanime. Il che si può giudicare fosse più tosto per una occulta virtù che era in lui, che perché in quelle naturalmente dovesse essere più felicità. Di questi modi adunque se ne pratica assai, pochi se ne conduce alla pruova, e pochissimi ne riescono.

Quanto allo acquistare le terre per dedizione, o le si danno volontarie o forzate. La volontà nasce, o per qualche necessità estrinseca, che gli constringe a rifuggirtisi sotto, come fece Capova ai Romani, o per desiderio di essere governati bene, sendo allettati da il governo buono che quel principe tiene in coloro che se gli sono volontari rimessi in grembo, come fecero i Rodiani, i Massiliensi ed altre simile cittadi che si dettono al Popolo romano. Quanto alla dedizione forzata, o tale forza nasce da una lunga ossidione, come di sopra è detto, o la nasce da una continova oppressione di scorrerie, dipredazioni ed altri mali trattamenti, i quali volendo fuggire, una città si arrende. Di tutti i modi detti, i Romani usarono più questo ultimo che nessuno, ed attesono per più che quattrocento cinquanta anni a straccare i vicini con le rotte e con le scorrerie, e pigliare mediante gli accordi riputazione sopra di loro,

642 Arato di Sicione, capo della lega Achea (III sec. a.C.).

come altre volte abbiamo discorso. E sopra tale modo si fondarono sempre, ancora che gli tentassino tutti; ma negli altri trovarono cose o pericolose o inutili. Perché nella ossidione è la lunghezza e la spesa; nella espugnazione, dubbio e pericolo; nelle congiure, la incertitudine. E viddono che con una rotta di esercito inimico acquistavano un regno in un giorno, e nel pigliare per ossidione una città ostinata consumavano molti anni.

XXXIII · COME I ROMANI DAVANO AGLI LORO CAPITANI DEGLI ESERCITI LE COMMISSIONI LIBERE [643]

Io estimo che sia da considerare leggendo questa liviana istoria, volendone fare profitto, tutti e modi del procedere del Popolo e Senato romano. Ed infra le altre cose che meritano considerazione, sono: vedere con quale autorità e' mandavono fuori i loro Consoli, Dittatori ed altri capitani degli eserciti, de' quali si vede l'autorità essere stata grandissima; ed il Senato non si riservare altro che l'autorità di muovere nuove guerre e di confirmare le paci, e tutte l'altre cose rimetteva nello arbitrio e potestà del Consolo. Perché deliberata ch'era dal Popolo e dal Senato una guerra verbigrazia contro a' Latini, tutto il resto rimettevano nello arbitrio del Consolo, il quale poteva o fare una giornata o non la fare, e campeggiare questa o quell'altra terra, come a lui pareva. Le quali cose si verificano per molti esempli, e massime per quello che occorse in una espedizione contro a' Toscani. Perché avendo Fabio consolo [644] vinto quelli presso a Sutri, e disegnando con lo esercito dipoi passare la selva Cimina ed andare in Toscana, non solamente non si consigliò col Senato ma non gliene dette alcuna notizia, ancora che la guerra fusse per aversi a fare in paese nuovo, dubbio e pericoloso. Il che si testifica ancora per le deliberazioni che allo incontro di questo furono fatte dal Senato: il quale avendo inteso la vittoria che Fabio aveva avuta, e dubitando che quello non pigliasse partito

643 *commissioni libere*: ampie facoltà decisionali.
644 Quinto Fabio Massimo Rulliano.

di passare per le dette selve in Toscana, giudicando che fosse bene non tentare quella guerra e correre quel pericolo, mandò a Fabio due Legati a fargli intendere non passasse in Toscana; i quali arrivarono ch'e' vi era già passato ed aveva avuta la vittoria, ed in cambio di impeditori della guerra tornarono ambasciadori dello acquisto e della gloria avuta. E chi considererà bene questo termine, lo vedrà prudentissimamente usato: perché se il Senato avesse voluto che un Consolo procedessi nella guerra di mano in mano secondo che quello gli commetteva, lo faceva meno circunspetto e più lento, perché non gli sarebbe paruto che la gloria della vittoria fusse tutta sua, ma che ne participasse il Senato con el consiglio del quale ei si fusse governato. Oltra di questo, il Senato si obligava a volere consigliare una cosa che non se ne poteva intendere. Perché, nonostante che in quello fossono tutti uomini esercitatissimi nella guerra, nondimeno non essendo in sul luogo e non sappiendo infiniti particulari che sono necessari sapere a volere consigliare bene, arebbono consigliando fatti infiniti errori. E per questo ei volevano che il Consolo per sé facesse e che la gloria fosse tutta sua; lo amore della quale giudicavano che fusse freno e regola a farlo operare bene. Questa parte si è più volentieri notata da me perché io veggo che le republiche de' presenti tempi come è la Viniziana e Fiorentina la intendono altrimenti: e se gli loro capitani, provveditori o commessari hanno a piantare una artiglieria, lo vogliono intendere e consigliare. Il quale modo merita quella laude che meritano gli altri, i quali tutti insieme le hanno condotte ne' termini che al presente si truovano.

LIBRO TERZO

I · A VOLERE CHE UNA SETTA O UNA REPUBLICA VIVA LUNGA-
MENTE, È NECESSARIO RITIRARLA SPESSO VERSO IL SUO
PRINCIPIO

Egli è cosa verissima come tutte le cose del mondo hanno
il termine della vita loro. Ma quelle vanno tutto il corso [645]
che è loro ordinato dal cielo generalmente, che non disordi-
nano il corpo loro ma tengonlo in modo ordinato, o che
non altera o s'egli altera è a salute e non a danno suo. E
perché io parlo de' corpi misti, come sono le republiche e
le sètte, dico che quelle alterazioni sono a salute che le riducano inverso i principii loro.[646] E però quelle sono meglio
ordinate, ed hanno più lunga vita, che mediante gli ordini
suoi si possono spesso rinnovare, ovvero che per qualche
accidente, fuori di detto ordine, vengono a detta rinnovazione. Ed è cosa più chiara che la luce che non si rinno-
vando questi corpi non durano.

Il modo del rinnovargli è, come è detto, ridurgli verso e
principii suoi; perché tutti e principii delle sètte e delle
republiche e de' regni conviene che abbino in sé qualche
bontà, mediante la quale ripiglino la prima riputazione ed
il primo augumento loro. E perché nel processo del tempo
quella bontà si corrompe, se non interviene cosa che la riduca al segno, ammazza di necessità quel corpo. E questi
dottori di medicina dicono, parlando de' corpi degli uomini: « Quod quotidie aggregatur aliquid, quod quandoque
indiget curatione ».[647] Questa riduzione verso il principio,
parlando delle republiche, si fa o per accidente estrinseco

645 *vanno tutto il corso*: percorrono tutto il ciclo.
646 *inverso i principii loro*: alle loro origini.
647 « Che giornalmente si aggrega qualcosa che richiede ogni
tanto una cura. »

o per prudenza intrinseca. Quanto al primo, si vede come egli era necessario che Roma fussi presa dai Franciosi a volere che la rinascesse, e rinascendo ripigliasse nuova vita e nuova virtù e ripigliasse la osservanza della religione e della giustizia, le quali in lei cominciavano a macularsi. Il che benissimo si comprende per la istoria di Livio, dove ei mostra che nel trar fuori l'esercito contro ai Franciosi e nel creare e Tribuni con la potestà consolare, non osservorono alcuna religiosa cerimonia. Così medesimamente, non solamente non punirono i tre Fabii, i quali « contra ius gentium » avevano combattuto contro ai Franciosi, ma gli crearono Tribuni. E debbesi facilmente presupporre che dell'altre constituzioni buone ordinate da Romolo e da quegli altri principi prudenti, si cominciasse a tenere meno conto che non era ragionevole e necessario a mantenere il vivere libero. Venne dunque questa battitura estrinseca [648] acciocché tutti gli ordini di quella città si ripigliassono, e si mostrasse a quel popolo, non solamente essere necessario mantenere la religione e la giustizia, ma ancora stimare i suoi buoni cittadini, e fare più conto della loro virtù che di quegli commodi che e' paresse loro mancare mediante le opere loro. Il che si vede che successe appunto, perché subito ripresa Roma rinnovarono tutti gli ordini dell'antica religione loro, punirono quegli Fabii che avevano combattuto « contra ius gentium », ed appresso tanto stimorono la virtù e bontà di Cammillo che, posposto il Senato e gli altri ogni invidia, rimettevano in lui tutto il pondo [649] di quella republica. È necessario adunque, come è detto, che gli uomini che vivono insieme in qualunque ordine, spesso si riconoschino, [650] o per questi accidenti estrinseci o per gl'intrinseci. E quanto a questi, conviene che nasca o da una legge, la quale spesso rivegga il conto agli uomini che sono in quel corpo, o veramente da uno uomo buono che nasca fra loro, il quale con i suoi esempli e con le sue opere virtuose faccia il medesimo effetto che l'ordine.

Surge adunque questo bene nelle republiche, o per virtù

648 *questa battitura estrinseca*: questo inconveniente dall'esterno.
649 *il pondo*: il peso, la responsabilità.
650 *si riconoschino*: riflettano su se stessi.

d'un uomo o per virtù d'uno ordine. E quanto a questo ultimo, gli ordini che ritirarono la Republica romana verso il suo principio, furono i Tribuni della plebe, i Censori e tutte l'altre leggi che venivano contro all'ambizione ed alla insolenzia degli uomini. I quali ordini hanno bisogno di essere fatti vivi dalla virtù d'uno cittadino, il quale animosamente concorra ad esequirli contro alla potenza di quegli che gli trapassano.[651] Delle quali esecuzioni innanzi alla presa di Roma da' Franciosi, furono notabili la morte de' figliuoli di Bruto, la morte de' dieci cittadini,[652] quella di Melio frumentario:[653] dopo la presa di Roma, fu la morte di Manlio Capitolino, la morte del figliuolo di Manlio Torquato, la esecuzione di Papirio Cursore contro a Fabio suo Maestro de' cavalieri, l'accusa degli Scipioni.[654] Le quali cose perché erano eccessive e notabili, qualunque volta ne nasceva una, facevano gli uomini ritirare verso il segno; e quando le cominciarono ad essere più rare cominciarono anche a dare più spazio agli uomini di corrompersi e farsi con maggiore pericolo e più tumulto. Perché dall'una all'altra di simili esecuzioni non vorrebbe passare il più dieci anni, perché passato questo tempo, gli uomini cominciano a variare con i costumi e trapassare le leggi: e se non nasce cosa per la quale si riduca loro a memoria la pena, e rinnuovisi negli animi loro la paura, concorrono tosto tanti delinquenti che non si possono più punire sanza pericolo. Dicevano a questo proposito quegli che hanno governato lo stato di Firenze dal 1434 infine al 1494,[655] come egli era necessario ripigliare ogni cinque anni lo stato,[656] altrimenti era difficile mantenerlo: e chiamavano ripigliare lo stato, mettere quel terrore e quella paura negli uomini che vi avevano messo nel pigliarlo; avendo in quel tempo battuti [657] quelli che avevano, secondo quel modo del vivere, male

651 *di quegli che gli trapassano* : dei trasgressori.
652 I Decemviri.
653 Spurio Melio, plebeo ucciso perché sospettato di aspirare alla tirannide.
654 Scipione l'Africano ed il fratello Scipione l'Asiatico furono accusati di concussione e peculato.
655 Da Cosimo il Vecchio a Piero de' Medici.
656 La Balìa veniva rinnovata infatti ogni cinque anni.
657 *battuti* : puniti.

operato. Ma come di quella battitura la memoria si spegne, gli uomini prendono ardire di tentare cose nuove e di dire male, e però è necessario provedervi ritirando quello verso i suoi principii. Nasce ancora questo ritiramento delle republiche verso il loro principio dalla semplice virtù d'un uomo, sanza dependere da alcuna legge che ti stimoli ad alcuna esecuzione; nondimanco sono di tale riputazione e di tanto esemplo che gli uomini buoni disiderano imitarle, e gli cattivi si vergognano a tenere vita contraria a quelle. Quegli che in Roma particularmente feciono questi buoni effetti, furono Orazio Cocle, Scevola, Fabrizio, i dua Deci, Regolo Attilio ed alcuni altri, i quali con i loro esempli rari e virtuosi facevano in Roma quasi il medesimo effetto che si facessino le leggi e gli ordini. E se le esecuzioni soprascritte, insieme con questi particulari esempli, fossono almeno seguite ogni dieci anni in quella città, ne seguiva di necessità che la non si sarebbe mai corrotta; ma come e' cominciorono a diradare l'una e l'altra di queste due cose, cominciorono a multiplicare le corrozioni: perché dopo Marco Regolo non vi si vide alcuno simile esemplo, e benché in Roma surgessono i due Catoni,[658] fu tanta distanza da quello a loro, ed intra loro dall'uno all'altro, e rimasono sì soli che non potettono con gli esempli buoni fare alcuna opera. E massime l'ultimo Catone, il quale trovando in buona parte la città corrotta, non potette con lo esemplo suo fare che i cittadini diventassino migliori. E questo basti quanto alle republiche.

Ma quanto alle sètte, si vede ancora queste rinnovazioni essere necessarie per lo esemplo della nostra Religione, la quale se non fossi stata ritirata verso il suo principio[659] da Santo Francesco e da Santo Domenico sarebbe al tutto spenta: perché questi con la povertà e con lo esemplo della vita di Cristo, la ridussono[660] nella mente degli uomini, che già vi era spenta; e furono sì potenti gli ordini loro nuovi che ei sono cagione che la disonestà de' prelati e de' capi della religione non la rovinino, vivendo ancora po-

658 Catone il Censore e Catone l'Uticense.
659 *ritirata verso il suo principio*: ricondotta alle origini.
660 *la ridussono*: la riportarono.

veramente, ed avendo tanto credito nelle confessioni con i popoli e nelle predicazioni, che ei danno loro a intendere come egli è male dir male del male, e che sia bene vivere sotto la obedienza loro, e se fanno errori lasciargli gastigare a Dio. E così quegli fanno il peggio che possono, perché non temono quella punizione che non veggono e non credono. Ha adunque questa rinnovazione mantenuto, e mantiene, questa religione.

Hanno ancora i regni bisogno di rinnovarsi e ridurre le leggi di quegli verso i suoi principii. E si vede quanto buono effetto fa questa parte nel regno di Francia, il quale regno vive sotto le leggi e sotto gli ordini più che alcuno altro regno. Delle quali leggi ed ordini ne sono mantenitori i parlamenti, e massime quel di Parigi: le quali sono da lui rinnovate qualunque volta ei fa una esecuzione contro ad un principe di quel regno, e che ei condanna il Re nelle sue sentenze. Ed infino a qui si è mantenuto per essere stato uno ostinato esecutore contro a quella Nobilità; ma qualunque volta ei ne lasciassi alcuna impunita e che le venissono a multiplicare, sanza dubbio ne nascerebbe, o che le si arebbono a correggere con disordine grande, o che quel regno si risolverebbe.

Conchiudesi pertanto non essere cosa più necessaria in uno vivere comune, o sètta o regno o republica che sia, che rendergli quella riputazione ch'egli aveva ne' principii suoi, ed ingegnarsi che siano o gli ordini buoni o i buoni uomini che facciano questo effetto, e non lo abbia a fare una forza estrinseca, perché ancora che qualche volta la sia ottimo rimedio come fu a Roma, ella è tanto pericolosa che non è in modo alcuno da disiderarla. E per dimostrare a qualunque quanto le azioni degli uomini particulari facessono grande Roma e causassino in quella città molti buoni effetti, verrò alla narrazione e discorso di quegli, intra e termini de' quali questo terzo libro ed ultima parte di questa prima Deca si concluderà. E benché le azioni degli re fossono grandi e notabili, nondimeno, dichiarandole [661] la istoria diffusamente, le lascerò indietro, né parleremo altrimenti di loro, eccetto che di alcuna cosa

661 *dichiarandole*: raccontando.

che avessono operata appartenente alli loro privati commodi, e comincerenci [662] da Bruto, padre della romana libertà.

II · COME EGLI È COSA SAPIENTISSIMA SIMULARE IN TEMPO LA PAZZIA

Non fu alcuno mai tanto prudente, né tanto estimato savio per alcuna sua egregia operazione, quanto merita d'esser tenuto Iunio Bruto nella sua simulazione della stultizia. Ed ancora che Tito Livio non esprima altro che una cagione che lo indusse a tale simulazione, quale fu di potere più sicuramente vivere e mantenere il patrimonio suo, nondimanco, considerato il suo modo di procedere, si può credere che simulasse ancora questo per essere manco osservato, ed avere più commodità di opprimere i Re e di liberare la sua patria, qualunque volta gliele fosse data occasione. E che pensassi a questo, si vide prima nello interpretare l'oracolo d'Apolline, quando simulò cadere per baciare la terra, giudicando per quello avere favorevoli gl'Iddii a' pensieri suoi; e dipoi quando sopra la morta Lucrezia, intra 'l padre ed il marito ed altri parenti di lei, ei fu il primo a trarle il coltello della ferita, e fare giurare ai circunstanti che mai sopporterebbono che per lo avvenire alcuno regnasse in Roma. Dallo esemplo di costui hanno ad imparare tutti coloro che sono male contenti d'uno principe, e debbono prima misurare e prima pesare le forze loro, e se sono sì potenti che possino scoprirsi suoi inimici e fargli apertamente guerra, debbono entrare per questa via, come manco pericolosa e più onorevole. Ma se sono di qualità che a fargli guerra aperta le forze loro non bastino, debbono con ogni industria cercare di farsegli amici: ed a questo effetto entrare per tutte quelle vie che giudicano essere necessarie, seguendo i piàciti [663] suoi e pigliando dilettazione di tutte quelle cose che veggono quello dilettarsi. Questa dimestichezza prima ti fa vivere sicu-

662 *comincerenci*: e qui cominceremo.
663 *piàciti*: desideri.

ro, e sanza portare alcuno pericolo ti fa godere la buona fortuna di quel principe insieme con esso lui, e ti arreca ogni commodità di sodisfare allo animo tuo. Vero è che alcuni dicono che si vorrebbe con gli principi non stare sì presso che la rovina loro ti coprisse,[664] né sì discosto che rovinando quegli tu non fusse a tempo a salire sopra la rovina loro : la quale via del mezzo sarebbe la più vera quando si potesse osservare ; ma perché io credo che sia impossibile, conviene ridursi a' duoi modi soprascritti, cioè o di allargarsi o di stringersi con loro : chi fa altrimenti, e sia uomo per la qualità sua notabile, vive in continovo pericolo. Né basta dire : Io non mi curo di alcuna cosa, non disidero né onori né utili, io mi voglio vivere quietamente e sanza briga! perché queste scuse sono udite e non accettate ; né possono gli uomini che hanno qualità eleggere lo starsi,[665] quando bene [666] lo eleggessono veramente e sanza alcuna ambizione, perché non è loro creduto, talché se si vogliono stare loro, non sono lasciati stare da altri. Conviene adunque fare il pazzo come Bruto, ed assai si fa il matto, laudando, parlando, veggendo, faccendo cose contro allo animo tuo per compiacere al principe. E poiché noi abbiamo parlato della prudenza di questo uomo per ricuperare la libertà a Roma, parleremo ora della sua severità nel mantenerla.

III · COME EGLI È NECESSARIO, A VOLERE MANTENERE UNA LIBERTÀ ACQUISTATA DI NUOVO, AMMAZZARE I FIGLIUOLI DI BRUTO

Non fu meno necessaria che utile la severità di Bruto nel mantenere in Roma quella libertà che elli vi aveva acquistata, la quale è di uno esempio raro in tutte le memorie delle cose, vedere il padre sedere pro tribunali, e non solamente condennare i suoi figliuoli a morte, ma essere presente alla morte loro. E sempre si conoscerà questo per coloro che le cose antiche leggeranno, come dopo una

664 *ti coprisse* : ti opprimesse.
665 *eleggere lo starsi* : scegliere di stare appartati.
666 *quando bene* : anche se.

mutazione di Stato, o da republica in tirannide o da tirannide in republica, è necessaria una esecuzione memorabile contro a' nimici delle condizioni presenti. E chi piglia una tirannide e non ammazza Bruto, e chi fa uno stato libero e non ammazza i figliuoli di Bruto, si mantiene poco tempo. E perché di sopra è discorso questo luogo largamente, mi rimetto a quello che allora se ne disse: solo ci addurrò uno esemplo, stato, ne' dì nostri e nella nostra patria, memorabile. E questo è Piero Soderini, il quale si credeva superare con la pazienza e bontà sua quello appetito che era ne' figliuoli di Bruto, di ritornare sotto un altro governo, e se ne ingannò. E benché quello per la sua prudenza conoscesse questa necessità, e che la sorte e l'ambizione di quelli che lo urtavano gli dessi occasione a spegnerli, nondimeno non volse mai l'animo a farlo: perché, oltre al credere di potere con la pazienza e con la bontà estinguere i mali omori, e con i premii verso qualcuno consummare qualche sua inimicizia, giudicava (e molte volte ne fece con gli amici fede) che a volere gagliardamente urtare le sue opposizioni e battere i suoi avversari, gli bisognava pigliare istraordinaria autorità, e rompere con le leggi la civile equalità. La quale cosa, ancora che dipoi non fosse da lui usata tirannicamente, arebbe tanto sbigottito l'universale che non sarebbe mai poi concorso dopo la morte di quello a rifare un gonfalonieri a vita, il quale ordine egli giudicava fosse bene augumentare e mantenere. Il quale rispetto era savio e buono: nondimeno e' non si debbe mai lasciare scorrere un male rispetto ad uno bene, quando quel bene facilmente possa essere da quel male oppressato. E doveva credere che avendosi a giudicare l'opere sue e la intenzione sua dal fine (quando la fortuna e la vita l'avessi accompagnato) che poteva certificare ciascuno come quello aveva fatto era per salute della patria e non per ambizione sua; e poteva regolare le cose in modo che uno suo successore non potesse fare per male quello che elli avessi fatto per bene. Ma lo ingannò la prima opinione,[667] non conoscendo che la malignità non è doma da tempo né placata da alcuno dono. Tanto che per non sa-

667 Cioè il mostrarsi magnanimo e paziente.

pere somigliare Bruto, e' perdé insieme con la patria sua lo stato e la riputazione. E come egli è cosa difficile salvare uno stato libero, così è difficile salvarne uno regio, come nel sequente capitolo si mosterrà.

IV · NON VIVE SICURO UNO PRINCIPE IN UNO PRINCIPATO MENTRE VIVONO COLORO CHE NE SONO STATI SPOGLIATI

La morte di Tarquinio Prisco causata dai figliuoli di Anco, e la morte di Servio Tullo causata da Tarquinio Superbo, mostra quanto diffícil sia e pericoloso spogliare uno del regno, e quello lasciare vivo, ancora che cercassi con merito guadagnarselo. E vedesi come Tarquinio Prisco fu ingannato da parergli possedere quel regno giuridicamente, essendogli stato dato dal Popolo e confermato dal Senato. Né credette che ne' figliuoli di Anco potesse tanto lo sdegno che non avessono a contentarsi di quello che si contentava tutta Roma. E Servio Tullo s'ingannò, credendo potere con nuovi meriti guadagnarsi i figliuoli di Tarquinio. Dimodoché, quanto al primo, si può avvertire ogni principe che non viva mai sicuro del suo principato finché vivono coloro che ne sono stati spogliati. Quanto al secondo, si può ricordare ad ogni potente che mai le ingiurie vecchie furono cancellate da' beneficii nuovi; e tanto meno, quanto il beneficio nuovo è minore che non è stata la ingiuria. E sanza dubbio Servio Tullo fu poco prudente a credere che i figliuoli di Tarquinio fussono pazienti ad essere generi di colui di chi e' giudicavano dovere essere re. E questo appitito del regnare è tanto grande che non solamente entra ne' petti di coloro a chi si aspetta [668] il regno, ma di quelli a chi e' non si aspetta; come fu nella moglie di Tarquinio giovane, figliuola di Servio, la quale mossa da questa rabbia, contro ogni piatà paterna mosse il marito contro al padre a tòrgli la vita ed il regno: tanto stimava più essere regina che figliuola di re. Se adunque Tarquinio Prisco e Servio Tullo perdettero il regno per non si sapere assicurare di coloro a chi ei lo avevano usurpato,

668 *a chi si aspetta*: a cui spetta.

349

Tarquinio Superbo lo perdé per non osservare gli ordini degli antichi re, come nel sequente capitolo si mosterrà.

V · QUELLO CHE FA PERDERE UNO REGNO AD UNO RE CHE SIA DI QUELLO EREDITARIO

Avendo Tarquinio Superbo morto Servio Tullo, e di lui non rimanendo eredi, veniva a possedere il regno sicuramente; non avendo a temere di quelle cose che avevano offeso i suoi antecessori. E benché il modo dell'occupare il regno fosse stato istraordinario ed odioso, nondimeno, quando elli avesse osservato gli antichi ordini delli altri re, sarebbe stato comportato, né si sarebbe concitato il Senato e la plebe contro di lui per tòrgli lo stato. Non fu adunque cacciato costui per avere Sesto suo figliuolo stuprata Lucrezia, ma per avere rotte le leggi del regno e governatolo tirannicamente, avendo tolto al Senato ogni autorità e ridottola a sé proprio; e quelle faccende che ne' luoghi publici con sodisfazione del Senato romano si facevano, le ridusse a fare nel palazzo suo con carico ed invidia sua,[669] talché in breve tempo gli spogliò Roma di tutta quella libertà ch'ella aveva sotto gli altri re mantenuta. Né gli bastò farsi inimici i Padri, che si concitò ancora contro la Plebe, affaticandola in cose mecaniche e tutte aliene da quello a che gli avevano adoperati i suoi antecessori; talché avendo ripiena Roma di esempli crudeli e superbi, aveva disposto già gli animi di tutti i Romani alla ribellione, qualunque volta ne avessono occasione. E se lo accidente di Lucrezia non fosse venuto, come prima ne fosse nato un altro, arebbe partorito il medesimo effetto: perché se Tarquinio fosse vissuto come gli altri re, e Sesto suo figliuolo avessi fatto quell'errore, sarebbono Bruto e Collatino ricorsi a Tarquinio per la vendetta contro a Sesto, e non al Popolo romano. Sappino adunque i principi come a quella ora ei cominciano a perdere lo stato, che cominciano a rompere le leggi e quelli modi e quel-

669 *con carico ed invidia sua*: sotto sua piena responsabilità ed attirandosi così le invidie.

le consuetudini che sono antiche e sotto le quali lungo tempo gli uomini sono vivuti. E se privati che ei sono dello stato, ei diventassono mai tanto prudenti che ei conoscessono con quanta facilità i principati si tenghino da coloro che saviamente si consigliano, dorrebbe molto più loro tale perdita, ed a maggiore pena si condannerebbono che da altri fossono condannati, perché egli è molto più facile essere amato dai buoni che dai cattivi, ed ubidire alle leggi che volere comandare loro. E volendo intendere il modo avessono a tenere a fare questo, non hanno a durare altra fatica che pigliar per loro specchio la vita de' principi buoni, come sarebbe Timoleone Corintio, Arato Sicioneo e simili: nella vita de' quali ei troveria tanta sicurtà e tanta sodisfazione di chi regge e di chi è retto, che doverrebbe venirgli voglia di imitargli, potendo facilmente per le ragioni dette farlo. Perché gli uomini quando sono governati bene, non cercono né vogliono altra libertà, come intervenne a' popoli governati dai dua prenominati, che gli [670] costrinsono ad essere principi mentre che vissono, ancora che da quegli più volte fosse tentato di ridursi in vita privata. E perché in questo e ne' due antecedenti capitoli si è ragionato degli omori concitati contro a' principi, e delle congiure fatte da' figliuoli di Bruto contro alla patria, e di quelle fatte contro a Tarquinio Prisco ed a Servio Tullo, non mi pare cosa fuor di proposito nel sequente capitolo parlarne diffusamente, sendo materia degna d'essere notata da' principi e da' privati.

VI · DELLE CONGIURE

Ei non mi è parso da lasciare indietro il ragionare delle congiure, essendo cosa tanto pericolosa ai principi ed ai privati. Perché si vede per quelle molti più principi avere perduta la vita e lo stato che per guerra aperta: perché il poter fare aperta guerra ad uno principe è conceduto a pochi, il poterli congiurare contro è concesso a ciascuno. Dall'altra parte, gli uomini privati non entrano in im-

670 *gli*: i popoli.

presa più pericolosa né più temeraria di questa, perché la
è difficile e pericolosissima in ogni sua parte. Donde ne
nasce che molte se ne tentano, e pochissime hanno il fine
desiderato. Acciocché adunque i principi imparino a guardarsi da questi pericoli, e che i privati più timidamente vi
si mettino, anzi imparino ad essere contenti a vivere sotto
quello imperio che dalla sorte è stato loro proposto,[671] io ne
parlerò diffusamente, non lasciando indietro alcuno caso
notabile in documento dell'uno e dell'altro. E veramente quella sentenzia di Cornelio Tacito è aurea, che dice: che gli uomini hanno ad onorare le cose passate e ad
ubbidire alle presenti, e debbono desiderare i buoni principi, e comunque ei si sieno fatti, tollerargli.[672] E veramente
chi fa altrimenti, il più delle volte rovina sé e la sua patria.

Dobbiamo adunque, entrando nella materia, considerare
prima contro a chi si fanno le congiure, e troverreno farsi
o contro alla patria o contro ad uno principe. Delle quali
due voglio che al presente ragioniamo, perché di quelle che
si fanno per dare una terra a' nimici che la assediano, o
che abbino per qualunque cagione similitudine con questa,
se n'è parlato di sopra a sufficienza.[673] E tratteremo in questa
prima parte di quelle contro al principe, e prima esami-
neremo le cagioni di esse: le quali sono molte, ma una ne
è importantissima più che tutte le altre. E questa è lo essere
odiato dallo universale: perché il principe che si è concitato questo universale odio, è ragionevole che abbia de'
particulari i quali da lui siano stati più offesi e che desiderino vendicarsi. Questo desiderio è accresciuto loro da
quella mala disposizione universale, che veggono essergli
concitata contro. Debbe adunque un principe fuggire questi
carichi privati; e come gli abbia a fare a fuggirgli, avendone altrove trattato,[674] non ne voglio parlare qui. Perché,
guardandosi da questo, le semplice offese particulari gli
faranno meno guerra. L'una, perché si riscontra rade volte
in uomini, che stimino tanto una ingiuria che si mettino
a tanto pericolo per vendicarla; l'altra, che quando pure

671 *loro proposto*: loro assegnato.
672 Cfr. Tacito, *Historiae*, IV, 8.
673 Cfr. *Discorsi*, II, 32.
674 Nel *Principe*, XIX-XXI.

ei fossono d'animo e di potenza da farlo, sono ritenuti da quella benivolenza universale che veggono avere ad uno principe. Le ingiurie conviene che siano nella roba, nel sangue [675] o nell'onore. Di quelle del sangue sono più pericolose le minacce che le esecuzioni; anzi le minacce sono pericolosissime e nelle esecuzioni non vi è pericolo alcuno, perché chi è morto non può pensare alla vendetta, quelli che rimangono vivi il più delle volte ne lasciano il pensiero a te. Ma colui che è minacciato e che si vede costretto da una necessità o di fare o di partire, diventa uno uomo pericolosissimo per il principe, come nel suo luogo particularmente direno.[676] Fuora di questa necessità, la roba e l'onore sono quelle due cose che offendono più gli uomini che alcun'altra offesa; e dalle quali il principe si debbe guardare, perché e' non può mai spogliare uno tanto che non gli rimanga uno coltello da vendicarsi: non può mai tanto disonorare uno, che non gli resti uno animo ostinato alla vendetta. E degli onori che si tolgono agli uomini, quello delle donne importa più; dopo questo il vilipendio della sua persona. Questo armò Pausania contro a Filippo di Macedonia, questo ha armato molti altri contro a molti altri principi: e ne' nostri tempi Iulio Belanti [677] non si mosse a congiurare contro a Pandolfo tiranno di Siena, se non per averli quello data e poi tolta per moglie una sua figliuola, come nel suo loco direno. La maggiore cagione che fece che i Pazzi congiurarono contro ai Medici, fu la eredità di Giovanni Bonromei,[678] la quale fu loro tolta per ordine di quegli. Un'altra cagione ci è, e grandisima, che fa gli uomini congiurare contro al principe, la quale è il desiderio di liberare la patria stata da quello occupata. Questa cagione mosse Bruto e Cassio contro a Cesare; questa ha mosso molti altri contro a' Falari, Dionisii ed altri occupatori della patria loro. Né può da questo amore alcuno tiranno guardarsi, se non con diporre la tirannide. E perché non si truova alcuno che faccia questo, si truova po-

675 *nella roba, nel sangue*: nei beni materiali, nella stirpe.
676 *particularmente direno*: specificatamente diremo.
677 Luzio Belanti, cittadino senese.
678 Giovanni Borromei.

chi che non capitino male; donde nacque quel verso di Iuvenale:

> *Ad generum Cereris sine cæde et vulnere pauci*
> *descendunt reges et sicca morte tiranni.*[679]

I pericoli che si portano, come io dissi di sopra, nelle congiure sono grandi, portandosi per tutti i tempi, perché in tali casi si corre pericolo nel maneggiarli, nello esequirli, ed esequiti che sono. Quegli che congiurano o ei sono uno o ei sono più. Uno non si può dire che sia congiura, ma è una ferma disposizione nata in uno uomo di ammazzare il principe. Questo solo de' tre pericoli che si corrono nelle congiure manca del primo; perché innanzi alla esecuzione non porta alcuno pericolo, non avendo altri il suo secreto, né portando pericolo che torni il disegno suo all'orecchio del principe. Questa deliberazione così fatta può cadere in qualunque uomo di qualunque sorte, grande, piccolo, nobile, ignobile, familiare e non familiare al principe, perché ad ognuno è lecito qualche volta parlarli, ed a chi è lecito parlare è lecito sfogare l'animo suo. Pausania, del quale altre volte si è parlato, ammazzò Filippo di Macedonia che andava al tempio con mille armati d'intorno, ed in mezzo intra il figliuolo ed il genero; ma costui fu nobile e cognito[680] al principe. Uno Spagnuolo povero ed abietto dette una coltellata in su el collo al re Ferrando, re di Spagna: non fu la ferita mortale, ma per questo si vide che colui ebbe animo e commodità di farlo. Uno dervis, sacerdote turchesco, trasse d'una scimitarra a Baisit, padre del presente Turco; non lo ferì, ma ebbe pure animo e commodità a volerlo fare. Di questi animi fatti così, se ne truova, credo, assai che lo vorrebbono fare, perché nel volere non è pena né pericolo alcuno, ma pochi che lo facciano. Ma di quelli che lo fanno, pochissimi o nessuno che non siano ammazzati in sul fatto; però non si truova chi voglia andare ad una certa morte. Ma lasciamo andare queste uniche volontà, e veniamo alle congiure intra i più.

679 « Alle case del genero di Cerere (Plutone, dio degli Inferi) sono pochi i re che scendono senza ferite e stragi, o tiranni per morte incruenta » (Giovenale, *Satirae*, x, vv. 112-113).

680 *cognito*: conosciuto.

Dico trovarsi nelle istorie, tutte le congiure essere fatte da uomini grandi o familiarissimi al principe; perché gli altri, se non sono matti affatto, non possono congiurare, perché gli uomini deboli [681] e non familiari al principe mancano di tutte quelle speranze e di tutte quelle commodità che si richiede alla esecuzione d'una congiura. Prima gli uomini deboli non possono trovare riscontro di chi tenga loro fede, perché uno non può consentire alla volontà loro sotto alcuna di quelle speranze che fa entrare gli uomini ne' pericoli grandi; in modo che come ei si sono allargati in dua o in tre persone, ei truovono lo accusatore e rovinano. Ma quando pure si fossono tanto felici che mancassino di questo accusatore, sono nella esecuzione intorniati da tale difficultà; per non avere l'entrata facile al principe, che gli è impossibile che in essa esecuzione ei non rovinino: perché se gli uomini grandi, e che hanno l'entrata facile, sono oppressi da quelle difficultà che di sotto si diranno, conviene che in costoro quelle difficultà sanza fine creschino. Pertanto gli uomini (perché dove ne va la vita e la roba non sono al tutto insani), quando e' si veggono deboli, se ne guardano, e quando egli hanno a noia uno principe, attendono a bestemmiarlo, ed aspettono che quelli che hanno maggiore qualità di loro gli vendichino. E se pure si trovasse che alcuno di questi simili avessi tentato qualche cosa, si debbe laudare in loro la intenzione e non la prudenza. Vedesi pertanto quelli che hanno congiurato, essere stati tutti uomini grandi o familiari del principe. De' quali molti hanno congiurato, mossi così da troppi beneficii come dalle troppe ingiurie; come fu Perennio contro a Commodo, Plauziano contro a Severo, Seiano contro a Tiberio. Costoro tutti furono dai loro imperadori constituiti in tanta ricchezza, onore e grado, che non pareva che mancasse loro alla perfezione della potenza altro che lo imperio; e di questo non volendo mancare, si mossono a congiurare contro al principe, ed ebbono le loro congiure tutte quel fine che meritava la loro ingratitudine. Ancora che di queste simili ne' tempi più freschi ne avessi buono fine quella di Iacopo di Appiano contro a messer Piero Gam-

681 *deboli*: di bassa condizione, senza potere.

bacorti principe di Pisa, il quale Iacopo allevato e nutrito, e fatto riputato da lui, gli tolse poi lo stato.[681 bis] Fu di queste quella del Coppola [682] ne' nostri tempi contro il re Ferrando d'Aragona; il quale Coppola, venuto a tanta grandezza che non gli pareva gli mancassi se non il regno, per volere ancora quello, perdé la vita. E veramente se alcuna congiura contro ai principi fatta da uomini grandi dovesse avere buono fine, doverrebbe essere questa, essendo fatta da un altro re, si può dire, e da chi ha tanta commodità di adempiere il suo disiderio; ma quella cupidità del dominare che gli accieca, gli accieca ancora nel maneggiare questa impresa, perché se ei sapessono fare questa cattività [683] con prudenza, sarebbe impossibile non riuscisse loro. Debbe adunque uno principe che si vuole guardare dalle congiure, temere più coloro a chi elli ha fatto troppi piaceri che quegli a chi egli avesse fatte troppe ingiurie : perché questi mancono di commodità, quelli ne abbondano; e la voglia è simile, perché gli è così grande o maggiore il desiderio del dominare che non è quello della vendetta. Debbono pertanto dare tanta autorità agli loro amici, che da quella al principato sia qualche intervallo, e che vi sia in mezzo qualche cosa da desiderare : altrimenti sarà cosa rada se non interverrà loro come a' principi soprascritti. Ma torniamo all'ordine nostro.

Dico che avendo ad essere quelli che congiurano uomini grandi e che abbino l'adito facile al principe, si ha a discorrere i successi di queste loro imprese quali siano stati, e vedere la cagione che gli ha fatti essere felici ed infelici. E, come io dissi di sopra, ci si truovano dentro in tre tempi pericoli : prima, in su 'l fatto, e poi. Se ne truova poche che abbino buono esito, perché gli è impossibile quasi passarli tutti felicemente. E cominciando a discorrere e pericoli di prima, che sono i più importanti, dico come e' bisogna essere molto prudente, ed avere una gran sorte che nel maneggiare una congiura la non si scuopra. E si scuoprono o per relazione [684] o per coniettura. La relazione nasce

681 bis Nell'ottobre 1392.
682 Francesco Coppola, conte di Sarno.
683 *cattività* : delitto.
684 *per relazione* : attraverso le delazioni.

da trovare poca fede o poca prudenza negli uomini con chi tu la comunichi; la poca fede si truova facilmente, perché tu non puoi comunicarla se non con tuoi fidati che per tuo amore si mettino alla morte, o con uomini che siano male contenti del principe. De' fidati se ne potrebbe trovare uno o due; ma come tu ti distendi in molti, è impossibile gli truovi. Dipoi e' bisogna bene che la benivolenza che ti portano sia grande, a volere che non paia loro maggiore il pericolo e la paura della pena; dipoi gli uomini s'ingannano il più delle volte dello amore che tu giudichi che uno uomo ti porti, né te ne puoi mai assicurare se tu non ne fai esperienza, e farne esperienza in questo è pericolosissimo. E sebbene ne avessi fatto esperienza in qualche altra cosa pericolosa, dove e' ti fossono stati fedeli, non puoi da quella fede misurare questa, passando questa di gran lunga ogni altra qualità di pericolo. Se misuri la fede dalla mala contentezza che uno abbia del principe, in questo tu ti puoi facilmente ingannare, perché subito che tu hai manifestato a quel male contento l'animo tuo, tu gli dai materia di contentarsi,[685] e conviene bene o che l'odio sia grande o che l'autorità tua sia grandissima a mantenerlo in fede.

Di qui nasce che assai ne sono rivelate ed oppresse ne' primi principii loro, e che quando una è stata infra molti uomini segreta lungo tempo, è tenuta cosa miracolosa, come fu quella di Pisone [686] contro a Nerone; e ne' nostri tempi quella de' Pazzi contro a Lorenzo e Giuliano de' Medici, delle quali erano consapevoli più che cinquanta uomini, e condussonsi alla esecuzione a scoprirsi.[687] Quanto a scoprirsi per poca prudenza, nasce quando uno congiurato ne parla poco cauto, in modo che uno servo o altra terza persona t'intenda: come intervenne ai figliuoli di Bruto, che nel maneggiare la cosa con i legati di Tarquinio furono intesi da uno servo che gli accusò; ovvero quando per leggerezza ti viene communicata a donna o a fanciullo

685 Poiché si potrebbe guadagnare premi e benevolenza dal principe, informandolo intorno ai suoi nemici.
686 Gaio Calpurnio Pisone fu il capo della congiura contro Nerone nel 65 d.C.
687 Si manifestarono solo al momento della congiura.

che tu ami o a simile leggieri persona, come fece Dimmo, uno de' congiurati con Filota contro a Alessandro Magno, il quale communicò la congiura a Nicomaco fanciullo amato da lui, il quale subito la disse a Ciballino suo fratello e Ciballino ad el re. Quanto a scoprirsi per coniettura, ce n'è in esemplo la congiura Pisoniana contro a Nerone, nella quale Scevino, uno de' congiurati, il dì dinanzi ch'egli aveva ad ammazzare Nerone fece testamento, ordinò che Milichio suo liberto facessi arrotare un suo pugnale vecchio e rugginoso, liberò tutti i suoi servi e dette loro danari, fece ordinare fasciature da legare ferite: per le quali conietture accortosi Milichio della cosa, lo accusò a Nerone. Fu preso Scevino e con lui Natale, un altro congiurato, i quali erano stati veduti parlare a lungo e di segreto insieme il dì davanti; e non si accordando del ragionamento avuto,[688] furono forzati a confessare il vero, talché la congiura fu scoperta con rovina di tutti i congiurati.

Da queste cagioni dello scoprire le congiure è impossibile guardarsi che per malizia, per imprudenza o per leggerezza la non si scuopra, qualunque volta i conscii [689] d'essa passono il numero di tre o di quattro. E come e' ne è preso più che uno, è impossibile non riscontrarla, perché due non possano essere convenuti insieme di tutti e ragionamenti loro. Quando e' ne sia preso solo uno, che sia uomo forte, può elli con la fortezza dello animo tacere i congiurati; ma conviene che i congiurati non abbiano meno animo di lui a stare saldi e non si scoprire con la fuga; perché da una parte [690] che l'animo manca, o da chi è sostenuto [691] o da chi è libero, la congiura è scoperta. Ed è rado lo esemplo indotto da Tito Livio nella congiura fatta contro a Girolamo re di Siracusa; dove sendo Teodoro,[692] uno de' congiurati, preso, celò con una virtù grande tutti i congiurati, ed accusò gli amici del re; e dall'altra parte i congiurati confidarono tanto nella virtù di Teodoro che nessuno si partì di Siracusa o fece alcuno segno di timore. Passasi adun-

---

688 *non si accordando...*: non essendo concordi nel deporre.
689 *i conscii*: i consapevoli, i responsabili.
690 *da una parte*: da qualunque parte.
691 *da chi è sostenuto*: da chi si trova in carcere.
692 Teodoto.

que per tutti questi pericoli nel maneggiare una congiura, innanzi che si venga alla esecuzione di essa, i quali volendo fuggire, ci sono questi rimedi. Il primo ed il più vero, anzi a dire meglio unico, è non dare tempo ai congiurati di accusarti, e comunicare loro la cosa quando tu la vuoi fare, e non prima: quelli che hanno fatto così, fuggono al certo i pericoli che sono nel praticarla, e il più delle volte gli altri; anzi hanno tutte avuto felice fine: e qualunque prudente arebbe commodità di governarsi in questo modo. Io voglio che mi basti addurre due esempli.

Nelemato [693] non potendo sopportare la tirannide di Aristotimo, tiranno di Epiro, ragunò in casa sua molti parenti ed amici, e confortatogli a liberare la patria, alcuni di loro chiesono tempo a diliberarsi ed ordinarsi; donde Nelemato fece a' suoi servi serrare la casa ed a quelli che esso aveva chiamati disse: O voi giurerete di andare ora a fare questa esecuzione, o io vi darò tutti prigioni ad Aristotimo. Dalle quali parole mossi coloro giurarono, ed andati sanza intermissione di tempo, felicemente l'ordine di Nelemato esequirono. Avendo uno Mago [694] per inganno occupato il regno de' Persi, ed avendo Ortano, [695] uno de' grandi uomini del regno, intesa e scoperta la fraude, lo conferì con sei altri principi di quello stato, dicendo come gli era da vendicare il regno dalla tirannide di quel Mago. E domandando alcuno di loro il tempo, si levò Dario, uno de' sei chiamati da Ortano, e disse: O noi andremo ora a fare questa esecuzione, o io vi andrò ad accusare tutti.[696] E così d'accordo levatisi, sanza dare tempo ad alcuno di pentirsi, esequirono i disegni loro. Simile a questi due esempli ancora è il modo che gli Etoli tennono ad ammazzare Nabide tiranno spartano, i quali mandarono Alessameno loro cittadino con trenta cavagli e dugento fanti a Nabide sotto colore di mandargli aiuto: ed il segreto solamente comunicorono ad Alessameno, ed agli altri imposero che lo ubbidissoro in ogni e qualunque cosa sotto pena di esilio. Andò costui in Sparta, e non comunicò mai la commissione sua se non quan-

693 Non Nelemato ma Ellanico.
694 Gaumata, sacerdote della casta dei Magi (VI sec. a.C.).
695 Otanes.
696 Cfr. Erodoto, III, 70-78,

do e' la volle esequire; donde gli riuscì d'ammazzarlo. Costoro adunque per questi modi hanno fuggiti quelli pericoli che si portano nel maneggiare le congiure, e chi imiterà loro, sempre gli fuggirà.

E che ciascuno possa fare come loro, io ne voglio dare lo esemplo di Pisone preallegato di sopra. Era Pisone grandissimo e riputatissimo uomo, e familiare di Nerone, ed in chi elli confidava assai. Andava Nerone ne' suoi orti spesso a mangiare seco. Poteva adunque Pisone farsi amici uomini d'animo e di cuore e di disposizione atti ad una tale esecuzione (il che ad uno grande è facilissimo); e quando Nerone fosse stato ne' suoi orti, comunicare loro la cosa, e con le parole convenienti inanimarli a fare quello che loro non avevano tempo a ricusare, e che era impossibile che non riuscisse. E così se si esamineranno tutte l'altre, si troverrà poche non essere potute condursi nel medesimo modo. Ma gli uomini per l'ordinario poco intendenti delle azioni del mondo, spesso fanno errori gravissimi, e tanto maggiori in quelle che hanno più dello istraordinario, come è questa. Debbesi adunque non comunicare mai la cosa se non necessitato, ed in sul fatto; e se pure la vuoi comunicare, comunicarla ad uno solo, del quale abbia fatto lunghissima isperienza o che sia mosso dalle medesime cagioni che tu. Trovarne uno così fatto è molto più facile che trovarne più, e per questo vi è meno pericolo: dipoi quando pure ei ti ingannassi, vi è qualche rimedio a difendersi, che non è dove siano congiurati assai: perché da alcuno prudente ho sentito dire che con uno si può parlare ogni cosa, perché tanto vale, se tu non ti lasci condurre a scrivere di tua mano, il sì dell'uno quanto il no dell'altro, e dallo scrivere ciascuno debbe guardarsi come da uno scoglio, perché non è cosa che più facilmente ti convinca [697] che lo scritto di tua mano. Plauziano volendo fare ammazzare Severo imperadore ed Antonino suo figliuolo, commisse la cosa a Saturnino tribuno, il quale volendo accusarlo e non ubbidirlo, e dubitando che venendo all'accusa e' non fussi più creduto a Plauziano che a lui, gli chiese una cedola di sua mano che facessi fede di questa commissione, la quale

697 *ti convinca*: ti condanni.

Plauziano accecato dall'ambizione gli fece: donde seguì che fu dal tribuno accusato e convinto, e sanza quella cedola e certi altri contrassegni sarebbe stato Plauziano superiore, tanto audacemente negava. Truovasi adunque nell'accusa d'uno qualche rimedio, quando tu non puoi essere da una scrittura o altri contrassegni convinto; da che uno si debbe guardare.

Era nella congiura Pisoniana una femina chiamata Epicari, stata per lò adietro amica di Nerone, la quale giudicando che fussi a proposito mettere tra i congiurati uno capitano di alcune trireme che Nerone teneva per sua guardia, gli comunicò la congiura ma non i congiurati. Donde rompendogli quello capitano la fede, ed accusandola a Nerone, fu tanta l'audacia di Epicari nel negarlo che Nerone, rimaso confuso, non la condannò. Sono adunque nel comunicare la cosa ad uno solo due pericoli: l'uno che non ti accusi in pruova, l'altro che non ti accusi convinto e constretto dalla pena, sendo egli preso per qualche sospetto o per qualche indizio avuto di lui. Ma nell'uno e nell'altro di questi due pericoli è qualche rimedio, potendosi negare l'uno, allegandone l'odio che colui avesse teco, e negare l'altro allegandone la forza che lo constringesse a dire le bugie. È adunque prudenza non comunicare la cosa a nessuno, ma fare secondo gli esempli soprascritti: o quando pure la comunichi, non passare uno; dove se è qualche più pericolo, ve n'è meno assai che comunicarla con molti. Propinquo a questo modo è quando una necessità ti costringa a fare quello al principe che tu vedi che 'l principe vorrebbe fare a te, la quale sia tanto grande che non ti dia tempo se non a pensare ad assicurarti. Questa necessità conduce quasi sempre la cosa al fine desiderato; ed a provarlo voglio bastino due esempli.

Aveva Commodo imperadore Leto ed Eletto, capi de' soldati pretoriani, ed intra' primi amici e familiari suoi, aveva Marzia in nelle prime sue concubine o amiche; e perché egli era da costoro qualche volta ripreso de' modi con i quali maculava la persona sua e lo imperio, diliberò di farli morire, e scrisse in su una listra [698] Marzia, Leto ed Eletto ed alcuni altri che voleva la notte seguente fare mo-

698 *listra*: lista.

rire, e quella listra messe sotto il capezzale del suo letto, ed essendo ito a lavarsi, un fanciullo favorito da lui scherzando per camera e su pel letto, gli venne trovato questa listra, ed uscendo fuora con essa in mano riscontrò Marzia, la quale gliene tolse; e lettala e veduto il contenuto di essa, subito mandò per Leto ed Eletto, e conosciuto tutti a tre il pericolo in quale erano, deliberorono prevenire, e sanza mettere tempo in mezzo, la notte sequente ammazzorono Commodo. Era Antonino Caracalla imperadore con gli eserciti suoi in Mesopotamia, ed aveva per suo prefetto Macrino, uomo più civile che armigero; e come avviene ch'e principi non buoni temono sempre che altri non operi contro a loro quello che par loro meritare, scrisse Antonino a Materniano suo amico a Roma, che intendessi dagli astrologi s'egli era alcuno che aspirasse allo imperio, e gliene avvisasse. Donde Materniano gli scrisse come Macrino era quello che vi aspirava; e pervenuta la lettera prima alle mani di Macrino che dello imperadore, e per quella conosciuta la necessità o d'ammazzare lui prima che nuova lettera venisse da Roma o di morire, commisse a Marziale centurione suo fidato ed a chi Antonino aveva morto pochi giorni innanzi uno fratello, che lo ammazzasse: il che fu eseguito da lui felicemente. Vedesi adunque che questa necessità che non dà tempo, fa quasi quel medesimo effetto che il modo da me sopra detto che tenne Nelemato di Epiro. Vedesi ancora quello che io dissi quasi nel principio di questo discorso, come le minacce offendono più i principi, e sono cagione di più efficace congiure che le offese. Da che uno principe si debbe guardare, perché gli uomini si hanno o accarezzare o assicurarsi di loro, e non li ridurre mai in termine che gli abbiano a pensare che bisogni loro o morire o far morire altrui. Quanto ai pericoli che si corrono in su la esecuzione, nascono questi o da variare l'ordine, o da mancare l'animo a colui che esequisce, o da errore che lo esecutore faccia per poca prudenza, o per non dare perfezione alla cosa, rimanendo vivi parte di quelli che si disegnavano ammazzare. Dico adunque come e' non è cosa alcuna che faccia tanto sturbo [699] o impedimento a tutte le azioni degli uomini, quanto è in uno istante, san-

699 *tanto sturbo*: tanta confusione.

za avere tempo, avere a variare un ordine e a pervertirlo da quello che si era ordinato prima; e se questa variazione fa disordine in cosa alcuna, lo fa nelle cose della guerra, ed in cose simili a quelle di che noi parliamo : perché in tali azioni non è cosa tanto necessaria a fare quanto che gli uomini fermino gli animi loro ad esequire quella parte che tocca loro. E se gli uomini hanno vòlto la fantasia per più giorni ad uno modo e ad uno ordine, e quello subito varii, è impossibile che non si perturbino tutti, e non rovini ogni cosa : in modo che gli è meglio assai esequire una cosa secondo l'ordine dato, ancora che vi si vegga qualche inconveniente, che non è, per volere cancellare quello, entrare in mille inconvenienti. Questo interviene quando e' non si ha tempo a riordinarsi, perché quando si ha tempo, si può l'uomo governare a suo modo.

La congiura de' Pazzi contro a Lorenzo e Giuliano de' Medici è nota. L'ordine dato era che dessino desinare al cardinale di San Giorgio, ed a quel desinare ammazzargli : dove si era distribuito chi aveva a ammazzargli, chi aveva a pigliare il palazzo, e chi correre la città e chiamare alla libertà il popolo. Accadde che essendo nella chiesa cattedrale in Firenze i Pazzi, i Medici ed il Cardinale ad uno ufficio solenne, s'intese come Giuliano la mattina non vi desinava; il che fece che i congiurati s'adunorono insieme, e quello che gli avevano a fare in casa i Medici, deliberarono di farlo in chiesa : il che venne a perturbare tutto l'ordine, perché Giovambattista da Montesecco non volle concorrere all'omicidio, dicendo non lo volere fare in chiesa; talché gli ebbono a mutare nuovi ministri in ogni azione, i quali non avendo tempo a fermare l'animo,[700] fecero tali errori che in essa esecuzione furono oppressi.

Manca l'animo a chi esequisce, o per riverenza [701] o per propria viltà dell'esecutore. È tanta la maestà e la riverenza che si tira dietro la presenza d'uno principe, ch'egli è facil cosa o che mitighi o che gli sbigottisca uno esecutore. A Mario, essendo preso da' Minturnesi, fu mandato uno servo che lo ammazzasse; il quale, spaventato dalla

700 *a fermare l'animo* : di prepararsi psicologicamente.
701 *o per riverenza* : o per timore riverenziale.

presenza di quello uomo e dalla memoria del nome suo, divenuto vile perdé ogni forza ad ucciderlo. E se questa potenza è in uomo legato e prigione ed affogato nella mala fortuna, quanto si può tenere che la sia maggiore in uno principe sciolto, con la maestà degli ornamenti, della pompa e della comitiva sua. Talché ti può questa pompa spaventare, o vero con qualche grata accoglienza raumiliare. Congiurorono alcuni contro a Sitalce re di Tracia; deputorono il dì della esecuzione, convennono al luogo diputato dove era il principe: nessuno di loro si mosse per offenderlo; tanto che si partirono sanza avere tentato alcuna cosa e sanza sapere quello che se gli avessi impediti, ed incolpavano l'uno l'altro. Caddono in tale errore più volte tanto che scopertasi la congiura portarono pena di quello male che potettono e non vollono fare. Congiurarono contro a Alfonso duca di Ferrara due sui frategli [702] ed usarono mezzano [703] Giannes, prete e cantore del duca, il quale più volte a loro richiesta condusse il duca fra loro, talché gli avevano arbitrio d'ammazzarlo. Nondimeno mai nessuno di loro non ardì di farlo; tanto che scoperti portarono la pena della cattività e poca prudenza loro. Questa negligenza non potette nascere da altro, se non che convenne o che la presenza gli sbigottisse o che qualche umanità del principe gli umiliasse. Nasce in tali esecuzioni inconveniente o errore per poca prudenza o per poco animo, perché l'una e l'altra di queste due cose ti invasa e, portato da quella confusione di cervello, ti fa dire e fare quello che tu non debbi.

E che gli uomini invasino [704] e si confondino, non lo può meglio dimostrare Tito Livio quando discrive di Alessameno Etolo, quando ei volle ammazzare Nabide spartano, di che abbiamo di sopra parlato, che venuto il tempo della esecuzione, scoperto che egli ebbe ai suoi quello che si aveva a fare, dice Tito Livio queste parole: « Collegit et ipse animum, confusum tantæ cogitatione rei. »[705] Perché

702 Giulio e Ferdinando d'Este nel 1506.

703 *ed usarono mezzano*: ed ebbero come complice.

704 *invasino*: si turbino.

705 « Anch'egli dovette farsi animo, confuso dal pensiero di una cosa tanto grave. » (Livio, xxxv, 35, 18).

gli è impossibile che alcuno, ancora che di animo fermo, ed uso alla morte degli uomini e adoperare il ferro, non si confunda. Però si debba eleggere uomini isperimentati in tal maneggi, ed a nessuno altro credere, ancora che tenuto animosissimo; perché dello animo nelle cose grandi, sanza averne fatto isperienza, non sia alcuno che se ne prometta cosa certa. Può adunque questa confusione o farti cascare l'armi di mano, o farti dire cose che facciano il medesimo effetto. Lucilla sirocchia di Commodo ordinò che Quinziano lo ammazzassi. Costui aspettò Commodo nella entrata dello anfiteatro e con un pugnale ignudo accostandosegli, gridò: « Questo ti manda il Senato »: le quali parole fecero che fu prima preso ch'egli avesse calato il braccio per ferire. Messer Antonio da Volterra, diputato, come di sopra si disse, ad ammazzare Lorenzo de' Medici, nello accostarsegli disse: « Ah traditore », la quale voce fu la salute di Lorenzo e la rovina di quella congiura. Può non si dare perfezione alla cosa quando si congiura contro ad uno capo, per le cagioni dette. Ma facilmente non se le dà perfezione quando si congiura contro a due capi, anzi è tanto difficile che gli è quasi impossibile che la riesca: perché fare una simile azione in uno medesimo tempo in diversi luoghi è quasi impossibile, perché in diversi tempi non si può fare, non volendo che l'una guasti l'altra. In modo che se il congiurare contro ad uno principe è cosa dubbia, pericolosa e poco prudente, congiurare contro a due è al tutto vana e leggieri. E se non fosse la riverenza dello istorico, io non crederei mai che fosse possibile quello che Erodiano dice di Plauziano, quando ei commisse a Saturnino centurione che elli solo ammazzasse Severo ed Antonino abitanti in diversi paesi, perché la è cosa tanto discosto da il ragionevole che altro che questa autorità non me lo farebbe credere.

Congiurorono certi giovani ateniesi contro a Diocle ed Ippia,[706] tiranni di Atene. Ammazzarono Diocle; ed Ippia che rimase lo vendicò. Chione e Leonide eraclensi, e discepoli di Platone, congiurarono contro a Clearco e Satiro tiranni: ammazzarono Clearco, e Satiro che restò vivo lo

706 Ipparco (non Diocle) ed Ippia erano i figli di Pisistrato.

vendicò. Ai Pazzi, più volte da noi allegati, non successe di ammazzare se non Giuliano. In modo che di simili congiure contro a più capi se ne debbe astenere ciascuno, perché non si fa bene né a sé né alla patria né ad alcuno: anzi quelli che rimangono diventono più insopportabili e più acerbi, come sa Firenze, Atene ed Eraclea, state da me preallegate. È vero che la congiura che Pelopida fece per liberare Tebe sua patria, ebbe tutte le difficultà, nondimeno ebbe felicissimo fine, perché Pelopida non solamente congiurò contro a due tiranni ma contro a dieci; non solamente non era confidente e non gli era facile la entrata a e tiranni, ma era ribello: nondimanco ei poté venire in Tebe, ammazzare i tiranni e liberare la patria. Pure nondimanco fece tutto con l'aiuto d'uno Carione,[707] consigliere de' tiranni, dal quale ebbe l'entrata facile alla esecuzione sua. Non sia alcuno nondimanco che pigli lo esemplo da costui, perché come ella fu impresa impossibile e cosa maravigliosa a riuscire, così fu ed è tenuta dagli scrittori, i quali la celebrano come cosa rara e quasi sanza esemplo. Può essere interrotta tale esecuzione da una falsa immaginazione o da uno accidente imprevisto che nasca in su 'l fatto. La mattina che Bruto e gli altri congiurati volevano ammazzare Cesare, accadde che quello parlò a lungo con Gneo Popilo Lenate, uno de' congiurati, e vedendo gli altri questo lungo parlamento dubitarono che detto Popilo non rivelasse a Cesare la congiura, e furono per tentare di ammazzare Cesare quivi e non aspettare che fosse in Senato; ed arebbono fatto: se non che il ragionamento finì, e visto non fare a Cesare moto alcuno istraordinario, si rassicurarono. Sono queste false immaginazioni da considerarle ed avervi con prudenza rispetto, e tanto più quanto egli è facile ad averle, perché chi ha la sua coscienza macchiata, facilmente crede che si parli di lui. Puossi sentire una parola detta ad uno altro fine, che ti faccia perturbare l'animo, e credere che la sia detta sopra il caso tuo, e farti o con la fuga scoprire la congiura da te, o confondere l'azione con accelerarla fuora di tempo. E questo tanto più facilmente nasce, quando ei sono molti

707 Carone.

ad essere conscii della congiura.

Quanto alli accidenti, perché sono inisperati,[708] non si può se non con gli esempli mostrarli e fare gli uomini cauti secondo quegli. Iulio Belanti da Siena, del quale di sopra abbiamo fatto menzione, per lo sdegno aveva contro a Pandolfo che gli aveva tolto la figliuola che prima gli aveva data per moglie, diliberò d'ammazzarlo ed elesse questo tempo. Andava Pandolfo quasi ogni giorno a vicitare uno suo parente infermo, e nello andarvi passava dalle case di Iulio. Costui adunque, veduto questo, ordinò di avere i suoi congiurati in casa ad ordine [709] per ammazzare Pandolfo nel passare; e messisi dentro all'uscio armati, teneva uno alla finestra, che passando Pandolfo, quando ei fussi presso all'uscio facessi un cenno. Accadde che venendo Pandolfo ed avendo fatto colui il cenno, riscontrò [710] uno amico che lo fermò ed alcuni di quelli che erano con lui vennono a trascorrere innanzi, e veduto e sentito il romore d'arme, scopersono l'agguato, in modo che Pandolfo si salvò, e Iulio ed i compagni si ebbono a fuggire di Siena. Impedì quello accidente di quello scontro quella azione e fece a Iulio rovinare la sua impresa. Ai quali accidenti, perché e' son rari, non si può fare alcuno rimedio. È bene necessario esaminare tutti quegli che possono nascere e rimediarvi.

Restaci al presente solo a disputare de' pericoli che si corrono dopo la esecuzione; i quali sono solamente uno, e questo è quando e' rimane alcuno che vendichi il principe morto. Possono adunque rimanere suoi frategli o suoi figliuoli o altri aderenti, a chi si aspetti il principato; e possono rimanere o per tua negligenzia o per le cagioni dette di sopra, che faccino questa vendetta, come intervenne a Giovanni Andrea da Lampognano, il quale insieme con i suoi congiurati avendo morto il duca di Milano,[711] ed essendo rimaso uno suo figliuolo e due suoi frategli, furono a tempo a vendicare il morto. E veramente in questi casi i congiurati sono scusati, perché non ci hanno rimedio; ma

708 *inisperati*: inattesi.
709 *ad ordine*: a disposizione.
710 *riscontrò*: s'imbatté.
711 Galeazzo Maria Sforza, figlio di Francesco venne ucciso nel 1476.

quando ne rimane vivo alcuno per poca prudenza o per loro negligenza, allora è che non meritano scusa. Ammazzarono, alcuni congiurati Forlivesi, il conte Girolamo [712] loro signore, presono la moglie ed i suoi figliuoli che erano piccoli, e non parendo loro potere vivere sicuri se non si insignorivano della fortezza e non volendo il castellano darla loro, Madonna Caterina (che così si chiamava la contessa) promise ai congiurati, che se la lasciavano entrare in quella, di farla consegnare loro, e che ritenessono a presso di loro i suoi figliuoli per istatichi. Costoro sotto questa fede ve la lasciarono entrare; la quale come fu dentro, dalle mura rimproverò loro la morte del marito e minacciògli d'ogni qualità di vendetta. E per mostrare che de' suoi figliuoli non si curava, mostrò loro le membra genitali, dicendo che aveva ancora il modo a rifarne. Così costoro, scarsi di consiglio e tardi avvedutisi del loro errore, con uno perpetuo esilio patirono pene della poca prudenza loro. Ma di tutti i pericoli che possono dopo la esecuzione avvenire, non ci è il più certo né quello che sia più da temere, che quando il popolo è amico del principe che tu hai morto: perché a questo i congiurati non hanno rimedio alcuno, perché e' non se ne possono mai assicurare. In esempio ci è Cesare, il quale, per avere il popolo di Roma amico, fu vendicato da lui; perché avendo cacciati i congiurati di Roma, fu cagione che furono tutti in vari tempi e in vari luoghi ammazzati.

Le congiure che si fanno contro alla patria sono meno pericolose per coloro che le fanno che non sono quelle contro ai principi, perché nel maneggiarle vi sono meno pericoli che in quelle; nello esequirle vi sono quelli medesimi; dopo la esecuzione non ve ne è alcuno. Nel maneggiarle non vi è pericoli molti, perché uno cittadino può ordinarsi alla potenza sanza manifestare lo animo e disegno suo ad alcuno, e se quegli suoi ordini non gli sono interrotti, seguire felicemente la impresa sua; se gli sono interrotti con qualche legge, aspettare tempo ed entrare per altra via. Questo s'intende in una republica dove è qualche parte di corrozione, perché in una non corrotta,

712 Girolamo Riario.

non vi avendo luogo nessuno principio cattivo, non possono cadere in uno suo cittadino questi pensieri. Possono adunque i cittadini per molti mezzi e molte vie aspirare al principato, dove e' non portano pericolo di essere oppressi: sì perché le republiche sono più tarde che uno principe, dubitano meno, e per questo sono manco caute; sì perché hanno più rispetto ai loro cittadini grandi, e per questo quelli sono più audaci e più animosi a fare loro contro. Ciascuno ha letto la congiura di Catilina scritta da Sallustio, e sa come, poi che la congiura fu scoperta, Catilina non solamente stette in Roma ma venne in Senato, e disse villania al Senato ed al Consolo: tanto era il rispetto che quella città aveva ai suoi cittadini. E partito che fu di Roma e ch'egli era di già in su gli eserciti, non si sarebbe preso Lentulo [713] e quelli altri se non si fossero avute lettere di loro mano che gli accusavano manifestamente. Annone, grandissimo cittadino di Cartagine, aspirando alla tirannide, aveva ordinato nelle nozze d'una sua figliuola di avvelenare tutto il Senato e dipoi farsi principe. Questa cosa intesasi, non vi fece il Senato altra provisione che d'una legge, la quale poneva termini alle spese de' conviti e delle nozze, tanto fu il rispetto che gli ebbero alle qualità sue. È bene vero che nello esequire una congiura contro alla patria vi è difficultà più e maggiori pericoli, perché rade volte è che bastino le tue forze proprie conspirando contro a tanti; e ciascuno non è principe d'uno esercito come era Cesare o Agatocle o Cleomene e simili, che hanno ad un tratto e con le forze loro occupato la patria. Perché a simili è la via assai facile ed assai sicura; ma gli altri che non hanno tante aggiunte di forze, conviene che facciano le cose o con inganno ed arte o con forze forestiere. Quanto allo inganno ed all'arte, avendo Pisistrato ateniese vinti i Megarensi, e per questo acquistata grazia nel popolo, uscì una mattina fuora ferito, dicendo che la Nobilità per invidia lo aveva ingiuriato, e domandò di potere menare armati seco per guardia sua. Da questa autorità facilmente salse a tanta grandezza che diventò tiranno di Atene. Pandolfo Petrucci tornò con altri

·713 Publio Cornelio Lentulo.

fuorausciti in Siena, e gli fu data la guardia della piazza con governo, come cosa mecanica,[714] e che gli altri rifiutarono; nondimanco quelli armati con il tempo gli dierono tanta riputazione che in poco tempo ne diventò principe. Molti altri hanno tenute altre industrie[715] ed altri modi, e con ispazio di tempo e sanza pericolo vi si sono condotti. Quegli che con forze loro o con eserciti esterni hanno congiurato per occupare la patria, hanno avuti vari eventi, secondo la fortuna. Catilina preallegato vi rovinò sotto. Annone, di chi di sopra facemo menzione, non gli essendo riuscito il veleno, armò di suoi partigiani molte migliaia di persone, e loro ed elli furono morti. Alcuni primi cittadini di Tebe per farsi tiranni chiamorono in aiuto uno esercito spartano e presono la tirannide di quella città. Tanto che, esaminate tutte le congiure fatte contro alla patria, non ne troverrai alcuna o poche che nel maneggiarle siano oppresse; ma tutte o sono riuscite, o sono rovinate nella esecuzione. Esequite che le sono, ancora non portano altri periculi che si porti la natura del principato in sé, perché divenuto che uno è tiranno, ha i suoi naturali ed ordinari pericoli che gli arreca la tirannide, alli quali non ha altri rimedi che si siano di sopra discorsi.

Questo è quanto mi è occorso scrivere delle congiure; e se io ho ragionato di quelle che si fanno con il ferro e non col veneno, nasce che le hanno tutte uno medesimo ordine. Vero è che quelle del veneno sono più pericolose per essere più incerte: perché non si ha commodità per ognuno, e bisogna conferirlo con chi la ha,[716] e questa necessità del conferire ti fa pericolo. Dipoi per molte cagioni uno beveraggio di veleno non può essere mortale, come intervenne a quelli che ammazzarono Commodo, che avendo quello ributtato il veleno che gli avevano dato, furono forzati a strangolarlo se vollono che morisse. Non hanno pertanto i principi il maggiore nimico che la congiura, perché fatta che è una congiura loro contro, o la gli ammazza o la gli

714 *come cosa mecanica*: di poco rilievo, vile.
715 *altre industrie*: altri espedienti.
716 Ovvero, non tutti hanno una facile occasione per propinare il veleno, per cui bisogna affidare il compito a colui che ne ha la possibilità.

infama.[717] Perché se la riesce e' muoiono; se la si scuopre e loro ammazzino i congiurati, si crede sempre che la sia stata invenzione di quel principe per isfogare l'avarizia e la crudeltà sua contro al sangue e la roba di quegli che egli ha morti. Non voglio però mancare di avvertire quel principe o quella republica contro a chi fosse congiurato, che abbino avvertenza, quando una congiura si manifesta loro, innanzi che facciano impresa di vendicarla, cercare ed intendere molto bene la qualità di essa, e misurino bene le condizioni de' congiurati e le loro; e quando la truovino grossa e potente, non la scuoprino mai, infino a tanto che si siano preparati con forze sufficienti ad opprimerla, altrimenti facendo, scoprirebbono la loro rovina: però debbono con ogni industria dissimularla, perché i congiurati veggendosi scoperti, cacciati da necessità, operano sanza rispetto. In esempio ci sono i Romani, i quali avendo lasciate due legioni di soldati a guardia de' Capovani contro ai Sanniti, come altrove dicemo,[718] congiurarono quelli capi delle legioni insieme di opprimere i Capovani; la quale cosa intesasi a Roma, commissono a Rutilo [719] nuovo Consolo che vi provvedesse: il quale, per addormentare i congiurati, publicò come il Senato aveva raffermo le stanze [720] alle legioni capovane. Il che credendosi quelli soldati, e parendo loro avere tempo ad esequire il disegno loro, non cercarono di accelerare la cosa, e così stettono infino che cominciarono a vedere che il Consolo gli separava l'uno dall'altro: la quale cosa generò in loro sospetto, fece che si scopersono e mandarono ad esecuzione la voglia loro. Né può essere questo maggiore esempio nell'una e nell'altra parte; perché per questo si vede quanto gli uomini sono lenti nelle cose dove credono avere tempo, e quanto e' sono presti dove la necessità gli caccia. Né può uno principe o una republica, che vuole differire lo scoprire una congiura a suo vantaggio, usare termine migliore che offerire di prossimo occasione con arte ai congiurati, acciocché

717 *o la gli infama* : o li copre di infamia.
718 Cfr. *Discorsi*, ii, 26.
719 Marco Rutilo.
720 *aveva raffermo le stanze* : aveva confermato l'acquartieramento.

aspettando quella, o parendo loro avere tèmpo, diano tempo a quello o a quella a gastigarli. Chi ha fatto altrimenti, ha accelerato la sua rovina, come fece il duca di Atene [721] e Guglielmo de' Pazzi. Il duca, diventato tiranno di Firenze, ed intendendo esserli congiurato contro, fece, sanza esaminare altrimenti la cosa, pigliare uno de' congiurati: il che fece subito pigliare l'armi agli altri e tòrgli lo stato. Guglielmo, sendo commessario in Val di Chiana nel 1501, ed avendo inteso come in Arezzo era una congiura in favore de' Vitelli per tòrre quella terra ai Fiorentini, subito se n'andò in quella città, e sanza pensare alle forze de' congiurati o alle sue, e sanza prepararsi di alcuna forza, con il consiglio del vescovo suo figliuolo fece pigliare uno de' congiurati: dopo la quale presura [722] gli altri subito presono l'armi, e tolsono la terra ai Fiorentini, e Guglielmo di commessario diventò prigione. Ma quando le congiure sono deboli, si possono e debbono sanza rispetto opprimerle. Non è ancora da imitare in alcuno modo due termini usati, quasi contrari l'uno all'altro: l'uno dal prenominato duca di Atene, il quale, per mostrare di credere di avere la benivolenza de' cittadini fiorentini, fece morire uno che gli manifestò una congiura; l'altro da Dione Siracusano, il quale, per tentare l'animo di alcuno che elli aveva a sospetto, consentì a Callippo, nel quale ei confidava, che mostrasse di farli una congiura contro; e tutti a due questi capitorono male: perché l'uno tolse l'animo agli accusatori e dettelo a chi volesse congiurare, l'altro dette la via facile alla morte sua, anzi fu elli proprio capo della sua congiura, come per isperienza gl'intervenne, perché Callippo potendo sanza rispetto praticare contro a Dione, praticò tanto che gli tolse lo stato e la vita.

---

721 Gualtiero di Brienne, signore di Firenze dal 1342 al 1343.
722 presura: cattura.

Dubiterà [723] forse alcuno donde nasca che molte mutazioni che si fanno dalla vita libera alla tirannica e per contrario, alcuna se ne faccia con sangue, alcuna sanza; perché come per le istorie si comprende, in simili variazioni alcuna volta sono stati morti infiniti uomini, alcuna volta non è stato ingiuriato alcuno, come intervenne nella mutazione che fe' Roma dai Re a' Consoli, dove non furono cacciati altri che i Tarquinii, fuora della offensione di qualunque altro.[724] Il che depende da questo: perché quello stato che si muta nacque con violenza o no; e perché quando e' nasce con violenza conviene nasca con ingiuria di molti, è necessario poi nella rovina sua che gl'ingiuriati si voglino vendicare, e da questo desiderio di vendetta nasce il sangue e la morte degli uomini. Ma quando quello stato è causato da uno comune consenso d'una universalità che lo ha fatto grande, non ha cagione poi quando rovina detta universalità di offendere altri che il capo. E di questa sorte fu lo stato di Roma e la cacciata de' Tarquinii, come fu ancora in Firenze lo stato de' Medici che poi nelle rovine loro nel 1494 non furono offesi altri che loro. E così tali mutazioni non vengono ad essere molto pericolose, ma sono bene pericolosissime quelle che sono fatte da quegli che si hanno a vendicare, le quali furono sempre mai di sorte da fare, non che altro, sbigottire chi le legge. E perché di questi esempli ne sono piene le istorie, io le voglio lasciare indietro.

VIII · CHI VUOLE ALTERARE UNA REPUBLICA DEBBE CONSIDERARE IL SUGGETTO DI QUELLA

Egli si è di sopra discorso come uno tristo cittadino non può male operare in una republica che non sia corrotta;

723 *Dubiterà*: si chiederà.
724 *fuora della offensione di qualunque altro*: senza colpire nessun altro.

la quale conclusione si fortifica, oltre alle ragioni che allora si dissono, con lo esemplo di Spurio Cassio e di Manlio Capitolino. Il quale Spurio, essendo uomo ambizioso e volendo pigliare autorità istraordinaria in Roma e guadagnarsi la plebe con il fargli molti beneficii, come era dividergli quegli campi che i Romani avevano tolto agli Ernici, fu scoperta dai Padri questa sua ambizione, ed in tanto recata a sospetto che parlando egli al popolo, ed offerendo di darli quelli danari che si erano ritratti dei grani che il publico aveva fatti venire di Sicilia, al tutto gli recusò, parendo a quello che Spurio volessi dare loro il prezzo della loro libertà. Ma se tale popolo fusse stato corrotto non arebbe recusato detto prezzo, e gli arebbe aperta alla tirannide quella via che gli chiuse. Fa molto maggiore esemplo di questo Manlio Capitolino, perché mediante costui si vede quanta virtù d'animo e di corpo, quante buone opere fatte in favore della patria cancella dipoi una brutta cupidità di regnare: la quale, come si vede, nacque in costui per la invidia che lui aveva degli onori erano fatti a Cammillo; e venne in tanta cecità di mente, che non pensando al modo del vivere della città, non esaminando il suggetto, quale esso aveva, non atto a ricevere ancora trista forma, si misse a fare tumulti in Roma contro al Senato e contro alle leggi patrie. Dove si conosce la perfezione di quella città e la bontà della materia sua: perché nel caso suo nessuno della Nobilità, come che fossero agrissimi [725] difensori l'uno dell'altro, si mosse a favorirlo, nessuno de' parenti fece impresa in suo favore; e con gli altri accusati solevano comparire sordidati,[726] vestiti di nero, tutti mesti, per accattare misericordia in favore dello accusato, e con Manlio non se ne vide alcuno. I Tribuni della plebe, che solevano sempre favorire le cose che pareva venissono in beneficio del popolo, e quanto erano più contro a' nobili tanto più le tiravano innanzi, in questo caso si unirono co' nobili per opprimere una comune peste. Il popolo di Roma, desiderosissimo dell'utile proprio ed amatore delle cose che venivano contro alla Nobilità, avvenga

725 *agrissimi*: acerrimi.
726 *sordidati*: a lutto.

che facesse a Manlio assai favori, nondimeno come i Tribuni lo citarono e che rimessono la causa sua al giudicio del popolo, quel popolo, diventato di difensore giudice, sanza rispetto alcuno lo condannò a morte. Pertanto io non credo che sia esemplo in questa istoria più atto a mostrare la bontà di tutti gli ordini di quella Republica quanto è questo, veggendo che nessuno di quella città si mosse a difendere uno cittadino pieno d'ogni virtù, e che publicamente e privatamente aveva fatte moltissime opere laudabili; perché in tutti loro poté più lo amore della patria che alcuno altro rispetto, e considerarono molto più a' pericoli presenti che da lui dependevano che a' meriti passati, tanto che con la morte sua e' si liberarono. E Tito Livio dice: « Hunc exitum habuit vir, nisi in libera civitate natus esset, memorabilis ».[727] Dove sono da considerare due cose: l'una, che per altri modi si ha a cercare gloria in una città corrotta che in una che ancora viva politicamente; l'altra (che è quasi quel medesimo che la di prima), che gli uomini nel procedere loro e tanto più nelle azioni grandi debbono considerare i tempi ed accommodarsi a quegli.

E coloro che per cattiva elezione o per naturale inclinazione si discordono dai tempi, vivono il più delle volte infelici ed hanno cattivo esito le azioni loro; al contrario l'hanno quegli che si concordano col tempo. E sanza dubbio per le parole preallegate dello istorico si può conchiudere, che se Manlio fusse nato ne' tempi di Mario e di Silla, dove già la materia era corrotta, e dove esso arebbe potuto imprimere la forma dell'ambizione sua, arebbe avuti quegli medesimi seguiti e successi che Mario e Silla, e gli altri poi che dopo loro alla tirannide aspirarono. Così medesimamente se Silla e Mario fussono stati ne' tempi di Manlio, sarebbero stati intra le prime loro imprese oppressi. Perché un uomo può bene cominciare con suoi modi e con suoi tristi termini a corrompere uno popolo di una città, ma gli è impossibile che la vita d'uno basti a corromperla in modo che egli medesimo ne possa trarre frutto; e quando bene e' fussi possibile con lunghezza di tempo che

727 « Tale fine ebbe un uomo che, se non fosse nato in città libera, sarebbe rimasto memorabile. » (Livio, VI, 20, 14).

lo facesse, sarebbe impossibile quanto al modo del procedere degli uomini, che sono impazienti e non possono lungamente differire una loro passione. Appresso s'ingannano nelle cose loro, ed in quelle massime [728] che desiderano assai; talché o per poca pazienza o per ingannarsene entrerrebbero in impresa contro a tempo, e capiterebbono male. Però è bisogno, a volere pigliare autorità in una republica e mettervi trista forma, trovare la materia disordinata dal tempo, e che a poco a poco e di generazione in generazione si sia condotta al disordine; la quale vi si conduce di necessità, quando la non sia, come di sopra si discorse, spesso rinfrescata di buoni esempli o con nuove leggi ritirata verso i principii suoi. Sarebbe dunque stato Manlio uno uomo raro e memorabile, se e' fussi nato in una città corrotta. E però debbono i cittadini che nelle republiche fanno alcuna impresa, o in favore della libertà o in favore della tirannide, considerare il suggetto che eglino hanno, e giudicare da quello la difficultà delle imprese loro. Perché tanto è difficile e pericoloso volere fare libero uno popolo che voglia vivere servo, quanto è volere fare servo uno popolo che voglia vivere libero. E perché di sopra si dice che gli uomini nell'operare debbono considerare le qualità de' tempi e procedere secondo quegli, ne parlereno a lungo nel sequente capitolo.

IX · COME CONVIENE VARIARE CO' TEMPI, VOLENDO SEMPRE AVERE BUONA FORTUNA

Io ho considerato più volte come la cagione della trista e della buona fortuna degli uomini è riscontrare il modo del procedere suo con i tempi. Perché e' si vede che gli uomini nelle opere loro procedono, alcuni con impeto, alcuni con rispetto e con cauzione. [729] E perché nell'uno e nell'altro di questi modi si passano e termini convenienti, non si potendo osservare la vera via, nell'uno e nell'altro si erra. Ma quello viene ad errare meno ed avere la fortu-

728 *massime*: principalmente.
729 *con cauzione*: con prudenza.

na prospera che riscontra,[730] come ho detto, con il suo modo il tempo, e sempre mai si procede secondo ti sforza la natura. Ciascuno sa come Fabio Massimo [731] procedeva con lo esercito suo respettivamente e cautamente discosto da ogni impeto e da ogni audacia romana, e la buona fortuna fece che questo suo modo riscontrò bene con i tempi. Perché sendo venuto Annibale in Italia giovane e con una fortuna fresca, ed avendo già rotto il popolo romano due volte, ed essendo quella republica priva quasi della sua buona milizia, e sbigottita, non potette sortire migliore fortuna che avere uno capitano il quale con la sua tardità e cauzione tenessi a bada il nimico. Né ancora Fabio potette riscontrare tempi più convenienti a' modi suoi, di che ne nacque che fu glorioso. E che Fabio facessi questo per natura e non per elezione, si vide, che volendo Scipione passare in Africa con quegli eserciti per ultimare la guerra, Fabio la contraddisse assai,[732] come quello che non si poteva spiccare da' suoi modi e dalla consuetudine sua. Talché se fusse stato a lui, Annibale sarebbe ancora in Italia, come quello che non si avvedeva che gli erano mutati i tempi, e che bisognava mutare modo di guerra. E se Fabio fusse stato re di Roma poteva facilmente perdere quella guerra; perché non arebbe saputo variare col procedere suo secondo che variavono i tempi. Ma essendo nato in una republica dove erano diversi cittadini e diversi umori, come la ebbe Fabio, che fu ottimo ne' tempi debiti a sostenere la guerra, così ebbe poi Scipione ne' tempi atti a vincerla.

Quinci nasce che una republica ha maggiore vita ed ha più lungamente buona fortuna che uno principato, perché la può meglio accomodarsi alla diversità de' temporali, per la diversità de' cittadini che sono in quella, che non può uno principe. Perché un uomo che sia consueto a procedere in uno modo, non si muta mai, come è detto, e conviene di necessità che quando e' si mutano i tempi disformi a quel suo modo che rovini.

Piero Soderini altre volte preallegato procedeva in tutte

730 *che riscontra*: che adegua.
731 Il temporeggiatore.
732 *la contraddisse assai*: fu decisamente contrario a tale iniziativa.

le cose sue con umanità e pazienza. Prosperò egli e la sua patria mentre che i tempi furono conformi al modo del procedere suo; ma come e' vennero dipoi tempi dove e' bisognava rompere la pazienza e la umiltà, non lo seppe fare; talché insieme con la sua patria rovinò. Papa Iulio II procedette in tutto il tempo del suo pontificato con impeto e con furia; e perché gli tempi l'accompagnarono bene, gli riuscirono le sua imprese tutte. Ma se fossero venuti altri tempi che avessono ricerco altro consiglio, di necessità rovinava; perché non arebbe mutato né modo né ordine nel maneggiarsi. E che noi non ci possiamo mutare, ne sono cagioni due cose. L'una, che noi non ci possiamo opporre a quello a che c'inclina la natura; l'altra, che avendo uno con uno modo di procedere prosperato assai, non è possibile persuadergli che possa fare bene a procedere altrimenti: donde ne nasce che in uno uomo la fortuna varia, perché ella varia i tempi ed egli non varia i modi. Nascene ancora le rovine delle cittadi, per non si variare gli ordini delle republiche co' tempi, come lungamente di sopra discorremo.[733] Ma sono più tarde, perché le penono più a variare; perché bisogna che venghino tempi che commuovino tutta la republica, a che uno solo col variare il modo del procedere non basta.

E perché noi abbiamo fatto menzione di Fabio Massimo che tenne a bada Annibale, mi pare da discorrere nel capitolo sequente se uno capitano, volendo fare la giornata in ogni modo col nimico, può essere impedito da quello che non la faccia.

X · CHE UNO CAPITANO NON PUÒ FUGGIRE LA GIORNATA QUANDO L'AVVERSARIO LA VUOL FARE IN OGNI MODO

« Cneus Sulpitius dictator adversus Gallos bellum trahebat, nolens se furtunæ committere adversus hostem, quem tempus deteriorem in dies, et locus alienus, faceret. »[734]

733 Cfr. *Discorsi*, III, 1.
734 « Gneo Sulpicio dittatore trascinava in lungo la guerra contro i Galli, non volendo affidarsi alla fortuna contro un nemico che il tempo e il territorio straniero rendeva ogni giorno più fiacco. » (Livio, VII, 12, 11).

Quando e' séguita uno errore dove tutti gli uomini o la maggiore parte s'ingannino, io non credo che sia male molte volte riprovarlo. Pertanto, come che io abbia di sopra più volte mostro quanto le azioni circa le cose grandi sieno disformi a quelle degli antichi tempi, nondimeno non mi pare superfluo al presente replicarlo. Perché se in alcuna parte si devia dagli antichi ordini, si devia massime nelle azioni militari, dove al presente non è osservata alcuna di quelle cose che dagli antichi erano stimate assai. Ed è nato questo inconveniente perché le republiche ed i principi hanno imposta questa cura ad altrui [735] e per fuggire i pericoli si sono discostati da questo esercizio, e se pure si vede qualche volta uno re de' tempi nostri andare in persona, non si crede però che da lui nasca altri modi che meritino più laude. Perché quello esercizio, quando pure lo fanno, lo fanno a pompa [736] e non per alcuna altra laudabile cagione. Pure questi fanno minori errori, rivedendo i loro eserciti qualche volta in viso, tenendo a presso di loro il titolo dello imperio, che non fanno le republiche, e massime le italiane, le quali fidandosi d'altrui né s'intendendo in alcuna cosa di quello che appartenga alla guerra, e, dall'altro canto volendo, per parere d'essere loro il principe,[737] deliberarne, fanno in tale deliberazione mille errori. E benché di alcuno ne abbia discorso altrove, voglio al presente non ne tacere uno importantissimo. Quando questi principi oziosi o republiche effeminate mandano fuora uno loro capitano, la più savia commissione che paia loro dargli è quando gl'impongono che per alcuno modo venga a giornata,[738] anzi sopra ogni cosa si guardi dalla zuffa; e parendo loro in questo imitare la prudenza di Fabio Massimo, che differendo il combattere salvò lo stato ai Romani, non intendono che la maggior parte delle volte questa commissione è nulla o è dannosa: perché si debbe pigliare questa

---

735 ... *questa cura ad altrui*: si sono affidati ai servigi delle milizie mercenarie.

736 *lo fanno a pompa*: per il proprio vanto.

737 *per parere d'essere loro il principe*: per mostrare di essere a capo delle decisioni.

738 *che per alcuno modo venga a giornata*: che non s'impegni assolutamente in una battaglia.

conclusione, che uno capitano che voglia stare alla campagna, non può fuggire la giornata qualunque volta il nimico la vuole fare in ogni modo. E non è altro questa commissione che dire : « Fa' la giornata a posta [739] del nimico e non a tua. » Perché a volere stare in campagna e non fare la giornata, non ci è altro rimedio sicuro che porsi cinquanta miglia almeno discosto al nimico, e dipoi tenere buone spie, che venendo quello verso di te, tu abbi tempo a discostarti. Uno altro partito ci è, inchiudersi in una città : e l'uno e l'altro di questi due partiti è d'annosissimo. Nel primo si lascia in preda il paese suo al nimico, ed uno principe valente vorrà più tosto tentare la fortuna della zuffa che allungare la guerra con tanto danno de' sudditi. Nel secondo partito è la perdita manifesta; perché e' conviene che riducendoti con uno esercito in una città tu venga ad essere assediato, ed in poco tempo patire fame e venire a dedizione.[740] Talché fuggire la giornata per queste due vie è dannosissimo. Il modo che tenne Fabio Massimo di star ne' luoghi forti è buono quando tu hai sì virtuoso esercito che il nimico non abbia ardire di venirti a trovare dentro a' tuoi vantaggi. Né si può dire che Fabio fuggissi la giornata, ma più tosto che la volessi fare a suo vantaggio. Perché se Annibale fusse ito a trovarlo, Fabio l'arebbe aspettato e fatto la giornata seco; ma Annibale non ardì mai di combattere con lui a modo di quello. Tanto che la giornata fu fuggita così da Annibale come da Fabio; ma se uno di loro l'avessi voluta fare in ogni modo, l'altro non vi aveva se non uno de' tre rimedi : i due sopradetti, o fuggirsi.

Che questo che io dico sia vero, si vede manifestamente con mille esempli, e massime nella guerra che i Romani feciono con Filippo di Macedonia padre di Perse : perché Filippo, sendo assaltato dai Romani, deliberò non venire alla zuffa, e per non vi venire volle fare prima come aveva fatto Fabio Massimo in Italia, e si pose con il suo esercito sopra la sommità d'uno monte, dove si afforzò assai, giudicando ch'e Romani non avessero ardire di andare a

739 *a posta* : a convenienza.
740 *a dedizione* : alla capitolazione.

trovarlo. Ma andativi e combattutolo lo cacciarono di quel monte, ed egli non potendo resistere si fuggì con la maggiore parte delle genti. E quel che lo salvò che non fu consumato in tutto, fu la iniquità del paese, qual fece che i Romani non poterono seguirlo. Filippo adunque non volendo azzuffarsi, ed essendosi posto con il campo presso a' Romani, si ebbe a fuggire: ed avendo conosciuto per questa isperienza come non volendo combattere non gli bastava stare sopra i monti, e nelle terre non volendo rinchiudersi, deliberò pigliare l'altro modo, di stare discosto molte miglia al campo romano. Donde se i Romani erano in una provincia e' se ne andava nell'altra; e così sempre donde i Romani partivano esso entrava. E veggendo alla fine come nello allungare la guerra per questa via le sue condizioni peggioravano, e che i suoi suggetti ora da lui ora dai nimici erano oppressi, deliberò di tentare la fortuna della zuffa, e così venne con i Romani ad una giornata giusta.[741] È utile adunque non combattere, quando gli eserciti hanno queste condizioni che aveva lo esercito di Fabio, e che ora ha quello di Gneo Sulpizio, cioè avere uno esercito sì buono che il nimico non ardisca venirti a trovare drento alle fortezze tue, e che il nimico sia in casa tua sanza avere preso molto piè, dove e' patisca necessità del vivere. Ed è in questo caso il partito utile, per le ragioni che dice Tito Livio: « Nolens se fortunæ committere adversus hostem, quem tempus deteriorem in dies, et locus alienus faceret ». Ma in ogni altro termine non si può fuggire giornata, se non con tuo disonore e pericolo. Perché fuggirsi, come fece Filippo, è come essere rotto, e con più vergogna, quanto meno si è fatto pruova della tua virtù. E se a lui riuscì salvarsi, non riuscirebbe ad uno altro che non fussi aiutato dal paese come egli. Che Annibale non fussi maestro di guerra, alcuno mai non lo dirà; ed essendo allo incontro di Scipione in Africa, s'egli avessi veduto vantaggio in allungare la guerra ei lo arebbe fatto; e per avventura, sendo lui buono capitano ed avendo buono esercito, lo arebbe potuto fare, come fece Fabio in Italia, ma non lo avendo fatto si debbe credere che qualche ca-

741 A Cinocefale.

gione importante lo movessi. Perché uno principe che abbi uno esercito messo insieme, e vegga che per difetto di danari ò d'amici e' non può tenere lungamente tale esercito, è matto al tutto se non tenta la fortuna innanzi che tale esercito si abbia a risolvere; perché aspettando e' perde il certo, tentando potrebbe vincere.

Un'altra cosa ci è ancora da stimare assai, la quale è: che si debbe eziandio perdendo volere acquistare gloria, e più gloria si ha ad essere vinto per forza che per altro inconveniente che ti abbi fatto perdere. Sì che Annibale doveva essere constretto da queste necessità. E dall'altro canto Scipione, quando Annibale avessi differita la giornata e non gli fusse bastato l'animo irlo a trovare ne' luoghi forti, non pativa, per avere di già vinto Siface ed acquistato tante terre in Africa che vi poteva stare sicuro e con commodità come in Italia. Il che non interveniva ad Annibale quando era allo incontro di Fabio, né a questi Franciosi che erano allo incontro di Sulpizio.

Tanto meno ancora può fuggire la giornata colui che con lo esercito assalta il paese altrui: perché se vuole entrare nel paese del nimico, gli conviene, quando il nimico se gli facci incontro, azzuffarsi seco, e se si pone a campo ad una terra, si obliga tanto più alla zuffa: come ne' tempi nostri intervenne al duca Carlo di Borgogna, che sendo accampato a Moratto,[742] terra de' Svizzeri, fu da' Svizzeri assaltato e rotto; e come intervenne allo esercito di Francia, che campeggiando a Novara, fu medesimamente da' Svizzeri rotto.

XI · CHE CHI HA A FARE CON ASSAI [743] ANCORA CHE SIA INFERIORE PURE CHE POSSA SOSTENERE GLI PRIMI IMPETI, VINCE

La potenza de' Tribuni della plebe nella città di Roma fu grande, e fu necessaria, come molte volte da noi è stato discorso: perché altrimenti non si sarebbe potuto porre freno all'ambizione della Nobiltà, la quale arebbe molto tem-

742 A Morat nel 1477.
743 *con assai*: con forze superiori.

po innanzi corrotta quella republica, che la non si corroppe. Nondimeno perché in ogni cosa, come altre volte si è detto, è nascoso qualche proprio male che fa surgere nuovi accidenti, è necessario a questo con nuovi ordini provvedere. Essendo pertanto divenuta l'autorità tribunizia insolente e formidabile alla Nobilità e a tutta Roma, e' ne sarebbe nato qualche inconveniente dannoso alla libertà romana, se da Appio Claudio [744] non fosse stato mostro il modo con il quale si avevano a difendere contro all'ambizione de' Tribuni: il quale fu che trovarono sempre infra loro qualcuno che fussi o pauroso o corrottibile o amatore del comune bene, talmente che lo disponevano ad opporsi alla volontà di quegli altri che volessono tirare innanzi alcuna deliberazione contro alla volontà del Senato. Il quale rimedio fu un grande temperamento a tanta autorità, e per molti tempi giovò a Roma. La quale cosa mi ha fatto considerare: che qualunque volta e' sono molti potenti uniti contro a un altro potente, ancora che tutti insieme siano molto più potenti di quello, nondimanco si debbe sempre sperare più in quel solo e men gagliardo che in quelli assai, ancora che gagliardissimi. Perché, lasciando stare tutte quelle cose delle quali uno solo si può più che molti prevalere (che sono infinite), sempre occorrerà questo, che potrà usando un poco d'industria disunire gli assai, e quel corpo ch'era gagliardo fare debole. Io non voglio in questo addurre antichi esempli, che ce ne sarebbono assai, ma voglio mi bastino i moderni, seguiti nei tempi nostri.

Congiurò nel 1483 tutta Italia contro ai Viniziani, e poiché loro al tutto erano persi e non potevano stare più con lo esercito in campagna, corruppono il signor Lodovico che governava Milano,[745] e per tale corrozione feciono uno accordo, nel quale non solamente riebbono le terre perse ma usurparono parte dello stato di Ferrara.[746] E così coloro che perdevano nella guerra, restarono superiori nella pace. Pochi anni sono congiurò contro a Francia tutto il mon-

744 Appio Claudio Crasso.
745 Ludovico il Moro.
746 S'impadronirono del Polesine e di Rovigo con la pace di Bagnolo.

do; [746 bis] nondimeno avanti che si vedesse il fine della guerra, Spagna si ribellò da' confederati e fece accordo seco, in modo che gli altri confederati furono constretti poco dipoi ad accordarsi ancora essi. Talché sanza dubbio si debbe sempre mai fare giudicio, quando e' si vede una guerra mossa da molti contro ad uno, che quello uno abbia a restare superiore, quando sia di tale virtù che possa sostenere i primi impeti, e col temporeggiarsi aspettare tempo. Perché quando ei non fosse così porterebbe mille pericoli: come intervenne a' Viniziani nell'otto,[747] i quali se avessero potuto temporeggiare con lo esercito francioso ed avere tempo a guadagnarsi alcuno di quegli che gli erano collegati contro, averiano fuggita quella rovina: ma non avendo virtuose armi da poter temporeggiare il nimico, e per questo non avendo avuto tempo a separarne alcuno, rovinarono. Per che [748] si vide che il Papa, riavuto ch'egli ebbe le cose sue, si fece loro amico, e così Spagna: e molto volentieri l'uno e l'altro di questi due principi arebbero salvato loro lo stato di Lombardia contro a Francia, per non la fare sì grande in Italia, se gli avessono potuto. Potevano dunque i Viniziani dare parte per salvare il resto: il che se loro avessono fatto in tempo che paresse che la non fussi stata necessità, ed innanzi ai moti della guerra, era savissimo partito; ma in su' moti era vituperoso,[749] e per avventura di poco profitto. Ma innanzi a tali moti, pochi in Vinegia de' cittadini potevano vedere il pericolo, pochissimi vedere il rimedio, e nessuno consigliarlo. Ma per tornare al principio di questo discorso, conchiudo: che così come il Senato romano ebbe rimedio per la salute della patria contro all'ambizione de' Tribuni, per essere molti, così arà rimedio qualunque principe che sia assaltato da molti, qualunque volta ei saprà con prudenza usare termini convenienti a disgiungerli.

746 bis M. si riferisce qui alla lega contro Carlo VIII (1495).
747 Durante la guerra della Lega di Cambrai nel 1508.
748 *Per che*: per cui.
749 *ma in su' moti era vituperoso*: ma a guerra iniziata era poco dignitoso.

Altre volte abbiamo discorso quanto sia utile alle umane azioni la necessità, ed a quale gloria siano sute condutte da quella e come da alcuni morali filosofi è stato scritto, le mani e la lingua degli uomini, duoi nobilissimi instrumenti a nobilitarlo, non arebbero operato perfettamente né condotte le opere umane a quella altezza che si veggono condotte, se dalla necessità non fussoro spinte. Sendo conosciuta adunque dagli antichi capitani degli eserciti la virtù di tale necessità, e quanto per quella gli animi de' soldati diventavano ostinati al combattere, facevano ogni opera perché i soldati loro fussero constretti da quella. E dall'altra parte usavono ogni industria perché gli nimici se ne liberassero, e per questo molte volte apersono [750] al nimico quella via che loro gli potevano chiudere, ed a' suoi soldati propri chiusono quella che potevan lasciare aperta. Quello adunque che desidera o che una città si defenda ostinatamente o che uno esercito in campagna ostinatamente combatta, debbe sopra ogni altra cosa ingegnarsi di mettere ne' petti di chi ha a combattere, tale necessità. Onde uno capitano prudente, che avesse a andare ad una espugnazione d'una città, debbe misurare la facilità o la difficultà dello espugnarla, dal conoscere e considerare quale necessità constringa gli abitatori di quella a difendersi. E quando vi truovi assai necessità che gli constringa alla difesa, giudichi la espugnazione difficile, altrimenti la giudichi facile. Quinci nasce che le terre dopo la rebellione sono più difficili ad acquistare che le non sono nel primo acquisto: perché nel principio non avendo cagione di temere di pena, per non avere offeso, si arrendono facilmente; ma parendo loro, sendosi dipoi ribellate, avere offeso, e per questo temendo la pena, diventono difficili ad essere espugnate. Nasce ancora tale ostinazione da e naturali odii che hanno i principi vicini e le republiche vicine l'uno con l'altro: il che procede da ambizione di domi-

---

750 *apersono*: aprirono.

nare e gelosia del loro stato, massimamente se le sono repubbliche, come interviene in Toscana; la quale gara e contenzione [751] ha fatto e farà sempre difficile la espugnazione l'una dell'altra. Pertanto chi considera bene i vicini della città di Firenze ed i vicini della città di Vinegia, non si maraviglierà come molti fanno, che Firenze abbia più speso nelle guerre ed acquistato meno di Vinegia: perché tutto nasce da non avere avuto i Viniziani le terre vicine sì ostinate alla difesa quanto ha avuto Firenze, per essere state tutte le cittadi finitime a Vinegia use a vivere sotto uno principe e non libere; e quegli che sono consueti a servire, stimono molte volte poco il mutare padrone, anzi molte volte lo desiderano. Talché Vinegia, benché abbia avuto i vicini più potenti che Firenze, per avere trovato le terre meno ostinate la ha potuto più tosto vincere che non ha fatto quella sendo circundata da tutte città libere.

Debbe adunque uno capitano, per tornare al primo discorso, quando egli assalta una terra, con ogni diligenza ingegnarsi di levare, a' difensori di quella, tale necessità e per consequenzia tale ostinazione, promettendo perdono se gli hanno paura della pena, e se gli avessono paura della libertà, mostrare di non andare contro al comune bene ma contro a pochi ambiziosi della città. La quale cosa molte volte ha facilitato le imprese e le espugnazioni delle terre. E benché simili colori sieno facilmente conosciuti, e massime dagli uomini prudenti, nondimeno vi sono spesso ingannati i popoli, i quali, cupidi della presente pace, chiuggono gli occhi a qualunque altro laccio che sotto le larghe promesse si tendesse; e per questa via infinite città sono diventate serve, come intervenne a Firenze ne' prossimi tempi,[752] e come intervenne a Crasso ed allo esercito suo, il quale, come che conoscesse le vane promesse de' Parti, le quali erano fatte per tòrre via la necessità a' suoi soldati del difendersi, non per tanto non potette tenergli ostinati, accecati dalle offerte della pace che erano fatte loro da' loro inimici, come si vede particularmente leggendo

751 *contenzione*: contesa.
752 Con la restaurazione medicea, nel 1512.

la vita di quello. Dico pertanto che avendo i Sanniti, fuora delle convenzioni dello accordo, per l'ambizione di pochi, corso e predato sopra i campi de' confederati romani, ed avendo dipoi mandati ambasciadori a Roma a chiedere pace, offerendo di ristituire le cose predate e di dare prigioni gli autori de' tumulti e della preda, furono ributtati dai Romani. E ritornati in Sannio sanza speranza di accordo, Claudio Ponzio, capitano allora dello esercito de' Sanniti, con una sua notabile orazione mostrò come i Romani volevano in ogni modo guerra, e benché per loro si desiderasse la pace, la necessità gli faceva seguire la guerra, dicendo queste parole: « Iustum est bellum quibus necessarium, et pia arma quibus nisi in armis spes est » : [753] sopra la quale necessità egli fondò con gli suoi soldati la speranza della vittoria. E per non avere a tornare più sopra questa materia, mi pare di addurci quelli esempli romani che sono più degni di notazione. Era Caio Manilio con lo esercito all'incontro de' Veienti; ed essendo parte dello esercito veientano entrato dentro agli steccati di Manilio, corse Manilio con una banda al soccorso di quegli, e perché i Veienti non potessino salvarsi, occupò tutti gli aditi del campo; donde veggendosi i Veienti rinchiusi, cominciarono a combattere con tanta rabbia che gli ammazzarono Manilio, ed arebbero tutto il resto de' Romani oppressi, se dalla prudenza d'uno Tribuno non fusse stato loro aperta la via ad andarsene. Dove si vede, come mentre la necessità costrinse i Veienti a combattere, e' combatterono ferocissimamente, ma quando viddero aperta la via pensarono più a fuggire che a combattere.

Erano entrati i Volsci e gli Equi con gli eserciti loro ne' confini romani. Mandossi loro allo incontro i Consoli. Talché nel travagliare la zuffa, lo esercito de' Volsci, del quale era capo Vezio Messio, si trovò ad un tratto rinchiuso intra gli steccati suoi, occupati dai Romani, e l'altro esercito romano; e veggendo come gli bisognava o morire o farsi la via con il ferro, disse a' suoi soldati queste parole: « Ite mecum, non murus nec vallum, armati armatis obstant; virtute pares, quæ ultimum ac maximum telum

753 Cfr. *Il Principe*, cap. XXVI.

est, necessitate superiores estis ».[754] Sicché questa necessità
è chiamata da Tito Livio « ultimum ac maximum telum ».
Cammillo prudentissimo di tutti i capitani romani, sendo
già dentro nella città de' Veienti con il suo esercito, per
facilitare il pigliare quella e tòrre ai nimici una ultima
necessità di difendersi, comandò, in modo che i Veienti
udirono, che nessuno offendessi quegli che fussono disarmati.
Talché, gittate l'armi in terra, si prese quella città quasi
sanza sangue. Il quale modo fu dipoi da molti capitani
osservato.

XIII · DOVE SIA PIÙ DA CONFIDARE, O IN UNO BUONO CAPITANO
CHE ABBIA LO ESERCITO DEBOLE, O IN UNO BUONO ESERCITO
CHE ABBIA IL CAPITANO DEBOLE

Essendo diventato Coriolano esule di Roma, se n'andò
ai Volsci, dove contratto [755] uno esercito, per vendicarsi contro ai suoi cittadini se ne venne a Roma; donde dipoi si
partì, più per la piatà della sua madre che per le forze de'
Romani. Sopra il quale luogo Tito Livio dice, essersi per
questo conosciuto come la Republica romana crebbe più
per la virtù de' capitani che de' soldati, considerato come
i Volsci per lo addietro erano stati vinti, e solo poi avevano
vinto che Coriolano fu loro capitano. E benché Livio tenga tale opinione, nondimeno si vede in molti luoghi della
sua istoria, la virtù de' soldati sanza capitano avere fatto
maravigliose pruove, ed essere stati più ordinati e più feroci dopo la morte de' Consoli loro che innanzi che moris-
sono : come occorse nello esercito che i Romani avevano
in Ispagna sotto gli Scipioni, il quale, morti i due capitani, poté con la virtù sua non solamente salvare se stesso
ma vincere il nimico, e conservare quella provincia alla
Republica. Talché, discorrendo tutto, si troverrà molti esempli dove solo la virtù de' soldati arà vinta la giornata, e
molti altri dove solo la virtù de' capitani arà fatto il me-

754 « Venite con me; né muro, né vallo ma soldati contro
soldati si fronteggiano; eguali per valore, siete superiori per la necessità che è l'ultima e più forte delle armi » (Livio, IV, 28, 5).
755 *contratto* : radunato.

desimo effetto; in modo che si può giudicare l'uno abbia bisogno dell'altro, e l'altro dell'uno.

Ècci bene da considerare prima, quale sia più da temere, o d'uno buono esercito male capitanato o d'uno buono capitano accompagnato da cattivo esercito. E seguendo in questo la opinione di Cesare, si debbe estimare poco l'uno e l'altro. Perché, andando egli in Ispagna contro a Afranio e Petreio che avevano uno ottimo esercito, disse che gli stimava poco: « Quia ibat ad exercitum sine duce »,[756] mostrando la debolezza de' capitani. Al contrario quando andò in Tessaglia contro a Pompeio, disse: « Vado ad ducem sine exercitu. »[757]

Puossi considerare un'altra cosa: a quale è più facile, o ad uno buono capitano fare uno buono esercito o ad uno buono esercito fare uno buono capitano. Sopra che dico, che tal questione pare decisa; perché più facilmente molti buoni troverranno o instruiranno uno, tanto che diventi buono, che non farà uno molti. Lucullo, quando fu mandato contro a Mitridate, era al tutto inesperto della guerra; nondimanco quel buono esercito, dove era assai capi ottimi, lo feciono tosto uno buono capitano. Armorono i Romani per difetto di uomini assai servi e gli dieno ad esercitare[758] a Sempronio Gracco, il quale in poco tempo fece uno buono esercito. Pelopida ed Epaminonda, come altrove dicemo, poi che gli ebbono tratta Tebe loro patria della servitù degli Spartani, in poco tempo fecero de' contadini tebani soldati ottimi, che poterono non solamente sostenere la milizia spartana ma vincerla. Sì che la cosa è pari, perché l'uno buono può trovare l'altro. Nondimeno uno esercito buono sanza capo buono suole diventare insolente e pericoloso, come diventò lo esercito di Macedonia dopo la morte di Alessandro, e come erano i soldati veterani nelle guerre civili. Tanto che io credo che sia più da confidare assai in uno capitano che abbi tempo ad instruire uomini e commodità di armargli, che in uno esercito insolente con uno capo tumultuario fatto da lui. Però è da addop-

---

756 « Poiché si recava contro un esercito senza capo » (Svetonio, *Iulius Caesar*, 34).

757 « Vado contro un capo senza esercito. » (Svetonio, *ibidem.*).

758 *e gli dieno ad esercitare*: li diedero ad addestrare.

piare [759] la gloria e la laude a quelli capitani che non solamente hanno avuto a vincere il nimico, ma, prima che venghino alle mani con quello, è convenuto loro instruire lo esercito loro e farlo buono. Perché in questi si mostra doppia virtù, e tanto rada che se tale fatica fosse stata data a molti, ne sarebbono stimati e riputati meno assai che non sono.

XIV · LE INVENZIONI NUOVE CHE APPARISCONO NEL MEZZO DELLA ZUFFA E LE VOCI NUOVE CHE SI ODONO, QUALI EFFETTI FACCIANO

Di quanto momento sia ne' conflitti e nelle zuffe uno nuovo accidente che nasca per cosa che di nuovo si vegga o oda, si dimostra in assai luoghi, e massime per questo esemplo che occorse nella zuffa che i Romani fecero con i Volsci : dove Quinzio,[760] veggendo inclinare uno de' corni [761] del suo esercito, cominciò a gridare forte che gli stessono saldi, perché l'altro corno dello esercito era vittorioso. Con la quale parola avendo dato animo ai suoi e sbigottimento a' nimici, vinse. E se tali voci in uno esercito bene ordinato fanno effetti grandi, in uno tumultuario e male ordinato gli fanno grandissimi, perché il tutto è mosso da simile vento. Io ne voglio addurre uno esemplo notabile occorso ne' nostri tempi. Era la città di Perugia pochi anni sono divisa in due parti, Oddi e Baglioni. Questi regnavano, quelli altri erano esuli, i quali avendo mediante loro amici ragunato esercito e ridottisi in alcuna loro terra propinqua a Perugia, con il favore della parte una notte entrarono in quella città, e sanza essere iscoperti se ne venivano per pigliare la piazza. E perché quella città in su tutti i canti delle vie ha catene che la tengono sbarrata, avevano le gente oddesche davanti uno che con una mazza ferrata rompea i serrami di quelle, acciocché i cavagli potessero passare, e restandogli a rompere solo quella che

759 *addoppiare* : stimare doppia.
760 Quinzio Barbato Capitolino.
761 *uno de' corni* : una delle ali.

sboccava in piazza, ed essendo già levato il romore all'armi, ed essendo colui che rompeva oppresso dalla turba che gli veniva dietro né potendo per questo alzare bene le braccia per rompere, per potersi maneggiare, gli venne detto: « Fatevi indietro! » la quale voce andando di grado in grado, dicendo « addietro! » cominciò a fare fuggire gli ultimi, e di mano in mano gli altri con tanta furia, che per loro medesimi si ruppono: e così restò vano il disegno degli Oddi per cagione di sì debole accidente.

Dove è da considerare che non tanto gli ordini in uno esercito sono necessari, per potere ordinatamente combattere, quanto perché ogni minimo accidente non ti disordini. Perché non per altro le moltitudini popolari sono disutili [762] per la guerra, se non perché ogni romore, ogni voce, ogni strepito gli altera e fagli [763] fuggire. È però uno buono capitano intra gli altri suoi ordini debbe ordinare chi sono quegli che abbino a pigliare la sua voce e rimetterla ad altri, ed assuefare gli suoi soldati che non credino se non a quelli, e gli suoi capitani che non dichino se non quel che da lui è commesso; perché, non osservata bene questa parte, si è visto molte volte avere fatti disordini grandissimi.

Quanto al vedere cose nuove, debbe ogni capitano ingegnarsi di farne apparire alcuna, mentre che gli eserciti sono alle mani, che dia animo a' suoi e tolgalo agli inimici, perché intra gli accidenti che ti diano la vittoria, questo è efficacissimo. Di che se ne può addurre per testimone Caio Sulpizio dittatore romano, il quale venendo a giornata con i Franciosi, armò tutti i saccomanni [764] e gente vile del campo, e quegli fatti salire sopra i muli ed altri somieri con armi ed insegne da parere gente a cavallo, gli messe sotto le insegne dietro ad uno colle, e comandò che, ad uno segno dato, nel tempo che la zuffa fosse più gagliarda si scoprissono e mostrassinsi a' nimici. La quale cosa, così ordinata e fatta, dette tanto terrore ai Franciosi che per-

762 *sono disutili*: sono d'impaccio.
763 *fagli*: li fa.
764 Erano coloro che si occupavano del vettovagliamento e delle salmerie, e che di norma non erano affatto abituati a combattere.

derono la giornata. E però uno buono capitano debbe fare due cose, l'una di vedere con alcune di queste nuove invenzioni di sbigottire il nimico, l'altra di stare preparato, che essendo fatte dal nimico contro di lui, le possa scoprire e fargliene tornare vane, come fece il re d'India a Semiramis,[765] la quale veggendo come quel re aveva buono numero di elefanti, per isbigottirlo e per mostrargli che ancora essa n'era copiosa, ne formò assai con cuoia di bufoli e di vacche, e quegli messi sopra i cammegli gli mandò davanti; ma conosciuto da il re lo inganno, le tornò quel suo disegno non solamente vano ma dannoso. Era Mamerco, dittatore, contro ai Fidenati, i quali per isbigottire lo esercito romano ordinarono che in su l'ardore della zuffa uscisse fuori di Fidene numero di soldati con fuochi in su le lance, acciocché i Romani occupati dalla novità della cosa rompessono intra loro gli ordini. Sopra che è da notare che quando tali invenzioni hanno più del vero che del fitto,[766] si può bene allora rappresentarle agli uomini, perché avendo assai del gagliardo non si può scoprire così presto la debolezza loro. Ma quando le hanno più del fitto che del vero, è bene o le non fare o faccendole tenerle discosto, di qualità che non le possino essere così presto scoperte, come fece Caio Sulpizio de' mulattieri. Perché quando vi è dentro debolezza, appressandosi le si scuoprono tosto, e ti fanno danno e non favore, come fèro [767] gli elefanti a Semiramis e ai Fidenati i fuochi; i quali benché nel principio turbassono un poco lo esercito, nondimeno come e' sopravvenne il Dittatore e cominciò a gridargli dicendo che non si vergognavano a fuggire il fumo come le pecchie, e che dovessono rivoltarsi a loro, gridando: « Suis flammis delete Fidenas, quas vestris beneficiis placare non potuistis »,[768] tornò quello trovato ai Fidenati inutile, e restarono perditori della zuffa.

765 Semiramide, la regina assira.
766 *del fitto*: del fittizio.
767 *fèro*: fecero.
768 « Distruggete Fidene con le sue fiamme, la quale non avete potuto placare con i vostri benefici. » (Livio, IV, 33, 5).

Essendosi ribellati i Fidenati, ed avendo morto quella colonia che i Romani avevano mandata in Fidene, crearono i Romani, per rimediare a questo insulto, quattro Tribuni con potestà consolare: de' quali, lasciatone uno alla guardia di Roma, ne mandarono tre contro ai Fidenati ed i Veienti, i quali per essere divisi infra loro e disuniti ne riportarono disonore e non danno: perché del disonore ne furono cagione loro, del non ricevere danno ne fu cagione la virtù de' soldati. Donde i Romani veggendo questo disordine, ricorsono alla creazione del Dittatore,[770] acciocché un solo riordinasse quello che tre avevano disordinato. Donde si conosce la inutilità di molti comandatori in uno esercito o in una terra che si abbia a difendere; e Tito Livio non lo può più chiaramente dire che con le infrascritte parole: « Tres Tribuni potestate consulari documento fuere, quam plurium imperium bello inutile esset: tendendo ad sua quisque consilia, cum alii aliud videretur, aperuerunt ad occasionem locum hosti. »[771] E benché questo sia assai esemplo a provare il disordine che fanno nella guerra i più comandatori, ne voglio addurre alcuno altro, e moderno ed antico, per maggiore dichiarazione della cosa.

Nel 1500, dopo la ripresa che fece il re di Francia Luigi XII di Milano, mandò le sue genti a Pisa per ristituirla ai Fiorentini; dove furono mandati commessari Giovambatista Ridolfi e Luca di Antonio degli Albizi.[772] E perché Giovambatista era uomo di riputazione e di più tempo,[773] Luca al tutto lasciava governare ogni cosa a lui: e s'egli non dimostrava la sua ambizione con opporsegli, la dimostrava col tacere e con lo straccurare e vilipendere ogni cosa,

769 *offendono*: sono dannosi.
770 Che fu Mamerco Emilio.
771 « Tre tribuni con potestà consolare costituirono l'esempio di quanto sia inutile la pluralità di comando in guerra; essi, caldeggiando ciascuno la propria tesi diversa dall'altrui, hanno offerto un'occasione propizia al nemico » (Livio, IV, 31, 2).
772 Anche M. partecipò alla missione accanto ai commessari.
773 *di più tempo*: più anziano.

in modo che non aiutava le azioni del campo né con l'opere né con il consiglio, come se fusse stato uomo di nessuno momento. Ma si vide poi tutto il contrario, quando Giovambatista, per certo accidente seguìto,[774] se n'ebbe a tornare a Firenze; dove Luca, rimasto solo, dimostrò quanto con l'animo, con la industria e col consiglio valeva: le quali tutte cose, mentre vi fu la compagnia, erano perdute. Voglio di nuovo addurre in confirmazione di questo parole di Tito Livio, il quale referendo come essendo mandato da' Romani contro agli Equi Quinzio ed Agrippa[775] suo collega, Agrippa volle che tutta l'amministrazione della guerra fosse appresso a Quinzio, e dice: « Saluberrimum in administratione magnarum rerum est, summam imperii apud unum esse ».[776] Il che è contrario a quello che oggi fanno queste nostre republiche e principi, di mandare ne' luoghi, per amministrargli meglio, più d'uno commessario e più d'uno capo: il che fa una inestimabile confusione. E se si cercassi le cagioni della rovina degli eserciti italiani e franciosi ne' nostri tempi, si troveria la potissima essere stata questa. E puossi conchiudere veramente, come egli è meglio mandare in una ispedizione uno uomo solo di comunale prudenzia,[777] che due valentissimi uomini insieme con la medesima autorità.

XVI · CHE LA VERA VIRTÙ SI VA NE' TEMPI DIFFICILI A TROVARE; E NE' TEMPI FACILI, NON GLI UOMINI VIRTUOSI, MA QUEGLI CHE PER RICCHEZZE O PER PARENTADO PREVAGLIONO, HANNO PIÙ GRAZIA[778]

Egli fu sempre, e sempre sarà, che gli uomini grandi e rari in una republica ne' tempi pacifichi sono negletti; perché per la invidia che si ha tirato dietro la riputazione che

774 Si era ribellata la milizia mercenaria guascona.
775 Agrippa Furio.
776 « È utilissimo nell'amministrare grandi imprese, che l'autorità suprema coincida in una sola persona. » (Livio, III, 70, 1).
777 *comunale prudenzia*: di comune prudenza.
778 *hanno più grazia*: hanno più favore popolare.

la virtù d'essi ha dato loro, si truova in tali tempi assai cittadini che vogliono, non che essere loro equali, ma essere loro superiori. E di questo ne è uno luogo buono in Tucidide istorico greco, il quale mostra come sendo la republica ateniese rimasa superiore in la guerra peloponnesiaca, ed avendo frenato l'orgoglio degli spartani e quasi sottomessa tutta l'altra Grecia, salse in tanta riputazione che la disegnò di occupare la Sicilia. Venne questa impresa in disputa in Atene.[779] Alcibiade e qualche altro cittadino consigliavano che la si facesse, come quelli che pensando poco al bene publico, pensavono all'onore loro, disegnando essere capi di tale impresa. Ma Nicia che era il primo intra i reputati di Atene, la dissuadeva, e la maggiore ragione che nel concionare al popolo perché gli fusse prestato fede adducesse, fu questa, che consigliando esso che non si facesse questa guerra, e' consigliava cosa che non faceva per lui: perché stando Atene in pace, sapeva come vi era infiniti cittadini che gli volevano andare innanzi; ma faccendosi guerra, sapeva che nessuno cittadino gli sarebbe superiore o equale.

Vedesi pertanto come nelle republiche è questo disordine, di fare poca stima de' valenti uomini ne' tempi quieti. La quale cosa gli fa indegnare in due modi, l'uno per vedersi mancare del grado loro, l'altro per vedersi fare compagni e superiori uomini indegni e di manco sofficienza di loro. Il quale disordine nelle republiche ha causato di molte rovine, perché quegli cittadini che immeritamente si veggono disprezzare, e conoscono che e' ne sono cagione i tempi facili e non pericolosi, s'ingegnano di turbargli, movendo nuove guerre in pregiudicio della republica. E pensando quali potessono essere e rimedi, ce ne truovo due: l'uno mantenere i cittadini poveri, acciocché con le ricchezze sanza virtù e' non potessino corrompere né loro né altri; l'altro di ordinarsi in modo alla guerra che sempre si potesse fare guerra, e sempre si avesse bisogno di cittadini riputati, come e Romani ne' suoi primi tempi. Perché tenendo fuori quella città sempre eserciti, sempre vi era luogo alla virtù degli uomini, né si pote-

779 Nel 415 a.C.

va tòrre il grado a uno che lo meritasse e darlo ad uno che non lo meritasse: perché se pure lo faceva qualche volta per errore o per provare, ne seguiva tosto tanto suo disordine e pericolo che la ritornava subito nella vera via. Ma le altre republiche che non sono ordinate come quella, e che fanno solo guerra quando la necessità le costringe, non si possono difendere da tale inconveniente; anzi sempre v'incorreranno dentro, e sempre ne nascerà disordine, quando quello cittadino negletto e virtuoso sia vendicativo ed abbia nella città qualche riputazione e aderenzia. E la città di Roma uno tempo fece difesa; ma a quella ancora, poiché l'ebbe vinto Cartagine ed Antioco (come altrove si disse),[780] non temendo più le guerre, pareva potere commettere gli eserciti a qualunque la voleva, non riguardando tanto alla virtù quanto alle altre qualità che gli dessono grazia nel popolo. Perché si vide che Paulo Emilio ebbe più volte la ripulsa nel consolato, né fu prima fatto consolo che surgesse la guerra macedonica, la quale giudicandosi pericolosa, di consenso di tutta la città fu commessa a lui.

Sendo nella nostra città di Firenze seguite dopo il 1494 di molte guerre, ed avendo fatto i cittadini fiorentini tutti una cattiva pruova, si riscontrò a sorte la città in uno che mostrò come si aveva a comandare agli eserciti, il quale fu Antonio Giacomini: e mentre che si ebbe a fare guerre pericolose, tutta l'ambizione degli altri cittadini cessò, e nella elezione del commessario e capo degli eserciti non aveva competitore alcuno; ma come si ebbe a fare una guerra dove non era alcuno dubbio ed assai onore e grado, e' vi trovò tanti competitori, che avendosi ad eleggere tre commessari per campeggiare Pisa, e' fu lasciato indietro. E benché e' non si vedesse evidentemente che male ne seguisse al publico per non vi avere mandato Antonio, nondimeno se ne potette fare facilissima coniettura, perché non avendo più i Pisani da defendersi né da vivere se vi fusse stato Antonio, sarebbero stati tanto innanzi stretti [781] che si sarebbero dati a discrezione de' Fioren-

780 Cfr. *Discorsi*, II, 1.
781 *innanzi stretti*: messi alle strette.

tini. Ma sendo loro assediati da capi che non sapevano né stringergli né sforzargli, furono tanto intrattenuti che la città di Firenze gli comperò, dove la gli poteva avere a forza. Convenne che tale sdegno potesse assai in Antonio, e bisognava ch'e' fussi bene paziente e buono a non disiderare di vendicarsene, o con la rovina della città, potendo, o con l'ingiuria di alcuno particulare cittadino. Da che si debbe una republica guardare, come nel seguente capitolo si discorrerà.

XVII · CHE NON SI OFFENDA UNO, E POI QUEL MEDESIMO SI MANDI IN AMMINISTRAZIONE E GOVERNO D'IMPORTANZA

Debbe una republica assai considerare di non preporre alcuno ad alcuna importante amministrazione, al quale sia stato fatto da altri alcuna notabile ingiuria. Claudio Nerone,[782] il quale si partì dallo esercito che lui aveva a fronte ad Annibale, e con parte d'esso ne andò nella Marca a trovare l'altro Consolo [783] per combattere con Asdrubale avanti ch'e' si congiugnesse con Annibale, s'era trovato per lo addietro in Ispagna a fronte di Asdrubale, ed avendolo serrato in luogo con lo esercito che bisognava o che Asdrubale combattesse con suo disavvantaggio o si morisse di fame, fu da Asdrubale astutamente tanto intrattenuto con certe pratiche d'accordo, che gli uscì di sotto, e tolsegli quella occasione di oppressarlo. La quale cosa saputa a Roma gli dette carico grande appresso a il Senato ed al popolo, e di lui fu parlato inonestamente per tutta quella città, non sanza suo grande disonore e disdegno. Ma sendo poi fatto Consolo, e mandato allo incontro di Annibale, prese il soprascritto partito il quale fu pericolosissimo, talmente che Roma stette tutta dubbia e sollevata, infino a tanto che vennono le nuove della rotta di Asdrubale. Ed essendo poi domandato Claudio per quale cagione avesse preso sì pericoloso partito, dove sanza una

782 Il console romano che sconfisse Asdrubale nella battaglia del Metauro (207 a.C.).
783 Livio Salinatore.

estrema necessità egli aveva giucato quasi la libertà di Roma, rispose che lo aveva fatto perché sapeva che se gli riusciva riacquistava quella gloria che si aveva perduta in Ispagna, e se non gli riusciva, e che questo suo partito avesse avuto contrario fine, sapeva come e' si vendicava contro a quella città ed a quegli cittadini che lo avevano tanto ingratamente ed indiscretamente offeso. E quando queste passioni di tali offese possono tanto in uno cittadino romano, e in quegli tempi che Roma ancora era incorrotta, si debbe pensare quanto elle possano in uno cittadino d'un'altra città che non sia fatta come era allora quella. E perché a simili disordini che nascano nelle republiche non si può dare certo rimedio, ne séguita che gli è impossibile ordinare una republica perpetua, perché per mille inopinate vie si causa la sua rovina.

XVIII · NESSUNA COSA È PIÙ DEGNA D'UNO CAPITANO CHE PRESENTIRE I PARTITI [784] DEL NIMICO

Diceva Epaminonda tebano nessuna cosa essere più necessaria e più utile ad uno capitano che conoscere le diliberazioni e' partiti del nimico. E perché tale cognizione è difficile, merita tanto più laude quello che adopera in modo che le coniettura. E non tanto è difficile intendere i disegni del nimico che gli è qualche volta difficile intendere le azioni sue, e non tanto le azioni che per lui si fanno discosto, quanto le presenti e le propinque. Perché molte volte è accaduto che sendo durata una zuffa infino a notte, chi ha vinto crede avere perduto, e chi ha perduto crede avere vinto. Il quale errore ha fatto diliberare cose contrarie alla salute di colui che ha diliberato, come intervenne a Bruto e Cassio,[785] i quali per questo errore perderono la guerra; perché avendo vinto Bruto dal corno suo, credette Cassio che aveva perduto, che tutto lo esercito fusse rotto, e disperatosi per questo errore della salute,[786]

784 *presentire i partiti*: prevedere le mosse.
785 Si riferisce agli avvenimenti della battaglia di Filippi (42 a.C.).
786 *disperatosi per questo errore della salute*: persa ogni speranza di salvezza.

ammazzò se stesso. Ne' nostri tempi, nella giornata che fece in Lombardia a Santa Cecilia Francesco re di Francia con i Svizzeri,[787] sopravvenendo la notte, credettero quella parte de' Svizzeri che erano rimasti interi avere vinto, non sappiendo di quegli che erano stati rotti e morti; il quale errore fece che loro medesimi non si salvarono, aspettando di ricombattere la mattina con tanto loro disavvantaggio: e fecero anche errare e per tale errore presso che rovinare lo esercito del Papa e di Ispagna, il quale in su la falsa nuova della vittoria passò il Po, e se procedeva troppo innanzi, restava prigione de' Franciosi che erano vittoriosi.

Questo simile errore occorse ne' campi romani e in quegli degli Equi, dove sendo Sempronio consolo[788] con lo esercito allo incontro degl'inimici ed appiccandosi la zuffa, si travagliò quella giornata infino a sera con varia fortuna dell'uno e dell'altro: e venuta la notte, sendo l'uno e l'altro esercito mezzo rotto, non ritornò alcuno di loro ne' suoi alloggiamenti, anzi ciascuno si ritrasse ne' prossimi colli, dove credevano essere più sicuri; e lo esercito romano si divise in due parti: l'una ne andò col Console, l'altra con uno Tempanio centurione, per la virtù del quale lo esercito romano quel giorno non era stato rotto interamente. Venuta la mattina il Consolo romano, sanza intendere altro de' nimici, si tirò verso Roma: il simile fece lo esercito degli Equi, perché ciascuno di questi credeva che il nimico avesse vinto, e però ciascuno si ritrasse sanza curare di lasciare i suoi alloggiamenti in preda. Accadde che Tempanio, ch'era con il resto dello esercito romano, ritirandosi ancora esso, intese da certi feriti degli Equi come i capitani loro s'erano partiti ed avevano abbandonati gli alloggiamenti: donde che egli in su questa nuova se n'entrò negli alloggiamenti romani e salvògli, e dipoi saccheggiò quegli degli Equi e se ne tornò a Roma vittorioso. La quale vittoria, come si vede, consisté solo in chi prima di loro intese i disordini del nimico. Dove si debbe notare come e' può spesso occorrere che due eserciti che siano a fronte l'uno dell'altro, siano nel medesimo disor-

---

787 A Marignano.
788 Sempronio Atracino.

dine e patischino le medesime necessità, e che quello resti poi vincitore che è il primo ad intendere le necessità dello altro.

Io voglio dare di questo uno esemplo domestico e moderno. Nel 1498, quando i Fiorentini avevano uno esercito grosso in quel di Pisa e stringevano forte quella città, della quale avendo i Viniziani presa la protezione, non veggendo altro modo a salvarla, diliberarono di divertire quella guerra,[789] assaltando da un'altra banda il dominio di Firenze; e fatto uno esercito potente entrarono per la Val di Lamona ed occuparono il borgo di Marradi ed assediarono la rocca di Castiglione che è in sul colle di sopra. Il che sentendo i Fiorentini, diliberarono soccorrere Marradi e non diminuire le forze avevano in quel di Pisa: e fatte nuove fanterie ed ordinate nuove genti a cavallo, le mandarono a quella volta, delle quali ne furono capi Iacopo IV d'Appiano, signore di Piombino, ed il conte di Rinuccio da Marciano. Sendosi adunque condotte queste genti in su il colle sopra Marradi, si levarono i nimici d'intorno a Castiglione, e ridussersi tutti nel borgo; ed essendo stato l'uno e l'altro di questi due eserciti a fronte qualche giorno, pativa l'uno e l'altro assai e di vettovaglie e d'ogni altra cosa necessaria; e non avendo ardire l'uno d'affrontare l'altro, né sappieno i disordini l'uno dell'altro, diliberarono in una sera medesima l'uno e l'altro di levare gli alloggiamenti la mattina vegnente e ritirarsi in dietro, il Viniziano verso Bersighella [790] e Faenza, il Fiorentino verso Casaglia e il Mugello. Venuta adunque la mattina, ed avendo ciascuno de' campi incominciato ad avviare i suoi impedimenti, a caso una donna si partì del borgo di Marradi, e venne verso il campo fiorentino, sicura per la vecchiezza e per la povertà, desiderosa di vedere certi suoi che erano in quel campo: dalla quale intendendo i capitani delle genti fiorentine come il campo viniziano partiva, si fecero in su questa nuova gagliardi, e mutato consiglio, come se gli avessono disalloggiati i nimici, ne andarono

789 *di divertire quella guerra*: di stornare quella guerra da Pisa.

790 Brisighella.

sopra di loro, e scrissero a Firenze avergli ributtati e vinta la guerra. La quale vittoria non nacque da altro che dallo avere inteso, prima dei nimici, come e' se n'andavano: la quale notizia se fusse prima venuta dall'altra parte, arebbe fatto contro a' nostri il medesimo effetto.

XIX · SE A REGGERE UNA MOLTITUDINE È PIÙ NECESSARIO L'OSSEQUIO CHE LA PENA

Era la Republica romana sollevata per le inimicizie de' nobili e de' plebei; nondimeno soprastando loro la guerra, mandarono fuori con gli eserciti Quinzio ed Appio Claudio. Appio, per essere crudele e rozzo nel comandare, fu male ubidito da' suoi, tanto che quasi rotto si fuggì della sua provincia. Quinzio, per essere benigno e di umano ingegno, ebbe i suoi soldati ubbidienti, e riportonne la vittoria. Donde e' pare che e' sia meglio, a governare una moltitudine, essere umano che superbo, pietoso che crudele. Nondimeno, Cornelio Tacito, al quale molti altri scrittori acconsentano, in una sua sentenza conchiude il contrario, quando ait: « In multitudine regenda plus pœna quam obsequium valet ».[791] E considerando come si possa salvare l'una e l'altra di queste opinioni, dico: o che tu hai a reggere uomini che ti sono per l'ordinario compagni, o uomini che ti sono sempre suggetti. Quando ti sono compagni, non si può interamente usare la pena, né quella severità di che ragiona Cornelio: e perché la plebe romana aveva in Roma equale imperio con la Nobilità, non poteva uno che ne diventava principe a tempo, con crudeltà e rozzezza maneggiarla. E molte volte si vide che migliore frutto fecero i capitani romani che si facevano amare dagli eserciti, e che con ossequio gli maneggiavano, che quegli che si facevano istraordinariamente temere; se già e' non erano accompagnati da una eccessiva virtù come fu Manlio Torquato. Ma chi comanda a' sudditi, de' quali ragiona Cornelio, acciocché non doventino insolenti

791 « Nel governo di una moltitudine sono più efficaci le pene che l'ossequio. » (Tacito, *Annales*, III, 55).

e che per troppa facilità non ti calpestino, debbe volgersi più tosto alla pena che all'ossequio. Ma questa anche debbe essere in modo moderata che si fugga l'odio; perché farsi odiare non tornò mai bene ad alcuno principe. Il modo del fuggirlo è lasciare stare la roba de' sudditi, perché del sangue, quando non vi sia sotto ascosa la rapina, nessuno principe ne è desideroso se non necessitato, e questa necessità viene rade volte; ma mescolata la rapina, viene sempre, né mancano mai le cagioni ed il desiderio di spargerlo: come in altro trattato sopra questa materia si è largamente discorso.[792] Meritò adunque più laude Quinzio che Appio; e la sentenza di Cornelio dentro ai termini suoi, e non ne' casi osservati di Appio, merita d'essere approvata.

E perché noi abbiamo parlato della pena e dell'ossequio, non mi pare superfluo mostrare come uno esempio di umanità poté appresso i Falisci più che l'armi.

XX · UNO ESEMPLO DI UMANITÀ APPRESSO I FALISCI POTETTE PIÙ CHE OGNI FORZA ROMANA

Essendo Cammillo con lo esercito intorno alla città de' Falisci e quella assediando, uno maestro di scuola de' più nobili fanciulli di quella città, pensando di gratificarsi Cammillo ed il popolo romano, sotto colore di esercizio uscendo con quegli fuori della terra, gli condusse tutti nel campo innanzi a Cammillo, e presentandogli disse come mediante loro quella terra si darebbe nelle sue mani. Il quale presente non solamente non fu accettato da Cammillo, ma fatto spogliare quel maestro e legatogli le mani di dietro, e dato a ciascuno di quegli fanciulli una verga in mano, lo fece da quegli con di molte battiture accompagnare nella terra. La quale cosa intesa da quegli cittadini, piacque tanto loro la umanità ed integrità di Cammillo, che sanza volere più difendersi, diliberarono di darli la terra. Dove è da considerare con questo vero esempio, quanto qualche volta possa più negli animi degli uomini

792 Nei capp. XVII e XIX del *Principe*.

uno atto umano e pieno di carità che uno atto feroce e violento: e come molte volte quelle provincie e quelle città che le armi, gl'instrumenti bellici ed ogni altra umana forza non ha potuto aprire, uno esemplo di umanità e di piatà, di castità o di liberalità ha aperte. Di che ne sono nelle istorie oltre a questo molti altri esempli. E vedesi come l'arme romane non potevano cacciare Pirro d'Italia e ne lo cacciò la liberalità di Fabrizio, quando gli manifestò l'offerta che aveva fatta ai Romani quello suo familiare di avvelenarlo. Vedesi ancora come a Scipione Africano non dette tanta riputazione in Ispagna la espugnazione di Cartagine Nuova, quanto gli dette quello esemplo di castità di avere renduto la moglie giovine, bella ed intatta al suo marito, la fama della quale azione gli fece amica tutta la Ispagna. Vedesi ancora questa parte[793] quanto la sia desiderata da' popoli negli uomini grandi, e quanto sia laudata dagli scrittori, e da quegli che descrivano la vita de' principi, e da quegli che ordinano come ei debbano vivere. Intra i quali Senofonte si affatica assai in dimostrare quanti onori, quante vittorie, quanta buona fama arrecasse a Ciro lo essere umano ed affabile, e non dare alcuno esemplo di sé né di superbo, né di crudele, né di lussurioso, né di nessuno altro vizio che macchi la vita degli uomini. Pure nondimeno, veggendo Annibale con modi contrari a questi avere conseguito gran fama e gran vittorie, mi pare da discorrere nel seguente capitolo donde questo nasca.

XXI · DONDE NACQUE CHE ANNIBALE CON DIVERSO MODO DI PROCEDERE DA SCIPIONE FECE QUELLI MEDESIMI EFFETTI IN ITALIA CHE QUELLO IN ISPAGNA

Io estimo che alcuni si potrebbono maravigliare veggendo come qualche capitano, nonostante ch'egli abbia tenuto contraria vita, abbia nondimeno fatti simili effetti a coloro che sono vissuti nel modo soprascritto. Talché pare che la cagione delle vittorie non dependa dalle predette

793 *parte*: qualità.

cause, anzi pare che quelli modi non ti rechino né più forza né più fortuna, potendosi per contrari modi acquistare gloria e riputazione. E per non mi partire dagli uomini soprascritti, e per chiarire meglio quello che io ho voluto dire, dico come e' si vede Scipione entrare in Ispagna, e con quella sua umanità e piatà subito farsi amica quella provincia, ed adorare ed ammirare da' popoli. Vedesi allo incontro entrare Annibale in Italia, e con modi tutti contrari, cioè con crudeltà violenza e rapina e d'ogni ragione infideltà, fare il medesimo effetto che aveva fatto Scipione in Ispagna: perché a Annibale [794] si ribellarono tutte le città d'Italia, tutti i popoli lo seguirono.

E pensando donde questa cosa possa nascere, ci si vede dentro più ragioni. La prima è che gli uomini sono desiderosi di cose nuove, in tanto che così disiderano il più delle volte novità quegli che stanno bene, come quegli che stanno male: perché, come altra volta si disse ed è il vero, gli uomini si stuccono nel bene, e nel male si affliggano. Fa adunque questo desiderio aprire le porte a ciascuno che in una provincia si fa capo d'una innovazione: e s'egli è forestiero, gli corrono dietro; s'egli è provinciale [795] gli sono intorno, augumentanlo e favoriscolo, talmente [796] in qualunque modo egli proceda, gli riesce il fare progressi grandi in quegli luoghi. Oltre a questo, gli uomini sono spinti da due cose principali, o dallo amore o dal timore, talché così gli comanda chi si fa amare, come colui che si fa temere; anzi il più delle volte è più seguito e più ubbidito che si fa temere che chi si fa amare.

Importa pertanto poco ad uno capitano per qualunque di queste vie e' si cammini, pure che sia uomo virtuoso e che quella virtù lo faccia riputato intra gli uomini. Perché quando la è grande, come la fu in Annibale ed in Scipione, ella cancella tutti quegli errori che si fanno per farsi troppo amare o per farsi troppo temere. Perché dall'uno e dall'altro di questi duoi modi possono nascere inconvenienti grandi, e atti a fare rovinare uno principe.

794 *perché a Annibale*: perché in favore di Annibale.
795 *provinciale*: connazionale.
796 *talmente*: a tal punto che.

Perché colui che troppo desidera essere amato, ogni poco che si parte dalla vera via diventa disprezzabile: quell'altro che desidera troppo di essere temuto, ogni poco ch'egli eccede il modo, diventa odioso. E tenere la via del mezzo non si può appunto perché la nostra natura non ce lo consente: ma è necessario queste cose che eccedono mitigare con una eccessiva virtù, come faceva Annibale e Scipione. Nondimeno si vide come l'uno e l'altro furono offesi da questi loro modi di vivere, e così furono esaltati.

La esaltazione di tutti a due si è detta. L'offesa, quanto a Scipione, fu che gli suoi soldati in Ispagna se gli ribellarono insieme con parte de' suoi amici, la quale cosa non nacque da altro che da non lo temere: perché gli uomini sono tanto inquieti che ogni poco di porta che si apra loro all'ambizione, dimenticano subito ogni amore che gli avessero posto al principe per la umanità sua, come fecero i soldati ed amici predetti; tanto che Scipione, per rimediare a questo inconveniente, fu costretto usare parte di quella crudeltà che elli aveva fuggita.[797] Quanto ad Annibale, non ci è esemplo alcuno particulare dove quella sua crudeltà e poca fede gli nuocesse. Ma si può bene presupporre che Napoli, e molte altre terre che stettero in fede del popolo romano, stessero per paura di quella. Viddesi bene questo, che quel suo modo di vivere impio lo fece più odioso al popolo romano che alcuno altro inimico che avesse mai quella Republica: in modo che dove a Pirro, mentre che egli era con lo esercito in Italia manifestarono quello che lo voleva avvelenare, ad Annibale mai, ancora che disarmato e disperso, perdonarono; tanto che lo fecioro morire. Nacquene adunque ad Annibale, per essere tenuto impio e rompitore di fede e crudele, queste incommodità; ma gliene risultò allo incontro una commodità grandissima, la quale è ammirata da tutti gli scrittori: che nel suo esercito, ancoraché composto da varie generazioni di uomini, non nacque mai alcuna dissensione né infra loro medesimi né contro di lui. Il che non potette dirivare da altro che dal terrore che nasceva dalla persona sua. Il quale era tanto grande, mescolato con la

797 *aveva fuggita*: aveva cercato di evitare.

riputazione che gli dava la sua virtù, che teneva li suoi soldati quieti ed uniti. Conchiudo dunque, come e' non importa molto in quale modo uno capitano si proceda, pure che in esso sia virtù grande che condisca l'uno e l'altro modo di vivere. Perché come è detto, nell'uno e nell'altro è difetto e pericolo, quando da una virtù istraordinaria non sia corretto. E se Annibale e Scipione, l'uno con cose laudabili, l'altro con detestabili, feciono il medesimo effetto, non mi pare da lasciare indietro il discorrere ancora di due cittadini romani, che conseguirono con diversi modi, ma tutti a due laudabili, una medesima gloria.

XXII · COME LA DUREZZA DI MANLIO TORQUATO E L'UMANITÀ DI VALERIO CORVINO ACQUISTÒ A CIASCUNO LA MEDESIMA GLORIA

E' furno in Roma in uno medesimo tempo due capitani eccellenti, Manlio Torquato e Valerio Corvino, i quali di pari virtù, di pari trionfi e gloria vissono in Roma : e ciascuno di loro, in quanto si apparteneva al nimico, con pari virtù l'acquistarono; ma quanto si apparteneva agli eserciti ed agl'intrattenimenti de' soldati, diversissimamente procederono : perché Manlio con ogni generazione di severità, sanza intermettere [798] a' suoi soldati o fatica o pena, gli comandava; Valerio, dall'altra parte, con ogni modo e termine umano, e pieno di una familiare domestichezza, gl'intratteneva. Per che si vide che per avere l'ubbidienza de' soldati, l'uno ammazzò il figliuolo, e l'altro non offese mai alcuno. Nondimeno, in tanta diversità di procedere, ciascuno fece il medesimo frutto e contro a' nimici ed in favore della republica e suo. Perché nessuno soldato non mai o detrattò la zuffa [799] o si ribellò da loro, o fu in alcuna parte discrepante dalla voglia di quegli, quantunque gl'imperi di Manlio fussero sì aspri che tutti gli altri imperi che eccedevano il modo erano chiamati « Manliana imperia ». Dove è da considerare : prima, donde nacque

798 *sanza intermettere* : senza risparmiare.
799 *detratt* *la zuffa* : si rifiutò di combattere.

che Manlio fu costretto procedere sì rigidamente; l'altro, donde avvenne che Valerio potette procedere sì umanamente; l'altro, quale cagione fe' che questi diversi modi facessero il medesimo effetto; ed in ultimo quale sia di loro meglio e imitare più utile. Se alcuno considera bene la natura di Manlio, d'allora che Tito Livio ne comincia a fare menzione, lo vedrà uomo fortissimo, pietoso [800] verso il padre e verso la patria e reverentissimo a' suoi maggiori. Queste cose si conoscono dalla morte di quel Francioso, dalla difesa del padre contro al Tribuno, e come avanti ch'egli andasse alla zuffa del Francioso, e' n'andò al Consolo con queste parole: « Iniussu tuo adversus hostem nunquam pugnabo, non si certam victoriam videam ». [801] Venendo dunque un uomo così fatto a grado che comandi, desidera di trovare tutti gli uomini simili a sé, e l'animo suo forte gli fa comandare cose forti, e quel medesimo, comandate che le sono, vuole si osservino. Ed è una regola verissima, che quando si comanda cose aspre, conviene con asprezza farle osservare, altrimenti te ne troverresti ingannato. Dove è da notare, che a volere essere ubbidito è necessario saper comandare, e coloro sanno comandare che fanno comparazione dalle qualità loro a quelle di chi ha ad ubbidire, e quando vi veggono proporzione allora comandino, quando sproporzione se ne astenghino.

E però diceva un uomo prudente che a tenere una republica con violenza conveniva fusse proporzione da chi sforzava a quel che era sforzato: e qualunque volta questa proporzione vi era, si poteva credere che quella violenza fusse durabile; ma quando il violentato fusse più forte che il violentante, si poteva dubitare che ogni giorno quella violenza cessasse.

Ma tornando al discorso nostro, dico che a comandare le cose forti conviene essere forte, e quello che è di questa fortezza, e che le comanda, non può poi con dolcezza farle osservare. Ma chi non è di questa fortezza d'animo, si debbe guardare dagl'imperi istraordinari, e negli ordinari

800 *pietoso*: pieno di rispetto.
801 « Non combatterò mai contro il nemico senza un tuo ordine, nemmeno se vedessi la vittoria come certa. » (Livio, VII, 10, 2).

può usare la sua umanità: perché le punizioni ordinarie non sono imputate al principe, ma alle leggi ed a quegli ordini. Debbesi dunque credere che Manlio fusse costretto procedere sì rigidamente dagli straordinari suoi imperi, a' quali lo inclinava la sua natura: i quali sono utili in una republica, perché e' riducono gli ordini di quella verso il principio loro e nella sua antica virtù. E se una republica fusse sì felice ch'ella avesse spesso, come di sopra dicemo,[802] chi con lo esempio suo le rinnovasse le leggi, e non solo la ritenesse che la non corresse alla rovina ma la ritirasse indietro, la sarebbe perpetua. Sì che Manlio fu uno di quelli che con l'asprezza de' suoi imperi ritenne la disciplina militare in Roma, costretto prima dalla natura sua, dipoi dal desiderio aveva si osservasse quello che il suo naturale appetito gli aveva fatto ordinare. Dall'altro canto, Valerio potette procedere umanamente, come colui a cui bastava si osservassono le cose consuete osservarsi negli eserciti romani. La quale consuetudine, perché era buona, bastava ad onorarlo, e non era faticosa a osservarla, e non necessitava Valerio a punire i transgressori: sì perché non ve n'era, sì perché quando e' ve ne fosse stati, imputavano, come è detto, la punizione loro agli ordini e non alla crudeltà del principe. In modo che Valerio poteva fare nascere da lui ogni umanità, dalla quale ei potesse acquistare grado [803] con i soldati e la contentezza loro. Donde nacque che avendo l'uno e l'altro la medesima ubbidienza, potettono, diversamente operando, fare il medesimo effetto. Possono quelli che volessero imitare costoro, cadere in quelli vizii di dispregio e di odio che io dico di sopra di Annibale e di Scipione;[804] il che si fugge con una virtù eccessiva che sia in te, e non altrimenti.

Resta ora a considerare quale di questi modi di procedere sia più laudabile, il che credo sia disputabile, perché gli scrittori laudano l'uno modo e l'altro. Nondimeno quegli che scrivono come uno principe si abbia a governare, si accostano più a Valerio che a Manlio; e Senofonte

<hr>

802 Nel cap. 1 del presente libro.
803 *acquistare grado*: acquistare gratitudine.
804 Cfr. *Discorsi*, III, 21.

preallegato da me, dando di molti esempli della umanità di Ciro, sì conforma assai con quello che dice, di Valerio, Tito Livio. Perché essendo fatto Consolo contro ai Sanniti, e venendo il dì che doveva combattere, parlò a' suoi soldati con quella umanità con la quale ei si governava, e dopo tale parlare Tito Livio dice quelle parole: « Non alias militi familiarior dux fuit, inter infimos milites omnia haud gravate munia obeundo. In ludo præterea militari, cum velocitatis viriumque inter se æquales certamina ineunt; comiter facilis vincere ac vinci vultu eodem: nec quemquam aspernari parem qui se offerret: factis benignus pro re, dictis haud minus libertatis alienæ quam suæ dignitatis memor, et (quo nihil popularius est) quibus artibus petierat magistratus, iisdem gerebat ».[805] Parla medesimamente, di Manlio, Tito Livio onorevolmente, mostrando che la sua severità nella morte del figliuolo fece tanto ubbidiente lo esercito al Consolo, che fu cagione della vittoria che il popolo romano ebbe contro i Latini; ed in tanto procede in laudarlo che dopo tale vittoria, descritto ch'egli ha tutto l'ordine di quella zuffa e mostri tutti i pericoli che il popolo romano vi corse e le difficultà che vi furono a vincere, fa questa conclusione, che solo la virtù di Manlio dette quella vittoria ai Romani. E faccendo comparazione delle forze dell'uno e dell'altro esercito, afferma come quella parte arebbe vinto che avesse avuto per consolo Manlio. Talché, considerato tutto quello che gli scrittori ne parlano, sarebbe difficile giudicarne. Nondimeno, per non lasciare questa parte indecisa, dico come in uno cittadino che viva sotto le leggi d'una republica, credo sia più laudabile e meno pericoloso il procedere di

805 « Non vi fu mai comandante più cameratesco di lui con i soldati, nel farsi carico di buon grado di ogni corveé in mezzo alla truppa più modesta. Inoltre, nei giochi militari, quando si gareggiava da pari a pari in velocità e in forza, egli manteneva lo stesso atteggiamento sia nel vincere che nell'essere sconfitto: né provava rancore verso chi si vantava di essere a lui eguale: benigno nei fatti secondo l'opportunità, nelle parole non meno cosciente della libertà altrui che della propria dignità; e (nulla vi è di più popolare), con le stesse arti con cui l'aveva richiesta, esercitava la carica. » (Livio, VII, 33, 1-4).

Manlio; perché questo modo tutto è in favore del publico, e non risguarda in alcuna parte all'ambizione privata: perché per tale modo non si può acquistare partigiani, mostrandosi sempre aspro a ciascuno ed amando solo il bene comune; perché chi fa questo non si acquista particulari amici quali noi chiamiamo, come di sopra si disse, partigiani. Talmenteché simile modo di procedere non può essere più utile né più disiderabile in una republica, non mancando in quello la utilità publica e non vi potendo essere alcun sospetto della potenza privata. Ma nel modo del procedere di Valerio è il contrario; perché se bene in quanto al publico si fanno e medesimi effetti, nondimeno vi surgono molte dubitazioni, per la particulare benivolenza che colui si acquista con i soldati, da fare in uno lungo imperio cattivi effetti contro alla libertà.

E se in Publicola questi cattivi effetti non nacquono, ne fu cagione non essere ancora gli animi de' Romani corrotti, e quello non essere stato lungamente e continovamente al governo loro. Ma se noi abbiamo a considerare uno principe, come considera Senofonte, noi ci accosteremo al tutto a Valerio, e lasceremo Manlio; perché uno principe debbe cercare ne' soldati e ne' sudditi l'ubbidienza e lo amore. La ubbidienza gli dà lo essere osservatore degli ordini e lo essere tenuto virtuoso: lo amore gli dà l'affabilità, l'umanità, la piatà e l'altre parti che erano in Valerio e che Senofonte scrive essere in Ciro. Perché lo essere uno principe bene voluto particularmente, ed avere lo esercito suo partigiano, si conforma con tutte l'altre parti dello stato suo; ma in uno cittadino che abbia lo esercito suo partigiano, non si conforma già questa parte con l'altre sue parti che lo hanno a fare vivere sotto le leggi ed ubidire ai magistrati.

Leggesi intra le cose antiche della Republica viniziana, come essendo le galee viniziane tornate in Vinegia, e venendo certa differenza intra quegli delle galee ed il popolo, donde si venne al tumulto ed all'armi, né si potendo la cosa quietare né per forza di ministri né per riverenza di cittadini né timore de' magistrati, subito a quelli marinai apparve innanzi uno gentiluomo che era l'anno davanti stato capitano loro, per amore di quello si partirono e lasciarono la zuffa. La quale ubbidienza generò tanta suspizione [806] al Senato, che poco tempo dipoi i Viniziani, o per prigione o per morte se ne assicurarono. Conchiudo pertanto il procedere di Valerio essere utile in uno principe e pernizioso in uno cittadino non solamente alla patria ma a sé: a lei perché quelli modi preparano la via alla tirannide, a sé perché in sospettando la sua città del modo del procedere suo, è costretta assicurarsene con suo danno.[807] E così per il contrario affermo il procedere di Manlio in uno principe essere dannoso, ed in uno cittadino utile, e massime alla patria; ed ancora rade volte offende, se già questo odio che ti reca la tua severità non è accresciuto da sospetto che l'altre tue virtù per la gran riputazione ti arrecassono, come di sotto di Cammillo si discorrerà.

XXIII · PER QUALE CAGIONE CAMMILLO FUSSE CACCIATO DI ROMA

Noi abbiamo conchiuso di sopra come procedendo come Valerio, si nuoce alla patria ed a sé, e procedendo come Manlio si giova alla patria e nuocesi qualche volta a sé. Il che si pruova assai bene per lo esemplo di Cammillo, il quale nel procedere suo simigliava più tosto Manlio che Valerio. Donde Tito Livio parlando di lui dice come: « Eius virtutem milites oderant et mirabantur ».[808]

Quello che lo faceva tenere [809] maraviglioso era la sollicitudine, la prudenza, la grandezza dello animo, il buon ordine che lui servava nello adoperarsi e nel comandare agli eserciti. Quello che lo faceva odiare, era essere più severo nel gastigargli che liberale nel rimunerargli. E Tito Livio ne adduce di questo odio queste cagioni: la prima, che i danari che si trassono de' beni de' Veienti che si venderono, esso gli applicò al publico e non gli divise con la

806 *tanta suspizione* : tanto sospetto.
807 *con suo danno* : a danno del cittadino.
808 « I soldati odiavano ed ammiravano insieme il suo valore. » (Livio, v, 26, 8).
809 *tenere* : stimare.

preda; [810] l'altra, che nel trionfo ei fece tirare il suo carro trionfale da quattro cavagli bianchi, dove essi dissero che per la superbia e' si era voluto agguagliare al Sole; la terza che ei fece voto di dare a Apolline la decima parte della preda de' Veienti, la quale volendo sodisfare al voto, si aveva a trarre delle mani de' soldati che l'avevano di già occupata. [811] Dove si notano bene e facilmente quelle cose che fanno uno principe odioso appresso il popolo: delle quali la principale è privarlo d'uno utile. La quale cosa è d'importanza assai, perché le cose che hanno in sé utilità, quando l'uomo n'è privo, non le dimentica mai, ed ogni minima necessità te ne fa ricordare; e perché le necessità vengono ogni giorno, tu te ne ricordi ogni giorno. L'altra cosa è lo apparire superbo ed enfiato, [812] il che non può essere più odioso a' popoli, e massime a' liberi. E benché da quella superbia e da quel fasto non ne nascesse loro alcuna incommodità, nondimeno hanno in odio chi l'usa. Da che uno principe si debbe guardare come da uno scoglio; perché tirarsi odio addosso sanza suo profitto è al tutto partito temerario e poco prudente.

XXIV · LA PROLUNGAZIONE DEGL'IMPERII [813] FECE SERVA ROMA

Se si considera bene il procedere della Republica romana, si vedrà due cose essere state cagione della risoluzione di quella Republica; l'una furon le contenzioni che nacquono dalla Legge Agraria; l'altra la prolungazione degli imperii: le quali cose se fussono state conosciute bene da principio, e fattovi debiti rimedi, sarebbe stato il vivere libero più lungo, e per avventura più quieto. E benché, quanto alla prolungazione dello imperio, non si vegga che in Roma nascessi mai alcuno tumulto, nondimeno si

810 *gli applicò... con la preda*: li versò all'erario e non li spartì quindi come bottino di guerra.
811 *si aveva a trarre... occupata*: si doveva togliere dalle mani dei soldati che se n'erano di già impadroniti.
812 *enfiato*: tronfio.
813 *La prolungazione degl'imperii*: la proroga delle cariche militari.

vide in fatto quanto nocé [814] alla città quella autorità che i cittadini per tali diliberazioni presono. E se gli altri cittadini a chi era prorogato il magistrato fussono stati savi e buoni come fu Lucio Quinzio [815] non si sarebbe incorso in questo inconveniente. La bontà del quale è di uno esemplo notabile, perché essendosi fatto intra la Plebe ed il Senato convenzione d'accordo, ed avendo la Plebe prolungato in uno anno lo imperio ai Tribuni giudicandogli atti a potere resistere all'ambizione de' nobili, volle il Senato per gara della Plebe e per non parere da meno di lei, prolungare il consolato a Lucio Quinzio: il quale al tutto negò questa diliberazione, dicendo che i cattivi esempli si voleva cercare di spegnergli non di accrescergli con uno altro più cattivo esempio, e volle si facesseno nuovi Consoli. La quale bontà e prudenza se fosse stata in tutti i cittadini romani, non arebbe lasciata introdurre quella consuetudine di prolungare i magistrati, e da quelli non si sarebbe venuto alla prolungazione delli imperii: la quale cosa col tempo rovinò quella Republica. Il primo a chi fu prorogato lo imperio fu a Publio Filone, il quale essendo a campo alla città di Palepoli, e venendo la fine del suo consolato, e parendo al Senato ch'egli avesse in mano quella vittoria, non gli mandarono il successore ma lo fecero Proconsolo; talché fu il prino Proconsolo. La quale cosa, ancora che mossa dal Senato per utilità publica, fu quella che con il tempo fece serva Roma. Perché quanto più i Romani si discostarono con le armi, tanto più parve loro tale prorogazione necessaria, e più la usarono. La quale cosa fece due inconvenienti: l'uno, che meno [816] numero di uomini si esercitarono negl'imperii, e si venne per questo a ristringere la riputazione in pochi; l'altro, che stando uno cittadino assai tempo comandatore d'uno esercito, se lo guadagnava e facevaselo partigiano: perché quello esercito col tempo dimenticava il Senato e riconosceva quello capo. Per questo Silla e Mario poterono trovare soldati che contro al bene publico gli seguitassono; per questo Cesare

814 *nocé*: fu dannosa.
815 Lucio Quinzio Cincinnato.
816 *meno*: un minore.

413

potette occupare la patria. Che se mai i Romani non avessono prolungati i magistrati e gli imperii, se non venivano sì tosto a tanta potenza, e se fussono stati più tardi gli acquisti loro, sarebbono ancora più tardi venuti nella servitù.

XXV · DELLA POVERTÀ DI CINCINNATO E DI MOLTI CITTADINI ROMANI

Noi abbiamo ragionato altrove,[817] come la più utile cosa che si ordini in uno vivere libero è che si mantenghino i cittadini poveri. E benché in Roma non apparisca quale ordine fusse quello che facesse questo effetto, avendo massime la legge agraria avuta tanta oppugnazione,[818] nondimeno per esperienza si vide che dopo quattrocento anni che Roma era stata edificata, vi era una grandissima povertà; né si può credere che altro ordine maggiore facesse questo effetto, che vedere come per la povertà non ti era impedita la via a qualunque grado ed a qualunque onore, e come e' si andava a trovare la virtù in qualunque casa l'abitasse. Il quale modo di vivere faceva manco desiderabili le ricchezze. Questo si vede manifesto, perché sendo Minuzio consolo [819] assediato con lo esercito suo dagli Equi, si empié di paura Roma che quello esercito non si perdesse, tanto che ricorsero a creare il Dittatore, ultimo rimedio nelle loro cose afflitte, e crearono Lucio Quinzio Cincinnato, il quale allora si trovava nella sua piccola villa, la quale lavorava di sua mano. La quale cosa con parole auree è celebrata da Tito Livio dicendo: « Operæ prætium est audire, qui omnia præ divitiis humana spernunt, neque honori magno locum, neque virtuti putant esse, nisi effuse affluant opes ».[820] Arava Cincinnato la sua piccola villa, la

817 Cfr. *Discorsi*, I, 37.
818 *tanta oppugnazione*: tanta opposizione.
819 Lucio Minucio.
820 « Vale la pena che ascoltino coloro i quali hanno in disprezzo ogni cosa umana che non sia ricchezza, né credono che vi sia spazio per grandi onori, né per il valore se non dove abbonda largamente la ricchezza. » (Livio, III, 26, 7).

quale non trapassava il termine di quattro iugeri, quando da Roma vennero i Legati del Senato a significargli la elezione della sua dittatura, a mostrargli in quale pericolo si trovava la romana republica. Egli, presa la sua toga, venuto in Roma e ragunato uno esercito, ne andò a liberare Minuzio; ed avendo rotti e spogliati i nimici, e liberato quello, non volle che lo esercito assediato fusse partecipe della preda, dicendogli queste parole: « Io non voglio che tu participi della preda di coloro de' quali tu se' stato per essere preda »: e privò Minuzio del consolato e fecelo Legato dicendogli: « Starai in questo grado tanto che tu impari a sapere essere Consolo ». Aveva fatto suo Maestro de' cavagli Lucio Tarquinio, il quale per la povertà militava a piede. Notasi, come è detto, l'onore che si faceva in Roma alla povertà, e come a un uomo buono e valente quale era Cincinnato, quattro iugeri di terra bastavano a nutrirlo. La quale povertà si vede come era ancora ne' tempi di Marco Regolo, perché sendo in Africa con gli eserciti, domandò licenza al Senato per potere tornare a custodire la sua villa, la quale gli era guasta da' suoi lavoratori. Dove si vede due cose notabilissime: l'una, la povertà, e come vi stavano dentro contenti, e come e' bastava a quelli cittadini trarre della guerra onore, e l'utile tutto lasciavano al publico. Perché s'egli avessero pensato d'arricchire della guerra, gli sarebbe dato poca briga che i suoi campi fussono stati guasti. L'altra è considerare la generosità dell'animo di quelli cittadini, i quali preposti ad uno esercito, saliva la grandezza dello animo loro sopra ogni principe, non stimavano i re, non le republiche, non gli sbigottiva né spaventava cosa alcuna, e tornati dipoi privati, diventavano parchi, umili, curatori delle piccole facultà loro, ubbidienti a' magistrati, reverenti alli loro maggiori; talché pare impossibile che uno medesimo animo patisca tale mutazione. Durò questa povertà ancora infino a' tempi di Paulo Emilio,[820 bis] che furono quasi gli ultimi felici tempi di quella Republica, dove uno cittadino, che col trionfo suo arricchì Roma, nondimeno mantenne

820 bis Lucio Paolo Emilio il vincitore del re Perseo di Macedonia a Pidna (168 a.C.).

povero sé. Ed in tanto si stimava ancora la povertà che Paulo nell'onorare chi si era portato bene nella guerra, donò a uno suo genero una tazza d'ariento, il quale fu il primo ariento che fusse nella sua casa. Potrebbesi con un lungo parlare mostrare quanto migliori frutti produca la povertà che la ricchezza, e come l'una ha onorato le città, le provincie, le sètte, e l'altra le ha rovinate, se questa materia non fusse stata molte volte da altri uomini celebrata.

XXVI · COME PER CAGIONE DI FEMINE SI ROVINA UNO STATO

Nacque nella città d'Ardea intra i patrizi e gli plebei una sedizione per cagione d'uno parentado, dove avendosi a maritare una femmina ricca, la domandarono parimente uno plebeo ed uno nobile: e non avendo quella padre, i tutori la volevono congiugnere al plebeo, la madre al nobile: di che nacque tanto tumulto che si venne alle armi, dove tutta la Nobilità si armò in favore del nobile, e tutta la plebe in favore del plebeo. Talché essendo superata, la plebe si uscì d'Ardea e mandò a' Volsci per aiuto, i nobili mandarono a Roma. Furono prima i Volsci, e giunti intorno ad Ardea si accamparono. Sopravvennono i Romani e rinchiusono i Volsci infra la terra e loro, tanto che gli costrinsono, essendo stretti dalla fame, a darsi a discrezione. Ed entrati i Romani in Ardea e morti tutti i capi della sedizione, composono le cose di quella città.

Sono in questo testo più cose da notare. Prima si vede come le donne sono state cagioni di molte rovine, ed hanno fatti gran danni a quegli che governano una città, ed hanno causato di molte divisioni in quelle; e come si è veduto in questa nostra istoria, l'eccesso fatto contro a Lucrezia tolse lo stato ai Tarquinii, quell'altro fatto contro a Virginia privò i Dieci dell'autorità loro. Ed Aristotile intra le prime cause che mette della rovina de' tiranni è lo avere ingiuriato altrui per conto delle donne, con stuprarle o con violarle o con rompere i matrimoni, come di questa parte, nel capitolo dove noi trattamo delle congiure, largamente si parlò.[821] Dico adunque, come i principi assoluti ed i governatori delle republiche non hanno a tenere poco conto di questa parte, ma debbono considerare i disordini che per tale accidente possono nascere, e rimediarvi in tempo che il rimedio non sia con danno e vituperio dello stato loro o della loro republica: come intervenne agli Ardeati, i quali, per avere lasciato crescere quella gara intra i loro cittadini, si condussero a dividersi infra loro, e volendo riunirsi ebbono a mandare per soccorsi esterni, il che è uno grande principio d'una propinqua servitù. Ma veniamo allo altro notabile del modo del riunire la città, del quale nel futuro capitolo parlereno.

XXVII · COME E' SI HA AD UNIRE UNA CITTÀ DIVISA, E COME E' NON È VERA QUELLA OPINIONE CHE A TENERE LE CITTÀ BISOGNI TENERLE DIVISE

Per lo esempio de' Consoli romani che riconciliorono insieme gli Ardeati, si nota il modo come si debbe comporre una città divisa, il quale non è altro, né altrimenti si debbe medicare, che ammazzare i capi de' tumulti; perché gli è necessario pigliare uno de' tre modi, o ammazzargli, come feciono costoro, o rimuovergli della città, o fare loro fare pace insieme sotto oblighi di non si offendere. Di questi tre modi, questo ultimo è più dannoso, meno certo e più inutile. Perché gli è impossibile, dove sia corso assai sangue o altre simili ingiurie, che una pace fatta per forza duri, riveggendosi ogni dì insieme in viso: ed è difficile che si astenghino dallo ingiuriare l'uno l'altro, potendo nascere infra loro ogni dì per la conversazione nuove cagioni di querele.

Sopra che non si può dare il migliore esempio che la città di Pistoia. Era divisa quella città, come è ancora, quindici anni sono, in Panciatichi e Cancellieri; ma allora era in sull'armi ed oggi le ha posate. E dopo molte dispute infra loro, vennono al sangue, alla rovina delle case, al predarsi la roba e ad ogni altro termine di nimico. Ed

821 Cfr. *Discorsi*, III, 6.

i Fiorentini, che gli avevano a comporre, sempre vi usarono quel terzo modo e sempre ne nacque maggiori tumulti e maggiori scandoli, tanto che stracchi e' si venne al secondo modo: di rimuovere i capi delle parti, de' quali alcuni messono in prigione, alcuni altri confinarono in vari luoghi, tanto che l'accordo fatto potette stare ed è stato infino a oggi. Ma senza dubbio più sicuro saria stato il primo. Ma perché simili esecuzioni hanno il grande ed il generoso, una republica debole non le sa fare, ed ènne [822] tanto discosto che a fatica la si conduce al rimedio secondo. E questi sono di quegli errori che io dissi nel principio che fanno i principi de' nostri tempi, che hanno a giudicare le cose grandi, perché doverrebbono volere udire come si sono governati coloro che hanno avuto a giudicare anticamente simili casi. Ma la debolezza de' presenti uomini, causata dalla debole educazione loro e dalla poca notizia delle cose, fa che si giudicano i giudicii antichi parte inumani, parte impossibili. Ed hanno certe loro moderne opinioni discosto al tutto dal vero, come è quella che dicevano e savi della nostra città un tempo fa: che bisognava tenere Pistoia con le parti e Pisa con le fortezze; e non si avveggono quanto l'una e l'altra di queste due cose è inutile.

Io voglio lasciare le fortezze, perché di sopra ne parlamo a lungo, e voglio discorrere la inutilità che si trae del tenere le terre che tu hai in governo divise. In prima egli è impossibile che tu ti mantenga tutte a due quelle parti amiche, o principe o republica che le governi. Perché dalla natura è dato agli uomini pigliare parte in qualunque cosa divisa, e piacergli più questa che quella: talché avendo una parte di quella terra male contenta, fa che, la prima guerra che viene, te la perdi; perché gli è impossibile guardare una città che abbia e nimici fuori e dentro. Se la è una republica che la governi, non ci è il più bel modo a fare cattivi i suoi cittadini ed a fare dividere la tua città che avere in governo una città divisa, perché ciascuna parte cerca di avere favori e ciascuna si fa amici con varie corruttele, talché ne nasce due grandissimi inconvenienti.

822 *ènne*: e ne è.

L'uno, che tu non ti gli fai mai amici, per non gli potere governare bene, variando il governo spesso ora con l'uno ora con l'altro omore; l'altro che tale studio di parte divide di necessità la tua republica. Ed il Biondo,[823] parlando de' Fiorentini e de' Pistolesi, ne fa fede, dicendo: « Mentre che i Fiorentini disegnavono di riunire Pistoia, divisono se medesimi ». Pertanto si può facilmente considerare il male che da questa divisione nasca.

Nel 1502, quando si perdé Arezzo, e tutto Val di Tevere e Val di Chiana, occupatoci dai Vitelli e dal duca Valentino, venne un monsignor di Lant, mandato dal re di Francia a fare ristituire ai Fiorentini tutte quelle terre perdute: e trovando Lant in ogni castello uomini che nel vicitarlo[824] dicevano che erano della parte di Marzocco,[825] biasimò assai questa divisione, dicendo che se in Francia uno di quegli sudditi del re dicesse di essere della parte del re sarebbe gastigato, perché tale voce non significherebbe altro se non che in quella terra fusse gente inimica del re, e quel re vuole che le terre tutte sieno sue amiche, unite e sanza parte. Ma tutti questi modi e queste opinioni diverse dalla verità, nascono dalla debolezza di chi è signore, i quali veggendo di non potere tenere gli stati con forza e con virtù, si voltono a simili industrie, le quali qualche volta ne' tempi quieti giovano qualche cosa, ma come e' vengono le avversità ed i tempi forti,[826] le mostrano la fallacia loro.

XXVIII · CHE SI DEBBE POR MENTE ALLE OPERE DE' CITTADINI, PERCHÉ MOLTE VOLTE SOTTO UNA OPERA PIA SI NASCONDE UNO PRINCIPIO DI TIRANNIDE

Essendo la città di Roma aggravata dalla fame, e non bastando le provisioni publiche a cessarla, prese animo uno Spurio Melio, essendo assai ricco secondo quegli tempi, di fare provisione privatamente di frumento e pascerne con

823 Flavio Biondo, storico e umanista (1392-1463).
824 *nel vicitarlo*: nel visitarlo.
825 Ovvero di Firenze, del leone fiorentino.
826 *i tempi forti*: i tempi duri.

suo grado la plebe. Per la quale cosa egli ebbe tanto concorso di popolo in suo favore che il Senato, pensando allo inconveniente che di quella sua liberalità poteva nascere, per opprimerla avanti che la pigliasse più forze, gli creò uno Dittatore addosso e fecelo morire. Qui è da notare come molte volte le opere che paiono pie e da non le potere ragionevolmente dannare diventono crudeli, e per una republica sono pericolosissime, quando le non siano a buona ora corrette. E per discorrere questa cosa più particularmente, dico che una republica sanza i cittadini riputati non può stare, né può governarsi in alcuno modo bene. Dall'altro canto, la riputazione de' cittadini è cagione della tirannide delle republiche. E volendo regolare questa cosa, bisogna ordinarsi talmente che i cittadini siano riputati di riputazione che giovi e non nuoca alla città ed alla libertà di quella. E però si debbe esaminare i modi con i quali e' pigliano riputazione, che sono in effetto due, o publici o privati. I modi publici sono, quando uno consigliando bene, operando meglio in beneficio comune, acquista riputazione. A questo onore si debba aprire la via ai cittadini, e preporre premii ed ai consigli ed alle opere, talché se ne abbiano ad onorare e sodisfare. E quando queste riputazioni prese per queste vie siano stiette e semplici, non saranno mai pericolose: ma quando le sono prese per vie private, che è l'altro modo preallegato, sono pericolosissime ed in tutto nocive. Le vie private sono, faccendo beneficio a questo ed a quello altro privato, col prestargli danari, maritargli le figliuole, difenderlo dai magistrati e faccendogli simili privati favori, i quali si fanno gli uomini partigiani e dànno animo a chi è così favorito di potere corrompere il publico e sforzare le leggi. Debbe pertanto una republica bene ordinata aprire le vie come è detto, a chi cerca favori per vie publiche, e chiuderle a chi li cerca per vie private, come si vede che fece Roma; perché in premio di chi operava bene per il publico, ordinò i trionfi e tutti gli altri onori che la dava ai suoi cittadini; e in danno di chi sotto vari colori per vie private cercava di farsi grande, ordinò l'accuse: e quando queste non bastassero, per essere acceccato il popolo da una spezie di falso bene, ordinò il Dittatore, il quale con il braccio regio facesse ritornare dentro al segno chi ne fosse uscito, come la fece per punire Spurio Melio. Ed una che di queste cose si lasci impunita, è atta a rovinare una republica: perché difficilmente con quello esemplo si riduce dipoi in la vera via.

XXIX · CHE GLI PECCATI DE' POPOLI NASCONO DAI PRINCIPI

Non si dolghino i principi di alcuno peccato che facciono i popoli ch'egli abbiano in governo, perché tali peccati conviene che naschino o per la sua negligenza o per essere lui macchiato di simili errori. E chi discorrerà i popoli che ne' nostri tempi sono stati tenuti pieni di ruberie e di simili peccati, vedrà che sarà al tutto nato da quegli che gli governavano, che erano di simile natura. La Romagna, innanzi che in quella fussono spenti da Papa Alessandro VI quegli signori che la comandavano, era un esemplo d'ogni scelleratissima vita, perché quivi si vedeva per ogni leggiere cagione seguire occisioni e rapine grandissime. Il che nasceva dalla tristizia di quegli principi, non dalla natura trista degli uomini, come loro dicevano. Perché sendo quegli principi poveri e volendo vivere da ricchi, erano necessitati volgersi a molte rapine e quelle per vari modi usare; ed intra l'altre disoneste vie che tenevano, e' facevano leggi e proibivono alcuna azione;[827] dipoi erano i primi che davano cagione della inosservanza di esse, né mai punivano gli inosservanti, se non poi quando vedevano assai essere incorsi in simile pregiudizio, ed allora si voltavano alla punizione, non per zelo della legge fatta ma per cupidità di riscuotere la pena. Donde nasceva molti inconvenienti, e sopra tutto questo, che i popoli s'impoverivano e non si correggevano; e quegli che erano impoveriti s'ingegnavano contro a' meno potenti di loro prevalersi. Donde surgevano tutti quelli mali che di sopra si dicano, de' quali era cagione il principe. E che questo sia vero, lo mostra Tito Livio quando e' narra che portando i legati romani il dono della preda de' Veienti ad Apolline, furono presi da'

827 *alcuna azione*: qualche azione.

corsali [828] di Lipari in Sicilia e condotti in quella terra. Ed inteso Timasiteo loro principe che dono era questo, dove gli andava e chi lo mandava, si portò, [829] quantunque nato a Lipari, come uomo romano, e mostrò al popolo quanto era impio occupare simile dono; tanto che con il consenso dello universale ne lasciò andare i Legati con tutte le cose loro. E le parole dello istorico sono queste: « Timasitheus multitudinem religione implevit, quæ semper regenti est similis ». [830] E Lorenzo de' Medici, a confermazione di questa sentenza, dice:

E quel che fa 'l signor fanno poi molti
ché nel signor son tutti gli occhi volti. [831]

XXX · A UNO CITTADINO CHE VOGLIA NELLA SUA REPUBLICA FARE DI SUA AUTORITÀ ALCUNA OPERA BUONA, È NECESSARIO PRIMA SPEGNERE L'INVIDIA; E COME, VENENDO IL NIMICO, SI HA A ORDINARE LA DIFESA D'UNA CITTÀ

Intendendo il Senato romano come la Toscana tutta aveva fatto nuovo deletto [832] per venire a' danni di Roma, e come i Latini e gli Ernici, stati per lo addietro amici del Popolo romano, si erano accostati con i Volsci perpetui inimici di Roma, giudicò questa guerra dovere essere pericolosa. E trovandosi Cammillo tribuno di potestà consolare, pensò che si potesse fare sanza creare il Dittatore, quando gli altri Tribuni suoi colleghi volessono cedergli la somma dello imperio. Il che detti Tribuni fecero volontariamente: « Nec quicquam (dice Tito Livio) de maiestate sua detractum credebant, quod maiestati eius concessissent ». [833] Onde Cammillo, presa a parole questa ubbidienza, comandò che si

828 *da' corsali* : dai corsari.
829 *si portò* : si comportò.
830 « Timasiteo empì la moltitudine di timor religioso, la quale imita sempre chi governa » (Livio, v, 28, 4).
831 Nella *Rappresentazione di San Giovanni e Paolo*.
832 *nuovo deletto* : una nuova leva militare.
833 « Né essi credevano di essere diminuiti nella loro dignità per ciò che concedevano alla grandezza di lui. » (Livio, vi, 6, 7).

scrivesse [834] tre eserciti. Del primo volle essere capo lui per ire contro a' Toscani, del secondo fece capo Quinto Servilio, il quale volle stesse propinquo a Roma per ostare ai Latini ed agli Ernici se si movessono: al terzo esercito prepose Lucio Quinzio, il quale scrisse per tenere guardata la città e difese le porte e la curia in ogni caso che nascesse. Oltre a di questo, ordinò che Orazio, uno de' suoi colleghi, provedesse l'armi ed il frumento e l'altre cose che richieggono i tempi della guerra. Prepose Cornelio ancora suo collega al Senato ed al publico consiglio, acciocché potesse consigliare le azioni che giornalmente si avevano a fare ed esequire. In questo modo furono quegli Tribuni in quelli tempi per la salute della patria disposti a comandare ed a ubidire. Notasi per questo testo quello che faccia uno uomo buono e savio, e di quanto bene sia cagione, e quanto utile e' possa fare alla sua patria, quando mediante la sua bontà e virtù egli ha spenta la invidia, la quale è molte volte cagione che gli uomini non possono operare bene, non permettendo detta invidia che gli abbiano quella autorità la quale è necessaria avere nelle cose d'importanza. Spegnesi questa invidia in due modi: o per qualche accidente forte e difficile, dove ciascuno veggendosi perire, posposta ogni ambizione, corre volontariamente ad ubidire a colui che crede che con la sua virtù lo possa liberare: come intervenne a Cammillo, il quale avendo dato di sé tanti saggi di uomo eccellentissimo, ed essendo stato tre volte Dittatore, ed avendo amministrato sempre quel grado ad utile publico e non a propria utilità, aveva fatto che gli uomini non temevano della grandezza sua, e per essere tanto grande e tanto riputato, non stimavano cosa vergognosa essere inferiore a lui (e però dice Tito Livio saviamente quelle parole: « Nec quicquam » ecc.). In uno altro modo si spegne l'invidia quando o per violenza o per ordine naturale muoiono coloro che sono stati tuoi concorrenti nel venire a qualche riputazione ed a qualche grandezza, i quali veggendoti riputato più di loro, è impossibile che mai acquieschino e stieno pazienti. E quando e' sono uomini che siano usi a vivere in una

834 *si scrivesse*: fossero arruolati.

città corrotta dove la educazione non abbia fatto in loro alcuna bontà, è impossibile che per accidente alcuno mai si ridichino,[835] e per ottenere la voglia loro e satisfare alla loro perversità d'animo, sarebbero contenti vedere la rovina della loro patria. A vincere questa invidia non ci è altro rimedio che la morte di coloro che l'hanno; e quando la fortuna è tanto propizia a quell'uomo virtuoso che si muoiano ordinariamente, diventa sanza scandolo glorioso, quando sanza ostacolo e sanza offesa e' può mostrare la sua virtù. Ma quando e' non abbi questa ventura gli conviene pensare per ogni via a torsegli dinanzi; e prima ch'e' facci cosa alcuna, gli bisogna tenere modi che vinca questa difficultà. E chi legge la Bibbia sensatamente vedrà Moisè essere stato forzato, a volere che le sue leggi e che li suoi ordini andassero innanzi, ad ammazzare infiniti uomini, i quali non mossi da altro che dalla invidia si opponevano a' disegni suoi. Questa necessità conosceva benissimo frate Girolamo Savonerola; conoscevala ancora Piero Soderini, gonfaloniere di Firenze. L'uno non potette vincerla per non avere autorità a poterlo fare (che fu il frate) e per non essere inteso bene da coloro che lo seguitavano, che ne arebbero avuto autorità. Nonpertanto per lui non rimase, e le sue prediche sono piene di accuse de' savi del mondo e d'invettive contro a loro: perché chiamava così questi invidi e quegli che si opponevano agli ordini suoi. Quell'altro credeva, col tempo, con la bontà, con la fortuna sua, col beneficare alcuno, spegnere questa invidia, vedendosi di assai fresca età, e con tanti nuovi favori che gli arrecava el modo del suo procedere, che credeva potere superare quelli tanti che per invidia se gli opponevano, sanza alcuno scandalo, violenza e tumulto; e non sapeva che il tempo non si può aspettare, la bontà non basta, la fortuna varia e la malignità non truova dono che la plachi. Tanto che l'uno e l'altro di questi due rovinarono, e la rovina loro fu causata da non avere saputo o potuto vincere questa invidia.

L'altro notabile è l'ordine che Cammillo dette dentro e fuori per la salute di Roma. E veramente non sanza cagione gli istorici buoni, come è questo nostro, mettono particularmente e distintamente certi casi, acciocché i posteri imparino come gli abbino i simili accidenti a difendersi. E debbesi in questo testo notare che non è la più pericolosa né la più inutile difesa che quella che si fa tumultuariamente e sanza ordine. E questo si mostra per quello terzo esercito che Cammillo fece scrivere per lasciarlo in Roma a guardia della città; perché molti arebbero giudicato e giudicherebbero questa parte superflua, sendo quel popolo per l'ordinario armato e bellicoso, e per questo che non bisognasse di scriverlo altrimenti ma bastasse farlo armare quando il bisogno venisse. Ma Cammillo e qualunque fusse savio come era esso, la giudica altrimenti, perché non permette mai che una moltitudine pigli l'arme se non con certo ordine e certo modo. E però in su questo esemplo uno che sia preposto a guardia d'una città debbe fuggire come uno scoglio il fare armare gli uomini tumultuosamente, ma debba avere prima scritti e scelti quegli che voglia si armino, chi gli abbino ad ubbidire, dove a convenire, dove a andare, e quegli che non sono scritti comandare che stieno ciascuno alle case sue a guardia di quelle. Coloro che terranno questo ordine in una città assaltata, facilmente si potranno difendere : chi farà altrimenti, non imiterà Cammillo, e non si difenderà.

XXXI · LE REPUBLICHE FORTI E GLI UOMINI ECCELLENTI RITENGONO IN OGNI FORTUNA IL MEDESIMO ANIMO E LA LORO MEDESIMA DIGNITÀ

Intra l'altre magnifiche cose che il nostro istorico fa dire e fare a Cammillo, per mostrare come debbe essere fatto un uomo eccellente, gli mette in bocca queste parole : « Nec mihi dictatura animos fecit, nec exilium ademit ».[836] Per le quali si vede come gli uomini grandi sono sempre in ogni fortuna quelli medesimi; e se la varia, ora con esaltarli ora con opprimerli, quegli non variano, ma ten-

836 « Né la dittatura mi ha dato animo, né l'esilio me ne privò. » (Livio, VI, 7, 5).

gono sempre lo animo fermo ed in tale modo congiunto con il modo del vivere loro che facilmente si conosce per ciascuno la fortuna non avere potenza sopra di loro. Altrimenti si governano gli uomini deboli, perché invaniscono ed inebriano nella buona fortuna, attribuendo tutto il bene che gli hanno a quella virtù che non conobbono mai. Donde nasce che diventano insopportabili ed odiosi a tutti coloro che gli hanno intorno. Da che poi depende la subita variazione della sorte, la quale come veggono in viso, caggiono subito nell'altro difetto, e diventano vili ed abietti. Di qui nasce che i principi così fatti pensano nelle avversità più a fuggirsi che a difendersi, come quelli che per avere male usato la buona fortuna, sono ad ogni difesa impreparati.

Questa virtù e questo vizio che io dico trovarsi in un uomo solo, si truova ancora in una republica, ed in esemplo ci sono i Romani ed i Viniziani. Quelli primi, nessuna cattiva sorte gli fece mai diventare abietti, né nessuna buona fortuna gli fece mai essere insolenti, come si vede manifestamente dopo la rotta ch'egli ebbero a Canne, e dopo la vittoria ch'egli ebbero contro a Antioco:[837] perché per quella rotta, ancora che gravissima per essere stata la terza, non invilirono mai, e mandarono fuori eserciti, non vollono riscattare i loro prigioni contro gli ordini loro,[838] non mandarono ad Annibale o a Cartagine a chiedere pace; ma lasciate stare tutte queste cose abiette indietro, pensarono sempre alla guerra, armando per carestia di uomini i vecchi ed i servi loro. La quale cosa conosciuta da Annone cartaginese, come di sopra si disse,[839] mostrò a quel Senato quanto poco conto si aveva a tenere della rotta di Canne. E così si vide come i tempi difficili non gli sbigottivono né gli rendevono umili. Dall'altra parte i tempi prosperi non gli facevano insolenti, perché mandando Antioco oratori a Scipione a chiedere accordo avanti che fussono venuti alla giornata e ch'egli avesse perduto, Scipione gli dette certe condizioni della pace, quali erano che si riti-

---

837 Nel 190 a.C.
838 *gli ordini loro* : le loro tradizioni.
839 Cfr. *Discorsi*, ii, 30.

rasse dentro alla Soria ed il resto lasciasse nello arbitrio del Popolo romano: il quale accordo recusando Antioco, e venendo alla giornata e perdendola, rimandò ambasciadori a Scipione, con commissione che pigliassero tutte quelle condizioni erano date loro dal vincitore; alli quali non propose altri patti che quegli si avesse offerti innanzi che vincesse, soggiugnendo queste parole: « Quod Romani si vincuntur, non minuuntur animis, nec, si vincunt, insolescere solent ».[840]

Al contrario appunto di questo si è veduto fare ai Viniziani, i quali nella buona fortuna, parendo loro aversela guadagnata con quella virtù che non avevano, erano venuti a tanta insolenza che chiamavano il re di Francia figliuolo di San Marco, non stimavano la Chiesa, non capivano in modo alcuno in Italia, ed eronsi presupposti nello animo di avere a fare una monarchia simile alla romana. Dipoi come la buona sorte gli abbandonò, e ch'egli ebbono una mezza rotta a Vailà [841] dal re di Francia, perderono non solamente tutto lo stato loro per ribellione, ma buona parte ne dettero al papa ed al re di Spagna per viltà ed abiezione d'animo; ed in tanto invilirono che mandarono ambasciadori allo imperadore [842] a farsi tributari, e scrissono al papa lettere piene di viltà e di sommissione per muoverlo a compassione. Alla quale infelicità pervennono in quattro giorni e dopo una mezza rotta, perché avendo combattuto il loro esercito, nel ritirarsi venne a combattere ed essere oppresso circa la metà, in modo che l'uno de' Provveditori che si salvò arrivò a Verona con più di venticinquemila soldati intr'a piè ed a cavallo; talmente che se a Vinegia e negli ordini loro fosse stata alcuna qualità di virtù, facilmente si potevano rifare e rimostrare di nuovo il viso alla fortuna, ed essere a tempo o a vincere o a perdere più gloriosamente o ad avere accordo più onorevole. Ma la viltà dello animo loro, causata dalla qualità de' loro ordini non buoni nelle cose della guerra, gli fece ad un tratto

840 « Poiché i Romani se sono sconfitti, non si perdono d'animo; né, se vincono, sono soliti divenire tracotanti. » (Livio, XXXVII, 45, 11).
841 A Vailate (o Agnadello), battaglia più volte ricordata.
842 Massimiliano d'Asburgo.

perdere lo stato e l'animo. E sempre interverrà così a qualunque si governa come loro, perché questo diventare insolente nella buona fortuna ed abietto nella cattiva, nasce dal modo del procedere tuo e dalla educazione nella quale ti se' nutrito: la quale, quando è debole e vana, ti rende simile a sé, quando è stata altrimenti, ti rende anche d'un'altra sorte, e faccendoti migliore conoscitore del mondo, ti fa meno rallegrare del bene e meno rattristare del male. E quello che si dice d'uno solo si dice di molti che vivono in una republica medesima, i quali si fanno di quella perfezione che ha il modo del vivere di quella.

E benché altra volta si sia detto come il fondamento di tutti gli stati è la buona milizia, e come dove non è questa non possono essere né leggi buone né alcuna altra cosa buona, non mi pare superfluo riplicarlo, perché ad ogni punto, nel leggere questa istoria, si vede apparire questa necessità: e si vede come la milizia non puote essere buona se non la è esercitata, e come la non si può esercitare se non la è composta di tuoi sudditi, perché sempre non si sta in guerra né si può starvi. Però conviene poterla esercitare a tempo di pace, e con altri che con sudditi non si può fare questo esercizio rispetto alla spesa. Era Cammillo andato, come di sopra dicemo, con lo esercito contro ai Toscani: [843] ed avendo i suoi soldati veduto la grandezza dello esercito de' nimici si 'erano tutti sbigottiti, parendo loro essere tanto inferiori da non potere sostenere l'impeto di quegli. E pervenendo questa mala disposizione del campo agli orecchi di Cammillo, si mostrò fuora, ed andando parlando per il campo a questi e quelli soldati, trasse loro del capo questa opinione e nello ultimo sanza ordinare altrimenti il campo disse: « Quod quisque didicit, aut consuevit, faciet ».[844] E chi considera bene questo termine e le parole disse loro per inanimirli ad ire contro a' nimici, considererà come e' non si poteva né dire né far fare alcuna di quelle cose a uno esercito che prima non fosse stato ordinato ed esercitato ed in pace ed in guerra:

843 Contro i Volsci.
844 « Che ognuno facesse ciò che conosceva od era solito fare. » (Livio, vi, 7, 6).

perché di quegli soldati che non hanno imparato a fare cosa alcuna, non può uno capitano fidarsi e credere che faccino alcuna cosa che stia bene: e se[845] gli comandasse uno nuovo Annibale, vi rovinerebbe sotto. Perché non potendo uno capitano essere, mentre si fa la giornata, in ogni parte, se non ha prima in ogni parte ordinato di potere avere uomini che abbino lo spirito suo e bene gli ordini e modi del procedere suo, conviene di necessità che ei rovini. Se adunque una città sarà armata ed ordinata come Roma, e che ogni dì ai suoi cittadini ed in particulare ed in publico tocchi a fare isperienza e della virtù loro e della potenza della fortuna, interverrà sempre che in ogni condizione di tempo ei fiano del medesimo animo, e manterranno la medesima loro degnità. Ma quando e' fiano disarmati, e che si appoggeranno solo agl'impeti della fortuna e non alla propria virtù, varieranno col variare di quella, e daranno sempre di loro esemplo tale che hanno dato i Viniziani.

XXXII · QUALI MODI HANNO TENUTI ALCUNI A TURBARE UNA PACE

Essendosi ribellate dal Popolo romano Circei e Velitre,[846] due sue colonie, sotto speranza di essere difese dai Latini, ed essendo dipoi i Latini vinti, e mancando di quella speranza, consigliavano assai cittadini che si dovesse mandare a Roma oratori a raccomandarsi al Senato: il quale partito fu turbato da coloro che erano stati autori della ribellione, i quali temevano che tutta la pena non si voltasse sopra le teste loro. E per tòrre via ogni ragionamento di pace, incitarono la moltitudine ad armarsi ed a correre sopra i confini romani. E veramente quando alcuno vuole o che uno popolo o uno principe lievi al tutto l'animo da uno accordo, non ci è altro rimedio più vero né più stabile che farli usare qualche grave sceleratezza contro a colui con il quale tu non vuoi che l'accordo si faccia. Per-

845 *e se* : e anche se.
846 Circeo e Velletri.

ché sempre lo terrà discosto quella paura di quella pena che a lui parrà per lo errore commesso avere meritata. Dopo la prima guerra che i Cartaginesi ebbono con i Romani, quelli soldati che dai Cartaginesi erano stati adoperati in quella guerra in Sicilia ed in Sardigna, fatta che fu la pace se ne andarono in Africa, dove non essendo sodisfatti del loro stipendio, mossono l'armi contro ai Cartaginesi, e fatti di loro due capi, Mato e Spendio, occuparono molte terre ai Cartaginesi e molte ne saccheggiarono. I Cartaginesi, per tentare prima ogni altra via che la zuffa, mandarono a quelli ambasciadore Asdrubale loro cittadino, il quale pensavano avesse alcuna autorità con quelli, essendo stato per lo adietro loro capitano: ed arrivato costui e volendo Spendio e Mato obligare tutti quelli soldati e non sperare di avere mai più pace con i Cartaginesi, e per questo obligarli alla guerra, persuasono loro ch'egli era meglio ammazzare costui con tutti i cittadini cartaginesi quali erano appresso loro prigioni. Donde non solamente gli ammazzarono, ma con mille supplicii in prima gli straziorono, aggiugnendo a questa sceleratezza uno editto, che tutti i Cartaginesi che per lo avvenire si pigliassono, si dovessono in simile modo uccidere. La quale deliberazione ed esecuzione fece quello esercito crudele ed ostinato contro ai Cartaginesi.

XXXIII · EGLI È NECESSARIO, A VOLERE VINCERE UNA GIORNATA, FARE LO ESERCITO CONFIDENTE [847] ED INFRA LORO E CON IL CAPITANO

A volere che uno esercito vinca la giornata è necessario farlo confidente, in modo che creda dovere in ogni modo vincere. Le cose che lo fanno confidente sono che sia armato ed ordinato bene, conoschinsi [848] l'uno l'altro. Né può nascere questa confidenza o questo ordine se non in quelli soldati che sono nati e vissuti insieme. Conviene che il capitano sia stimato di qualità che confidino nella pru-

847 *confidente*: fiducioso.
848 *conoschinsi*: si conoscano.

denza sua, e sempre confideranno quando lo vegghino ordinato, sollecito ed animoso, e che tenga bene e con riputazione la maestà del grado suo: e sempre la manterrà, quando gli punisca degli errori e non gli affatichi invano, osservi loro le promesse, mostri facile la via del vincere, quelle cose che discosto potessino mostrare i pericoli le nasconda o le alleggerisca. Le quali cose osservate bene, sono cagione grande che lo esercito confida, e confidando vince. Usavano i Romani di fare pigliare agli eserciti loro questa confidenza per via di religione, donde nasceva che con gli auguri ed auspicii creavano i Consoli, facevano il deletto, partivano con gli eserciti e venivano alla giornata; e sanza avere fatto alcuna di queste cose non mai arebbe uno buono capitano e savio tentata alcuna fazione, giudicando di averla potuta perdere facilmente s' e suoi soldati non avessoro prima intesi gli Dii essere da parte loro. E quando alcuno Consolo o altro loro capitano avesse combattuto contro agli auspicii, lo arebbero punito, come ei punirono Claudio Pulcro. E benché questa parte in tutte le istorie romane si conosca, nondimeno si pruova più certo per le parole che Livio usa nella bocca di Appio Claudio, il quale dolendosi col popolo della insolenzia de' Tribuni della plebe, e mostrando che mediante quelli gli auspicii e le altre cose pertinenti alla religione si corrompevano, dice così: « Eludant nunc licet religiones. Quid enim interest, si pulli non pascentur, si ex cavea tardius exiverint, si occinuerit avis? Parva sunt hæc; sed parva ista non contemnendo, maiores nostri maximam hanc rempublicam fecerunt ».[849] Perché in queste cose piccole è quella forza di tenere uniti e confidenti i soldati, la quale cosa è prima cagione d'ogni vittoria. Nonpertanto conviene con queste cose sia accompagnata la virtù, altrimenti le non vagliano.[850] I Prenestini, avendo contro ai Romani fuori el loro esercito, se n'andarono ad alloggiare in sul fiume

849 « Ora è permesso burlarsi dei riti sacri. Cosa importa infatti se i polli non mangiano, se sono usciti più tardi dal pollaio, se l'uccello ha gracchiato? Sono cose di poco conto: ma non disprezzando queste piccole cose, i nostri antenati hanno reso grandissima questa Repubblica. » (Livio, VI, 41, 8).

850 *le non vagliano*: non hanno valore.

d'Allia, il luogo dove i Romani furono vinti da i Franciosi. Il che fecero per mettere fiducia ne' loro soldati e sbigottire i Romani per la fortuna del luogo. E benché questo loro partito fusse probabile [851] per quelle ragioni che di sopra si sono discorse, nientedimeno il fine della cosa mostrò che la vera virtù non teme ogni minimo accidente. Il che lo istorico benissimo dice con queste parole in bocca poste del Dittatore, che parla così al suo Maestro de' cavagli: [852] « Vides tu, fortuna illos fretos ad Alliam consedisse: at tu, fretus armis animisque, invade mediam aciem ».[853] Perché una vera virtù, un ordine buono, una sicurtà presa da tante vittorie non si può con cose di poco momento spegnere, né una cosa vana fa loro paura, né un disordine gli offende; come si vede certo, che essendo due Manlii consoli contro a' Volsci, per avere mandato temerariamente parte del campo a predare, ne seguì che in un tempo e quelli che erano iti e quelli che erano rimasti si trovavono assediati; dal quale pericolo non la prudenza de' Consoli ma la virtù de' propri soldati gli liberò. Dove Tito Livio dice queste parole: « Militum etiam sine rectore stabilis virtus tutata est ».[854] Non voglio lasciare indietro uno termine usato da Fabio: [855] sendo entrato di nuovo con lo esercito in Toscana, per farlo confidente, giudicando quella tale fidanza essere più necessaria per averlo condotto in paese nuovo incontro a nimici nuovi, che parlando avanti la zuffa a' soldati, e detto ch'ebbe molte ragioni mediante le quali ei potevono sperare la vittoria, disse che potrebbe ancora dire loro certe cose buone e dove ei vedrebbono la vittoria certa, se non fusse pericoloso il manifestarle. Il quale modo come e' fu saviamente usato, così merita di essere imitato.

851 *fusse probabile*: degno di approvazione.
852 Tito Quinzio Cincinnato a Sempronio Atracino.
853 « Vedi come quelli confidando nella fortuna abbiano installato gli accampamenti presso l'Allia: ma tu, confidando nelle armi e nel coraggio, attaccali giusto nel centro. » (Livio, VI, 29, 1-2).
854 « L'abituale virtù dei soldati fu mantenuta salda anche senza un capo » (Livio, VI, 29, 6).
855 Fabio Massimo Rulliano console.

Altra volta parlamo come Tito Manlio, che fu poi detto Torquato, salvò Lucio Manlio suo padre da una accusa che gli aveva fatta Marco Pomponio tribuno della plebe. E benché il modo del salvarlo fosse alquanto violento ed istraordinario, nondimeno quella filiale piatà verso del padre fu tanto grata allo universale che non solamente non ne fu ripreso, ma avendosi a fare i Tribuni delle legioni, fu fatto Tito Manlio nel secondo luogo. Per il quale successo credo che sia bene considerare il modo che tiene il popolo a giudicare gli uomini nelle distribuzioni sue, e che per quello noi veggiamo, s'egli è vero quanto di sopra si conchiuse, che il popolo sia migliore distributore che uno principe.

Dico adunque come il popolo nel suo distribuire va dietro a quello che si dice d'uno per publica voce e fama quando per sue opere note non lo conosce altrimenti, o per presunzione o per opinione che si ha di lui. Le quali due cose sono causate o da' padri di quelli tali, che, per essere stati grandi uomini e valenti nella città, si crede che i figliuoli debbeno essere simili a loro infino a tanto che per le opere di quegli non s'intenda il contrario; o la è causata dai modi che tiene quello di chi si parla. I modi migliori che si possino tenere sono avere compagnia di uomini gravi, di buoni costumi, e riputati savi da ciascuno. E perché nessuno indizio si può avere maggiore d'un uomo che le compagnie con quali egli usa, meritamente uno che usa con compagnie oneste acquista buono nome, perché è impossibile che non abbia qualche similitudine di quelle. O veramente si acquista questa publica fama per qualche azione istraordinaria e notabile, ancora che privata, la quale ti sia riuscita onorevolmente. E di tutte a tre queste cose, che danno nel principio buona riputazione ad uno, nessuna la dà maggiore che questa ultima:

856 *i magistrati*: le cariche dello Stato.

perché quella prima de' parenti e de' padri è sì fallace che gli uomini vi vanno a rilento,[857] ed in poco si consuma, quando la virtù propria di colui che ha a essere giudicato non l'accompagna. La seconda che ti fa conoscere per via delle pratiche tue, è meglio della prima, ma è molto inferiore alla terza: perché infino a tanto che non si vede qualche segno che nasca da te, sta la riputazione tua fondata in su l'opinione, la quale è facilissima a cancellarla. Ma quella terza essendo principiata e fondata in sul fatto ed in su la opera tua, ti dà nel principio tanto nome che bisogna bene che operi poi molte cose contrarie a questa volendo annullarla. Debbono adunque gli uomini che nascono in una republica pigliare questo verso, ed ingegnarsi con qualche operazione istraordinaria cominciare a rilevarsi. [858] Il che molti a Roma in gioventù fecero: o con il promulgare una legge che venisse in comune utilità, o con accusare qualche potente cittadino come transgressore delle leggi, o col fare simili cose notabili e nuove di che si avesse a parlare. Né solamente sono necessarie simili cose per cominciare a darsi la riputazione, ma sono ancora necessarie per mantenerla ed accrescerla. Ed a volere fare questo bisogna rinnovarle, come per tutto il tempo della sua vita fece Tito Manlio: perché, difeso ch'egli ebbe il padre tanto virtuosamente e istraordinariamente, e per questa azione presa la prima riputazione sua, dopo certi anni combatté con quel Francioso, e morto gli trasse quella collana d'oro che gli dette il nome di Torquato.[859] Non bastò questo, che dipoi già in età matura ammazzò il figliuolo per avere combattuto sanza licenza, ancora ch'egli avesse superato il nimico. Le quali tre azioni allora gli dettero più nome e per tutti i secoli lo fanno più celebre che non lo fece alcun trionfo ed alcuna altra vittoria di che elli fu ornato quanto alcuno altro Romano. E la cagione è perché in quelle vittorie Manlio ebbe moltissimi simili, in queste particolari azioni n'ebbe o pochissimi o nessuno.

A Scipione maggiore non arrecarono tanta gloria tutti

857 *a rilento*: con prudenza.
858 *a rilevarsi*: a mettersi in evidenza.
859 Torquis in latino significa collana.

i suoi trionfi quanto gli dette lo avere ancora giovinetto in sul Tesino [860] difeso il padre, e lo avere dopo la rotta di Canne animosamente con la spada sguainata fatto giurare più giovani romani che ei non abbandonerebbono Italia, come di già infra loro avevano diliberato: le quali due azioni furono principio alla riputazione sua, e gli feciono scala ai trionfi della Spagna e dell'Africa. La quale opinione da lui fu ancora accresciuta quando ei rimandò la sua figliuola al padre e la moglie al marito in Ispagna. Questo modo del procedere non è necessario solamente a quelli cittadini che vogliono acquistare fama per ottenere gli onori nella loro republica, ma è ancora necessario ai principi per mantenersi la riputazione nel principato loro: perché nessuna cosa gli fa tanto stimare quanto dare di sé rari esempi con qualche fatto o detto raro conforme al bene comune, il quale mostri il signore o magnanimo o liberale o giusto, e che sia tale che si riduca come in proverbio intra i suoi suggetti.

Ma per tornare donde noi cominciamo questo discorso, dico come il popolo quando ei comincia a dare uno grado a uno suo cittadino, fondandosi sopra quelle tre cagioni soprascritte non si fonda male: ma poi quando gli assai esempli de' buoni portamenti d'uno lo fanno più noto, si fonda meglio, perché in tale caso non può essere che quasi mai s'inganni. Io parlo solamente di quelli gradi che si danno agli uomini nel principio, avanti che per ferma isperienza siano conosciuti o che passino da un'azione a un'altra dissimile. Dove, e quanto alla falsa opinione e quanto alla corrozione, sempre faranno minori errori che i principi. E perché e' può essere che i popoli s'ingannerebbono della fama, della opinione e delle opere d'uno uomo stimandole maggiori che in verità non sono, il che non interverrebbe a uno principe, perché gli sarebbe detto e sarebbe avvertito da chi lo consigliasse; perché ancora i popoli non manchino di questi consigli, i buoni ordinatori delle republiche hanno ordinato che avendosi a creare i supremi gradi nelle città, dove fosse pericoloso mettervi uomini insufficienti, e veggendosi la voga popolare essere diritta a creare alcuno che fosse insufficiente, sia lecito a ogni cittadino, e gli sia imputato a gloria, di publicare nelle concioni i difetti di quello, acciocché il popolo non mancando della sua conoscenza possa meglio giudicare. E che questo si usasse a Roma, ne rende testimonio l'orazione di Fabio Massimo, la quale ei fece al popolo nella seconda guerra punica, quando nella creazione de' Consoli i favori si volgevano a creare Tito Ottacilio; e giudicandolo Fabio insufficiente a governare in quelli tempi il consolato, gli parlò contro mostrando la insufficienza sua, tanto che gli tolse quel grado e volse i favori del popolo a chi più lo meritava che lui. Giudicano adunque i popoli, nella elezione a' magistrati, secondo quelli contrassegni che degli uomini si possono avere più veri, e quando ei possono essere consigliati come i principi, errano meno de' principi, e quel cittadino che voglia cominciare a avere i favori del popolo, debbe con qualche fatto notabile, come fece Tito Manlio, guadagnarseli.

XXXV · QUALI PERICOLI SI PORTANO NEL FARSI CAPO A CONSIGLIARE UNA COSA, E QUANTO ELLA HA PIÙ DELLO ISTRAORDINARIO, MAGGIORI PERICOLI VI SI CORRONO

Quando sia cosa pericolosa farsi capo d'una cosa nuova che appartenga [861] a molti, e quanto sia difficile a trattarla ed a condurla, e condotta a mantenerla, sarebbe troppo lunga e troppo alta materia a discorrerla: però riserbandola a luogo più conveniente, parlerò solo di quegli pericoli che portano i cittadini o quelli che consigliano uno principe a farsi capo d'una diliberazione grave ed importante, in modo che tutto il consiglio di essa sia imputato a lui. Perché giudicando gli uomini le cose dal fine,[862] tutto il male che ne risulta s'imputa allo autore del consiglio, e se ne risulta bene, ne è commendato: ma di lunge [863] il premio non contrappesa a il danno. Il presente Sultan Salì,

861 *che appartenga*: che riguardi.
862 *dal fine*: dall'esito.
863 *di lunge*: di gran lunga.

detto Gran Turco, essendosi preparato (secondo che ne riferiscono alcuni che vengono da' suoi paesi) di fare la impresa di Soria e di Egitto, fu confortato da uno suo bascià, quale ei teneva ai confini di Persia, di andare contro al Sofì: dal quale consiglio mosso, andò con esercito grossissimo a quella impresa, e arrivando in uno paese larghissimo dove sono assai diserti e le fiumare rade, e trovandosi quelle difficultà che già fecero rovinare molti eserciti romani, fu in modo oppressato da quelle che vi perdé per fame e per peste, ancora che nella guerra fosse superiore, gran parte delle sue genti: talché, irato contro allo autore del consiglio, lo ammazzò. Leggesi assai cittadini stati confortatori d'una impresa, e per avere avuto quella tristo fine, essere stati mandati in esilio. Fecionsi capi alcuni cittadini romani che si facesse in Roma il Consolo plebeio.[864] Occorse che il primo che uscì fuori con gli eserciti fu rotto: onde a quegli consigliatori sarebbe avvenuto qualche danno, se non fosse stato tanto gagliarda quella parte in onore della quale tale diliberazione era venuta.

È cosa adunque certissima che quegli che consigliano una republica e quegli che consigliano uno principe sono posti intra queste angustie: che se non consigliano le cose che paiono loro utili o per la città o per il principe sanza rispetto, e' mancano dell'ufficio loro; se le consigliano, e' gli entrano in pericolo della vita e dello stato, essendo tutti gli uomini in questo ciechi, di giudicare i buoni e i cattivi consigli dal fine. E pensando in che modo ei potessono fuggire o questa infamia o questo pericolo, non ci veggo altra via che pigliare le cose moderatamente, e non ne prendere alcuna per sua impresa,[865] e dire la opinione sua sanza passione, e sanza passione con modestia difenderla: in modo che se la città o il principe la segue, che la segua voluntario e non paia che vi venga tirato dalla tua importunità. Quando tu faccia così, non è ragionevole che uno principe ed uno popolo del tuo consiglio ti voglia male, non essendo seguìto contro alla voglia di molti. Perché quivi si porta pericolo dove molti hanno con-

864 Nel 367 a.C.
865 *per sua impresa*: come fosse una propria impresa.

tradetto, i quali poi nello infelice fine concorrono a farti rovinare. E se in questo caso si manca di quella gloria che si acquista nello essere solo contro a molti a consigliare una cosa, quando ella sortisce buono fine, ci sono a rincontro due beni. Il primo, del mancare del pericolo; il secondo, che se tu consigli una cosa modestamente, e per la contradizione il tuo consiglio non sia preso e per il consiglio d'altrui ne seguiti qualche rovina, ne risulta a te gloria grandissima. E benché la gloria che si acquista de' mali che abbia o la tua città o il tuo principe non si possa godere, nondimeno è da tenerne qualche conto.

Altro consiglio non credo si possa dare agli uomini in questa parte: perché consigliandogli che tacessono e che non dicessono l'opinione loro, sarebbe cosa inutile alla republica o al loro principe, e non fuggirebbono il pericolo; perché in poco tempo diventerebbono sospetti, ed ancora potrebbe loro intervenire come a quegli amici di Perse, re de' Macedoni, il quale essendo stato rotto da Paulo Emilio, e fuggendosi con pochi amici, accadde che nel replicare le cose passate uno di loro cominciò a dire a Perse molti errori fatti da lui, che erano stati cagione della sua rovina: al quale Perse rivoltosi disse: « Traditore, sì che tu hai indugiato a dirmelo ora che io non ho più rimedio, » e sopra queste parole di sua mano lo ammazzò. E così colui portò la pena d'essere stato cheto quando e' doveva parlare, e di avere parlato quando e' doveva tacere: non fuggì il pericolo per non avere dato il consiglio. Però credo che sia da tenere ed osservare i termini soprascritti.

XXXVI · LE CAGIONI PERCHÉ I FRANCIOSI SIANO STATI E SIANO ANCORA GIUDICATI NELLE ZUFFE, DA PRINCIPIO PIÙ CHE UOMINI E DIPOI MENO CHE FEMINE

La ferocità di quello Francioso che provocava qualunque Romano appresso al fiume Aniene a combattere seco, dipoi la zuffa fatta intra lui e Tito Manlio, mi fa ricordare di quello che Tito Livio più volte dice: che i Franciosi sono nel principio della zuffa più che uomini, e nel successo del combattere riescono poi meno che femine. E pensando donde questo nasca, si crede per molti che sia la natura loro così fatta: il che credo sia vero; ma non è per questo che questa loro natura, che gli fa feroci nel principio, non si potesse in modo con l'arte ordinare che la gli mantenesse feroci infino nello ultimo.

Ed a volere provare questo, dico come e' sono di tre ragioni eserciti: l'uno, dove è furore ed ordine, perché dall'ordine nasce il furore e la virtù, come era quello de' Romani; perché si vede in tutte le istorie che in quello esercito era un ordine buono che vi aveva introdotto una disciplina militare per lungo tempo. Perché in uno esercito bene ordinato nessuno debbe fare alcuna opera se non regolarlo; e si troverrà per questo che nello esercito romano, dal quale avendo elli vinto il mondo debbono prendere esemplo tutti gli altri eserciti, non si mangiava, non si dormiva, non si meritricava,[866] non si faceva alcuna azione o militare o domestica sanza l'ordine del consolo. Perché quegli eserciti che fanno altrimenti, non sono veri eserciti, e se fanno alcuna pruova, la fanno per furore e per impeto e non per virtù. Ma dove virtù ordinata usa il furore suo con i modi e co' tempi,[867] né difficultà veruna lo invilisce né li fa mancare l'animo, perché gli ordini buoni gli rinfrescono l'animo ed il furore, nutriti dalla speranza del vincere, la quale mai non manca infino a tanto che gli ordini stanno saldi. Al contrario interviene in quelli eserciti dove è furore e non ordine, come erano i Franciosi, i quali tuttavia nel combattere mancavano: perché non riuscendo loro con il primo impeto vincere, e non essendo sostenuto da una virtù ordinata quello loro furore nel quale egli speravano, né avendo, fuori di quello, cosa in la quale ei confidassono, come quello era raffreddo mancavano. Al contrario i Romani, dubitando meno de' pericoli per gli ordini loro buoni, non diffidando della vittoria, fermi ed ostinati combattevano col medesimo animo e con la medesima virtù nel fine che nel principio, anzi agitati dalle armi sempre si accendevano. La terza qua-

866 *non si meritricava*: non si andava con le prostitute.

867 *con i modi e co' tempi*: nel modo più giusto e nel momento più adatto.

lità di eserciti è dove non è furore naturale né ordine accidentale, come sono gli eserciti nostri italiani de' nostri tempi, i quali sono al tutto inutili; e se non si abbattano a uno esercito che per qualche accidente si fugga, mai non vinceranno. E sanza addurne altri esempli, si vede ciascuno dì come ei fanno pruove di non avere alcuna virtù. E perché con il testimonio di Tito Livio ciascuno intenda come debbe essere fatta la buona milizia e come è fatta la rea, io voglio addurre le parole di Papirio Cursore, quando ei voleva punire Fabio Maestro de' cavagli, quando disse: « Nemo hominum, nemo Deorum verecundiam habeat; non edicta imperatorum, non auspicia observentur: sine commeatu vagi milites in pacato, in hostico errent, immemores sacramenti, licentia sola se ubi velint exauctorent; infrequentia deserant signa; neque conveniatur ad edictum, nec discernantur interdiu nocte, æquo iniquo loco, iussu iniussu imperatoris pugnent; et non signa, non ordines servent; latrocinii modo, cæca et fortuita, pro solemni et sacrata militia sit. »[868] E puossi per questo testo adunque facilmente vedere se la milizia de' nostri tempi è cieca e fortuita, o sacrata e solenne, e quanto le manca a essere simile a quella che si può chiamare milizia, e quanto ella è discosto da essere furiosa ed ordinata come la romana, o furiosa solo come la franciosa.

---

[868] « Nessuno abbia più considerazione né degli uomini, né degli dei; non ci si attenga agli editti dei comandanti, né agli auspici: vadano errando i soldati senza rifornimenti in contrade amiche o nemiche, immemori del sacro giuramento, ne siano liberi quando vogliono e si comportino a loro piacimento; abbandonino le scarse insegne; non accorrano insieme ai comandi, non escano in perlustrazione soprattutto di notte; si battano in una favorevole o sfavorevole posizione, con o senza ordine del comandante; e non rispettino né i ranghi, né le insegne; alla maniera delle bande dei ladri, siano una milizia cieca e affidata al caso, e non disciplinata e sacra. » (Livio, VIII, 34, 8-10).

E' pare che nelle azioni degli uomini, come altra volta abbiamo discorso, si truovi, oltre alle altre difficultà, nel volere condurre la cosa alla sua perfezione, che sempre propinquo al bene sia qualche male, il quale con quel bene sì facilmente nasca che pare impossibile potere mancare dell'uno volendo l'altro. E questo si vede in tutte le cose che gli uomini operano. E però si acquista il bene con difficultà, se dalla fortuna tu non se' aiutato in modo che ella con la sua forza vinca questo ordinario e naturale inconveniente. Di questo mi ha fatto ricordare la zuffa di Manlio e del Francioso, dove Tito Livio dice: « Tanti ea dimicatio ad universi belli eventum momenti fuit, ut Gallorum exercitus, relictis trepide castris, in Tiburtem agrum, mox in Campaniam transierit ».[869] Perché io considero dall'uno canto che uno buono capitano debbe fuggire al tutto di operare alcuna cosa che essendo di poco momento possa fare cattivi effetti nel suo esercito, perché cominciare una zuffa, dove non si operino tutte le forze e vi si arrischi tutta la fortuna, è cosa al tutto temeraria, come io dissi di sopra [870] quando io dannai il guardare de' passi.

Dall'altra parte io considero come i capitani savi quando vengono allo incontro d'uno nuovo nimico e ch'e' sia riputato, ei sono necessitati prima che venghino alla giornata fare provare con leggieri zuffe ai loro soldati tali nimici, acciocché cominciandogli a conoscere e maneggiare perdino quel terrore che la fama e la riputazione aveva dato loro. E questa parte in uno capitano è importantissima: perché ella ha in sé quasi una necessità che ti costringe a farla, parendoti andare ad una manifesta perdita,

---

869 « Questa zuffa fu un avvenimento di grande importanza per le sorti di tutta la guerra, poiché l'esercito dei Galli, abbandonati precipitosamente gli accampamenti, si riversò in Campania attraverso l'Agro Tiburtino. » (Livio, VII, 11, 1).

870 Cfr. *Discorsi*, I, 23.

sanza avere prima fatto,[871] con piccole isperienze, di tòrre ai tuoi soldati quello terrore che la riputazione del nimico aveva messo negli animi loro.

Fu Valerio Corvino mandato dai Romani con gli eserciti contro ai Sanniti, nuovi inimici, e che per lo addietro mai non avevano provate l'armi l'uno dell'altro, dove dice Tito Livio che Valerio fece fare ai Romani con i Sanniti alcune leggieri zuffe : « Ne eos novum bellum, ne novus hostis terreret ».[872] Nondimeno è pericolo gravissimo che restando i tuoi soldati in quelle battaglie vinti, la paura e la viltà non cresca loro, e ne conseguitino contrari effetti a' disegni tuoi, cioè che tu gli sbigottisca avendo disegnato di assicurargli. Tanto che questa è una di quelle cose che ha il male sì propinquo al bene, e tanto sono congiunti insieme, che gli è facil cosa prendere l'uno credendo pigliare l'altro. Sopra che io dico, che uno buono capitano debbe osservare con ogni diligenza che non surga alcuna cosa che per alcuno accidente possa tòrre l'animo allo esercito suo. Quello che gli può tòrre l'animo è cominciare a perdere ; e però si debbe guardare dalle zuffe piccole, e non le permettere se non con grandissimo vantaggio e con speranza di certa vittoria : non debbe fare imprese di guardare passi dove non possa tenere tutto lo esercito suo; non debbe guardare terre se non quelle che, perdendole, di necessità ne seguisse la rovina sua, e quelle che guarda ordinarsi in modo e con le guardie di esse e con lo esercito, che trattandosi della ispugnazione di esse ei possa adoperare tutte le forze sue, l'altre debbe lasciare indifese. Perché ogni volta che si perde una cosa che si abbandoni, e lo esercito sia ancora insieme, non si perde la riputazione della guerra né la speranza del vincerla. Ma quando si perde una cosa che tu hai disegnato difendere, e ciascuno crede che tu la difenda, allora è il danno e la perdita, ed hai quasi come i Franciosi con una cosa di piccolo momento perduta la guerra.

Filippo di Macedonia, padre di Perse, uomo militare

---

871 *sanza avere prima fatto* : senza aver prima tentato.

872 « Affinché non fossero atterriti dal nuovo modo di guerreggiare, né dal nuovo nemico. » (Livio, VII, 32, 5).

e di gran condizione ne' tempi suoi, essendo assaltato dai Romani, assai de' suoi paesi i quali elli giudicava non potere guardare abbandonò e guastò, come quello che per essere prudente giudicava più pernizioso perdere la riputazione col non potere difendere quello che si metteva a difendere che, lasciandolo in preda al nimico, perderlo come cosa negletta.[873] I Romani, quando dopo la rotta di Canne le cose loro erano afflitte, negarono a molti loro raccomandati e sudditi gli aiuti, committendo loro che si difendessono il meglio potessono: i quali partiti sono migliori assai che pigliare difese e poi non le difendere, perché in questo partito si perde amici e forze, in quello amici solo. Ma tornando alle piccole zuffe, dico che se pure uno capitano è costretto per la novità del nimico fare qualche zuffa, debbe farla con tanto suo vantaggio che non vi sia alcuno pericolo di perderla; o veramente fare come Mario (il che è migliore partito), il quale andando contro a' Cimbri, popoli ferocissimi che venivano a predare Italia, e venendo con uno spavento grande per la ferocità e moltitudine loro e per avere di già vinto uno esercito romano, giudicò Mario essere necessario, innanzi che venisse alla zuffa, operare alcuna cosa per la quale lo esercito suo deponesse quel terrore che la paura del nimico gli aveva dato, e come prudentissimo capitano più che una volta collocò l'esercito suo in luogo donde i Cimbri con lo esercito loro dovessono passare. E così, dentro alle fortezze del suo campo, volle che i suoi soldati gli vedessono ed assuefacessono li occhi alla vista di quello nimico: acciocché, vedendo una moltitudine inordinata, piena d'impedimenti, con armi inutili e parte disarmati, si rassicurassono e diventassono desiderosi della zuffa. Il quale partito, come fu da Mario saviamente preso, così dagli altri debbe essere diligentemente imitato per non incorrere in quelli pericoli che io dico disopra, e non avere a fare come i Franciosi: « Qui ob rem parvi ponderis trepidi, in Tiburtem agrum et in Campaniam transierunt ».[874] E per-

873 *come cosa negletta*: come cosa volutamente trascurata.
874 « Che affannati per una cosa di poco conto, si riversarono nell'Agro Tiburtino ed in Campania. » La frase è rimaneggiata dal Machiavelli.

ché noi abbiamo allegato in questo discorso Valerio Corvino, voglio mediante le parole sue• nel seguente capitolo come debbe essere fatto uno capitano dimostrare.

XXXVIII · COME DEBBE ESSERE FATTO UNO CAPITANO NEL QUALE LO ESERCITO SUO POSSA CONFIDARE

Era, come di sopra dicemo, Valerio Corvino con l'esercito contro ai Sanniti, nuovi nimici del Popolo romano, donde che per assicurare i suoi soldati e per farli conoscere i nimici, fece fare a' suoi certe leggieri zuffe; e non gli bastando questo, volle avanti alla giornata parlare loro, e mostrò con ogni efficacia quanto e' dovevano stimare poco tali nimici, allegando la virtù de' suoi soldati e la propria. Dove si può notare, per le parole che Livio gli fa dire, come debbe essere fatto uno capitano in chi lo esercito abbia a confidare; le quali parole sono queste: « Tum etiam intueri, cuius ductu auspicioque ineunda pugna sit: utrum qui audiendus dumtaxat magnificus adhortator sit, verbis tantum ferox, operum militarium expers; an qui et ipse tela tractare, procedere ante signa, versari media in mole pugnæ sciat. Facta mea, non dicta vos, milites, sequi volo, nec disciplinam modo, sed exemplum etiam a me petere, qui hac dextra mihi tres consulatus, summamque laudem peperi ».[875] Le quali parole, considerate bene, insegnano a qualunque come ei debbe procedere a volere tenere il grado del capitano; e quello che sarà fatto altrimenti, troverà con il tempo quel grado, quando per fortuna o per ambizione vi sia condotto, tòrgli e non dargli riputazione. Perché non i titoli illustrano gli uomini, ma gli uomini i titoli· Debbesi ancora dal principio di

875 « Considerate, allora, sotto il comando e con l'auspicio di quale uomo si deve andare alla battaglia: se di uno che risulti al più un magnifico esortatore ad ascoltarlo, animoso a parole, ma inesperto in operazioni belliche; o di chi sa come maneggiare le armi di persona, avanzare dinanzi alle insegne e portarsi nel mezzo della battaglia. Voglio che seguiate, o soldati, le mie azioni e non le mie parole, che non abbiate da me soltanto ordini ma esempio, da colui che con questa destra ha meritato tre consolati e grande stima » (Livio, VII, 32, 10-13).

questo discorso considerare che se gli capitani grandi hanno usato termini istraordinari a fermare gli animi d'uno esercito veterano, quando con i nimici inconsueti debbe affrontarsi; quanto maggiormente si abbia a usare la industria, quando si comandi uno esercito nuovo che non abbia mai veduto il nimico in viso. Perché se lo inusitato nimico allo esercito vecchio dà terrore, tanto maggiormente lo debbe dare ogni nimico a uno esercito nuovo. Pure si è veduto molte volte dai buoni capitani tutte queste difficultà con somma prudenza essere vinte, come fece quel Gracco romano ed Epaminonda tebano, de' quali altra volta abbiamo parlato, che con eserciti nuovi vinsero eserciti veterani ed esercitatissimi.

I modi che ei tenevano era, parecchi mesi esercitargli in battaglie fitte e assuefargli alla ubbidienza ed allo ordine, e da quelli poi con massima confidenza nella vera zuffa gli adoperavano. Non si debba adunque diffidare alcuno uomo militare di non potere fare buoni eserciti, quando non gli manchi uomini: perché quel principe che abbonda di uomini e manca di soldati, debbe solamente, non della viltà degli uomini, ma della sua pigrizia e poca prudenza dolersi.

XXXIX · CHE UNO CAPITANO DEBBE ESSERE CONOSCITORE DE' SITI

Intra le altre cose che sono necessarie a uno capitano di eserciti, è la cognizione de' siti e de' paesi, perché sanza questa cognizione generale e particulare uno capitano di eserciti non può bene operare alcuna cosa. E perché tutte le scienze vogliono pratica a volere perfettamente possederle, questa è una che ricerca pratica grandissima. Questa pratica, ovvero questa particulare cognizione, si acquista più mediante le cacce che per veruno altro esercizio. Però gli antichi scrittori dicono che quelli eroi che governarono nel loro tempo il mondo, si nutrirono nelle selve e nelle cacce: perché la caccia, oltre a questa cognizione, c'insegna infinite cose che sono nella guerra necessarie. E Senofonte nella vita di Ciro mostra che andando Ciro ad assaltare il re d'Armenia, nel divisare quella fazione ricordò a quegli suoi che questa non era altro che una di quelle cacce le quali molte volte avevano fatto seco. E ricordava a quelli che mandava in agguato in su e monti che gli erano simili a quelli che andavano a tendere le reti in su e gioghi, ed a quelli che scorrevano per il piano, erano simili a quegli che andavano a levare del suo covile [876] la fiera, acciocché cacciata desse nelle reti.

Questo si dice per mostrare come le cacce, secondo che Senofonte appruova, sono una immagine di una guerra. E per questo agli uomini grandi tale esercizio è onorevole e necessario. Non si può ancora imparare questa cognizione de' paesi in altro commodo modo che per via di caccia : perché la caccia fa, a colui che la usa, sapere come sta particularmente quel paese dove elli la esercita. E fatto che uno si è familiare bene una regione, con facilità comprende poi tutti i paesi nuovi; perché ogni paese ed ogni membro di quelli hanno insieme qualche conformità, in modo che dalla cognizione d'uno facilmente si passa alla cognizione dell'altro. Ma chi non ne ha bene ancora pratico uno, con difficoltà, anzi non mai se non con un lungo tempo, può conoscere l'altro. E chi ha questa pratica, in uno voltare d'occhio sa come giace quel piano, come surge quel monte, dove arriva quella valle, e tutte le altre simili cose, di che elli ha per lo addietro fatto una ferma scienza. E che questo sia vero ce lo mostra Tito Livio con lo esemplo di Publio Decio, il quale essendo Tribuno de' soldati nello esercito che Cornelio consolo conduceva contro ai Sanniti, ed essendosi il Consolo ridotto in una valle dove lo esercito de' Romani poteva dai Sanniti essere rinchiuso, e vedendosi in tanto pericolo, disse al Consolo : « Vides tu, Aule Corneli, cacumen illud supra hostem? arx illa est spei salutisque nostræ, si eam (quoniam cœci reliquere Samnites) impigre capimus ». Ed innanzi a queste parole dette da Decio, Tito Livio dice : « Publius Decius tribunus militum conspicit unum editum in saltu collem, imminentem hostium castris, aditu arduum impedito agmini,

---

876 *del suo covile* : dalla sua tana.

expeditis haud difficilem ».[877] Donde essendo stato mandato sopra esso dal Consolo con tremila soldati, ed avendo salvo lo esercito romano e disegnando venente la notte di partirsi e salvare ancora sé ed i suoi soldati, gli fa dire queste parole: « Ite mecum, ut dum lucis aliquid superest, quibus locis hostes præsidia ponant, qua pateat hinc exitus, exploremus. Hæc omnia sagulo militari amictus ne ducem circumire hostes notarent, perlustravit ».[878] Chi considerrà adunque tutto questo testo, vedrà quanto sia utile e necessario a uno capitano sapere la natura de' paesi; perché se Decio non gli avesse saputi e conosciuti, non arebbe potuto giudicare quale utile faceva pigliare quel colle allo esercito romano, né arebbe potuto conoscere di discosto se quel colle era accessibile o no; e condotto che si fu poi sopra esso, volendosene partire per ritornare al Consolo, avendo i nimici intorno non arebbe dal discosto potuto speculare le vie dello andarsene e gli luoghi guardati da' nimici. Tanto che di necessità conveniva che Decio avesse tale cognizione perfetta, la quale fece che con il pigliare quel colle ei salvò lo esercito romano: dipoi seppe, sendo assediato, trovare la via a salvare sé e quegli che erano stati seco.

XL · COME USARE LA FRAUDE NEL MANEGGIARE LA GUERRA
È COSA GLORIOSA

Ancora che lo usare la fraude in ogni azione sia detestabile, nondimanco nel maneggiare la guerra è cosa lauda-

877 « Vedi, Aulio Cornelio, quella cima che si trova sopra il nemico? Essa è il baluardo della nostra speranza e della nostra salvezza, se noi (dato che i Sanniti ciechi l'hanno trascurata) in fretta l'occupiamo. » — « Publio Decio tribuno dei soldati, poté scorgere un colle alto sul passo che sovrastava l'accampamento dei nemici, di difficile accesso per un esercito armato di equipaggiamento pesante ma non per soldati con equipaggiamento leggiero. » (Livio, VII, 34, 3-5).

878 « Seguitemi, in modo che fino a quando c'è un po' di luce, potremo vedere dove c'è un nemico abbia posto i presidi e dove si trovi una via d'uscita. E tutte queste cose poté osservare avvolto in un mantello da soldato semplice cosicché i nemici non scoprissero il comandante andare in perlustrazione. » (Livio, VII, 34, 14-15).

bile e gloriosa, e parimente è laudato colui che con fraude supera il nimico, come quello che lo supera con le forze. E vedesi questo per il giudicio che ne fanno coloro
che scrivono le vite degli uomini grandi, i quali lodono
Annibale e gli altri che sono stati notabilissimi in simili
modi di procedere. Di che per leggersi assai esempli, non
ne replicherò alcuno. Dirò solo questo, che io non intendo
quella fraude essere gloriosa che ti fa rompere la fede
data ed i patti fatti: perché questa, ancora che la ti acquisti qualche volta stato e regno, come di sopra si discorse,
la non ti acquisterà mai gloria. Ma parlo di quella fraude
che si usa con quel nimico che non si fida di te, e che consiste proprio nel maneggiare la guerra, come fu quella di
Annibale, quando in sul lago di Perugia simulò la fuga
per rinchiudere il Consolo e lo esercito romano, e quando
per uscire di mano di Fabio Massimo accese le corna dello
armento suo.[879]

Alle quali fraudi fu simile questa che usò Ponzio capitano dei Sanniti per rinchiudere lo esercito romano dentro alle Forche Caudine, il quale avendo messo lo esercito
suo a ridosso de' monti, mandò più suoi soldati sotto veste
di pastori con assai armento per il piano: i quali sendo
presi dai Romani e domandati dove era lo esercito de'
Sanniti, convennono tutti, secondo l'ordine dato da Ponzio, a dire come egli era allo assedio di Nocera. La quale
cosa creduta dai Consoli, fece che ei si rinchiusono dentro
ai balzi Caudini, dove entrati furono subito assediati dai
Sanniti. E sarebbe stata questa vittoria, avuta per fraude,
gloriosissima a Ponzio, se egli avesse seguitati i consigli
del padre: il quale voleva che i Romani o ei si salvassono
liberamente o ei si ammazzassono tutti, e che non si pigliasse la via del mezzo: « Quæ neque amicos parat, neque inimicos tollit ».[880] La quale via fu sempre perniziosa
nelle cose di stato, come di sopra in altro luogo si discorse.

879 Annibale scagliò contro l'accampamento romano duemila
buoi con legate delle torce sulle corna.
880 « Che non procaccia alleati, né libera dai nemici. » (Livio,
IX, 3, 12).

Era, come di sopra si è detto, il Consolo e lo esercito romano assediato da' Sanniti, i quali avendo posto ai Romani condizioni ignominiosissime (come era volergli mettere sotto il giogo e disarmati rimandargli a Roma), e per questo stando i Consoli come attoniti e tutto lo esercito disperato, Lucio Lentulo legato romano disse che non gli pareva che fosse da fuggire qualunque partito per salvare la patria; perché consistendo la vita di Roma nella vita di quello esercito, gli pareva da salvarlo in ogni modo, e che la patria è bene difesa in qualunque modo la si difende, o con ignominia o con gloria. Perché salvandosi quello esercito, Roma era a tempo a cancellare la ignominia; non si salvando, ancora che gloriosamente morisse, era perduto Roma e la libertà sua; e così fu seguitato il suo consiglio. La quale cosa merita di essere notata ed osservata da qualunque cittadino si truova a consigliare la patria sua; perché dove si dilibera al tutto della salute della patria, non vi debbe cadere alcuna considerazione né di giusto né d'ingiusto, né di piatoso né di crudele, né di laudabile né d'ignominioso, anzi, proposto ogni altro rispetto, seguire al tutto quel partito che le salvi la vita e mantenghile la libertà. La quale cosa è imitata con i detti e con i fatti dai Franciosi per difendere la maestà del loro re e la potenza del loro regno; perché nessuna voce odono più impazientemente che quella che dicesse: « Il tale partito è ignominioso per il re »; perché dicono che il loro re non può patire vergogna in qualunque sua diliberazione, o in buona o in avversa fortuna, perché se perde, se vince, tutto dicono essere cosa da re.

XLII · CHE LE PROMESSE FATTE PER FORZA NON SI DEBBONO OSSERVARE

Tornati i Consoli con lo esercito disarmato e con la ricevuta ignominia a Roma, il primo che in Senato disse che la pace fatta a Claudio non si doveva osservare, fu il consolo Spurio Postumio: dicendo come il popolo romano non era obligato, ma ch'egli era bene obligato esso e gli altri che avevano promessa la pace; e però il popolo, volendosi liberare da ogni obligo, aveva a dare prigioni nelle mani de' Sanniti lui e tutti gli altri che l'avevano promessa. E con tanta ostinazione tenne questa conclusione che il Senato ne fu contento, e mandando prigioni lui e gli altri in Sannio, protestarono ai Sanniti la pace non valere. E tanto fu in questo caso a Postumio favorevole la fortuna che i Sanniti non lo ritennono, e ritornato in Roma fu Postumio appresso ai Romani più glorioso per avere perduto che non fu Ponzio appresso ai Sanniti per avere vinto. Dove sono da notare due cose; l'una, che in qualunque azione si può acquistare gloria: perché nella vittoria si acquista ordinariamente, nella perdita si acquista o col mostrare tale perdita non essere venuta per tua colpa, o per fare subito qualche azione virtuosa che la cancelli; l'altra è, che non è vergognoso non osservare quelle promesse che ti sono state fatte promettere per forza, e sempre le promesse forzate che riguardano il publico,[881] quando e' manchi la forza, si romperanno, e fia sanza vergogna di chi le rompe. Di che si leggono in tutte le istorie vari esempli, e ciascuno dì ne' presenti tempi se ne veggono. E non solamente non si osservano intra i principi le promesse forzate, quando e' manca la forza, ma non si osservano ancora tutte le altre promesse quando e' mancano le cagioni che le fecion promettere. Il che se è cosa laudabile o no, o se da uno principe si debbono osservare simili modi o no, largamente è disputato da noi nel nostro trattato « De Principe »;[882] però al presente lo tacereno.

XLIII · CHE GLI UOMINI CHE NASCONO IN UNA PROVINCIA OSSERVINO PER TUTTI I TEMPI QUASI QUELLA MEDESIMA NATURA

Sogliono dire gli uomini prudenti, e non a caso né immeritamente, che chi vuole vedere quello che ha a essere,

881 *che riguardano il publico*: che concernono lo Stato.
882 Nel cap. XVIII.

consideri quello che è stato : perché tutte le cose del mondo in ogni tempo hanno il proprio riscontro con gli antichi tempi. Il che nasce perché essendo quelle operate dagli uomini, che hanno ed ebbono sempre le medesime passioni, conviene di necessità che le sortischino il medesimo effetto. Vero è che le sono le opere loro, ora in questa provincia più virtuose che in quella ed in quella più che in questa, secondo la forma della educazione nella quale quegli popoli hanno preso il modo del vivere loro. Fa ancora facilità il conoscere le cose future per le passate, vedere una nazione lungo tempo tenere i medesimi costumi, essendo o continovamente avara o continovamente fraudolente, o avere alcuno altro simile vizio o virtù. E chi leggerà le cose passate della nostra città di Firenze, e considererà quelle ancora che sono ne' prossimi tempi occorse, troverà i popoli tedeschi e franciosi pieni di avarizia, di superbia, di ferocità e d'infidelità, perché tutte queste quattro cose in diversi tempi hanno offeso molto la nostra città. E quanto alla poca fede, ognuno sa quante volte si dette danari a re Carlo VIII, ed egli prometteva rendere le fortezze di Pisa e non mai le rendé. In che quel re mostrò la poca fede e l'assai avarizia sua. Ma lasciamo andare queste cose fresche. Ciascuno può avere inteso quello che seguì nella guerra che fece il popolo fiorentino contro a' Visconti duchi di Milano, ed essendo Firenze privo degli altri ispedienti, pensò di condurre lo imperadore in Italia, il quale con la riputazione e forze sue assaltasse la Lombardia. Promise lo imperadore [883] venire con assai genti e fare quella guerra contro a' Visconti, e difendere Firenze dalla potenza loro quando i Fiorentini gli dessero centomila ducati per levarsi e centomila poi ch'ei fosse in Italia. Ai quali patti consentirono i Fiorentini, e pagatigli i primi danari e dipoi i secondi, giunto che fu a Verona se ne tornò indietro sanza operare alcuna cosa, causando essere restato da quegli che non avevano osservate le convenzioni erano fra loro.[884] In modo che se Firenze non fosse stata

883 Roberto del Palatinato.
884 *causando... le convenzioni erano fra loro* : sostenendo di essersi fermato nella propria impresa perché i fiorentini non avevano rispettato gli accordi.

o costretta dalla necessità o vinta dalla passione, ed avesse letti e conosciuti gli antichi costumi de' barbari, non sarebbe stata né questa né molte altre volte ingannata da loro, essendo loro stati sempre a un modo ed avendo in ogni parte e con ognuno usati i medesimi termini; come ei si vede ch'ei fecero anticamente a' Toscani, i quali essendo oppressi dai Romani, per essere stati da loro più volte messi in fuga e rotti, e veggendo mediante le loro forze non potere resistere allo impeto di quegli, convennono con i Franciosi che di qua dall'Alpi abitavano in Italia, di dare loro somma di danari, e che fussono obligati congiugnere gli eserciti con loro ed andare contro ai Romani. Donde ne seguì che i Franciosi, presi i danari, non vollono dipoi pigliare l'armi per loro, dicendo avergli avuti non per fare guerra con i loro nimici, ma perché si astenessino di predare il paese toscano. E così i popoli toscani per l'avarizia e poca fede de' Franciosi rimasono ad un tratto privi de' loro danari e degli aiuti che gli speravono da quegli. Talché si vede, per questo esemplo de' Toscani antichi e per quello de' Fiorentini, i Franciosi avere usati i medesimi termini, e per questo facilmente si può conietturare quanto i principi si possono fidare di loro.

XLIV · E' SI OTTIENE CON L'IMPETO E CON L'AUDACIA MOLTE VOLTE QUELLO CHE CON MODI ORDINARI NON SI OTTEREBBE MAI

Essendo i Sanniti assaltati dallo esercito di Roma, e non potendo con lo esercito loro stare alla campagna a petto ai Romani, diliberarono lasciare guardate le terre in Sannio e di passare con tutto lo esercito loro in Toscana, la quale era in triegua con i Romani: e vedere per tale passata, se ei potessono con la presenzia dello esercito loro indurre i Toscani a ripigliare l'armi, il che avevano negato ai loro ambasciadori. E nel parlare che feciono i Sanniti ai Toscani, nel mostrare massime qual cagione gli aveva indotti a pigliare l'armi, usarono uno termine notabile dove dissono: « Rebellasse, quod pax servientibus gravior, quam liberis bellum esset ».[885] E così parte con le persuasioni, parte con la presenza dello esercito loro, gl'indussono a ripigliare l'armi. Dove è da notare che quando uno principe disidera ottenere una cosa da uno altro, debbe, se la occasione lo patisce, non gli dare spazio a diliberarsi, e fare in modo che vegga la necessità della presta diliberazione, la quale è quando colui che è domandato vede che dal negare o dal differire ne nasca una subita e pericolosa indegnazione.

Questo termine si è veduto bene usare ne' nostri tempi da papa Iulio con i Franciosi, e da monsignore di Fois capitano del re di Francia col marchese di Mantova: [886] perché papa Iulio, volendo cacciare i Bentivogli di Bologna e giudicando per questo avere bisogno delle forze franciose e che i Viniziani stessono neutrali, ed avendone ricerco l'uno e l'altro, e traendo da loro risposta dubbia e varia, diliberò col non dare loro tempo fare venire l'uno e l'altro nella sentenza sua: e partitosi da Roma con quelle tante genti ch'ei poté raccozzare, ne andò verso Bologna, ed a' Viniziani mandò a dire che stessono neutrali, ed al re di Francia che gli mandasse le forze. Talché rimanendo tutti ristretti dal poco spazio di tempo, e veggendo come nel papa doveva nascere una manifesta indegnazione differendo o negando, cederono alle voglie sue, ed il re gli mandò aiuto ed i Viniziani si stettono neutrali.

Monsignor di Fois ancora, essendo con lo esercito in Bologna, ed avendo intesa la ribellione di Brescia, e volendo ire alla ricuperazione di quella, aveva due vie, l'una per il dominio del re [887] lunga e tediosa, l'altra breve per il dominio di Mantova; e non solamente era necessitato passare per il dominio di quel marchese, ma gli conveniva entrare per certe chiuse intra paludi e laghi di che è piena quella regione, le quali con fortezze ed altri modi erano serrate e guardate da lui. Onde che Fois diliberato d'andare per la più corta, e per vincere ogni difficultà né dare tempo al marchese a diliberarsi, a un tratto mosse le sue genti per

885 « Si erano ribellati perché ritenevano più gravosa la pace in schiavitù che la guerra da liberi » (Livio, x, 16, 5).
886 Francesco Gonzaga.
887 Cioè la Lombardia.

quella via, ed al marchese significò gli mandasse le chiavi di quel passo. Talché il marchese, occupato [888] da questa subita diliberazione, gli mandò le chiavi, le quali mai gli arebbe mandate se Fois più trepidamente si fosse governato, essendo quello marchese in lega con il papa e con i Viniziani ed avendo uno suo figliuolo nelle mani del Papa, le quali cose gli davano molte oneste scuse a negarle. Ma assaltato dal subito partito, per le cagioni che di sopra si dicono, le concesse. Così feciono i Toscani coi Sanniti, avendo per la presenza dello esercito di Sannio preso quelle armi che gli avevano negato per altri tempi pigliare.

XLV · QUALE SIA MIGLIORE PARTITO NELLE GIORNATE, O SOSTENERE L'IMPETO DE' NIMICI E SOSTENUTO URTARGLI, OVVERO DA PRIMA CON FURIA ASSALTARGLI

Erano Decio e Fabio consoli romani con due eserciti all'incontro degli eserciti de' Sanniti e de' Toscani, e venendo alla zuffa ed alla giornata insieme, è da notare in tale fazione quale de' due diversi modi di procedere tenuti dai due Consoli sia migliore. Perché Decio con ogni impeto e con ogni suo sforzo assaltò il nimico, Fabio solamente lo sostenne, giudicando lo assalto lento essere più utile, riserbando l'impeto suo nello ultimo, quando il nimico avesse perduto el primo ardore del combattere e, come noi diciamo, la sua foga. Dove si vede per il successo della cosa che a Fabio riuscì molto meglio il disegno che a Decio, il quale si straccò ne' primi impeti, in modo che vedendo la banda sua [889] più tosto in volta che altrimenti, per acquistare con la morte quella gloria alla quale con la vittoria non aveva potuto aggiugnere, ad imitazione del padre sacrificò se stesso per le romane legioni. La quale cosa intesa da Fabio, per non acquistare manco onore vivendo che si avesse il suo collega acquistato morendo, spinse innanzi tutte quelle forze che si aveva a tale necessità riservate, donde ne riportò una felicissima vittoria. Don-

888 *occupato*: sopraffatto.
889 *la banda sua*: la sua ala dell'esercito.

de si vede che il modo del procedere di Fabio è più sicuro
e più imitabile.

XLVI · DONDE NASCE CHE UNA FAMIGLIA IN UNA CITTÀ TIENE
UN TEMPO I MEDESIMI COSTUMI

E' pare che non solamente l'una città dall'altra abbia
certi modi ed instituti diversi, e procrei uomini o più duri
o più effeminati, ma nella medesima città si vede tale differenza essere nelle famiglie l'una dall'altra. Il che si riscontra essere vero in ogni città, e nella città di Roma
se ne leggono assai esempli, perché e' si vede i Manlii
essere stati duri ed ostinati, i Publicoli uomini benigni ed
amatori del popolo, gli Appii ambiziosi e nimici della Plebe, e così molte altre famiglie avere avute ciascuna le qualità sue spartite dall'altre. La quale cosa non può nascere
solamente dal sangue, perché conviene che vari mediante
la diversità de' matrimoni, ma è necessario venga dalla
diversa educazione che ha l'una famiglia dall'altra. Perché gl'importa assai che un giovanetto da' teneri anni cominci a sentire dire bene o male d'una cosa, perché conviene di necessità ne faccia impressione, e da quella poi
regoli il modo del procedere in tutti i tempi della sua
vita. E se questo non fusse, sarebbe impossibile che tutti
gli Appii avessono avuto la medesima voglia e fossono stati
agitati dalle medesime passioni, come nota Tito Livio in
molti di loro; e per ultimo essendo uno di loro fatto Censore,[890] ed avendo il suo collega alla fine de' diciotto mesi,
come ne disponeva la legge, diposto il magistrato, Appio
non lo volle diporre, dicendo che lo poteva tenere cinque
anni, secondo la prima legge ordinata da' Censori. E benché sopra questo se ne facessero assai concioni e generassissene [891] assai tumulti, non pertanto ci fu mai rimedio che volesse diporlo, contro alla volontà del Popolo e della maggiore parte del Senato. E chi leggerà la orazione che gli
fece contro Publio Sempronio tribuno della plebe, vi no-

890 Appio Claudio il Censore.
891 *generassissene*: nascessero.

terà tutte le insolenzie appiane, e tutte le bontà ed umanità usate da infiniti cittadini per ubbidire alle leggi ed agli auspicii della loro patria.

XLVII · CHE UNO BUONO CITTADINO PER AMORE DELLA PATRIA DEBBE DIMENTICARE LE INGIURIE PRIVATE

Era Marzio consolo [892] con lo esercito contro ai Sanniti, ed essendo stato in una zuffa ferito, e per questo portando le genti sue pericolo, giudicò il Senato essere necessario mandarvi Papirio Cursore dittatore per sopperire ai difetti del consolo. Ed essendo necessario che il Dittatore fusse nominato da Fabio, quale era consolo con gli eserciti in Toscana, e dubitando per essergli nimico che non volesse nominarlo, gli mandarono i Senatori due ambasciadori a pregarlo che posto da parte i privati odii dovesse per beneficio publico nominarlo. Il che Fabio, mosso dalla carità della patria, ancora che col tacere e con molti altri modi facesse segno che tale nominazione gli premesse. Dal quale debbono pigliare esemplo tutti quelli che cercano di essere tenuti buoni cittadini.

XLVIII · QUANDO SI VEDE FARE UNO ERRORE GRANDE A UNO NIMICO, SI DEBBE CREDERE CHE VI SIA SOTTO INGANNO

Essendo rimaso Fulvio legato nello esercito che e Romani avevano in Toscana, essendo ito il Consolo per alcune cerimonie a Roma, i Toscani per vedere se potevano avere quello alla tratta, [893] posono uno aguato propinquo a' campi romani, e mandarono alcuni soldati con veste di pastori con assai armento, e li feciono venire alla vista dello esercito romano, i quali così travestiti si accostarono allo steccato del campo; onde che il Legato maravigliatosi di questa loro presunzione, non gli parendo ragionevole, tenne modo ch'egli scoperse la fraude: e così restò il di-

892 Gaio Marcio Rutilo (310 a.C.).
893 ... alla tratta: prenderlo in trappola.

segno de' Toscani rotto. Qui si può commodamente notare che uno capitano di eserciti non debbe prestare fede ad uno errore che evidentemente si vegga fare al nimico, perché sempre vi sarà sotto fraude, non sendo ragionevole che gli uomini siano tanto incauti. Ma spesso il disiderio del vincere acceca gli animi degli uomini, che non veggono altro che quello pare facci per loro.

I Franciosi avendo vinto i Romani ad Allia, e venendo a Roma e trovando le porte aperte e sanza guardia, stettero tutto quel giorno e la notte sanza entrarvi, temendo di fraude, e non potendo credere che fusse tanta viltà e tanto poco consiglio ne' petti romani che gli abbandonassono la patria. Quando nel 1508, stando li Fiorentini a campo a Pisa, Alfonso del Mutolo cittadino pisano si trovava prigione de' Fiorentini, e' promisse che s'egli era libero che darebbe una porta di Pisa allo esercito fiorentino. Fu costui libero. Dipoi per praticare la cosa, venne molte volte a parlare con i legati de' commessari e veniva, non di nascosto ma scoperto ed accompagnato da' Pisani, i quali lasciava da parte quando parlava con i Fiorentini. Talmenteché si poteva conietturare il suo animo doppio, perché non era ragionevole, se la pratica fosse stata fedele, ch'elli l'avesse trattata sì alla scoperta. Ma il disiderio che si aveva di avere Pisa acceco in modo i Fiorentini che, condottisi con l'ordine suo alla porta a Lucca, vi lasciarono più loro capi ed altre genti con disonore loro, per il tradimento doppio che fece detto Alfonso.

XLIX · UNA REPUBLICA, A VOLERLA MANTENERE LIBERA, HA CIASCUNO DÌ BISOGNO DI NUOVI PROVVEDIMENTI; E PER QUALI MERITI QUINTO FABIO FU CHIAMATO MASSIMO

È di necessità, come altre volte si è detto, che ciascuno dì in una città grande naschino accidenti che abbiano bisogno del medico, e secondo che gl'importano più conviene trovare il medico più savio. E se in alcuna città nacquono mai simili accidenti, nacquono in Roma, e strani ed insperati; come fu quello quando e' parve che tutte le donne romane avessono congiurato contro ai loro mariti di ammazzargli, tante se ne trovò che gli avevano avvelenati, e tante che avevano preparato il veleno per avvelenargli. Come fu ancora quella congiura de' Baccanali che si scoprì nel tempo della guerra macedonica, dove erano già inviluppati molte migliaia di uomini e di donne; e se la non si scopriva, sarebbe stata pericolosa per quella città, o se pure i Romani non fussono stati consueti a gastigare le moltitudini degli erranti; perché quando e' non si vedesse per altri infiniti segni la grandezza di quella Republica e la potenza delle esecuzioni sue, si vede per le qualità della pena che la imponeva a chi errava. Né dubitò fare morire per via di giustizia una legione intera per volta, ed una città, e di confinare otto o diecimila uomini con condizioni istraordinarie da non essere osservate da uno solo non che da tanti: come intervenne a quelli soldati che infelicemente avevano combattuto a Canne, i quali confinò in Sicilia, ed impose loro che non albergassono in terra e che mangiassono ritti.

Ma di tutte le altre esecuzioni era terribile il decimare gli eserciti, dove a sorte di tutto uno esercito era morto di ogni dieci uno. Né si poteva gastigare una moltitudine trovare più spaventevole punizione di questa: perché quando una moltitudine erra, dove non sia l'autore certo, tutti non si possono gastigare per essere troppi; punirne parte e parte lasciarne impuniti, si farebbe torto a quegli che si punissono, e gli impuniti arebbono animo di errare un'altra volta. Ma ammazzandone la decima parte a sorte, quando tutti lo meritano, chi è punito si duole della sorte; chi non è punito ha paura che un'altra volta non tocchi a lui, e guardasi da errare.

Furono punite adunque le venefiche e le Baccanali, secondo che meritavano i peccati loro. E benché questi morbi in una republica faccino cattivi effetti, non sono a morte,[894] perché sempre quasi si ha tempo a correggergli; ma non si ha già tempo in quelli che riguardano lo stato, i quali se non sono da uno prudente corretti rovinano la città. Erano in Roma, per la liberalità che i Romani usavano di donare la civiltà [895] a' forestieri, nate tante genti nuove

894 *non sono a morte*: non sono un pericolo mortale.
895 *la civiltà*: la cittadinanza.

che le cominciavano avere tanta parte ne' suffragi che il governo cominciava a variare, e partivasi da quelle cose e da quelli uomini dove era consueto andare. Di che accorgendosi Quinto Fabio che era Censore, messe tutte queste genti nuove, da chi dipendeva questo disordine, sotto quattro Tribù, acciocché non potessono, ridutti in sì piccoli spazi, corrompere tutta Roma. Fu questa cosa bene conosciuta da Fabio e postovi sanza alterazione conveniente rimedio, il quale fu tanto accetto a quella civiltà ch'e' meritò di essere chiamato Massimo.

LA VITA DI CASTRUCCIO CASTRACANI DA LUCCA
DESCRITTA DA NICCOLÒ MACHIAVELLI E MANDATA A ZANOBI
BUONDELMONTI E A LUIGI ALAMANNI SUOI AMICISSIMI

E' pare, Zanobi e Luigi carissimi, a quegli che la considerano, cosa maravigliosa che tutti coloro o la maggiore parte di essi che hanno in questo mondo operato grandissime cose, e intra gli altri della loro età siano stati eccellenti, abbino avuto il principio e il nascimento loro basso e oscuro, o vero dalla fortuna fuora d'ogni modo travagliato; perché tutti o ei sono stati esposti alle fiere, o egli hanno avuto sì vil padre che vergognatisi di quello si sono fatti figliuoli di Giove o di qualche altro Dio. Quali sieno stati questi, sendone a ciascheduno noti molti, sarebbe cosa a replicare fastidiosa e poco accetta a chi leggessi; perciò come superflua la ometterono. Credo bene che questo nasca che volendo la fortuna dimostrare al mondo di essere quella che faccia gli uomini grandi e non la prudenza, comincia a dimostrare le sue forze in tempo che la prudenza non ci possa avere alcuna parte, anzi da lei si abbi a ricognoscere il tutto.

Fu adunque Castruccio Castracani da Lucca uno di quegli: el quale, secondo i tempi in ne' quali visse e la città donde nacque, fece cose grandissime e, come gli altri, non ebbe più felice né più noto nascimento, come nel ragionare del corso della sua vita si intenderà. La quale mi è parso ridurre alla memoria delli uomini, parendomi avere trovato in essa molte cose, e quanto alla virtù e quanto alla fortuna, di grandissimo esemplo. E mi è parso indirizzarla a voi, come a quegli che più che altri uomini che io cognosca, delle azioni virtuose vi dilettate.

Dico adunque che la famiglia de' Castracani è connumerata intra le famiglie nobili della città di Lucca, ancora ch'ella sia in questi tempi, secondo l'ordine di tutte le mondane cose, mancata. Di questa nacque già uno Antonio che diventato religioso fu calonaco [1] di San Michele di Lucca, e in segno di onore era chiamato messer Antonio. Non aveva costui altri che una sirocchia,[2] la quale maritò già a Buonaccorso Cennami; ma sendo Buonaccorso morto ed essa rimasta vedova, si ridusse a stare col fratello con animo di non più rimaritarsi.

Aveva messer Antonio dietro alla casa che egli abitava una vigna, in la quale, per avere a' confini di molti orti, da molte parti e sanza molta difficultà si poteva entrare. Occorse che andando una mattina, poco poi levata di sole, madonna Dianora (che così si chiamava la sirocchia di messer Antonio) a spasso per la vigna cogliendo secondo el costume delle donne certe erbe per farne certi suoi condimenti, sentì frascheggiare [3] sotto una vite intra e pampani, e rivolti verso quella parte gli occhi, sentì come piangere. Onde che tiratasi [4] verso quello romore, scoperse le mani e il viso d'uno bambino che rinvolto nelle foglie pareva che aiuto le domandasse. Tale che essa, parte maravigliata parte sbigottita, ripiena di compassione e di stupore, lo ricolse, e portatolo a casa e lavatolo e rinvoltolo in panni bianchi come si costuma, lo presentò, alla tornata in casa, a messer Antonio. Il quale, udendo el caso e vedendo il fanciullo, non meno si riempié di maraviglia e di pietade che si fusse ripiena la donna: e consigliatisi intra loro quale partito dovessero pigliare, deliberorono allevarlo, sendo esso prete e quella non avendo figliuoli. Presa adunque in casa una nutrice, con quello amore che se loro figliuolo fusse, lo nutrirono; e avendo lo fatto battezzare, per il nome di Castruccio loro padre lo nominorono.[5]

Cresceva in Castruccio con gli anni la grazia, e in ogni cosa dimostrava ingegno e prudenza; e presto, secondo la età, imparò quelle cose a che [6] da messer Antonio era indirizzato. Il quale, disegnando di farlo sacerdote e con il tem-

1 *calonaco*: canonico.
2 *sirocchia*: sorella.
3 *frascheggiare*: un rumore di frasche.
4 *tiratasi*: essendosi diretta.
5 Le circostanze ed i personaggi del racconto sono inventati dal Machiavelli.
6 *a che*: alle quali.

po rinunziargli il calonacato e altri suoi benifizi, secondo tale fine lo ammaestrava. Ma aveva trovato subietto allo animo sacerdotale al tutto disforme:[7] perché, come prima Castruccio pervenne alla età di quattordici anni e che incominciò a pigliare uno poco di animo sopra messer Antonio,[8] e madonna Dionora non temere punto, lasciati e libri ecclesiastici da parte cominciò a trattare le armi; né di altro si dilettava che o di maneggiare quelle, o con gli altri suoi equali correre, saltare, fare alle braccia[9] e simili esercizi: dove ei mostrava virtù di animo e di corpo grandissima, e di lunga tutti gli altri della sua età superava. E se pure ei leggeva alcuna volta, altre lezioni[10] non gli piacevano che quelle che di guerre o di cose fatte da grandissimi uomini ragionassino; per la quale cosa messer Antonio ne riportava dolore e noia inestimabile.

Era nella città di Lucca uno gentile uomo della famiglia de' Guinigi, chiamato messer Francesco, il quale per ricchezza e per grazia e per virtù passava di lunga tutti gli altri Lucchesi. Lo esercizio del quale era la guerra, e sotto i Visconti di Milano aveva lungamente militato; e perché ghibellino era, sopra tutti gli altri che quella parte in Lucca seguitavano era stimato. Costui ritrovandosi in Lucca e ragunandosi sera e mattina con gli altri cittadini sotto la loggia del podestà, la quale è in testa della piazza di San Michele che è la prima piazza di Lucca, vidde più volte Castruccio con gli altri fanciulli della contrada in quegli esercizi che io dissi di sopra esercitarsi: e parendogli che oltre al superargli egli avessi sopra di loro una autorità regia, e che quelli in certo modo lo amassino e riverissino, diventò sommamente desideroso di intendere di suo essere.[11] Di che sendo informato dai circunstanti, si accese di maggiore desiderio di averlo appresso di sé. E un giorno, chiamatolo, il dimandò dove più volentieri starebbe: o in casa d'uno gentile uomo che gli insegnasse cavalcare

7 *disforme*: poco adatto.

8 *di animo sopra messer Antonio*: un po' più di coraggio nel trattare con il padre adottivo Antonio.

9 *fare alle braccia*: lottare per gioco.

10 *lezioni*: letture.

11 *intendere di suo essere*: sapere chi mai fosse il giovanetto.

e trattare armi, o in casa di uno prete dove non si udisse mai altro che uffizi e messe. Cognobbe messer Francesco quanto Castruccio si rallegrò sentendo ricordare cavagli e armi; pure stando un poco vergognoso, e dandogli animo messer Francesco a parlare, rispose che quando piacesse al suo messere,[12] che non potrebbe avere maggiore grazia che lasciare gli studi[13] del prete e pigliare quelli del soldato. Piacque assai a messer Francesco la risposta, e in brevissimi giorni operò tanto che messer Antonio gliele concedette. A che lo spinse più che alcuna altra cosa la natura del fanciullo, giudicando non lo potere tenere molto tempo così.

Passato pertanto Castruccio di casa messer Antonio Castracani calonaco in casa messer Francesco Guinigi condottiere, è cosa straordinaria a pensare in quanto brevissimo tempo ei diventò pieno di tutte quelle virtù e costumi che in uno vero gentile uomo si richieggono.[14] In prima ei si fece uno eccellente cavalcatore, per che ogni ferocissimo cavallo con somma destrezza maneggiava: e nelle giostre e ne' torniamenti,[15] ancora che giovinetto, era più che alcuno altro riguardevole; tanto che in ogni azione o forte o destra[16] non trovava uomo che lo superasse. A che si aggiugnevano i costumi, dove si vedeva una modestia inestimabile; perché mai non se gli vedeva fare atto o sentivasegli dire parola che dispiacesse: ed era riverente ai maggiori, modesto cogli equali, e cogli inferiori piacevole. Le quali cose lo facevano non solamente da tutta la famiglia de' Guinigi ma da tutta la città di Lucca amare.

Occorse in quelli tempi, sendo già Castruccio di diciotto anni, che e Ghibellini furono cacciati da e Guelfi di Pavia; in favore de' quali fu mandato dai Visconti di Milano messer Francesco Guinigi.[17] Con il quale andò Castruccio, come quello che aveva el pondo di tutta la compagnia sua. Nella quale espedizione Castruccio dette tanti

12 A messer Antonio.
13 *gli studi*: le incombenze.
14 *si richieggono*: si richiedono, sono necessarie.
15 *torniamenti*: tornei.
16 *o forte o destra*: in cui fosse indispensabile o la forza o l'abilità.
17 Nel 1315.

saggi di sé di prudenza e di animo, che niuno che in quella impresa si trovassi ne acquistò grazia appresso di qualunque quanta ne riportò egli; e non solo el nome suo in Pavia, ma in tutta la Lombardia diventò grande e onorato.

Tornato adunque in Lucca Castruccio assai più stimato che al partire suo non era, non mancava in quanto a lui era possibile di farsi amici, osservando tutti quelli modi che a guadagnarsi uomini sono necessari. Ma sendo venuto messer Francesco Guinigi a morte, e avendo lasciato uno suo figliuolo di età di anni tredici chiamato Pagolo, lasciò tutore e governatore de' suoi beni Castruccio, avendolo innanzi al morire fatto venire a sé e pregatólo che fussi contento allevare el suo figliuolo con quella fede che era stato allevato egli, e quegli meriti che e' non aveva potuto rendere al padre rendesse al figliuolo. Morto pertanto messer Francesco Guinigi, e rimaso Castruccio governatore e tutore di Pagolo, accrebbe tanto in reputazione e in potenzia che quella grazia che soleva avere in Lucca si convertì parte in invidia; talmente che molti come uomo sospettoso e che avessi l'animo tirannico lo calunniavano: intra quali el primo era messer Giorgio degli Opizi, capo della parte guelfa. Costui sperando per la morte di messer Francesco rimanere come principe di Lucca, gli pareva che Castruccio, sendo rimasto in quel governo per la grazia che gli davano le sua qualità, gliene avessi tolta ogni occasione; e per questo andava seminando cose che gli togliessino grazia. Di che Castruccio prese prima sdegno, al quale poco dipoi si aggiunse il sospetto; perché ei pensava che messer Giorgio non poserebbe mai di metterlo in disgrazia al vicario del re Ruberto di Napoli,[18] che lo farebbe cacciare di Lucca.

Era signore di Pisa in quel tempo Uguccione della Faggiuola d'Arezzo, il quale prima era stato eletto da e Pisani loro capitano, dipoi se ne era fatto signore. Appresso di Uguccione si trovavano alcuni fuori usciti lucchesi della parte ghibellina, con i quali Castruccio tenne pratica di

18 Firenze aveva richiesto ed ottenuto, per contenere le forze ghibelline, la protezione di Roberto d'Angiò (1313).

rimettergli [19] con lo aiuto di Uguccione; e comunicò ancora questo suo disegno con suoi amici di dentro, i quali non potevono sopportare la potenza delli Opizi. Dato pertanto ordine a quello ch'ei dovevano fare, Castruccio cautamente affortificò la torre degli Onesti e quella riempié di munizione e di molta vettovaglia per potere bisognando mantenersi in quella qualche giorno. E venuta la notte che si era composto [20] con Uguccione, dette il segno a quello, il quale era sceso nel piano con di molta gente intra i monti e Lucca; e veduto il segno, si accostò alla porta a San Pietro e misse fuoco nello antiporto.[21] Castruccio dall'altra parte levò il romore [22] chiamando il popolo all'arme, e sforzò la porta dalla parte di dentro; tale che, entrato Uguccione e le sue genti, corsono la terra e ammazzorono messer Giorgio con tutti quegli della sua famiglia e con molti altri suoi amici e partigiani, e il governatore cacciorono; e lo Stato della città si riformò secondo che a Uguccione piacque, con grandissimo danno di quella, perché si trova che più di cento famiglie furono cacciate allora di Lucca. Quegli che fuggirono, una parte ne andò a Firenze, un'altra a Pistoia: le quali città erono rette da parte guelfa, e per questo venivono a essere inimiche a Uguccione e ai Lucchesi.

E parendo ai Fiorentini e agli altri Guelfi, che la parte ghibellina avessi preso in Toscana troppa autorità, convennono insieme di rimettere i fuora usciti lucchesi: e fatto uno grosso esercito, ne vennono in Val di Nievole e occuporono Montecatini; e di quivi ne andorono a campo a Montecarlo per avere libero el passo di Lucca. Pertanto Uguccione, ragunata assai gente pisana e lucchese e di più molti cavagli tedeschi che trasse di Lombardia, andò a trovare el campo de' Fiorentini; il quale sentendo venire e nemici si era partito da Montecarlo e postosi intra Montecatini e Pescia: e Uguccione si misse sotto Montecarlo, propinquo a' nimici a dua miglia. Dove qualche giorno

19 *tenne pratica di rimettergli*: svolse trattative per ricollocarli al potere nella città di Lucca.
20 *si era composto*: sulla quale ci si era accordati.
21 *nello antiporto*: alle fortificazioni esterne.
22 *levò il romore*: diede il segnale.

intra i cavagli dell'uno e dell'altro esercito si fece alcuna leggieri zuffa: perché sendo ammalato Uguccione, i Pisani e i Lucchesi fuggivono di fare la giornata con gli inimici.

Ma sendo Uguccione aggravato nel male si ritirò per curarsi a Montecarlo e lasciò a Castruccio la cura dello esercito. La qual cosa fu cagione della rovina de' Guelfi; perché quegli presono animo, parendo loro che lo esercito inimico fussi rimaso sanza capitano. Il che Castruccio cognobbe, e attese per alcuni giorni ad accrescere in loro questa opinione, mostrando di temere non lasciando uscire alcuno delle munizioni del campo:[23] e dall'altra parte i Guelfi quanto più vedevano questo timore tanto più diventavano insolenti, e ciascuno giorno ordinati alla zuffa si presentavano allo esercito di Castruccio. Il quale, parendoli avere dato loro assai animo e cognosciuto l'ordine loro, deliberò fare la giornata con quegli; e prima con le parole fermò l'animo de' suoi soldati, e mostrò loro la vittoria certa quando volessino ubbidire agli ordini suoi.

Aveva Castruccio veduto come gli inimici avevano messe tutte le loro forze nel mezzo delle schiere e le gente più debole nelle corna di quelle; onde che esso fece el contrario, perché messe[24] nelle corna del suo esercito la più valorosa gente avesse, e nel mezzo quella di meno stima. E uscito de' suoi alloggiamenti con questo ordine, come prima venne alla vista dello esercito inimico, el quale insolentemente, secondo l'uso lo veniva a trovare, comandò che le squadre del mezzo andassero adagio e quelle delle corna con prestezza si movessino. Tanto che, quando venne alle mani con i nimici, le corna sole dell'uno e dell'altro esercito combattevono, e le schiere del mezzo si posavano;[25] perché le gente di mezzo di Castruccio erano rimaste tanto indietro che quelle di mezzo degli inimici non le aggiugnevano: e così venivano le più gagliarde genti di Castruccio a combattere con le più deboli degli inimici, e le

23 *delle munizioni del campo*: dalle fortificazioni dell'accampamento.

24 *messë*: mise, collocò.

25 *si posavano*: erano inattive, non combattevano.

più gagliarde loro si posavano sanza potere offendere quelli avieno allo incontro [26] o dare alcuno aiuto alli suoi. Tale che sanza molta difficultà e nimici dall'uno e l'altro corno si missono in volta: e quegli di mezzo ancora, vedendosi nudati da' fianchi [27] de' suoi, sanza avere potuto mostrare alcuna loro virtù si fuggirono. Fu la rotta e la uccisione grande, perché vi furono morti meglio che diecimila uomini con molti caporali [28] e grandi cavalieri di tutta Toscana di parte guelfa, e di più molti principi che erano venuti in loro favore, come furono Piero fratello del re Ruberto e Carlo suo nipote e Filippo signore di Taranto. E dalla parte di Castruccio non aggiunsono a trecento, intra quali morì Francesco figliuolo di Uguccione il quale, giovinetto e volenteroso, nel primo assalto fu morto.

Fece questa rotta al tutto grande il nome di Castruccio; in tanto che a Uguccione entrò tanta gelosia e sospetto dello stato suo, che non mai pensava se non come lo potessi spegnere, parendogli che quella vittoria gli avessi non dato ma tolto lo imperio. E stando in questo pensiero, aspettando occasione onesta di mandarlo ad effetto,[29] occorse che e' fu morto Pier Agnolo Micheli in Lucca, uomo qualificato e di grande estimazione, l'ucciditore del quale si rifuggì in casa Castruccio: dove andando e sergenti del capitano per prenderlo, furono da Castruccio ributtati, in tanto che lo omicida mediante gli aiuti suoi si salvò. La qual cosa sentendo Uguccione che allora si trovava a Pisa, e parendogli avere giusta cagione a punirlo, chiamò Neri suo figliuolo al quale aveva già data la signoria di Lucca, e gli commisse [30] che sotto titolo di convitare Castruccio lo prendessi e facessi morire. Donde che Castruccio, andando nel palazzo del signore domesticamente [31] non temendo di alcuna ingiuria, fu prima da Neri ritenuto a cena e dipoi preso. E dubitando Neri che nel farlo morire sanza alcuna

26 *quelli avieno allo incontro*: coloro che avevano di fronte.
27 *nudati da' fianchi*: trovandosi scoperti ai fianchi.
28 *caporali*: capitani.
29 *aspettando occasione... ad effetto*: aspettando un'occasione credibile per realizzarlo.
30 *gli commisse*: gli diede ordine.
31 *domesticamente*: come uno di famiglia, confidenzialmente.

giustificazione il popolo non si alterasse, lo serbò vivo, per intendere meglio da Uguccione come gli paressi da governarsi. Il quale, biasimando la tardità e viltà del figliuolo, per dare perfezione alla cosa con quattrocento cavagli si uscì di Pisa per andare a Lucca: e non era ancora arrivato ai Bagni [32] che i Pisani presono le armi e uccisono il vicario di Uguccione e gli altri di sua famiglia che erano restati in Pisa, e feciono loro signore il conte Gaddo della Gherardesca. Sentì Uguccione prima che arrivasse a Lucca lo accidente seguito in Pisa, né gli parse da tornare indietro, acciò che i Lucchesi con lo esemplo de' Pisani non gli serrassino ancora quegli le porte. Ma i Lucchesi, sentendo i casi di Pisa, nonostante che Uguccione fussi venuto in Lucca, presa occasione della liberazione di Castruccio cominciorono prima ne' circuli per le piazze a parlare sanza rispetto, dipoi a fare tumulto, e da quello vennono alle armi, domandando che Castruccio fusse libero; tanto che Uguccione per timore di peggio lo trasse di prigione. Donde che Castruccio, subito ragunati sua amici, col favore del popolo fece èmpito [33] contro a Uguccione. Il quale vedendo non avere rimedio se ne fuggì con gli amici suoi, e ne andò in Lombardia a trovare e signori della Scala; dove poveramente morì.

Ma Castruccio, di prigioniero diventato come principe di Lucca, operò con gli amici suoi e con el favore fresco del popolo in modo che fu fatto capitano delle loro gente per uno anno. Il che ottenuto, per darsi riputazione nella guerra disegnò di recuperare ai Lucchesi molte terre che si erano ribellate dopo la partita di Uguccione: e andò, con il favore de' Pisani con i quali si era collegato,[34] a campo a Serezana,[35] e per espugnarla fece sopra essa una bastìa,[36] la quale dipoi murata [37] dai Fiorentini si chiama oggi Serezanello; e in tempo di dua mesi prese la terra. Dipoi con

32 Bagni di San Giuliano.
33 *fece èmpito*: si rivoltò.
34 *si era collegato*: si era alleato.
35 Sarzana.
36 *bastìa*: fortezza.
37 *murata*: provvista di mura.

questa reputazione occupò Massa, Carrara e Lavenza, e in brevissimo tempo occupò tutta Lunigiana: e per serrare il passo che di Lombardia viene in Lunigiana, espugnò Pontriemoli e ne trasse [38] messer Anastagio Palavisini che ne era signore. Tornato a Lucca con questa vittoria, fu da tutto il popolo incontrato. Né parendo a Castruccio da differire il farsi principe, mediante Pazzino dal Poggio, Puccinello dal Portico, Francesco Boccansacchi e Cecco Guinigi, allora di grande reputazione in Lucca, corrotti da lui, se ne fece signore, e solennemente e per deliberazione del popolo fu eletto principe.

Era venuto in questo tempo in Italia Federigo di Baviera re de' Romani,[39] per prendere la corona dello Imperio. Il quale Castruccio si fece amico e lo andò a trovare con cinquecento cavagli, e lasciò in Lucca suo luogotenente Pagolo Guinigi, del quale, per la memoria del padre, faceva quella stimazione che se e' fussi nato di lui. Fu ricevuto Castruccio da Federigo onoratamente; e datogli molti privilegi, e' lo fece suo luogotenente in Toscana. E perché i Pisani avevono cacciato Gaddo della Gherardesca e per paura di lui erano ricorsi a Federigo per aiuto, Federigo fece Castruccio signore di Pisa:[40] e i Pisani per timore di parte guelfa, e in particulare de' Fiorentini, lo accettorono.

Tornatosene pertanto Federigo nella Magna e lasciato uno governatore a Roma, tutti e Ghibellini toscani e lombardi che seguivano le parti dello imperatore si rifuggirono a Castruccio, e ciascuno gli prometteva lo imperio della sua patria quando per suo mezzo vi rientrasse; intra quali furono Matteo Guidi, Nardo Scolari, Lapo Uberti, Gerozzo Nardi e Piero Buonaccorsi, tutti ghibellini e fuora usciti fiorentini. E disegnando Castruccio per il mezzo di costoro e con le sue forze farsi signore di tutta Toscana, per darsi più reputazione si accostò con messer Matteo Visconti principe di Milano, e ordinò tutta la città e il suo paese alle armi. E perché Lucca aveva cinque porte,

38 *e ne trasse*: e ne scacciò.
39 Federico d'Austria (1286-1330).
40 Il 29 aprile 1328.

divise in cinque parti el contado e quello armò e distribuì sotto capi e insegne; tale che in uno subito metteva insieme ventimila uomini, sanza quegli che gli potevano venire in aiuto da Pisa. Cinto adunque di queste forze e di questi amici, accadde che messer Matteo Visconti fu assaltato dai Guelfi di Piacenza : i quali avevono cacciati i Ghibellini, in aiuto de' quali e Fiorentini e il re Ruberto avevono mandate loro gente. Donde che messer Matteo richiese Castruccio che dovesse assaltare e Fiorentini, acciò che quegli, costretti a difendere le case loro, revocassino le loro gente di Lombardia. Così Castruccio con assai gente assaltò il Valdarno e occupò Fucecchio e San Miniato con grandissimo danno del paese; onde che i Fiorentini per questa necessità rivocorono le loro genti. Le quali a fatica erono tornate in Toscana, che Castruccio fu costretto da un'altra necessità tornare a Lucca.

Era in quella città la famiglia di Poggio potente per avere fatto non solamente grande Castruccio ma principe : e non le parendo essere remunerata secondo i suoi meriti, convenne con altre famiglie di Lucca di ribellare [41] la città e cacciarne Castruccio. E presa una mattina occasione, corsono armate al luogotenente che Castruccio sopra la giustizia vi teneva, e lo ammazzorono. E volendo seguire di levare il popolo a romore, Stefano di Poggio, antico e pacifico uomo il quale nella congiura non era intervenuto, si fece innanzi e costrinse con la autorità sua i suoi a posare le armi, offerendosi di essere mediatore intra loro e Castruccio a fare ottenere a quegli i desideri loro. Posorono pertanto coloro le arme, non con maggiore prudenza che le avessero prese; per che Castruccio, sentita la novità seguita a Lucca, sanza mettere tempo in mezzo con parte delle sue genti, lasciato Pagolo Guinigi capo del resto, se ne venne in Lucca. E trovato fuora di sua opinione posato el romore, [42] parendogli avere più facilità di assicurarsi, dispose e suoi partigiani armati per tutti e luoghi opportuni. Stefano di Poggio, parendogli che Castruccio dovessi aver obligo se-

41 *di ribellare* : di far ribellare.
42 *posato el romore* : placato il tumulto.

co, lo andò a trovare, e non pregò per sé, perché giudicava non avere di bisogno, ma per gli altri di casa, pregandolo che condonasse molte cose alla giovanezza, molte alla antica amicizia e obligo che quello aveva con la loro casa. Al quale Castruccio rispose gratamente e lo confortò a stare di buono animo, mostrandogli avere più caro avere trovati posati e tumulti che non aveva avuto per male la mossa di quelli; e confortò Stefano a fargli venire tutti a lui, dicendo che ringraziava Dio di avere avuto occasione di dimostrare la sua clemenza e liberalità. Venuti adunque sotto la fede di Stefano e di Castruccio, furono insieme con Stefano imprigionati e morti.

Avevano in questo mezzo e Fiorentini recuperato San Miniato; onde che a Castruccio parve di fermare [43] quella guerra, parendogli, infine ch'e' non si assicurava di Lucca, di non si potere discostare da casa. E fatto tentare e Fiorentini di triegua,[44] facilmente gli trovò disposti, per essere ancora quegli stracchi e desiderosi di fermare la spesa.[45] Fecero adunque triegua per dua anni, e che ciascuno possedessi quello che possedeva. Liberato dunque Castruccio dalla guerra, per non incorrere più ne' pericoli era incorso prima, sotto vari colori e cagioni spense tutti quegli in Lucca che potessero per ambizione aspirare al principato; né perdonò ad alcuno, privandogli della patria e della roba e, quegli che poteva avere nelle mani, della vita, affermando di avere conosciuto per esperienza niuno di quegli potergli essere fedele. E per più sua sicurtà fondò una fortezza in Lucca, e si servì della materia delle torre [46] di coloro ch'egli aveva cacciati e morti.

Mentre che Castruccio aveva posate le armi co' Fiorentini e che e' si affortificava in Lucca, non mancava di fare quelle cose che poteva sanza manifesta guerra operare per fare maggiore la sua grandezza. E avendo desiderio grande di occupare Pistoia, parendogli quando ottenessi la

43 *parve di fermare*: sembrò utile interrompere.
44 *E fatto... triegua*: e avanzate proposte di tregua ai Fiorentini.
45 *la spesa*: le spese provocate dalla guerra.
46 *della materia delle torre*: del materiale con cui erano costruite le torri.

possessione di quella città di avere uno piè in Firenze, si
fece in vari modi tutta la montagna amica: e con le parti
di Pistoia si governava in modo che ciascuna confidava
in lui. Era allora quella città divisa, come fu sempre, in
Bianchi e Neri. Capo de' Bianchi era Bastiano di Possente, de' Neri Iacopo da Gia: de' quali ciascuno teneva con
Castruccio strettissime pratiche, e qualunque di loro desiderava cacciare l'altro; tanto che l'uno e l'altro, dopo
molti sospetti, vennono alle armi. Iacopo si fece forte alla
Porta Fiorentina, Bastiano alla Lucchese; e confidando
l'uno e l'altro più in Castruccio che ne' Fiorentini, giudicandolo più espedito e più presto in su la guerra, mandorono a lui secretamente l'uno e l'altro per aiuti: e Castruccio all'uno e all'altro gli promise, dicendo a Iacopo che
verrebbe in persona, e a Bastiano che manderebbe Pagolo
Guinigi suo allievo. E dato loro il tempo a punto, mandò
Pagolo per la via di Pescia ed esso a dirittura se ne andò
a Pistoia; e in su la mezza notte, ché così erano convenuti
Castruccio e Pagolo, ciascuno fu a Pistoia, e l'uno e l'altro fu ricevuto come amico. Tanto che entrati dentro,
quando parve a Castruccio fece il cenno a Pagolo; dopo
il quale l'uno uccise Iacopo da Gia e l'altro Bastiano di
Possente, e tutti gli altri loro partigiani furono parte presi
e parte morti: e corsono sanza altre opposizioni Pistoia
per loro; [47] e tratta la Signoria di Palagio, costrinse Castruccio il popolo a dargli obbedienza faccendo a quello molte
rimessioni di debiti vecchi e molte offerte: e così féce a
tutto el contado il quale era corso in buona parte a vedere
il nuovo principe; tale che ognuno, ripieno di speranza,
mosso in buona parte dalle virtù sue si quietò.

Occorse in questi tempi che il popolo di Roma cominciò a tumultuare per il vivere caro, causandone l'assenzia
del pontefice che si trovava in Avignone e biasimando i
governi tedeschi; in modo che e' si facevano ogni dì degli
omicidii e altri disordini, sanza che Enrico luogotenente
dello imperadore vi potesse rimediare; tanto che ad Enrico [48] entrò un gran sospetto che i Romani non chiamassino

47 *per loro*: per proprio tornaconto.
48 Ludovico il Bavaro e non Arrigo VII.

el re Ruberto di Napoli e lui cacciassero di Roma e resti-
tuissenla al papa. Né avendo el più propinquo amico a
chi ricorrere che Castruccio, lo mandò a pregare fussi contento non solamente mandare aiuti ma venire in persona
a Roma. Giudicò Castruccio che non fussi da differire,[49] sì
per rendere qualche merito allo imperadore, sì perché giudicava, qualunque volta lo imperadore non fussi a Roma,
non avere rimedio.[50] Lasciato adunque Pagolo Guinigi a
Lucca, se ne andò con secento cavagli a Roma dove fu
ricevuto da Enrico con grandissimo onore: e in brevissimo tempo la sua presenza rendé tanta riputazione alla
parte dello Imperio[51] che, sanza sangue o altra violenza, si
mitigò ogni cosa: perché, fatto venire Castruccio per mare assai frumento del paese di Pisa, levò la cagione dello
scandolo; dipoi, parte ammunendo parte gastigando i capi
di Roma, gli ridusse volontariamente sotto il governo di
Enrico. E Castruccio fu fatto senatore di Roma,[52] e datogli molti altri onori dal popolo romano. Il quale ufficio
Castruccio prese con grandissima pompa, e si misse una
toga di broccato indosso con lettere dinanzi che dicevano:
Egli è quel che Dio vuole; e di dietro dicevano *E' sarà
quel che Dio vorrà.*

In questo mezzo e Fiorentini, e quali erano malicontenti
che Castruccio si fussi ne' tempi della triegua insignorito
di Pistoia, pensavano in che modo potessino farla ribellare:[53] il che per la assenza sua giudicavano facile. Era intra
gli usciti Pistolesi che a Firenze si trovavano Baldo Cecchi
e Iacopo Baldini, tutti uomini di autorità e pronti a mettersi a ogni sbaraglio. Costoro tennono pratica con loro
amici di dentro; tanto che con lo aiuto de' Fiorentini en-

49 *non fussi da differire*: non bisognasse indugiare.
50 *sì perché giudicava... non avere rimedio*: sia perché giudicava che la presenza dell'imperatore fosse l'unico rimedio efficace
per risolvere la situazione a Roma.
51 *alla parte dello Imperio*: al partito ghibellino.
52 Nel 1327 da Ludovico il Bavaro.
53 Da qui in poi l'ordine dei fatti risulta alterato dal M.: pro-
fittando del viaggio a Roma di Castruccio, i fiorentini occuparono
Pistoia (28 gennaio 1328). Il Castracani, immediatamente partito
da Roma con un esercito, conquistò Pisa e assediò con successo Pistoia (aprile-agosto 1328).

trorono di notte in Pistoia e ne cacciorono e partigiani e ufficiali di Castruccio, e parte ne ammazzorono, e renderono la libertà alla città. La quale nuova dette a Castruccio noia e dispiacere grande; e presa licenza da Enrico, a gran giornate con le sue genti se ne venne a Lucca. I Fiorentini, come intesono la tornata di Castruccio, pensando che ei non dovessi posare deliberorono di anticiparlo e con le loro gente entrare prima in Val di Nievole che quello, giudicando che se eglino occupassino quella valle gli venivano a tagliare la via di potere recuperare Pistoia: e contratto uno grosso esercito di tutti gli amici di parte guelfa, vennono nel Pistolese. Dall'altra parte Castruccio con le sue gente ne venne a Montecarlo; e inteso dove lo esercito de' Fiorentini si trovava, deliberò di non andare a incontrarlo nel piano di Pistoia né di aspettarlo nel piano di Pescia, ma se fare potesse, di affrontarsi seco nello stretto [54] di Serravalle, giudicando, quando tale disegno gli riuscisse, di riportarne la vittoria certa, perché intendeva i Fiorentini avere insieme trentamila uomini ed esso ne aveva scelti de' suoi dodicimila. E benché si confidassi nella industria sua e virtù loro, pure dubitava, appiccandosi nel luogo largo, di non essere circundato dalla moltitudine de' nimici.

È Serravalle uno castello tra Pescia e Pistoia, posto sopra uno colle che chiude la Val di Nievole, non in sul passo proprio ma di sopra a quello dua tratti di arco. Il luogo donde si passa è più stretto che repente,[55] perché da ogni parte sale dolcemente; ma è in modo stretto, massimamente in sul colle dove le acque si dividono,[56] che venti uomini accanto l'uno all'altro lo occuperebbeno. In questo luogo aveva disegnato Castruccio affrontarsi con gli inimici, sì perché le sue poche gente avessero vantaggio, sì per non iscoprire e nimici prima che in su la zuffa,[57] dubitando [58] che i suoi veggendo la moltitudine di quegli non

54 *nello stretto* : al passo.

55 *repente* : ripido.

56 Proprio allo spartiacque.

57 *prima che in su la zuffa* : se non al momento di venire a battaglia.

58 *dubitando* : temendo.

isbigottissimo. Era signore del castello di Serravalle messer Manfredi, di nazione tedesca: il quale, prima che Castruccio fussi signore di Pistoia, era stato riserbato [59] in quel castello come in luogo comune ai Lucchesi e a' Pistolesi, né dipoi ad alcuno era accaduto offenderlo, promettendo quello a tutti stare neutrale, né si obligare ad alcuno di loro; sì che per questo, e per essere in luogo forte, era stato mantenuto. Ma venuto questo accidente, divenne Castruccio desideroso di occupare quello luogo: e avendo stretta amicizia con uno terrazzano, ordinò in modo con quello che la notte davanti che si avessi a venire alla zuffa ricevesse [60] quattrocento uomini de' suoi e ammazzasse il signore.

E stando così preparato, non mosse lo esercito da Montecarlo, per dare più animo ai Fiorentini a passare. E quali, perché desideravano discostare la guerra da Pistoia e ridurla in Val di Nievole, si accamporono sotto Serravalle con animo di passare el dì dipoi il colle. Ma Castruccio avendo sanza tumulto preso la notte il castello, si partì in su la mezza notte da Montecarlo, e tacito con le sue genti arrivò la mattina a piè di Serravalle; in modo che a un tratto i Fiorentini ed esso, ciascuno dalla sua parte, incominciò a salire la costa. Aveva Castruccio le sue fanterie diritte per la via ordinaria, e una banda di quattrocento cavagli aveva mandata in su la mano manca verso il castello. I Fiorentini, dall'altra banda avieno mandati innanzi quattrocento cavagli, e dipoi avevono mosse le fanterie e dietro a quelle le genti d'arme; né credevano trovare Castruccio in sul colle, perché non sapevano ch'ei si fusse insignorito del castello. In modo che insperatamente i cavagli de' Fiorentini, salita la costa, scopersono le fanterie di Castruccio, e trovoronsi tanto propinqui a loro che con fatica ebbono tempo ad allacciarsi le celate. [61] Sendo pertanto gli impreparati assaltati dai preparati e ordinati, con grande animo li spinsono, e quelli con fatica re-

59 *riserbato*: lasciato.
60 *ricevesse*: facesse entrare.
61 *le celate*: gli elmi a visiera mobile dei cavalieri.

sisterono; pure si fece testa per qualcuno di loro,[62] ma disceso il romore per il resto del campo de' Fiorentini, si riempié di confusione ogni cosa. I cavagli erono oppressi dai fanti, i fanti dai cavagli e dai carriaggi: i capi non potevono per la strettezza del luogo andare né innanzi né indietro; di modo che niuno sapeva in tanta confusione quello si potesse o dovesse fare. Intanto e cavagli, che erono alle mani con le fanterie nimiche, erano ammazzati e guasti sanza potere difendersi, perché la malignità del sito non gli lasciava;[63] pure più per forza che per virtù resistevono, perché avendo dai fianchi i monti, di dietro gli amici e dinanzi gli inimici, non restava loro alcuna via aperta alla fuga.

Intanto Castruccio, veduto che i suoi non bastavano a fare voltare[64] e nimici, mandò mille fanti per la via del castello; e fattogli scendere con quattrocento cavagli che quello aveva mandati innanzi, li percossono per fianco[65] con tanta furia che le genti fiorentine non potendo sostenere lo impeto di quelli, vinti più da il luogo che da' nimici, cominciorono a fuggire. E cominciò la fuga da quelli che erono di dietro verso Pistoia, i quali distendendosi per il piano, ciascuno dove meglio gli veniva provvedeva alla sua salute.

Fu questa rotta grande e piena di sangue. Furono presi molti capi, intra quali furono Bandino de' Rossi, Francesco Brunelleschi e Giovanni della Tosa, tutti nobili fiorentini, con di molti altri Toscani e regnicoli,[66] i quali mandati da il re Ruberto in favore de' Guelfi, con i Fiorentini militavano.

I Pistolesi udita la rotta, sanza differire, cacciata la parte amica a' Guelfi, si dettono a Castruccio. Il quale non contento di questo, occupò Prato e tutte le castella del piano, così di là come di qua d'Arno: e si pose con le genti nel piano di Peretola, propinquo a Firenze a dua miglia;

62 *pure si fece testa per qualcuno di loro*: vi fu una certa resistenza da parte di qualcuno.
63 *lasciava*: permetteva.
64 *a fare voltare*: a far fuggire.
65 *li percossono per fianco*: li attaccarono di fianco.
66 *regnicoli*: del Regno di Napoli.

dove stette molti giorni a dividere la preda e a fare festa della vittoria avuta, faccendo in dispregio de' Fiorentini battere monete, correre palii a cavagli, a uomini e a meretrici. Né mancò di volere corrompere alcuno nobile cittadino perché gli aprisse la notte le porte di Firenze; ma, scoperta la congiura, furono presi e decapitati Tommaso Lupacci e Lambertuccio Frescobaldi.

Sbigottiti adunque i Fiorentini per la rotta, non vedevono rimedio a potere salvare la loro libertà: e per essere più certi degli aiuti mandorono oratori a Ruberto re di Napoli a dargli la città e il dominio di quella.[67] Il che da quel re fu accettato, non tanto per lo onore fattogli dai Fiorentini, quanto perché sapeva di quale momento era allo stato suo che la parte guelfa mantenessi lo stato di Toscana. E convenuto con i Fiorentini di avere dugentomila fiorini l'anno, mandò a Firenze Carlo suo figliuolo, con quattromila cavagli.

Intanto e Fiorentini si erano alquanto sollevati dalle genti di Castruccio, perché egli era stato necessitato partirsi di sopra e loro terreni e andarne a Pisa, per reprimere una congiura fatta contro di lui da Benedetto Lanfranchi, uno de' primi di Pisa. Il quale non potendo sopportare che la sua patria fussi serva d'uno Lucchese gli congiurò contra, disegnando occupare la cittadella e, cacciatane la guardia, ammazzare i partigiani di Castruccio. Ma perché in queste cose se il poco numero è sufficiente al segreto non basta alla esecuzione, mentre che e' cercava di ridurre più uomini a suo proposito trovò chi questo suo disegno scoperse a Castruccio. Né passò questa revelazione sanza infamia di Bonifacio Cerchi e Giovanni Guidi fiorentini, i quali si trovavano confinati a Pisa; onde, posto le mani addosso a Benedetto lo ammazzò, e tutto el restante di quella famiglia mandò in esilio, e molti altri nobili cittadini decapitò. E parendogli avere Pistoia e Pisa poco fedeli, con industria e forza attendeva ad assicurarsene: il che dette tempo ai Fiorentini di ripigliare le forze e potere aspettare la venuta di Carlo. Il quale venuto, deliberarono di non perdere tempo e ragunorono insieme grande gente,

67 In realtà ciò accadde nel 1313.

perché convocorono in loro aiuto quasi tutti i Guelfi di Italia e feciono uno grossissimo esercito di più di trentamila fanti e diecimila cavagli.[68] E consultato quale dovessino assalire prima, o Pistoia o Pisa, si risolverono fusse meglio combattere Pisa, come cosa più facile a riuscire per la fresca congiura che era stata in quella, e di più utilità, giudicando, avuta Pisa, Pistoia per se medesima si arrendesse.

Usciti adunque i Fiorentini fuora con questo esercito allo entrare di maggio del milletrecentoventotto,[69] occuparono subito la Lastra, Signa, Montelupo ed Empoli, e ne vennono con lo esercito a San Miniato. Castruccio, dall'altra parte, sentendo el grande esercito che i Fiorentini gli avieno mosso contra, non sbigottito in alcuna parte,[70] pensò che questo fusse quel tempo che la fortuna gli dovesse mettere in mano lo imperio di Toscana, credendo che gli inimici non avessero a fare migliore prova in quello di Pisa che si facessero a Serravalle, ma che non avessino già speranza di rifarsi come allora; e ragunato ventimila de' suoi uomini a piè e quattromila cavagli, si pose con lo esercito a Fucecchio, e Pagolo Guinigi mandò con cinquemila fanti in Pisa. È Fucecchio posto in luogo più forte che alcuno altro castello di quello di Pisa, per essere in mezzo intra la Gusciana[71] e Arno ed essere alquanto rilevato da il piano; dove stando, non li potevano i nimici, se non facevono dua parte di loro, impedire le vettovaglie che da Lucca o da Pisa non venissino; né potevano, se non con loro disavvantaggio, o andare a trovarlo o andare verso Pisa: perché nell'uno caso potevono essere messi in mezzo dalle genti di Castruccio e da quelle di Pisa; nell'altro, avendo a passare Arno, non potevono farlo con il nimico addosso se non con grande loro pericolo. E Castruccio, per dare loro animo di pigliare questo partito di passare, non si era posto con le genti sopra la riva d'Arno

68 Questi fatti e quelli che seguono si riferiscono al periodo compreso tra la conquista di Pistoia da parte di Castruccio (maggio 1325) e la battaglia di Altopascio (settembre 1325).
69 Nel giugno del 1325.
70 *non sbigottito in alcuna parte* : per nulla impaurito.
71 Il canale Usciana.

ma allato alle mura di Fucecchio, e aveva lasciato spazio assai intra il fiume e lui.

I Fiorentini, avendo occupato San Miniato, consigliorono quello fusse da fare: o andare a Pisa o a trovare Castruccio; e misurata la difficultà dell'uno partito e dell'altro, si risolverno andare a investirlo. Era il fiume d'Arno tanto basso che si poteva guadare, ma non però in modo che a' fanti non bisognassi bagnarsi infino alle spalle e ai cavagli infino alle selle. Venuto pertanto la mattina de' dì dieci di giugno, i Fiorentini, ordinati alla zuffa, feciono cominciare a passare parte della loro cavalleria e una battaglia [72] di diecimila fanti. Castruccio, che stava parato e intento a quello che egli aveva in animo di fare, con una battaglia di cinquemila fanti e tremila cavagli gli assaltò; né dette loro tempo a uscire tutti fuora delle acque, che fu alle mani con loro: e mille fanti espediti [73] mandò su per la riva dalla parte di sotto d'Arno, e mille di sopra. Erano e fanti de' Fiorentini aggravati dalle acque e dalle armi, né avevano tutti superato la grotta [74] del fiume. I cavagli, passati che ne furono alquanti, per avere rotto el fondo d'Arno ferono il passo agli altri difficile; perché, trovando il passo sfondato, molti rimboccavano addosso [75] al padrone, molti si ficcavano talmente nel fango che non si potevano ritirare. Onde veggendo i capitani fiorentini la difficultà del passare da quella parte, li feciono ritirare più alti su per il fiume, per trovare il fondo non guasto e la grotta più benigna che gli ricevessi. Ai quali si opponevano quegli fanti che Castruccio aveva su per la grotta mandati: i quali, armati alla leggiera con rotelle e dardi di galea [76] in mano, con grida grandi nella fronte e nel petto gli ferivano; tale che i cavagli dalle ferite e dalle grida sbigottiti, non volendo passare avanti, addosso l'uno all'altro si rimboccavano. La zuffa intra quegli di Castruccio e quegli che erano passati fu aspra e terribile: e da ogni

72 *una battaglia*: un contingente.
73 *fanti espediti*: armati con armi leggere.
74 *la grotta*: l'argine scosceso.
75 *rimboccavano addosso*: si rovesciavano addosso.
76 *con rotelle e dardi di galea*: con scudi rotondi e con lanciotti.

parte ne cadeva assai, e ciascuno s'ingegnava con quanta più forza poteva di superare l'altro. Quegli di Castruccio gli volevono rituffare nel fiume, i Fiorentini gli volevono spignere, per dare luogo agli altri che usciti fuora della acqua potessero combattere; alla quale ostinazione si aggiugnevano i conforti [77] de' capitani. Castruccio ricordava ai suoi ch'egli erano quelli inimici medesimi che non molto tempo innanzi avevano vinti a Serravalle; e i Fiorentini rimproveravano i loro che gli assai si lasciassino superare da' pochi. Ma veduto Castruccio che la battaglia durava, e come i suoi e gli avversari erano già stracchi, e come da ogni parte ne era molti feriti e morti, spinse innanzi un'altra banda di cinquemila fanti: e condotti che gli ebbe alle spalle de' suoi che combattevano, ordinò che quegli davanti si aprissino e, come se si mettessino in volta, l'una parte in su la destra e l'altra in su la sinistra si ritirasse. La quale cosa fatta, dette spazio a' Fiorentini di farsi innanzi e guadagnare alquanto di terreno. Ma venuti alle màni i freschi con gli affaticati, non stettono molto che gli spinsono nel fiume. Intra la cavalleria dell'uno e dell'altro non vi era ancora vantaggio, perché Castruccio, conosciuta la sua inferiore, aveva comandato ai condottieri che sostenessino solamente el nimico, come quello che sperava superare i fanti e, superati, potere poi più facilmente vincere i cavagli; il che gli succedette secondo il disegno suo. Perché, veduti i fanti inimici essersi ritirati nel fiume, mandò quel resto della sua fanteria alla volta de' cavagli inimici: i quali con lance e con dardi ferendogli, e la cavalleria ancora con maggior furia premendo loro addosso, gli missono in volta. I capitani fiorentini, vedendo la difficultà che i loro cavagli avevano a passare, tentorono far passare le fanterie dalla parte di sotto del fiume, per combattere per fianco le genti di Castruccio. Ma sendo le grotte alte e di sopra occupate dalle genti di quello, si provorono in vano. Messesi pertanto el campo in rotta con gloria grande e onore di Castruccio; e di tanta moltitudine non ne campò el terzo. Furono presi di molti capi: e Carlo figliuolo del re Ruberto, insieme con Michelagnolo Falconi e

77 i conforti: gli incitamenti.

Taddeo degli Albizzi, commissari fiorentini, se ne fuggirono a Empoli. Fu la preda grande, la uccisione grandissima come in uno tanto conflitto si può estimare; perché dello esercito fiorentino ne morì ventimila dugentotrentuno, e di quegli di Castruccio mille cinquecento settanta.

Ma la fortuna, inimica alla sua gloria, quando era tempo di dargli vita gliene tolse, e interruppe quelli disegni che quello molto tempo innanzi aveva pensato di mandare ad effetto, né gliene poteva altro che la morte impedire. Erasi Castruccio nella battaglia tutto el giorno affaticato, quando, venuto el fine di essa, tutto pieno di affanno e di sudore, si fermò sopra la porta di Fucecchio per aspettare le genti che tornassino dalla vittoria e quelle con la presenzia sua ricevere e ringraziare, e parte, se pure cosa alcuna nascesse dai nimici che in qualche parte avessino fatto testa, potere essere pronto a rimediare; giudicando lo officio d'uno buono capitano essere montare il primo a cavallo e l'ultimo scenderne. Donde che stando esposto a uno vento che il più delle volte a mezzo dì si leva di in su Arno, e suole essere quasi sempre pestifero, agghiacciò tutto : [78] la quale cosa non essendo stimata da lui, come quello che a simili disagi era assuefatto, fu cagione della sua morte.[79] Perché la notte seguente fu da una grandissima febbre assalito : la quale andando tuttavia in augumento, ed essendo il male da tutti e medici giudicato mortale, e accorgendosene Castruccio, chiamò Pagolo Guinigi e gli disse queste parole :

« Se io avessi creduto, figliuolo mio, che la fortuna mi avesse voluto troncare nel mezzo del corso il cammino per andare a quella gloria che io mi avevo con tanti miei felici successi promessa, io mi sarei affaticato meno e a te arei lasciato, se minore stato, meno inimici e meno invidia. Perché, contento dello imperio di Lucca e di Pisa, non arei soggiogati e Pistolesi e con tante ingiurie irritati e Fiorentini; ma, fattomi e l'uno e l'altro di questi dua popoli amici, arei menata la mia vita, se non più lunga, al certo più quieta, e a te arei lasciato lo stato, se minore,

78 *agghiacciò tutto* : si raggelò.
79 I particolari della morte sono frutto della fantasia del M. ; Castruccio morì nel suo letto a Lucca il 3 settembre del 1328, assalito dalle febbri.

sanza dubbio più sicuro e più fermo. Ma la fortuna, che vuole essere arbitra di tutte le cose umane, non mi ha dato tanto giudicio che io l'abbi potuta prima conoscere, né tanto tempo che io l'abbi potuta superare. Tu hai inteso, perché molti te lo hanno detto e io non l'ho mai negato, come io venni in casa di tuo padre ancora giovanetto e privo di tutte quelle speranze che deono in ogni generoso animo capire,[80] e come io fui da quello nutrito e amato più assai che se io fussi nato del suo sangue; donde che io, sotto el governo suo, divenni valoroso e atto a essere capace di quella fortuna che tu medesimo hai veduta e vedi. E perché, venuto a morte, ei commisse alla mia fede [81] te e tutte le fortune sue, io ho te con quello amore nutrito, ed esse con quella fede accresciute, che io era tenuto e sono. E perché non solamente fussi tuo quello che da tuo padre ti era stato lasciato, ma quello ancora che la fortuna e la virtù mia si guadagnava, non ho mai voluto prendere donna,[82] acciò che lo amore de' figliuoli non mi avesse a impedire che in alcuna parte non mostrasse verso del sangue di tuo padre quella gratitudine che mi pareva essere tenuto di mostrare. Io ti lascio pertanto uno grande stato: di che io sono molto contento; ma perché io te lo lascio debole e infermo, io ne sono dolentissimo. E' ti rimane la città di Lucca, la quale non sarà mai bene contenta di vivere sotto lo imperio tuo. Rimanti Pisa, dove sono uomini di natura mobili e pieni di fallacia: la quale ancora che sia usa in vari tempi a servire, nondimeno sempre si sdegnerà di avere uno signore lucchese. Pistoia ancora ti resta, poco fedele, per essere divisa, e contro al sangue nostro dalle fresche ingiurie irritata. Hai per vicini e Fiorentini offesi e in mille modi da noi ingiuriati e non spenti; ai quali sarà più grato lo avviso della morte mia che non sarebbe lo acquisto di Toscana. Negli principi di Milano e nello imperadore non puoi confidare, per essere discosto, pigri, e gli loro soccorsi tardi. Non dei pertanto sperare in alcuna cosa, fuora che nella tua industria

80 *capire*: trovar posto.
81 *commisse alla mia fede*: affidò alla mia lealtà.
82 *prendere donna*: sposarmi; ciò non corrisponde alla verità poiché Castruccio prese moglie ed ebbe una prole numerosa.

e nella memoria della virtù mia e nella reputazione che ti arreca la presente vittoria: la quale se tu saprai con prudenza usare, ti darà aiuto a fare accordo con i Fiorentini, al quale, sendo sbigottiti per la presente rotta, doverranno con desiderio condescendere. I quali dove io cercavo di farmi inimici, e pensavo che la inimicizia loro mi avessi a recare potenza e gloria, tu hai con ogni forza a cercare di fartegli amici, perché la amicizia loro ti arrecherà securtà e commodo. È cosa in questo mondo di importanza assai cognoscere se stesso, e sapere misurare le forze dello animo e dello stato suo: e chi si cognosce non atto alla guerra, si debbe ingegnare con le arti della pace di regnare. A che è bene, per il consiglio mio, che tu ti volga, e t'ingegni per questa via di goderti le fatiche e pericoli miei: il che ti riuscirà facilmente, quando stimi essere veri questi miei ricordi.[83] E arai ad avere meco duoi oblighi: l'uno che io ti ho lasciato questo regno; l'altro, che io te lo ho insegnato mantenere. »

Dipoi fatti venire quegli cittadini che di Lucca, di Pisa e di Pistoia seco militavano, e raccomandato a quegli Pagolo Guinigi, e fattili giurare obedienza, si morì; lasciando a tutti quegli che lo avevano sentito ricordare, di sé una felice memoria, e a quegli che gli erano stati amici tanto desiderio di lui, quanto alcuno altro principe che mai in qualunque altro tempo morissi. Furono le esequie sue celebrate onoratissimamente, e sepulto in San Francesco in Lucca. Ma non furno già la virtù e la fortuna tanto amiche a Pagolo Guinigi quanto a Castruccio; perché non molto dipoi perdé Pistoia, e appresso Pisa, e con fatica si mantenne il dominio di Lucca, il quale perseverò nella sua casa infino a Pagolo suo pronipote.

Fu adunque Castruccio, per quanto si è dimostro, uno uomo non solamente raro ne' tempi sua, ma in molti di quegli che innanzi erono passati. Fu della persona più che l'ordinario di altezza, e ogni membro era all'altro rispondente: ed era di tanta grazia nello aspetto e con tanta umanità raccoglieva [84] gli uomini, che non mai gli parlò

83 *ricordi*: ammonimenti.
84 *raccoglieva*: accoglieva.

alcuno che si partisse da quello mal contento. I capegli
suoi pendevano in rosso, e portavagli tonduti [85] sopra gli
orecchi: e sempre, e d'ogni tempo, come che [86] piovesse o ne-
vicasse, andava con il capo scoperto.

Era grato agli amici, agli inimici terribile, giusto con
i sudditi, infedele con gli esterni; né mai potette vincere
per fraude che e' cercasse di vincere per forza; perché ei
diceva che la vittoria, non el modo della vittoria, ti arrecava
gloria.

Niuno fu mai più audace a entrare ne' pericoli, né più
cauto a uscirne: e usava di dire che gli uomini debbono
tentare ogni cosa né di alcuna sbigottire, e che Dio è amatore degli uomini forti, perché si vede che sempre gastiga
gli impotenti con i potenti.

Era ancora mirabile nel rispondere e mordere,[87] o acutamente o urbanamente: e come non perdonava in questo
modo di parlare ad alcuno, così non si adirava quando
non era perdonato a lui. Donde si truovono di molte cose
dette da lui acutamente, e molte udite pazientemente.

Avendo egli fatto comperare una starna uno ducato e riprendendolo uno amico, disse Castruccio: «Tu non la
comperresti [88] per più che uno soldo.» E dicendogli lo amico che ei diceva el vero, rispose quello: «Uno ducato mi
vale molto meno.»[89]

Avendo intorno uno adulatore, e per dispregio avendogli sputato addosso, disse lo adulatore: «I pescatori, per
prendere un piccolo pesce si lasciono tutti bagnare dal
mare; io mi lascerò bene bagnare da uno sputo per pigliare una balena.» Il che Castruccio non solo udì pazientemente, ma lo premiò.

Dicendogli alcuno male, che e' viveva troppo splendi-
damente, disse Castruccio: «Se questo fussi vizio, non si

85 *tonduti*: tagliati.
86 *come che*: sia che.
87 *mordere*: nell'essere mordace.
88 *comperresti*: compreresti.
89 Questo e i detti seguenti non furono mai pronunciati da
Castruccio Castracani ma bensì sono ripresi dalle *Vite dei filosofi*
di Diogene Laerzio ed appartengono ad Aristippo, Bione, Aristotele e Diogene di Sinope.

farebbe sì splendidi conviti alle feste de' nostri santi. »

Passando per una strada, e vedendo uno giovanetto che usciva di casa una meretrice tutto arrossito per essere stato veduto da lui, gli disse: « Non ti vergognare quando tu n'esci, ma quando tu v'entri. »

Dandogli uno amico a sciogliere uno nodo accuratamente annodato, disse: « O sciocco, credi tu ch'io voglia sciòrre [90] una cosa che legata mi dia tanta briga? »

Dicendo Castruccio a uno el quale faceva professione di filosofo: « Voi siete fatti come i cani, che vanno sempre dattorno a chi può meglio dare loro mangiare, » gli rispose quello: « Anzi siamo come e medici, che andiamo a casa coloro che di noi hanno maggiore bisogno. »

Andando da Pisa a Livorno per acqua e sopravvenendo uno temporale pericoloso, per il che turbandosi forte Castruccio, fu ripreso da uno di quegli che erano seco di pusillanimità, dicendo di non avere paura di cosa alcuna: al quale disse Castruccio che non se ne maravigliava, perché ciascuno stima l'anima sua quello che ella vale.

Domandato da uno come egli avessi a fare a farsi stimare, gli disse: « Fa, quando tu vai a uno convito, che e' non segga uno legno sopra uno altro legno. »

Gloriandosi uno di avere letto molte cose, disse Castruccio: « E' sarebbe meglio gloriarsi di averne tenute a mente assai. »

Gloriandosi alcuno che bevendo assai non si inebriava, disse: « E' fa cotesto medesimo uno bue. »

Aveva Castruccio una giovane con la quale conversava dimesticamente; di che sendo da uno amico biasimato, dicendo massime che egli era male che e' si fusse lasciato pigliare ad una donna: « Tu erri, disse Castruccio; io ho preso lei, non ella me ».

Biasimandolo ancora uno che egli usava cibi troppo dilicati, disse: « Tu non spenderesti in essi quanto spendo io. » E dicendogli quello che e' diceva el vero, gli soggiunse: « Adunque tu sei più avaro che io non sono ghiotto. »

Sendo invitato a cena da Taddeo Bernardi lucchese

90 *sciòrre*: sciogliere.

uomo ricchissimo e splendidissimo e, arrivato in casa, mostrandogli Taddeo una camera parata tutta di drappi e che aveva il pavimento composto di pietre fine, le quali di diversi colori diversamente tessute fiori e fronde e simili verzure rappresentavano, ragunatosi Castruccio assai umore [91] in bocca, lo sputò tutto in sul volto a Taddeo. Di che turbandosi quello, disse Castruccio: « Io non sapevo dove mi sputare che io ti offendessi meno. »

Domandato come morì Cesare, disse: « Dio volesse che io morissi come lui! »

Essendo una notte in casa d'uno de' suoi gentili uomini, dove erano convitate assai donne a festeggiare, e ballando e sollazzando quello [92] più che alle qualità sua non conveniva, di che sendo ripreso da uno amico, disse: « Chi è tenuto savio di dì, non sarà mai tenuto pazzo di notte. »

Venendo uno a domandargli una grazia, e faccendo Castruccio vista [93] di non udire, colui se gli gittò ginocchioni in terra; di che riprendendolo Castruccio, disse quello: « Tu ne sei cagione, che hai gli orecchi ne' piedi. » Donde che conseguì doppia più grazia che non domandava.

Usava dire che la via dello andare allo inferno era facile, poi che si andava allo ingiù e a chiusi occhi.

Domandandogli uno una grazia con assai parole e superflue, gli disse Castruccio: « Quando tu vuoi più cosa alcuna da me, manda uno altro. »

Avendolo uno uomo simile con una lunga orazione infastidito, e dicendogli nel fine: « Io vi ho forse, troppo parlando, stracco » : [94] « Non hai, disse, perché io non ho udito cosa che tu abbia detto. »

Usava dire [95] di uno che era stato uno bel fanciullo e dipoi era un bello uomo, come egli era troppo ingiurioso, avendo prima tolti i mariti alle mogli e ora togliendo le moglie a' mariti.

A uno invidioso che rideva, disse: « Ridi tu perché tu hai bene o perché uno altro ha male? »

91 *umore*: saliva.
92 Castruccio.
93 *faccendo... vista*: mostrando.
94 *stracco*: annoiato.
95 *Usava dire*: era solito raccontare.

Sendo ancora sotto lo imperio di messer Francesco Guinigi, e dicendogli uno suo equale: « Che vuoi tu che io ti dia, e làsciamiti dare una ceffata? » rispose Castruccio: « Uno elmetto. »

Avendo fatto morire uno cittadino di Lucca il quale era stato cagione della sua grandezza, ed essendogli detto che egli aveva fatto male ad ammazzare uno de' suoi amici vecchi, rispose che e' se ne ingannavano, perché aveva morto uno inimico nuovo.

Lodava Castruccio assai gli uomini che toglievano moglie e poi non la menavano,[96] e così quegli che dicevano di volere navigare e poi non navigavano.

Diceva maravigliarsi degli uomini che, quando ei comperano uno vaso di terra o di vetro, lo suonano prima per vedere se è buono, e poi nel tòrre moglie erano solo contenti di vederla.

Domandandolo uno, quando egli era per morire, come e' voleva essere seppellito, rispose: « Con la faccia volta in giù, perché io so che, come io sono morto, andrà sottosopra questo paese. »

Dimandato se per salvare l'anima ei pensò mai di farsi frate, rispose che no, perché gli pareva strano che fra' Lazzero ne avessi a ire in paradiso e Uguccione della Faggiuola nello inferno.

Dimandato quando era bene mangiare a volere stare sano, rispose: « Se uno è ricco, quando egli ha fame; se uno è povero, quando ei può. »

Vedendo un suo gentiluomo che si faceva da uno suo famiglio allacciare,[97] disse: « Io priego Dio che tu ti faccia anche imboccare. »

Vedendo che uno aveva scritto sopra alla casa sua in lettere latine che Dio la guardassi dai cattivi, disse: « E' bisogna che non vi entri egli. »

Passando per una via dove era una casa piccola che aveva una porta grande, disse: « Quella casa si fuggirà per quella porta. »

Sendogli significato come uno forestiero aveva guasto[98]

96 Si fidanzavano e poi non si sposavano.
97 *allacciare*: abbottonare.
98 *aveva guasto*: aveva corrotto.

uno fanciullo, disse: « E' deve essere uno perugino. »

Domandando egli qual terra aveva la fama de' giunta-tori[99] e barattieri, gli fu risposto: « Di Lucca », che per natura erono tutti, eccetto el Buontura.[100]

Disputando Castruccio con uno imbasciadore del re di Napoli per conto di robe di confinati e alterandosi alquan-to, e dicendogli lo 'mbasciadore: « Dunque non hai tu paura del re? » rispose: « È egli buono o cattivo questo vostro re? » E rispondendo quello che egli era buono, replicò Castruccio: « Perché vuoi tu adunque che io abbi paura degli uomini buoni? »

Potrebbonsi raccontare delle altre cose assai dette da lui, nelle quali tutte si vedrebbe ingegno e gravità; ma voglio che queste bastino in testimonio delle grandi qualità sua.

Visse quarantaquattro anni,[101] e fu in ogni fortuna prin-cipe.[102] E come della sua buona fortuna ne appariscono as-sai memorie, così volle che ancora della cattiva apparis-sino; per che le manette con le quali stette incatenato in prigione si veggono ancora oggi fitte nella torre della sua abitazione, dove da lui furono messe acciò facessino sem-pre fede della sua avversità. E perché vivendo ei non fu inferiore né a Filippo di Macedonia padre di Alessandro né a Scipione di Roma, ei morì nella età dell'uno e del-l'altro: e sanza dubbio arebbe superato l'uno e l'altro se, in cambio di Lucca, egli avessi avuto per sua patria Ma-cedonia o Roma.

<hr>

99 *giuntatori*: imbroglioni.
100 Bonturo Dati.
101 Non è così, morì a quarantasette anni.
102 *in ogni fortuna principe*: sempre generoso sia nella buona che nella cattiva sorte.

INDICE DEI NOMI

Nel presente indice sono compresi tutti i nomi di persone e di cose contenuti nelle opere del Machiavelli. I nomi di cosa appaiono in corsivo; fra parentesi tonda le varianti machiavelliche e, in caso di necessità, la qualifica del personaggio o della cosa; fra parentesi quadra, quando si abbia la certezza della corrispondenza, la grafia moderna. Per semplicità, invece di rimandare alle singole opere, si dà la sola indicazione della pagina, aggiungendo la lettera «n» quando il nome compaia in nota.

Alighieri, Dante v. Dante Alighieri.

Allia 329, 330, 432, 457.

Alpi (o *Alpe*) 166, 246, 249, 256, 452.

Altopascio 481 n.

Alviano, Bartolommeo d' 223.

Amboise, Giorgio d' 23 n.

Amilcare Barca 39.

Ammone (divinità) 142.

Anco Marcio 161, 349.

Angolem, Francesco v. Francesco I (re di Francia).

Aniene 438.

Annibale 19 n., 65, 138, 166, 178, 179, 210, 221, 222, 238 n., 254, 269, 275, 276, 277, 295, 302, 323, 324, 326, 333, 334, 377, 378, 380, 381, 382, 397, 403, 404, 405, 406, 408, 426, 429, 448.

Annio Setino, Lucio (pretore) 279, 280, 282.

Annone (cartaginese) 324, 334, 369, 370, 426.

Anteo (re di Libia) 275.

Antioco III 19 n., 20, 21, 84, 246, 247, 275, 277, 396, 426, 427.

Antipatro Macedone 270.

Antonino Pio (imperatore) 136, 137 n.

Antonio da Volterra 365.

Antonio, Marco (triumviro) 219, 220, 297.

Antonio Primo (generale romano) 174.

Anziati 305.

Anzio 191.

Apollo (o Apolline) 142 n., 145, 225, 346, 412, 421.

Apollonide (siracusano) 283.

Appennini 166 n.

Appiano, Jacopo I d' (signore di Piombino) 355, 356.

Appiano, Jacopo IV d' (signore di Piombino) 21 n., 400.

Appio Erdonio 145.

Appio Pulcro 148.

Aquileia 77.

Aquilonia 149.

Aragonia (o *Ragona*) [*Aragona*] 52, 174.

Arato Sicioneo (capo della Lega Achea) 338, 351.

Ardea 329, 330, 416.

Ardeati 417.

Aretini 195, 312.

Arezzo 3, 110, 166, 195, 196, 229, 257, 311, 312, 372, 419, 467.

Aristide 238, 239.

Aristippo 487 n.

Aristotile 416, 487 n.

Aristotimo (tiranno di Elia) 359.

Armagnac, Louis d', duca di Nemours v. Nemors, duca di.

Armenia 278, 299 n., 446.

Arno 106, 479, 481, 482, 484.

Arrabbiati (fazione) 224 n.

Arunte 128.

Asdrubale (figlio di Amilcare Barca) 272, 397.

Asdrubale (figlio di Gesco) 326, 430.

Asia 24, 26, 75, 157, 174, 246, 248, 271, 322, 334, 335.

Assiria 242.

Astorre Manfredi (signore di Faenza) 21 n.

Atene 27, 105, 113, 171, 172, 198, 222, 235, 237, 238, 249, 250, 255, 272 n., 273, 320, 366, 369, 395.

Atene, duca di v. Gualtiero di Brienne.

Ateniesi 30, 94, 172, 223, 237, 238, 250, 257, 272, 273, 275.

Licurgo 109, 113, 121, 133, 134, 140, 255.

Lidii 271.

Liguri 246.

Lipari 442.

Liverotto da Fermo v. Oliverotto da Fermo.

Livio, Tito 13 n., 95 n., 104, 108, 125, 128, 142, 144, 146, 149 n., 191, 199 n., 200 n., 205, 208, 209, 210, 230, 231, 232 n., 239 n., 245, 252, 254, 255, 259, 264, 266, 273, 279, 280 n., 282 n., 283, 284, 285, 286 n., 295 n., 302, 303, 305, 306 n., 310, 311 n., 312, 313, 328, 330, 331 n., 334, 342, 346, 358, 364, 375, 378 n., 381, 388, 392 n., 393, 394, 407, 409, 411, 414, 421, 422, 423, 425 n., 427 n., 428 n., 431, 432, 438, 440, 441, 442, 444, 446, 447 n., 448 n., 453 n., 455.

Livio Salinatore, Marco (console) 272 n., 397 n.

Livorno 488.

Locrensi 66.

Lodovico, duca di Milano [Ludovico il Moro] 90 n., 283, 284, 383.

Lodovico della Mirandola 292.

Lombardia 3, 6, 21, 22, 23, 52, 85, 95, 128, 166, 167, 227, 246, 249, 256, 266, 267, 277, 279, 298, 302, 308, 309, 319, 384, 399, 451, 453 n., 467, 468, 471, 472, 473.

Longobardi 144.

Lorqua, Ramiro de v. Orco, Remirro de.

Luca, prete [Rinaldi, Luca] 88.

Lucani 335.

Lucca 36, 130, 227, 277, 457, 463, 464, 465, 466, 467, 468, 470, 471, 472, 473, 474, 476, 481, 484, 485, 486, 490, 491.

Lucchesi 21, 131, 307, 465, 468, 469, 471, 478.

Lucilla v. Aurelia Galeria Lucilla Augusta, Anna.

Lucrezia 346, 350, 416.

Lucullo, Lucio Licinio (console) 299, 389.

Ludovico il Bavaro v. Enrico.

Ludovico il Moro v. Lodovico duca di Milano.

Luigi v. Alamanni Luigi.

Luigi III d'Angiò 52 n.

Luigi XI 56.

Luigi XII, re di Francia 3, 17, 21, 23, 34, 54, 57, 62 n., 166 n., 194, 283, 308, 317, 393.

Lunigiana 472.

Lupacci, Tommaso 480.

Macedoni 134.

Macedonia 19 n., 102 n., 155 n., 271, 389, 491.

Machiavelli, Niccolò (o Machiavegli, Niccolò) 4, 13 n., 101, 171 n., 185 n., 246 n., 264 n., 384 n., 393 n., 443 n., 461, 464 n., 476 n., 484 n.

Macrino (imperatore) 73, 77, 362.

Magi (casta sacerdotale) 359 n.

Magione 3, 4, 34.

Magna v. *Alamagna*.

Malatesta, Pandolfo (signore di Rimini) 21 n.

Mamertini 248.

Mammalucchi (ordine militare) 107.

Manfredi (signore di Serravalle) 478.

Manlii (famiglia) 432, 455.

INDICE

Finito di stampare il 18 febbraio 1993
dalla Garzanti Editore s.p.a., Milano

Periodico settimanale | 174 | 19 ottobre 1976

Direttore responsabile Gina Lagorio

Pubblicazione registrata
presso il Tribunale di Milano n. 141 del 17-4-1981

Spedizione in abbonamento postale
Tariffa ridotta editoriale
Autorizzazione n. Z. 280961/3/VE del 9-12-1980
Direzione provinciale P.T. Milano

 Associata all'Unione Stampa Periodica Italiana